LA
DÉROBADE

JEANNE CORDELIER

ET MARTINE LAROCHE

LA DÉROBADE

PRÉFACE DE BENOÎTE GROULT

PRÉFACE

Je me demande souvent ce que peuvent penser les prostituées des statistiques, enquêtes innombrables, témoignages plus ou moins sincères ou provocateurs, explications grivoises ou discours moralisateurs qui se multiplient aujourd'hui, sans rien changer à leur condition et à notre énorme hypocrisie. Car, depuis des siècles, il faut bien reconnaître que la répression sexuelle généralisée dans notre culture, la bonne conscience de ceux qui jugent que la prostitution est une fatalité inhérente à la condition féminine, comme le viol ou les coups, et l'ignorance pompeuse ou goguenarde des autres entretiennent autour de la prostitution une confusion morale et juridique absolue. C'est dire l'humilité, mais l'enthousiasme avec lesquels j'ai accepté de préfacer ce livre extraordinaire. J'allais dire bouleversant, mais il est mieux que cela.

On sait bien que quarante-cinq mille passes quotidiennes ont été recensées en 1973 par la Préfecture de Police pour la seule ville de Paris. Que soixante-dix pour cent des prostituées sont originaires des banlieues et quartiers pauvres de la région parisienne, ou sont des déracinées venues de départements ruraux à forte natalité, Bretagne et Normandie en tête.

Qu'une prostituée sur quatre a été violée dès l'enfance, le plus souvent par son père, et que quarante-neuf pour cent avaient moins de dix-sept ans lorsqu'elles se sont prostituées pour la première fois.

Que sept femmes sur dix sont « maquées » et « taxées ». (Six cents à trois mille francs par jour.) Nombre de procès-verbaux, suivis ou non de peines de prison, infligés à ces femmes en une année : Quarante-quatre mille. Inculpations de souteneurs ou de proxénètes pendant la même année : trois cent quatre-vingt-douze.

Et l'on pourrait continuer longtemps dans ce style : Combien s'en sortent? Combien ont des enfants en nourrice? Toutes ces statistiques sont connues et l'on croit tout savoir sur la prostitution.

Quant aux prostituées, on se contente généralement, quand on y pense, d'une poésie de pacotille, des joyeuses grossièretés des amateurs de bordels et de quelque Boule de Suif et Manon Lescaut, pittoresques héroïnes d'une littérature exclusivement masculine. L'archétype de la femme-putain se rencontre, en effet, dans la littérature avec une fréquence que la place des prostituées dans la société ne justifie guère et dont la seule explication est la complaisance qu'éprouvent les hommes pour cette version de l'existence féminine.

Qu'en pensent les femmes? On le sait mal car, jusqu'au XXe siècle, elles ont peu écrit et les prostituées moins encore. A la satisfaction générale, les « Maisons » restaient bien closes sur la vie et la mort de celles qu'on appelait, afin de bien les réduire à ce que l'on en attendait, Filles de Joie. La joie de qui? Plaisante question! Qui pense à la joie d'une putain?

« On a tous débuté un jour, que ce soit dans un salon de coiffure ou dans un grand magasin, sur une scène, à l'usine ou au bureau. On a tous ressenti un drôle de petit pincement au côté gauche de la poitrine, une angoisse au creux de l'estomac, la crainte de ne pas être à la hauteur, de tomber sur un contremaître pointilleux, un patron trop exigeant, un metteur en scène hystérique. On a tous eu le trac la première fois, à la différence qu'au tapin, quand la porte de la chambre a claqué, il n'y a plus d'échappatoire... voie sans issue, pas de porte de secours. »

Ici une putain écrit, s'écrit, crie, parle des clients, de son enfance, de son homme, de sa copine Maloup, du soleil, des flics, du fric, des vacances à Capri, de ses colères et de ses soumissions aussi, des « corrections » qu'elle a reçues; et toutes les statistiques, qui ne sont pas fausses, toutes les études, enquêtes et analyses, qui sont intelligentes, ne veulent plus rien dire. Plus rien d'important.

Du haut de leurs chaires, depuis une soixantaine d'années

qu'ils s'intéressent au phénomène, les sociologues et les psychiatres peuvent bien s'affronter. Pour le soulagement des bien-pensants qui aiment les catégories étanches — une place pour chaque chose et chaque femme à sa place — ils peuvent bien mettre en évidence la « vocation à la prostitution ». Un nommé Morasso prétend que « l'impulsion sexuelle est la cause principale qui pousse la femme à la prostitution », alors qu'un nommé Lombroso conclut à « la frigidité sexuelle de la prostituée ». Le même savant italien peut s'enorgueillir d'une théorie séduisante qui établit « l'identité complète du criminel-né et de la prostituée-née », et rendre ainsi sa bonne conscience à la société puisqu'il devient inutile de gâcher du temps, de l'argent ou même de la compassion pour ces parias-nés! « On constate, en effet, chez tous les deux le même manque de sens moral, la même indifférence pour l'infamie sociale, la même dureté de cœur, la même attirance précoce pour le mal, l'amour de la paresse, le goût des plaisirs faciles, de l'orgie et de l'alcool, la même vanité. »

Mais quelqu'un a-t-il jamais songé à brosser le portrait du « client-né »? Ne trouverait-on pas chez lui, à un degré bien plus profond, ce qu'on reproche à la putain : « Le manque de sens moral, l'indifférence (et même l'attirance) pour l'infamie sociale, le goût des plaisirs faciles, la vanité, etc.? » Mais qui se préoccupe du client?

En fait, toutes ces prises de position dénotent le même refus de considérer le vrai problème. Ce que les clients viennent chercher dans une chambre de passe, on le sait bien aujourd'hui : ce n'est pas tant la sexualité que le pouvoir sexuel, c'est une femme réduite à son absolue valeur d'objet, matérialisée par la somme qu'ils lui laissent en partant. La prostituée ne vend pas seulement son sexe mais sa dégradation. La condition féminine, qui s'exprime jusqu'à l'extrême dans la prostitution, le virilisme poussé jusqu'à l'horreur, mettent en évidence ce qu'on parvient dans la vie courante à masquer derrière le paravent des bonnes mœurs et l'hypocrisie des bonnes manières : l'aveu du rapport de force qui s'est instauré entre l'homme et la femme, transformant la notion de plaisir basé sur l'échange et le respect mutuel du corps de l'autre, en une sexualité de maître à esclave, qui implique le sadisme de l'un et le masochisme de l'autre.

C'est pourquoi, depuis vingt siècles, toutes les réglementations et lois successives qui ont codifié la prostitution n'ont eu pour but que de protéger le client, de fermer les yeux (et d'ouvrir les poches) sur les immenses profits qu'en tiraient des tiers grâce à la complicité traditionnelle entre le « milieu », la police, la justice et le pouvoir; et enfin d'aggraver la mise à l'écart et l'humiliation systématiques de toute cette catégorie d'êtres humains destinés à satisfaire les pulsions sexuelles d'une autre. Ces discriminations répondaient à un besoin bien connu de ceux qui détiennent un pouvoir : diviser pour régner, affaiblir pour dominer. L'alternative du gynécée ou du bordel comblait à la perfection ce désir et hante encore les nostalgies de bien des mâles. Aux belles époques du patriarcat, le triage se faisait même dès l'enfance : d'un côté les femmes consacrées au foyer et à la reproduction; de l'autre, celles qu'on réservait aux plaisirs des sens et dont certains délicats faisaient cultiver également l'esprit, hétaïres ou geishas par exemple. Mais surtout, pas tout chez la même femme! Sinon, c'est la fin de l'amour-domination et le commencement d'une aventure autrement dangereuse qui s'appelle l'égalité.

Dans l'Antiquité grecque du moins, aucun déshonneur ne s'attachait à la profession de prostituée. Thaïs devint l'épouse de Ptolémée, Aspasie, celle de Périclès. Avec un réjouissant sens des réalités, les Grecs avaient peuplé leur Olympe de Dieux et de Déesses également libres et intéressés aux plaisirs charnels. C'est avec le Permis de Stupre, la *Licencia Stupri* de Marcus, en 180 avant J.-C., que la prostituée est devenue une esclave légale, frappée d'indignité et d'infamie jusqu'à sa mort.

Le Christianisme ne devait pas rester en si bon chemin. Ayant écarté du ciel chrétien la Déesse-Mère de l'Antiquité, source de toute vie, pour la remplacer par une Trinité exclusivement masculine (curieuse façon de comprendre la nature et la biologie), notre religion allait donner la mesure de son sexisme en faisant d'Eve la responsable du Péché originel et de la Chute, puis en identifiant, pour les siècles des siècles, la Femme à la Chair et la Chair au Mal.

« L'affection charnelle, c'est la mort (saint Paul)... La femme est souillure (saint Jérôme)... La volupté est le péché exécrable, (saint François de Sales)... Toutes les femmes devraient mourir de honte à la pensée d'être nées femmes (saint Clément d'Alexandrie) »... On remplirait une encyclopédie des citations misogynes des Pères de l'Eglise et penseurs chrétiens.

De cette malédiction, les femmes se sont à peine remises. Elle s'est inscrite dans leur chair, dans notre morale, dans nos traditions, dans nos phantasmes et reprend vigueur chaque fois que l'avenir s'éclaire pour elles, chaque fois qu'elles tentent d'échapper à l'alternative Mamma-ou-Putain, chaque fois qu'un progrès scientifique les libère d'une contrainte biologique et d'un destin passif. Elles en disent long sur ce point les résistances qu'a rencontrées à tous les niveaux du pouvoir, qu'il soit religieux, médical, gouvernemental ou tout simplement viril, la contraception par exemple; ou l'accouchement dit sans douleurs, c'est-à-dire privé de la *juste* sanction du plaisir. Juste pour les femmes, s'entend.

Elle en dit long aussi cette récupération, par le biais de la pornographie et de la violence, de la femme-esclave qu'on peut châtier, enfermer, mutiler, enchaîner selon son bon plaisir. L'exploitation commerciale du fascinant et dégradant rapport bourreau-victime parvient encore à snober — ou à combler secrètement — tout un public masculin qui ne se décide pas à renoncer aux stéréotypes sexuels en usage dans la société patriarcale. Quant aux femmes, elles demeurent conditionnées à accepter ces images par des siècles de soumission, de mépris d'elles-mêmes et de refus de leur corps, savamment entretenus par des philosophes et des écrivains, qui, chrétiens ou païens, se retrouvent miraculeusement d'accord sur ce point.

Tota mulier in utero, affirmait saint Thomas d'Aquin au XIIIᵉ siècle. « Tout en elles est sexe jusqu'à l'esprit », redit en écho, sept siècles plus tard, Jean Paulhan préfaçant *Histoire d'O* et se raccrochant par tous les moyens, y compris le fouet, les chaînes et le fer rouge, à cette chère vieille image de « la vraie femme », de la femme-objet dont l'avilissement fonde la superbe masculine.

« La prostituée est un cloaque », affirmait saint Augustin. La femme est un pot-de-chambre, répondait Sade, « dont je ne me sers que par nécessité »; Sade relayé par Henry Miller pour qui la prostitution incarne la perfection de l'existence féminine « puisqu'elle réduit la femme à ce qu'elle doit être : un con ».

Troublantes correspondances entre des hommes de disciplines si différentes mais qui, tous, sont complices, plus ou moins consciemment, de cette mise en carte généralisée des femmes, de cette définition unilatérale et coercitive de leurs goûts, droits et devoirs, du refus de les laisser se définir et se choisir comme tout être humain. *Li femo noun soun gen,* ainsi que l'énonçait candidement le Droit provençal : « Les femmes ne sont pas des gens! »

C'est assez dire que la prostitution, loin d'être un phénomène isolé, est au cœur même de la condition féminine.

Mais que pèsent ces considérations en face d'un livre de chair et de sang? D'un livre qui n'est pas un règlement de comptes sinon ceux de l'auteur avec elle-même; qui n'est pas un livre de haine et de vengeance, pas même de rancune; qui n'est pas non plus un plaidoyer. D'un livre qui pèse tout simplement le poids incommensurable, le poids doux et chaud d'une vie, les kilos de plomb de la souffrance et les kilos de plume de l'espoir. *La Dérobade,* c'est l'histoire pleine de bruit et de fureur d'une longue saison en enfer, « car se prostituer c'est comme vivre un éternel hiver ».

Pourtant ce livre désespérant n'est pas un livre désespéré. Ce livre où les filles ont si souvent envie de mourir — et y parviennent parfois — est un livre plein de vie et de goût de vivre. Ce livre où les hommes sont presque toujours cruels, égoïstes, lâches et brutaux, est un livre plein de tendresse à l'égard des hommes.

« Où retient-on cet homme que j'aime depuis l'enfance? Sous quels cieux délabrés marche-t-il à ma rencontre? »

Ce qui éclate dans *La Dérobade,* c'est l'indulgence fraternelle pour les autres femmes, l'absence de haine mais aussi cette révolte précieuse qui est parfois le seul signe de vie au fond de l'horreur : « Je ne désespère jamais de revoir le jour. » Comment expliquer autrement qu'on accompagne Sophie si ardemment, si tendrement, si coléreusement aussi, durant ce long tunnel sans soleil? Mais pourquoi? se dit-on sans cesse. Rien ne peut l'expliquer tout à fait, pas même l'auteur qui cherche à tâtons et secoue désespérément sa vie pour comprendre. Rien sinon, précisément, cette longue histoire secrète des hommes et des femmes et tout le poids de résignation, d'habitude, de soumission et de dévouement qu'elle a imprimé aux âmes féminines.

Bien sûr, en apparence, toutes les raisons socio-économiques, comme on dit, sont réunies pour expliquer comment Jeanne Cordelier est devenue Sophie dans les quartiers chics, puis Fanny dans un couloir des Halles; comment elle a reçu, pour ses vingt-trois ans, un billet d'avion sans retour pour l'Afrique noire; enfin, comment elle a perdu jusqu'à son prénom pour devenir un numéro anonyme dans une « maison d'abattage » de Cuers.

« Berk! Je déteste mon sexe. Je l'ai découvert trop tôt ou trop tard ou plutôt celui qui me servait de grand-père l'a découvert pour moi en m'écartant avec ses ongles noirs de terre. J'avais quatre ans la première fois que j'ai eu du sang entre les cuisses. »

Tout y est : les HBM de la zone, la chère sœur aînée, partie putain « à la Médina de Toulon », les petits frères à élever, la mère qui noie sa misère dans l'alcool, le père incestueux mais brave homme, l'avenir sans lumière. Bien sûr, il y a tout cela. Mais ce qui peut nous paraître intolérable n'est pas forcément l'essentiel. Car elle l'aime tout de même cette mère indifférente et brutale. Elle aime son pauvre homme de père, et Lulu, la sœur au grand cœur qui « ne s'appartient plus » depuis qu'elle s'est donnée à un homme pour qu'il la vende à d'autres hommes. Donnée au point qu'elle ne songe même plus à prendre une décision personnelle, à tenir compte de sa fatigue, de l'épuisement des cinquante passes quotidiennes et qu'elle vit seulement dans l'espoir que cet homme, qu'elle fait vivre, tiendra un jour ses promesses.

« Je pense que, pour moi, il n'y aura pas de rentrée, dit-elle à sa sœur, une année où leurs hommes leur ont offert quinze jours de vacances. Igor parle de me retirer. »

Ni découragement, ni rancune : c'est l'expression parfaitement plate d'une vérité. Lulu n'est plus qu'une dépendance de l'homme qu'elle aime, un sexe qu'on fait travailler, qu'on vend, qu'on taxe, qu'on met à l'amende, qu'on fait avorter et que l'on mettra au rebut quand il ne vaudra plus rien.

Ce qui ressort de cette longue aventure où le lecteur se dit sans cesse que ça ne peut pas continuer, et où c'est toujours pire, toujours plus atroce, c'est le malheur des putains. Elles ne commencent qu'avec la certitude qu'elles s'arrêteront bientôt, elles ne continuent qu'avec l'espoir de s'arrêter, d'acheter un commerce, de se retirer, mais elles se laissent dépouiller à mesure de tout ce qu'elles gagnent. Et les années passent. Alors pourquoi? C'est tout le sujet de ce livre.

Et parce que Jeanne Cordelier a le don d'écrire, parce que la poésie fait éclater les murs de sa prison, parce qu'au fond du sordide éclate encore sa fraîcheur d'âme, parce qu'elle est violente, comme l'espérance, on l'accompagne où elle nous mène, on la hait et on l'aime, on la méprise et on l'admire, on a envie de la battre et de la serrer sur son cœur. « Dire que j'ai simplement besoin d'un sourire et que vous avez tous la bouche plantée de clous! » Les hommes sont tous des Juifs allemands? Nous, nous sommes toutes des prostituées comme elle, quelque part. Elle est notre fille prodigue, notre sœur chérie, notre double rencontré un soir de demi-brume, à Paris ou ailleurs, notre reflet qui nous fait mal. C'est une femme.

BENOÎTE GROULT

Et je me dirais, comme Médée au milieu de tant de périls, il me reste moi.

STENDHAL

PREMIÈRE PARTIE

J'aurais pu répondre au flic qui me demandait pourquoi, que c'était simplement parce que j'en avais marre qu'on soit six à se laver les dents avec la même brosse, frottée sur un savon de Marseille croupissant sur l'évier, ou encore que la chasse aux punaises ne me passionnait plus.

« Tu m'prends pour un con ou quoi? » aurait-il hurlé, le visage congestionné tandis que son poing s'écrasait sur le bureau, déplaçant des kilos de poussière. Je n'ai rien fait de tout ça. J'ai dit le plus tranquillement possible :

« Un homme m'avait donné rendez-vous là; je l'attendais. »

Il a enchaîné, narquois, laissant filtrer entre ses paupières de batracien un regard inquisiteur.

« Les dix-huit autres aussi avaient rancard, j'suppose? »

J'ai baissé la tête, fouillé dans mon sac, allumé une gitane filtre. Il a continué de taper son rapport en me posant des questions auxquelles je répondais le plus évasivement possible. En fait, ce qui me dérangeait le plus à ce moment-là, c'est qu'il ne fasse pas la différence entre les autres et moi : ça m'aurait laissé un espoir.

« Vous savez, Monsieur, moi, c'est la première fois, la première. »

Il s'en foutait, vous ne pouvez pas imaginer à quel point! M'entendait-il? J'ai eu la brutale sensation d'un coup de poing à l'estomac lorsqu'il a dit : « Si c'est ça, on va te passer à la photo. »

Ça a pris une tournure définitive dans ma tête, je me suis retenue pour ne pas le supplier, ne pas me mettre à genoux. « Je vous en prie, soyez bon, je ne recommencerai plus, promis, juré. »

Ç'aurait été beau, tiens! Ma cote d'amour auprès des copines, quelle chute! Toute une réputation à refaire pour un instant de faiblesse; heureusement, je me suis reprise en annonçant du bout des lèvres : « Vous faites erreur, je vous assure, vous voyez bien que je ne suis pas habillée comme les autres! »

La rafle avait eu lieu en début de soirée; ayant été occupée tout de suite, je n'avais pas eu le temps de me changer et portais encore ma robe de ville alors que les copines étaient déjà en robe de scène.

Mon poulet ne daigna pas s'attarder à ces détails vestimentaires. Clic-Clac! Petit point final au bas d'une page bien remplie, trop à mon goût : j'attendais le : « Bon, ça va! Tu peux sortir, on va passer à une autre! »

La formule magique se fit attendre; il se relisait, mon poulagat! J'en profitai pour balancer un coup d'œil aux copines qui occupaient les trois autres bureaux; Kim répondait, machinale, en soufflant la fumée de sa Marlboro super-longue dans la gueule du flic qui l'interrogeait.

Pour Pascale, c'était simplement la panique, sa première rafle, la mienne aussi, avec la différence que j'étais passée au travers durant un an! Pascale avait débuté la veille. Le choc émotionnel, ça existe, vous savez. Dès qu'on eut pénétré dans le couloir du quai des Orfèvres, la voilà qui s'est mise à pisser tout debout en marchant : un vrai déluge, elle pleurait, pissait, les autres riaient, j'ai ri moi aussi, pour ne pas faire comme elle.

Plus tard, on nous a fait asseoir sur des bancs dans un couloir jaune sale en attendant d'être interrogées. Pascale a redoublé ses pleurs, elle disait qu'elle n'aurait jamais dû, en tendant un visage brouillé de larmes vers Brigitte. C'est à ce moment-là que les autres se sont prises de trac.

« Regardez, mais regardez-moi cette connasse, jamais elle ne tiendra le coup, elle va nous faire tomber la taule, c'est clair comme du jus de boudin!

Elles ont parlé toutes en même temps, sans tenir compte de la présence des deux mannequins qui prenaient racine dans le coin de la porte. L'inquiétude a remplacé la méfiance.

« Où t'en es, dis? Tu veux qu'on s'retrouve à la rue à cause de ta connerie, c'est ça? Remets-toi, Nom de Dieu! Les lardus vont t'voir belle comme un soleil, c'est pas l'heure de jouer les cavettes, n'oublie surtout pas : t'étais là par hasard, t'avais rancard avec un mec rencontré à une terrasse. Il s'appelle Georges, Jacques, au choix; à part ça, tu connais personne, personne. Entendu! Y'a pas de chambre à payer, t'as jamais vu aucune d'entre nous! La taulière n'existe pas, les chasseurs, tu sais pas c'que c'est! D'accord? »

Elle opinait de la tête, la nouvelle, en ramassant la morve qui coulait sur ses mains crispées. La Zone a tiré un mouchoir de son sac.

« Ça suffit, essuie ton pif! » Elle a allumé deux gitanes filtres, une qu'elle m'a tendue :

« Fais une prière pour pas qu'elle s'allonge! »

Notre père qui êtes aux cieux, restez-y, et nous resterons sur la terre qui est quelquefois si jolie... J'ai tout mélangé une fois de plus! Le catéchisme et Prévert, le collège et le bordel. J'ai demandé à France si elle avait peur. Je n'arrivais pas à l'appeler la Zone. Elle m'a répondu qu'elle n'aimait pas les oiseaux, et qu'il y en avait à Saint-Lazare.

L'appel a commencé par ordre alphabétique, nos visages se sont tendus vers la voix ensommeillée de la pèlerine de service.

« France, comment tu t'appelles?

— Derain Martine. C'est drôle qu'on ait jamais pensé à se le dire! Moi... Marie Mage.

— Même qu'on y aurait pensé, ça nous aurait avancé à quoi, hein? »

J'étais sur le point d'ajouter quelque chose, mais la voix ne nous l'a pas permis. La Zone s'éloignait déjà, ses talons claquaient résolument sur le carrelage. Prisonnière de la robe noire dont je lui avais fait cadeau un an plus tôt, elle s'évanouit derrière une porte. Pascale, la tête entre les genoux, pleurait toujours.

A présent, je l'observe du coin de l'œil, inquiète moi aussi de ce qu'elle peut dire. Au bureau du fond, Valérie éclate d'un beau rire, à demi couchée sur la machine à écrire, jurant qu'elle n'a pas d'impresario.

« Allons, voyons, depuis que vous me connaissez, vous ne devriez plus me poser ce genre de questions, je me défends à mon compte, pour mon pied, je ne compte plus les fois où vous m'avez emballée. C'est toujours la même ritournelle : le nom de ton jules? J'en ai pas, définitivement pas, vous devriez changer de rengaine. »

Elle passe une main dans ses cheveux oxygénés.

« Pas marida, seule, les francs que j'fais c'est pour moi, pour mon fade. »

L'inspecteur agacé la fait dégager sans aucune courtoisie. Elle lui balance son sac sous le nez. « A mon compte, que ça vous plaise ou non! » Nous quittons le bureau en même temps, tandis que Pascale ramasse en tremblant le contenu de son sac éparpillé sur la table.

Dans la cage qui nous est octroyée, il y a des bancs, rien que des bancs. Nous sommes dix-neuf à attendre l'aube. Pascale a cessé de pleurer, nous la réconfortons en chœur : elle a surmonté l'obstacle. La voilà digne de notre haute considération. « Nous sommes toutes passées par là, on sait bien que c'est pas drôle, regarde la petite Sophie, pour elle aussi c'est la première fois. »

Je bombe le torse, il en a fallu du temps avant que je sois acceptée! Et le suis-je vraiment? La Zone me balance un coup de coude.

« Y'a qu'la première fois qui compte! »

Plus doucement...

« Tu sais que j'suis dans la merde, je vais rester accrochée. Tu m'porteras des pipes?

— Quoi, accrochée?

— J'suis mineure. On va me garder à Saint-Lago.

— T'garder, comment ça t'garder?

— M'garder!

— C'est impossible, écoute : j'vais t'filer mes papiers pour que tu t'décroches. Je dirai que je les ai perdus, ça passera!

— T'es brave, mais dingue!

— Non, Franzie, je ne veux pas que tu restes, on va s'arranger. Moi, ça m'est égal, je ne crains pas. »

J'allume deux gitanes, lui en tends une. Cynthia, puis d'autres sortent leurs tricots, les aiguilles s'entrechoquent doucement dans la nuit. J'ai une drôle de boule dans la gorge. Josiane, Kim, Muriel et Sylviane brassent les cartes à tour de rôle. Une partie s'engage. Pascale semble dormir, sa tête roule sur les genoux de Brigitte, nous ne savons rien d'elle, sinon que c'est une doublarde. Nos regards se tendent compatissants en direction du duo Pascale-Brigitte. La grosse fume, satisfaite, ses lourds cheveux noirs rejetés en arrière. Son embonpoint, ses onze années de tapin lui donnent une assurance insolite. Sa petite sœur a fait face; elle semble ne plus rien redouter. C'est son homme qui sera fier!

Dans le coin des cartes, ça s'engueule. Josiane se lève en faisant voler son jeu vers le plafond. Kim et Muriel l'imitent.

« Si nous faisions deux brins de causette avec Dunave, il doit s'ennuyer c't'homme-là? »

Les bras largement ouverts, les pieds absorbés par la demi-obscurité, le corps plaqué contre la grille, immobile, on le croirait foudroyé d'une décharge céleste. Josiane parle la première :

« Hé! le moustachu! »

Le planton balade ses gros yeux rouges sur les seins blancs.

« Qu'est-ce qu'elle fout ta bonne femme pendant q'tu fais l'con ici?

— Elle dort. Tu ferais bien d'en faire autant! »

Mu-Mu enchaîne :

« T'as l'impression d'en avoir dans les baloches à faire ce boulot?

— Tâte, ma fille, tâte, répond Dunave, en s'avançant contre la grille, le képi à l'arrière.

— Il en a, les filles, des grosses même, on dirait le cheval à Penou!

— Du calme, du calme! j'suis en service, moi, quoi alors? Allez vous asseoir là! M'obligez pas à faire un rapport! J'comprends que ça vous démange quand on vous enferme comme ça, mais tout de même!... Toi la petite poissarde! Oui, toi la blondinette, recule-toi, t'as failli m'arracher mes boutons! Non, mais sans blague! J'vous en donnerai du bromure en guise de bière moi, tiens! Ça a le cul chaud, ces donzelles-là, sapristi!

— Heureusement qu'y a une grille, hein, Dunave, Sinon t'aurais l'trac pour ton bijou de famille! Ça s'use pas et ça crache pas de flammes!

— Oh! c'qu'elle est vulgaire, cette Muriel, alors!

— Laisse tomber, Mu-Mu! Pas de cogne pour cette nuit, on a not'part d'emmerde », ordonne France.

Il fait triste, tout à coup, il y a comme du crachin dans l'air : bien sûr, j'ai entendu parler maintes fois de l'emballage, des heures sans fin passées au poste, couchée ou assise sur un banc, selon les places disponibles, selon le nombre de filles raflées; bien sûr, je savais qu'une nuit ou l'autre, j'y passerais, espérant, redoutant que cette nuit n'arrive jamais : et voilà, j'y suis! ne réalisant pas quel genre de contrat je viens de signer : fichée à la vie, à la mort, prostituée notoire. Les yeux bloqués au creux des paumes, je tente d'effacer les lumières du flash : face, profil, profil, face! C'est bête, je n'ai pas pu m'empêcher de sourire. Combien de portraits a-t-il tirés, le flic au petit oiseau! En combien d'exemplaires vais-je être distribuée? Où? Jusqu'à quand? Y aura-t-il un jour moyen de les détruire ces photos où un tableau noir sert de paysage?

Nom, prénoms, date et lieu de naissance, comme si mon visage ne suffisait pas! Il leur a fallu des détails, du travail propre, précis, pas suffisamment toutefois, ça aurait pris beaucoup de temps, davantage de doigté, un salaire plus élevé! Pas moyen d'effacer ces lumières, ça clignote de partout, il faudrait chialer dessus et ce n'est ni le temps ni le lieu.

D'ailleurs, la cage s'anime de nouveau, Josiane et Muriel entreprennent de rassembler les bancs afin d'en faire une estrade, les tricoteuses geignent; pour les faire taire, un inoubliable spectacle leur est promis.

Muriel murmure quelques paroles inaudibles à l'oreille de la Zone et, à haute voix :

« Démerde-toi comme tu veux! »

Je demande de quoi il s'agit. France ne répond pas. Debout contre la grille, elle entreprend Dunave.

« Hé! René-Louis! »

Le planton la dévisage sans surprise.

« On t'a jamais dit qu'tu ressemblais à Lafforgue!

— Connais pas!

— Mais si voyons, le chanteur! Fou, hein! t'as exactement la même frime, drôle d'ailleurs qu'on t'l'ait jamais fait remarquer, ça nous a frappées, mes copines et moi, dès la première minute, surtout ta moustache, la même exactement! C'est d'ça qu'on parlait à voix basse. »

Dunave sourit en relevant légèrement son képi, y a des étincelles jaunes, rouges, qui bougent dans ses yeux, ça crépite tout doux, c'est même un peu chaud, sa grosse patte qui entoure le barreau est toute proche de celle de France, France si petite qu'elle pourrait presque s'échapper.

« Ecoute, René-Louis, tu sais qu'ça porte bonheur de tâter une moustache de flic en service! »

Dunave, la bouche élargie d'un sourire extatique, se rapproche en se dandinant; dans la cage nous demeurons tout yeux tout ouïe, excepté quelques acharnées du point mousse.

« Alors, tu m'la laisses toucher? J'te jure que j'ne tirerai pas dessus, j'ai les mains douces, douces...

— Douces, douces », susurre le chœur.

Dunave laisse aller son visage contre la grille, les barreaux lui creusent les joues, font des vagues sur sa peau blette, sa peau que personne n'a caressée depuis bien longtemps comme le fait France en ce moment.

« T'as chaud mon gros, murmure-t-elle, en effleurant la babouine rousse, t'es tout trempé, on n'a pas idée de t'affubler de cette façon, tu dois être content quand tu t'mets tout nu!

— Content, content, content », enchaîne le chœur.

— Allez, maintenant donne ta pine, une branlette ça fait d'mal à personne, et puis ça ferait rudement plaisir à mes copines, elles n'attendent que ça!

— C'est vrai, Dunave, on n'en peut plus! Même qu'on va s'branler nous aussi, dit Muriel en se retroussant jusqu'au nombril.

— Jusqu'à s'envoyer en l'air, ajoute Josiane, une main dans sa jambière.

— Jouir en cœur, hein, René-Louis! Ça t'empêchera pas

de monter en grade, et ça t'fera foutrement du bien, tout ça gratis aux frais de la grande maison! Approche, encore, c'est ça! Oui, mon gros, c'est le 14-Juillet, si tu veux! »

La main de la Zone se balance hors des barreaux, tout son corps tremble au rythme de son bras; les tricoteuses lâchent l'aiguille, abandonnent la pelote. Il fait chaud, calme et chaud. Dunave, les mains agrippées aux barreaux, ne fait aucun geste pour retenir son képi qui roule à terre. Les yeux clos, il escalade d'un seul jet toute la hiérarchie du quai des Orfèvres! Le voici promu commissaire, tandis que son visage cramoisi s'affaisse contre la grille.

« Le bouquet, c'est le bouquet! »

Court silence, gros soupir.

« Bravo, la Zone, t'as gagné. »

France réclame un mouchoir, Pascale lui tend en riant celui dans lequel elle a tant pleuré quelques heures plus tôt. On chante encore un peu, on rit beaucoup, un rang à l'endroit, deux rangs à l'envers. Dunave de l'autre côté des grilles ne nous entend plus; avachi au bout de l'unique banc du couloir, il dort, indifférent. Il faudrait faire comme lui, sommeiller sinon dormir en attendant que la nuit finisse, mais ça c'est une autre affaire. Le front appuyé contre l'épaule tiède de France, les yeux grands ouverts, je pense à Gérard. Dans peu de temps, il va se rendre compte que je me suis fait emballer, à moins qu'il ne rentre que vers sept ou huit heures, dégorgeant de whisky, comme ça lui arrive souvent, et là j'essaie de me persuader qu'il aura de la peine, un tout petit peu de peine, sans y parvenir; il s'en branle au fond de c'qui m'arrive cette nuit, comme il se branle de moi dès que je ne représente plus des biftons. Même que si j'calcule bien, le fait que je vienne d'être fichée risque de l'arranger. Il est capable de me dire avec un sourire goguenard : « Ben, voilà, ma gueule! T'es une vraie femme, maintenant, t'as fait tes preuves! »

Mes preuves! J'ai envie de les faire en m'balançant la tête contre les barreaux. Mais là, doucement Sophie, pas d'exaltation! Ton cinéma c'est pour plus tard, pour ailleurs; tu décevrais beaucoup de monde, en commençant par toi; reste calme, repousse la gamberge à grands coups de pompes, chiale si tu veux, mais que personne ne le sache! Sois digne, quoi!

T'es la femme d'un voyou qui commence à être connu sur la place de Paris, grâce à ton oseille, grâce aux pourliches généreux qu'il balance aux barmaids dans les rads d'amis. Pas le moment d'flancher! T'as une réputation à soutenir, souviens-t'en! Et les autres, pourquoi dorment-elles? Pourquoi ne gambergent-elles pas aussi? Hé! les autres, réveillez-vous! Chantez, pétez, dites des saloperies, faites quelque chose enfin, j'suis toute seule! M'laissez pas tomber, tas d'vaches!

« France, Franzie, tu dors?

— Hum! Qu'est-ce que tu me veux?

— Il nous reste encore des pipes?

— Une, j'la gardais pour plus tard! T'as envie?

— Oui, on va s'la faire à deux, si tu veux. Qu'est-c'qu'il dit « chez toi », quand tu t'fais emballer?

— La plupart du temps, il ronfle et s'aperçoit de rien, tout dépend de ce qu'il a à faire. Et puis, tu sais, y'a bien longtemps! Pourquoi? T'es inquiète pour ton pépère?

— Un peu!

— T'en fais pas, ils s'y font plus vite que nous.

— Tiens prends, j'me brûle la pogne! »

La touche finale, la meilleure, l'évaporée.

« Franzie, t'as déjà prisé?

— T'es marteau ou quoi?

— Moi, ma grand-mère prisait!

— Laisse tomber ta grand-mère, essaie de roupiller.

— J'peux pas. Tu penses qu'on a une chance de nous monter à Saint-Lazare cette nuit?

— Ecoute, faut pas rêver en couleurs, si tout va bien on est là jusqu'à demain midi, autant que tu l'saches! Maintenant, laisse-moi ronfler, moi, j'suis pas pressée de monter à Saint-Lago! »

Elle ferme les yeux, la garce, elle se pelotonne au creux d'elle, son sac serré contre sa poitrine maigre. Je balance un coup d'œil circulaire dans la cage, ça pionce de partout, il y en a même qui rêvent en s'agitant. Il faut chasser la gamberge à tout prix, à n'importe quel prix.

« Monsieur, monsieur! »

Dunave s'ébranle au quatrième appel en bougonnant, les filles râlent doucement.

« Monsieur, je voudrais faire pipi, s'il vous plaît! »

Bruits de ferraille, soupirs, la grille s'ouvre, bruits de ferraille; je suis Dunave au long des couloirs sales en traînant le pas. A l'odeur, je sens qu'on arrive au terme de la promenade, ça pue l'ammoniaque à quinze mètres. Dunave pousse une porte en bâillant. C'est des chiottes turques, comme dans mon H.B.M. Je pousse la porte poisseuse, Dunave la repousse dans l'autre sens. Si je ne me trompe pas, cela signifie que cette porte-là doit rester ouverte. Je m'accroupis, pssit, pssit, rien! Peut-être en tirant la chaîne? L'idée du bain de siège me refroidit.

Il s'impatiente, mon planton, je jugerais qu'il s'impatiente à le voir se balancer de gauche à droite sur ses semelles de crêpe. Vendu, pourri, profiteur, je vais retrouver mon banc sans m'être vidé la vessie. Et puis la boule est toujours là, qui fait la navette entre ma gorge et mon plexus.

Mais oui, il faut pleurer, maintenant! L'ombre complice calfeutre tout, j'enfonce mes poings, loin, très loin, au creux de mes orbites. Ce n'est pas vrai que les larmes délavent la couleur des yeux! Je n'y crois plus, ce sont des histoires de petite fille. Bruits de ferraille, je réintègre la cage où les filles sommeillent pêle-mêle. Dans un coin, recroquevillées à même le sol, deux filles chuchotent, ma place a été prise. Je pose mon sac à terre, cale ma tête dessus, laisse glisser mes jambes sur le ciment, il fait froid, j'attelle ma gamberge pour des contrées désolées.

Le panier se traîne péniblement dans les encombrements du boulevard de Sébastopol. Sur les trottoirs, des milliers d'hommes-fourmis s'agitent en tous sens; des baraques à frites s'échappent des relents de graillon; et l'odeur des sandwiches saucisson à l'ail que les pèlerines de service, assis à l'avant du car, viennent de tirer de leur petit sac de toile bleue me rappelle que je n'ai rien dans le ventre depuis la veille. Les voilà qui s'empiffrent sans vergogne. Nous salivons au même rythme. Tout à l'heure, lorsque nous avons dépassé la rue Rambuteau, l'horloge indiquait une heure. Combien de temps peut-on tenir sans manger, sans dormir?

Je reçois un courant d'air sur la nuque à cause de la vitre

ouverte. Nous avons subi un nouvel interrogatoire dans la matinée avec d'autres flics, nos sacs ont été de nouveau fouillés. Le condé qui s'est occupé de moi m'a confisqué ma lime à ongles et un tube d'optalidon qu'il a soigneusement glissés dans une enveloppe sur laquelle il a inscrit mes nom et prénoms et le lieu où j'avais été raflée. Choses que je ne récupérerai probablement pas, de toute façon cela m'est égal. Ah oui! Il s'est aussi acharné afin de connaître mon nom de guerre, j'ai fait semblant de ne pas comprendre. Il a demandé si je le prenais pour un con! Décidément, c'est un tic, chez eux! L'autre aussi m'a lancé ça, hier soir, quand j'ai répondu que je ne me faisais pas payer. Quoi qu'il en soit, les filles sont unanimes : « Ça sent la merde! »

Deux interrogatoires, ce n'est pas ordinaire. Josiane affirme qu'ils tiennent à tout prix à faire tomber la taule, c'est flagrant. Ça lui pose des problèmes, c'est sa première place, elle n'en a pas bougé depuis onze ans. La Zone et d'autres disent que c'est aux hommes qu'ils en veulent et qu'on a plutôt intérêt à faire gaffe à la filoche pour sauvegarder la liberté des pépères. France, mariée avec un Corse, est pour les jules, c'est tout dire! Certains assurent que ce n'est qu'un coup d'intimidation, histoire de rappeler à Pédro, la taulière, que son condé n'est valable que jusqu'à un certain point et qu'il serait préférable qu'elle pense à réduire ses effectifs. D'après les anciennes, dix-neuf filles au *Saint-Louis,* cela n'a jamais existé. la vieille a eu les yeux plus gros que le ventre. Ça risque de coûter cher à tout le monde. D'autres, les plus optimistes, pensent simplement que c'est une affaire montée de toutes pièces. Histoire de faire avaler aux autres taulières que Pédro n'est pas davantage protégée que quiconque.

D'après Kim, il est temps qu'il y ait une descente! Le 16 et le 3 rue de Douai ont été fermés l'an passé pendant six mois. Les rues Pigalle, Victor-Massé, la rue de Douai, les rues Fontaine et Frochot étaient inapprochables. Les filles emballées quatre à cinq fois par semaine par les bertelots avaient émigré vers les Halles, dégoûtées. Tandis qu'au *Saint-Louis,* les filles travaillaient à plein rendement.

Pédro avait alors acquis une réputation d'enculée, ce qui signifie beaucoup dans le langage du milieu. Le renom de la taulière avait fini par déteindre sur ses pensionnaires. Aussi était-il préférable, lorsque d'autres filles posaient la question : « Où tu travailles? », de ne pas nommer le *Saint-Louis,* à moins d'être maso ou d'avoir des bras de catcheur.

Nous roulons maintenant sur le boulevard Poissonnière, les mannequins sont en train de digérer. J'hallucine. Par-delà l'entrelacement des vitres grillagées, je regarde le ciel crevé d'un soleil pâle, je le vois couler doucement, tout doucement sur les toits gris. C'est ainsi que j'aime Paris. Le car n'a plus de destination précise, les mannequins balancent leurs pèlerines poussiéreuses par la porte entrouverte, les képis suivent, les calibres aussi, leurs étuis rebondissent sur le trottoir, sous l'œil effaré du badaud. Les robes noires des copines se piquent de fleurs multicolores, les escarpins se muent en espadrilles, les sacs ne sont plus que des petits paniers tressés, les vitres se débarrassent de leur grillage, s'élargissent, les faux-cils s'envolent dans un courant d'air tiède. Le soleil finit par percer, le fond de teint bat en retraite pour faire place au hâle naturel. Nous prenons l'autoroute de l'Ouest, cheveux au vent. Bientôt la campagne, les dunes, la mer...

Un tout petit peu plus à droite, non, légèrement sur la gauche, pas mieux, peut-être en enfonçant davantage. Sans résultat. Alors, en fouillant, en tournant, en charcutant avec plus d'acharnement, tu vas la trouver, pétasse à lunettes, sadique! Le pouce prisonnier au creux de ma paume, les extrémités des doigts violettes, le bras bandé au maximum, je suis le jeu barbare du pieu à la recherche de ma veine, la bonne. Elle grince des dents, la salope! Je parierai que personne ne lui a autant résisté durant toute sa carrière de bouchère. C'est du sang, qu'elle veut, la dame. Elle s'obstine avec rage tandis qu'un rideau noir me voile les yeux; ça y est, je vais tomber dans les vapes! C'est presque bon! A moi les murs, la terre m'abandonne! A Saint-Lazare, il n'y a pas de cognac ni de sels, pas de vinaigre. On vous réveille avec des claques dans la figure. Où suis-je? Cabourg, les dunes, la mer...

« Allez, montez là-dessus! Enlevez votre culotte! »

Quoi, ma culotte? oui ma culotte, non ma culotte! Je n'en porte pas quand je travaille! Les filles trouvent que c'est anti-hygiénique, moi je considère que c'est pratique! Et puis cela n'est pas encore un délit. Bon, j'y suis!

« C'est ça, pliez davantage les jambes! Ecartez, allons, écartez! »

Elle en profite pour toucher l'intérieur de ma cuisse, en brandissant son bec de canard non lubrifié. C'est froid et ça fait mal, la petite lueur qui brille derrière ses carreaux me dit qu'elle attend que je renaude pour m'envoyer d'un ton satisfait que j'en ai vu d'autres, ou pire encore! Donc, je serre les mâchoires, ouvre mon ventre dans lequel elle introduit une sorte de longue aiguille plate. Fouineuse, va!

A présent, heureuse, elle balade l'aiguille sur une petite plaquette de verre. Je me détends. Trop vite! Elle en redemande!

« Ecartez. »

Je la soupçonne d'être gousse sur les bords, tout en maudissant l'instant où j'ai bouffé mon papier de prélèvement : preuve irréfutable quand on veut se faire passer pour novice. Rebadigeonnage sur la plaquette. Je n'ose plus bouger.

« Terminé, mon p'tit! Vous pouvez descendre! »

Je saute de mon chameau. Où sont les autres?

Elles sont dans un couloir, sur des bancs, les mêmes. Tout ce qui appartient à l'administration est semblable : laid, triste et impersonnel. Elles sont défigurées, les copines, je dois l'être aussi.

« Alors, Sophie! C'est vrai que t'es partie dans les vapes? Valérie nous a dit ça! »

J'exhibe mon bras droit troué, c'est impressionnant. Il y a du sang caillé qui a dégouliné jusqu'à mon poignet. Malgré ma fatigue, je me sens bien tout à coup.

« J'ai réussi à passer de l'eau de Cologne au travers, dit Sylviane, je l'avais planquée dans ma gaine! Viens aux chiottes avec moi! »

Je m'apprête à la suivre, quand une petite cloche : ding-ding, dans ma tête. Mon regard nettoie les bancs, il manque quelqu'un d'important.

« Où est France, où est-elle? »

Quoi, qu'est-ce qu'il y a de drôle? Ai-je crié? Suis-je en train de me vider de mon sang qu'elles me dévisagent ainsi?

« La Zone est accrochée au quartier des mineurs, ça risque d'être difficile pour elle! Le juge pour enfants, tout le bordel, quoi! Surtout que c'est une récidive. Elle a demandé que t'ailles la visiter, elle ne veut personne d'autre. Elle a ajouté que tu savais où joindre, que tu le fasses en sortant, sans oublier la filoche! »

France, j'avais oublié, pauvre France! Je devais lui passer mes fafs. J'aurais peut-être réussi à la convaincre. Au lieu de ça, je me suis laissée endormir en écoutant les conneries des autres!

« Maintenant, viens! Faut nettoyer ça! Et arrête de miter, ça n'arrange rien. »

J'avance, docile, à la suite de Sylviane, au milieu du couloir sans couleur, en direction des latrines, avec la sensation, écrasante soudain, de mes heures de fatigue sur les épaules. Comme une bête lourde qui s'agrippe, un énorme chat zébré, une chimère à la gueule grimaçante qui vient de faire son nid là, à la place même du courant d'air lorsque nous roulions vers la mer. Plus tard, j'essayerai de l'apprivoiser! Dans le moment, je laisse voguer mon bras sous l'eau fraîche, en évitant la glace au-dessus du lavabo. Le ricil a déposé des petites flaques grises sous mes yeux, le fond de teint s'est mis en cavale de mes joues : je n'ai pas bonne mine.

« Bouge pas! Ça va p't'être te piquer un peu, mais faut le faire! »

Sylviane tamponne consciencieusement l'endroit meurtri. Je ne l'en aurais pas cru capable.

« Tu sais, y a des chances que ça te laisse une cicatrice, j't'y aurais retourné ma main dans la gueule, tiens! »

A l'écouter, je la crois parfaitement capable d'une telle réaction. Sylviane a trente ans, elle me dépasse tranquillement de deux têtes, sa silhouette est imposante, son visage qu'elle a pris soin de démaquiller hier soir dans la cage paraît paisible, est surtout moins défraîchi que le mien, et pourtant je suis sa cadette de neuf ans. Treize années insoupçonnables de business sur les reins. J'ai été éblouie par le personnage, elle a de la classe, comme disent les autres. C'est une demoiselle « de », originaire de la haute bourgeoisie napolitaine. Quand, à dix-neuf ans, elle a rencontré Gilbert sur la plage d'Amalfi, elle l'a pris pour un aristo. Hélas, il n'avait de bleus que les yeux. Mac patenté, goinfre, il a remplacé le sentiment par des billets de dix sacs, moins encombrants et tellement plus lucratifs! Il est à la tête de plusieurs « entreprises » et sérieusement secondé. Sylviane, pute, mère et femme d'affaires, affronte sans broncher les intempéries. Lui demander pourquoi elle ne songe pas à se retirer, c'est inutile. Elle répond, la bouche gonflée de suffisance, qu'elle n'a nulle envie de s'encroûter entre les quatre murs de l'avenue Raymond-Poincaré.

Les autres ont eu vite fait de me mettre au parfum. Au bout de quelques jours j'étais amplement renseignée sur la vie de chacune, sur celle de Sylviane. Derrière cette belle désinvolture se profile un quinquagénaire despotique, un vieux micheton qui semble avoir des droits sur elle et pour qui l'Italienne ouvre largement le lit conjugal. Ainsi Gilbert se trouve contraint de rester quelques heures à méditer dans l'armoire, au milieu des toilettes de sa chère moitié. D'ordinaire, y penser me ferait sourire. A présent, je la regarde, cette grande fille penchée sur moi avec des gestes de mère. J'ai envie de me blottir contre elle, de lui crier mon désespoir, de lui demander pourquoi, finalement, elle refuse si farouchement d'abdiquer. Mais une fois de plus, le temps me devance, la voilà qui rejette en arrière ses cheveux roux, son regard redevient lointain.

« Te v'là propre, on y va! »

Nous y allons. Notre absence, si brève fût-elle, a permis aux copines d'émulsionner leur matière grise. Ça cogite dur sous les perruques. Je dirais même qu'il flotte un certain vent de révolte. Muriel arpente les lieux, faisant sauter deux petites clefs blanches au creux de sa main. Elle a l'air grave et décidé, les autres suivent.

« A présent, s'agit d'être d'accord sur le thème! Puisqu'ils ont été assez naves pour laisser les clefs sur les portes, à nous de jouer!

— Ils doivent avoir les doubles.

— Ça fait rien! On va boucher les serrures! Qui c'est qu'a des chewing-gum? »

Mu-Mu récolte deux tablettes en faisant la moue.

« Et si nous mâchions du papier? »

Résultat surprenant! Nos quenottes acérées valent dix massicots en action. Les trous sont bouchés. On en rajoute même sous les portes, dans les fentes, nous regrettons presque qu'il n'y ait pas d'autres lourdes. Claudie, qui a toujours un métro de retard, tend une boulette appliquée, ronde et propre. Mu-Mu la regarde dédaigneusement.

« Michèle, passe-moi une de tes pompes, c'est toi qui a les plus hauts talons. Jojote, envoie ton foulard. »

C'est Kim qui parle, elle est décidée à se faire la malle. Elle s'active maintenant avec la patience de sa race, la chaussure se trouve minutieusement enveloppée dans l'étoffe. Elle scrute de ses yeux en demi-lune, l'endroit de la fenêtre où elle va frapper : elle frappe, frappe, frappe encore, tandis que nous chantons, tapant pieds et mains, pas trop fort, suffisamment pour la couvrir. Vitre éclatée : charmant bruit de liberté!

« A toi Sylviane, vite! »

Elle a le dos large, notre Italienne. A quatre pattes sur le banc, elle encaisse la charge sans grimacer.

Kim s'envole, oiseau ivre! Son sac et ses chaussures la rejoignent en même temps. Je me suis portée volontaire pour cette besogne qui m'excite. Je sauterai la dernière.

« A toi Jo-Jo, relève ta robe, tu vas te casser les dents!

— Magne-toi! Merde! tu m'défonces les abattis!

— Non, j'y vais pas! Sapée comme ça, j'aurais pas fait deux mètres qu'on va m'rechopper!

— T'es conne, enfin! Saute! Saute donc! »

Elle saute mal, Josiane, un cri aigu nous crève les tympans. Je lâche son sac et ses chaussures. En moins d'une minute, je me rends compte du désastre! Sylviane halète, ses reins plient.

« Qu'est-ce qu'il y a? »

Il y a que Josiane s'est écrasée deux mètres plus bas et qu'elle se tient la patte à deux mains. Je ne vois pas son visage, mais il doit être douloureux. Je n'aperçois que sa tête blonde qui ballotte au rythme saccadé de ses larmes. Elle ne relève pas son visage vers nous, elle ne réclame aucun secours. Son cri, elle le regrette déjà, elle l'enfonce dans sa gorge en attendant que les autres sautent et s'éloignent. Se faire la malle ne la concerne plus, c'était une idée agréable qui lui aurait permis de rentrer chez elle, de se tremper dans un bain chaud, pas de manger, non, de dormir tout de suite après. Dormir, oh! dormir. Elle en parlait depuis la veille : retrouver simplement son lit, ses draps frais, étendre bras et jambes, le visage couvert de crème. Elle peut le faire puisqu'elle dort seule! Puisque son homme tire dix piges à Melun! Au lieu de ça, elle est couchée par terre dans la cour cimentée de Saint-Lazare, pieds nus, sans papiers.

Je n'ai plus le courage de sauter, ni pour l'aider, ni pour fuir, je n'ai plus le courage de rien, sinon de descendre.

« Elle doit être amochée.

— Qu'est-ce qu'on fait?

— Faut prévenir, faut pas la laisser comme ça! Elle s'est peut-être cassé la jambe!

— Merde! Moi, je voulais me tirer!

— Et moi donc! Et elle alors? Et la Zone? Tu crois pas qu'elle aurait aimé partir? »

A présent, il ne s'agit pas de s'endormir sur nos lauriers! Si Jo a la jambe cassée, autant faire vite! L'esprit de solidarité, ça existe chez les filles : c'est moi qui vous en parle. Nous sommes vite sur jambes, en cas de malheur. Quitte à nous en faire le reproche plus tard. Ce qui, en principe, ne manque pas. Nous voilà en train de nous activer comme des brutes, débouchant, débloquant à l'aide d'épingles à cheveux, culpabilisées à mort! C'est vrai que nous l'avons toutes encouragée! « Allez, sois pas conne! Saute! Mais saute donc! » Même qu'on l'aurait poussée, même qu'on l'a poussée!

Sylviane se porte volontaire pour annoncer notre défaite aux matonnes. Nous soufflons en la regardant franchir le seuil. Non pas que nous soyons incapables d'un tel acte de bravoure, non! Simplement, on préfère que ce soit une copine qui le fasse. Les premiers éclats retomberont sur elle, il ne nous restera qu'à essuyer notre nez en silence, en attendant que passe l'orage. C'est long! Déjà un quart d'heure qu'elle est partie. Et Josiane en bas! Et France au quartier des mineurs! Et Gérard! Et moi, qui hésite encore entre la cour et le couloir!

Enjamber la fenêtre, vite, en prenant garde de ne pas m'entailler les guiboles sur la vitre brisée, sauter en évitant de me tordre le cou! Sauter, mais cette fois dans un sapin! Lâcher l'adresse en haletant! La répéter afin d'être sûre que le chauffeur l'ait comprise. Saluer d'un sourire le boucher, la mercière, grimper mes deux étages quatre à quatre, sans oublier de dire bonjour à ma pipelette susceptible. Faire tourner la clef familière dans la serrure, trouver Gérard, fumant dans les draps bleus, m'attendant. Pour une fois son costume ne traînerait pas par terre, il l'aurait soigneusement suspendu à un cintre, ses chaussettes seraient dans ses chaussures, ses cigarettes et son briquet posés sur la table de chevet, près de ma photographie. La tinette ne déborderait pas de dégueuli mais de roses rouges.

Nous avons réussi, en cuisinant patiemment l'infirmière qui nous dirigeait vers le dortoir, à apprendre que Josiane avait été admise à l'Hôtel-Dieu avec une fracture de la rotule. Pauvre vieille, pauvre Jo. Plusieurs semaines sans parloir, plusieurs jours de bourdon. Les visites à Melun, c'est tout ce qui lui donne la force de continuer. C'est en Centrale qu'elle va puiser son réconfort! Il faut la voir les lendemains de parloir, radieuse, requinquée pour un mois! Elle débloque sans s'interrompre sur le petit mas provençal qu'elle achètera quand Henri va sortir. Bien sûr, il sera trop tard pour faire un môme, mais sa sœur viendra les voir là-bas dans le Midi, aux grandes vacances, avec ses petits neveux qui l'aiment tellement. Elle aura quarante-deux ans, Henri quarante-six. Le temps sera venu de se la faire belle; l'ombre des oliviers, le chant des grillons dans la garrigue effaceront les mauvais jours.

Avant de connaître Henri, Josiane était maquée avec Jean, une ceinture noire de judo. Elle l'avait aimé comme on aime à dix-sept ans, sans chercher à comprendre. Jean avait jugé qu'elle serait mieux dans un bordel que dans une cuisine, vu qu'il était déjà marié et que sa femme était un fin cordon bleu. Josiane avait donc, après une brève lune de miel, fait ses premiers pas hésitants sur la Croisette. Début médiocre, peu rentable. Manquant d'expérience, elle finissait plus souvent ses nuits à danser dans les boîtes que sur la couche d'un client du *Carlton!* Jean qui avait la bosse du commerce n'avait pas tardé à pressentir la fuite d'un capital qui pouvait être intéressant s'il était bien drivé. Ensemble, ils avaient alors quitté Cannes pour monter vers la capitale. Pédro au début avait bien rechigné un peu. La fille était un faux-poids. Cependant les seins ronds de Jo, ses longues jambes, ses yeux verts avaient rapidement eu raison des réticences de la taulière; et puis Jean était un ami, ce n'était pas la première fois qu'il plaçait au *Saint-Louis.* Contrat signé au Dom Pérignon, en vue d'un avenir radieux. Josiane en montant l'escalier avait oublié le soleil du Midi. D'ailleurs, si elle gardait encore le moindre regret, l'idée de l'argent qu'elle allait faire la rassurait. Ne pourrait-elle pas descendre une fois par mois, en avion, embrasser les siens, comme Jean l'avait promis?

Le temps coulait bon gré mal gré, les timbres-postes remplaçaient les billets d'avion, les gifles, les baisers. Lorsque Jean tomba à Fresnes pour avoir participé à une carambouille d'électro-ménager, Josiane sauta au plafond du *Saint-Louis,* jurant qu'elle n'y refoutrait plus les pieds et plia bagage en direction du soleil, tandis que lui, à l'ombre, continuait d'expédier des lettres d'amour à une destinataire inconnue des P.T.T.

Josiane vécut six mois chez sa mère, se fiança à un Cannois, rompit, partit à Juan-les-Pins travailler comme barmaid : c'est là qu'elle rencontra Henri. Allongés au creux d'une barque, ils se comprirent en peu de mots. A la fin de la saison estivale, ils prirent ensemble la route de Paris. Henri ne connaissait pas personnellement Pédro, mais des amis à lui étaient prêts à intervenir. Josiane poussa un soir d'octobre la porte du 59, rue Fontaine, personne ne posa de question, ni la taulière, ni Arlette, la sous-maîtresse, ni Louisette et Inna, les femmes de chambre, pas davantage les filles, et pourtant Dieu sait si cela devait les démanger. Jo reprit sa place sur la banquette près de l'armoire, où sa robe pendait, fidèle, dans l'espoir d'un retour.

Josiane avait pris des vacances, simplement de longues vacances.

Saint-Lazare est censé être un hôpital où toute fille faisant commerce de ses charmes, à Paris et dans sa banlieue, est appelée à se retrouver un jour. Mais dans n'importe quel hosto, si sinistre soit-il, les draps sont propres et quel que soit votre état physique, votre état d'âme, vous n'avez en principe aucune répugnance à laisser aller votre joue contre la toile rêche recouvrant l'oreiller. A Saint-Lazare, vous n'êtes pas considérée comme malade! Vous pouvez tout au plus avoir écopé une blennorragie, une syphilis, une vérole deux étoiles, et même davantage si vous êtes veinarde, ou bien un coup de vague à l'âme. Rien d'important en somme! Saint-Lazare n'est ni plus ni moins qu'un lieu de transit entre le poste et le trottoir et qui sert davantage à recenser les prostituées qu'à les guérir. Car si vous n'êtes atteinte d'aucune de ces affections, vous avez de grandes chances de les contacter, ne serait-ce qu'en effleurant les torchons qui servent de draps.

N'ayant pas encore frayé avec la pénicilline, je viens de repousser du bout des pieds les toiles putrides qui m'étaient désignées. Dans le lit d'à côté, Brigitte, en vieille routière, s'installe pour la nuit.

« Et alors la môme! Qu'est-ce que t'attends pour te pager? T'as pas sommeil ou quoi? »

Je fais signe que non.

« C'est vrai qu'à ton âge j'avais une santé de fer! Emballée à neuf heures du soir, j'pouvais m'y r'mettre le matin même en ayant passé une nuit au ballon. »

Je n'ai pas envie de parler. Elle se glisse dans les toiles, enfouissant avec elle son sac à main et sa perruque :

« Fais gaffe, Sophie! Ici, ça fauche dur! »

Je remercie du regard, je dois avoir deux sacs sur moi, ma carte d'identité, des photos de mes frères, un tube de cétavlon. Comment s'isoler de la crasse? Par quel moyen lutter contre la fatigue? Les chiottes, c'est ça! Je m'y dirige à tâtons. Muriel et Sylviane accroupies, tapent le carton, les pieds dans la flotte. Une page de *France-Soir* sert de tapis vert.

« Tu veux jouer? »

Pourquoi pas.

« Normalement, y'aura un arrivage de Pigalle ou des Halles. Les filles auront des cigarettes et de la bière. Ce serait con de ne pas en profiter.

— Oui, ce serait dommage.

— Faut avouer que les filles de la rue sont plus avantagées que nous!

— Dans un certain sens, oui, répond Sylviane en envoyant à trèfle, à part qu'elles sont trop souvent emballées à mon goût!

— Oui, mais elles sont équipées pour! répond Mu-Mu. Tu verras jamais une fille de la rue se pointer ici sans son casse-dalle, ni sa brosse à dents.

— Arrête de gémir! Y'a combien de temps qu't'as pas été marron?

— Huit mois! Et encore, en allant dire bonjour à une copine de la Quincampe. Tu parles, ces salopes, ils n'ont rien voulu savoir! « Arrête tes salades », qu'ils ont dit : « T'es connue sur le coin! » J'me les serais mordues, surtout qu'c'était mon jour de congé! Avec ça, le mien à qui j'avais promis un gigot d'agneau-flageolets, son plat préféré, m'attendait. Quand je suis rentrée après dix heures de poste, je l'ai trouvé debout dans la cuisine, les poings enfoncés dans les poches de sa robe de chambre, j'm'en rappelle comme si c'était hier! « Fais-moi à becqueter, qu'il a dit, tu t'expliqueras « après! » J'ai sorti une entrecôte du frigo, j'mouillais qu'd'une! Il a voulu des frites. J'ai épluché mes patates en essayant de l'brancher sur ses affaires. Il m'a dit de fermer ma gueule et d'm'occuper d'mon cul! J'ai mis son couvert en souriant, il m'a regardé. « J'ai besoin « d'un peu d'exercice avant de manger » qu'il m'a dit. J'ai reculé en direction de la chambre, la machine à bosseler s'est mise en route. Il m'en a filé plein la tête, en me traitant de gonzesse à boches. J'vous dis que depuis, avec la copine de Quincampois, on s'téléphone. »

Muriel est distraite, je passe un pli à cœur avec mon as sec.

« Ouf! Je ne pensais jamais faire celui-là!

— En fait, il te dérouille comme au début, si j'comprends bien! questionne Sylviane. Ça c'est une chose que je ne supporterai jamais!

— Oh! Tu sais, c'est pas qu'il soit méchant, mais tellement jaloux! Il supporte même pas que j'aie une amie. En ce moment, par exemple, il ne peut pas rentrer tous les soirs, parce qu'un de ses mômes est malade. Alors, il me téléphone trois ou quatre fois par jour de chez sa bonne femme, pour savoir si je n'ai besoin de rien. Tu vois, il a ses bons côtés.

— Bien sûr.

— Tiens! Ça a l'air de bonger en bas, quelle heure t'as?

— Neuf heures et demie, tu crois qu'c'est bon?

— Y a des chances qu'on ait un arrivage! »

Abandonnant les cartes sur le bord d'un lavabo, Mu-Mu et Sylviane se dirigent vers l'escalier. Je leur emboîte le pas. Des rires et des éclats de voix montent jusqu'à nous. Je vais pouvoir fumer! Une horde délirante emplit l'escalier, se poussant du coude, se pinçant les fesses, se tirant de gentils crocs-en-jambe : les voilà, les nouvelles, les copines d'infortune qu'on ne connaît pas mais qui déjà sont prêtes, sur un simple mot, un sourire, un clin d'œil, à partager le casse-croûte, la bibine, les pipes, le plumard, l'histoire de leur vie. Je recule pour les laisser passer, pour ne point avoir l'air... Les premières sont de Pigalle, de la rue. Le deuxième peloton arrive de la Madeleine. Toutes raflées par la Mondaine.

« Ils ont le mors aux dents ces pédés, ce soir! C'est eux qui vous ont fait marron? »

On fait oui de la tête, en lorgnant les sandwiches qui s'entassent sur les tables de nuit. Les dormeuses émergent des brumes en papillonnant du faux-cil. Les plumards libres sont pris d'assaut dans un joyeux tintamarre. On se reconnaît, on s'embrasse, on se donne des claques dans le dos, on va aux nouvelles, on cabriole sur le grabat en commentant le dernier gueuleton, la dernière visite chez le gynéco, la dernière nuit, il n'y a pas si longtemps, qu'on a passée ensemble ici même.

« Et le tien, comment il va? Ils se sont vus avec le mien il y a trois semaines en Sologne. Il te l'a dit?

— Oui, il est toujours mordu de la chasse, c'est son vice, après moi!

— Et l'autre, comment s'arrange son affaire? T'as parlé avec le bavard? Tu penses qu'il a une chance de sortir au jugement?

— Et sa femme, elle est toujours accrochée?

— Laquelle?

— La p'tite Michou! Paraît qu'elle va payer le coup pour recel, c'est moche!

— Les affaires, comment ça tourne dans la rue? Nous, c'est plutôt calme! Mais bientôt va y avoir le Salon de l'Auto, on va remonter nos boules.

— Oh, côté lardus, ça s'est calmé! Ils nous font moins chier en ce moment, bien qu'on soit obligées de rester dans les rades; faut pas les narguer.

— A la Madeleine on peut pas en dire autant! Ces enculés-là nous filent un car en permanence devant l'hôtel, rue Godot, le seul où le taulier recevait sans restrictions. Nous v'là obligées d'faire des kilomètres avec le micheton au cul pour trouver une piaule. Faut t'estimer heureuse quand, rendue au gourbi, tu t'retournes et que le mec t'a pas fait la malle! Because qu'il a envoyé la semoule durant l'parcours! La poisse, quoi! Obligée de s'acheter une tire et d'ramener chez soi! Tu vois les frais! Et puis y'a des hommes qui n'aiment pas ça, le mien par exemple, qui est d'un tempérament jaloux. J'me demande c'qu'on va devenir si ça continue!... »

Le mur des lamentations s'ébauche pierre par pierre, je l'écoute grandir en partageant un sandwich au camembert avec Pat.

Pat est mineure comme la Zone, à la différence qu'elle marche sous des toques qui tiennent bien. Je croque la baguette à pleines dents, elle dévide son écheveau. Loin de me rassurer, cela m'inquiète. Elle tient absolument à ce que je vois.

« Regarde! C'est pas beau pour des balourds?... C'est le mien qui les a fabriqués, il est costaud, non? »

J'attaque le croûton en jetant un œil sur ses papiers pour éviter de la vexer. Les filles sont tellement susceptibles!...

« Il a l'air. Y a rien à boire? dis-je.

— Du rosé, deux gourdes pleines. A toi! »

Je lèche le goulot en plastique, me délectant à l'avance. Chère Pat. Pat folle!

« T'es mineure aussi, hein? Ça se voit. Y a que des tronches pareilles pour ne pas s'en rendre compte! »

Pardon! Evitons tout malentendu au départ. J'avale une gorgée.

« J'ai vingt-deux ans, j'les ai faits le mois dernier.

— Tu déconnes ou quoi? Aux autres, pas à moi! Pourquoi t'affranchis pas? Tu t'méfies! Moi, j't'fais voir mes toques, alors? C'est pas parce que je suis jeune que j'manque de mental, tu sais! »

Il me faut bien une bonne demi-heure pour la convaincre de ma bonne foi. Merde! J'ai envie de la planter là et d'aller roupiller. Elle le sent et rectifie son tir. Apparemment elle a besoin de s'épancher. Le rosé m'a filé un méchant coup de barre. Je caresse le matou zébré niché sur mes épaules.

« T'es claquée, hein?

— Ça va faire deux nuits que j'ferme pas l'œil.

— Tu dormiras plus tard. Si on faisait le tour? »

On fait le tour : gratitude pour le casse-croûte. La lumière est tombée. Dans les boxes, on s'éclaire à la bougie, à la lampe électrique, au briquet. Ici on joue aux cartes, là on dort ou on fait semblant, là on discute à voix basse à deux dans le même page. Ici, on ripaille, le poulet froid, la mayonnaise, les tomates à même les toiles!

« Mes amies, Florence, Pénélope, Christine, Tolo! »

Je salue de la tête.

« Tu veux te lubrifier le cervelet?... C'est du chouette! »

Je tète goulûment le beaujolais nouveau. Un coup... puis deux... puis trois!

« Un concours! Celle qui pisse le plus loin! Mettez-vous en ligne, tu joues Sophie?

— O.K.! »

Je n'avais jamais imaginé le pouvoir diurétique du pinard. Je n'arrête plus, c'est fou!

« Ma parole, c'est le Yang-tsé-kiang, hurle Pénélope. Y a combien de jours qu't'as pas été aux gogues? »

Jambes écartées, je suis le flot, étonnée. C'est moi ça?... Si je n'étais pas si saoule j'aurais honte. Mais je suis pleine, pleine... Pat aussi. A quatre pattes, elle se prend pour un chien.

« Vos gueules, là-dedans! crie une voix anonyme à travers la cloison. Si vous n'avez pas envie de pioncer, respectez au moins le sommeil des autres!

— Qui que tu sois, la râleuse, on t'emmerde, même si t'es mariée avec Al Capone. »

Silence. Nous attendons, serrées l'une contre l'autre. L'interpellée ne devrait pas tarder à relever le défi. Poings crispés, nous sommes prêtes, la réplique venimeuse au bord des lèvres. On éteint les lampes.

« Alors on mouille? J'voudrais bien connaître la connasse qui a parlé d'être mariée avec Al Capone. J'écoute? »

Simplement comme ça, en l'évaluant rapidement dans l'ombre en costume d'Eve, j'affirme qu'elle fait trois fois mon poids. Le genre femme-cascade. Ça dégringole de partout! Pat se rapproche.

« Elle a pas l'air d'avoir le sens de l'humour la fille. Va y avoir du grabuge. J'suis avec toi.

— Alors, laquelle? » gronde Niagara.

Je sens les regards lourds de conséquences peser sur moi dans la lueur dansante des Leclanché qui viennent de se rallumer.

« Pat, passe-moi le lubrifiant! »

Je presse la gourde presque vide entre mes doigts afin d'en tirer le courage nécessaire. Illusion, je suis morte de trac. France, France pourquoi n'es-tu pas là?

« Faut-il que j'vous décanille du plumard les unes après les autres?

— Pas la peine, ma grosse. C'est moi qui l'ai dit et je le répète : j't'emmerde! »

Qu'est-ce qu'elle tenait caché derrière son dos et qui vient de m'ouvrir la lèvre?

« Une ceinture? Salope! Tu te bats avec une ceinture?

— Vas-y Sophie! Bouffe-lui le foie! Défonce-la! Sors-lui les tripes!

— Viens!... Allez! Approche ma vache! J'ai pas de ceinture moi, mais je vais t'en filer plein les dents!

— Olé! Olé! »

Niagara vient de glisser dans la pisse. Pat s'empare de la ceinture et flagelle la cellulite à bras raccourcis.

« C'est bon pour c'que t'as ma grosse torche! Ça t'évitera les bains d'algue. »

Au plus profond de la mêlée, je reconnais le visage de Brigitte... les jambes robustes de Sylviane... le coup de poing américain de Muriel... la perruque de Claudie, la voix de Pat, de Tolo, de Pénélope...

« C'est connu qu'à la Madeleine y a qu'des enculées! »

Lumière! les matonnes se frottent le ventre sous leur blouse blanche.

« Police-secours sera là dans cinq minutes, Mesdames! »

Je titube en soutenant ma bouche éclatée à la recherche d'un lit, mon lit!

Gérard est prêt à partir chez son tailleur. Campé devant la glace, les jambes écartées, il arrange son nœud de cravate en sifflotant, jette un coup d'œil à sa montre, s'asperge copieusement de *Pour un Homme.* Un parfum de lavande me caresse les narines, emplit la pièce. Avant de me connaître, Gérard portait *Menen* après rasage, un truc à faire gerber. *Pour un Homme*, c'est moi, c'est ma première comptée. « C'est pour un cadeau, avais-je déclaré, hautaine, à la parfumeuse. Faites-moi un joli paquet. »

« Alors, t'es sûre que je t'emmène pas, ma petite gueule? »

Son humeur est délicieuse.

« Non, je t'assure que je suis vraiment défoncée. T'as vu ma bouche!

— T'as raison au fond. J't'appellerai dans l'après-midi. C'est vraiment un pédé ce poulet qui t'a arrangé de la sorte. Tu penses que d'ici ce soir ça aura dégonflé? »

L'inquiétude le ronge. Sa devise : ne jamais taper dans la vitrine.

« J'espère. Je vais faire des compresses d'eau salée. Paraît que c'est bon. En tout cas, je suis pas prête d'oublier sa frime à celui-là. D'après les filles, je suis tombée sur le plus vache. Tu peux pas t'imaginer. Il voulait tout savoir. De quoi t'envoyer au ballon pour cinq piges! Le sale con, quoi! Je lui ai dit merde. C'est à ce moment-là qu'il a frappé. Un revers de main! Tu connais ma tête de vache. A partir de là, plus moyen de m'arracher une parole. N'empêche que j'ai eu le trac. Enfin c'est fini. Tu m'allumes une cigarette s'il te plaît?

— Je suis fière de toi, ma gueule. Je savais que je tirais le bon numéro avec toi. Cette nuit justement je parlais avec un ami, le gros Claude. Sa femme vient de lui faire la malle, une bordille. En l'écoutant, je me disais que j'étais à l'abri de ce genre de truc. Qu'est-ce que t'en penses? »

Ravie, je barbotte dans l'*obao* tandis qu'il lisse sa moustache d'un air satisfait. Le vrai sauret Gégé. Au fond, pourquoi ne pas mentir? On brouille les pistes de l'ennemi, on gagne du temps, on met l'ennemi en confiance. Chante toujours mon canard, tu m'intéresses, ton tour viendra, patience.

« Tu sais bien que je partirai jamais. Pourquoi faire? Passe-moi un cendrier.

— Au fait, j'allais oublier. Le garagiste m'a filé un coup de tube. La nouvelle bagnole rentre dans une huitaine. Je biche un peu. S'il fait encore beau et qu'les affaires vont bien, on montera à Deauville. Je téléphonerai à Pédro qu'elle te laisse deux jours, dimanche et lundi par exemple.

— Je préférerais le milieu d'semaine, c'est plus calme.

— Comme tu veux, ma gueule. Bon, faut que j'm'agite. L'Arménien va m'attendre. J't'appelle. On becte ensemble?

— Ecoute, c'est pas sûr. Faut que j'm'occupe de France. Elle est restée accrochée. J'mangerai peut-être rue de Bernouilli, avec le sien. Téléphone-moi plutôt là-bas.

— Entendu, ma gueule. Tu sais que j't'aime?

— Je sais. »

J'ai fait le trajet les yeux rivés sur la vitre arrière, pourtant rassurée quant à la filoche. Je demande au chauffeur, par mesure de prudence, de me déposer deux coins de rue avant. Au fur et à mesure que j'avance en direction du bar, je sens ma poitrine se piquer de décorations. C'est la troisième fois que j'y vais; les deux premières, Gérard m'accompagnait, ce soir, c'est différent, je suis seule, porteuse d'un important message.

En poussant la porte de l'établissement récemment rebaptisé *In the Wind* (ça fait moins corse que le *Catenatcho*), je me demande si je n'aurais pas dû téléphoner avant, bien que la parlotte au bigophe soit mal vue. Une épaisse tenture de velours rouge sombre m'isole un court instant de la salle où crépite un poste de télé. Je fais ma trouée tant bien que mal, m'avance à pas menus vers le comptoir où la barmaid délaissée se fait une réussite.

« Est-ce que Monsieur Jean-Jean est là, s'il vous plaît? »

Elle me dévisage d'un air méfiant, puis me désigne de la tête un groupe d'hommes agglutinés dans l'arrière-salle devant le récepteur. J'aperçois aussitôt le crâne luisant de Jean-Jean, son profil en lame de couteau et je me demande encore une fois comment France, si jeune, si belle...? En plus, c'est le mec qui doit se marrer quand il se pince.

« Monsieur, j'ai des nouvelles de votre femme, dis-je, penchée à son oreille.

— Regarde-moi ces tronches! Mais regarde-les! Ajaccio vient de se faire marquer un but. »

Je sursaute et recule.

« Excusez-moi, Madame. Vous me parliez?

— J'ai des nouvelles de votre femme.

— Ah oui, attendez une minute. Voulez-vous prendre quelque chose? Mais ils sont bons à rien ce soir. Dis, qu'est-ce qu'on va devenir? C'est pas possible.

— Quand je te dis que l'arbitre c'est un enculé, tu l'as vu? Le coup franc, il existe pas le coup franc, il a jamais existé. Qu'est-ce qu'il maquille cet abruti? Tu peux me le dire, toi, ce qu'il maquille?

— Si je le savais, moi...

— Vous voulez boire quelque chose?

— Un porto, merci.

— Josée, Josée, donne un porto à Madame, là, dans la salle. Oui. »

Dans la salle, les couverts sont dressés sur de petites nappes rouges qui dansent à la lumière des bougies. Comme d'habitude, il n'y a personne et j'ai de plus en plus de mal à croire que c'est la restauration qui fait vivre les frères Bernardini, malgré ce que dit France, malgré la conviction qu'elle met dans ses propos. On vient de siffler la fin du match : Ajaccio s'est fait battre deux à zéro. Jean-Jean s'installe en face de moi, les yeux battus. Il semble souffrir.

« Alors, qu'est-ce qui se passe, Madame?

— Votre femme, ils l'ont gardée à Saint-Lazare. »

J'évite de dire France, encore moins Josiane, il faut respecter le protocole. Je bafouille, moins émue que je ne paraîs, ça fait partie du décor.

« Alors?

— Je suis allée la voir cet après-midi, lui porter des cigarettes, essayer de savoir.

— Alors?

— Alors on m'a refusé la visite. Mais j'y retourne demain, soyez sûr. Elle m'avait demandé de vous prévenir, c'est tout.

— Est-ce que vous savez si elle a de l'argent sur elle?

— Non, je ne sais pas.

— Si vous la voyez demain, tâchez de lui donner ça. Merci de vous être dérangée. On va vous appeler un taxi. »

Dans le taxi qui m'emporte vers le chagrin, je défroisse le billet de dix sacs, que Jean-Jean m'a remis, en me demandant à quoi pensent les hommes.

« Allo, Claudie, c'est moi Sophie. T'as une idée de ce qui se passe?

— Je suis montée là-haut.

— Toi aussi? C'est Inna qui t'a reçue?

— Non, Louisette. Si t'avais vu sa tête : pire que si j'étais le diable en personne. « Faut pas, faut pas, qu'elle m'a bafouillé au travers de la porte. Allez-vous en. Allez! » Tu m'aurais vue cavaler! J'ai cru que les condés étaient encore dans les lieux. Quelle angoisse.

— Moi j'ai essayé d'appeler Pédro. C'est Inna qui m'a répondu. « Madame Pédro n'est pas là. » Vlan, elle m'a raccroché au nez.

— Qu'est-ce qu'on va faire?

— Moi, je vais prendre un cachet et me coucher. Faut pas cracher sur les jours de repos, même s'ils sont forcés, on verra demain.

— Ecoute, Claudie, tu penses pas que le tien et le mien pourraient être ensemble ce soir?

— Possible.

— Tu n'as pas idée de l'endroit où je pourrais le joindre à cette heure-ci?

— Essaie au *Baudet,* chez Carlos; t'as le numéro? Si tu le joins pas là, essaie plus tard au *Club 65,* rue du Four. C'est une boîte de minettes. Mais va pas t'amuser à dire que j't'ai affranchie. Déconne pas, hein Sophie? Tu jures?

— Te fais pas de souci. Je te remercie, ciao. »

Que faire d'une nuit de liberté quand on en a perdu l'habitude, quand on n'a personne à appeler, à qui dire simplement : « Alors, on dîne ensemble? » ou « Tu viens avec moi? Il y a un film que j'aimerais voir sur les Champs. » Quand il est trop tard pour arriver chez sa mère avec un gâteau. Quand on a déchiré d'un geste de dédain la carte d'un client pourtant jeune et sympathique. Que reste-t-il à faire, sinon chercher la seule personne qui ne sera pas trop étonnée de vous voir surgir dans sa nuit, chercher son homme en espérant le trouver seul. L'unique issue, à moins de s'envoyer un tube de barbituriques. Mais comme je n'ai pas spécialement envie de mourir et que le lavage d'estomac m'a laissé un très mauvais souvenir, j'appelle chez Carlos. On n'a pas vu Gérard à l'américaine de la soirée. Où est-il le con? Où se planque-t-il? A tourner, virer dans mon deux-pièces, je bourdonne, reculant l'instant décisif où, n'en pouvant plus, je vais appeler un tacot.

Le *Club 65!* Une boîte de minettes qu'elle a dit, la Claudie. L'endroit en vogue où ces messieurs prennent des cures de rajeunissement en se rinçant la dalle au champagne, en lorgnant les cuisses roses des twisteuses pendant que... Mais non, il ne faut pas voir les choses comme ça. Je déconne. Mais non, je ne déconne pas. Pendant que je me fais grimper sur le ventre par les michetons dans les plumards défoncés du *Saint-Louis,* pendant que leur sueur aigre défait mon maquillage, pendant que je me récure au savon noir, histoire de ne pas tomber en cloque. Et pourquoi, pourquoi? Pour que Monsieur balance mon oseille aux cavettes en se faisant passer pour un impresario, pour un industriel en mal d'amour. J'en ai plein mes bottes. Je viens de passer deux nuits encristée, l'une couchée sur le ciment, l'autre dans la vermine, j'ai chopé des morbacs, j'ai la bouche en bouquet de violettes. Pas une amie à qui parler, France en attente pour la Roquette, Josiane à l'hosto, Claudie bourrée de somnifères, Muriel probablement en train de prendre une danse, Michèle en train d'écrire à ses gosses qu'elle n'a pas vus depuis des mois parce que la nourrice est surveillée, parce que Monsieur est en cavale, parce qu'il craint pour sa liberté. C'est pas juste.

Et nous, notre liberté, qu'en font-ils? Y pensent-ils seulement? Existe-t-elle notre liberté? Y avons-nous droit? Fallait me laisser, Gérard, fallait pas m'emporter loin de mon H.B.M. Je t'avais dit que je n'avais pas la carrure pour endosser toute cette crasse. Tu t'es entêté, t'as joué la grande scène du deux, en portant sur ma tempe ton calibre onze quarante-trois. T'as voulu faire de moi une « vraie » femme, tu as réussi, tu vas le regretter.

J'arpente rageusement l'asphalte. Une demi-bouteille de porto, ça tient chaud au corps, ça excite méchamment. J'ai de l'agressivité à revendre. Un brin, messieurs dames, un brin pour cent francs, comme à quinze ans au temps du muguet, quand je dressais mon stand à la gare Montparnasse. Cent francs seulement, avec les feuilles et le papier journal en prime. Allez, laissez-vous tenter. C'est vot'dame qui sera contente. J'ai aussi des pots. Approchez, sentez-moi ça, cueilli cette nuit à Chaville, à la bougie. Je vous l'emballe. Bougez pas, c'est important. N'oubliez pas que ça porte bonheur!

Club 65, ça clignote. Une tante à la voix nasillarde pointe son nez raboté dans le mouchard.

« Bonsoir, vous avez votre carte? »

Ma carte? J'ai envie de lui filer ma carte d'identité sous le tarbouiffe. Ça me rappelle la Mondaine. Je souris en fouillant dans mon sac, faisant mine de chercher. Si je veux prendre mon mec en « flag », s'agit pas de faire de fausse note.

« Désolée, j'ai dû l'oublier. Ça n'a pas d'importance, mon mari m'attend à l'intérieur.

— C'est moi qui suis désolé, Mademoiselle, jappe le pékinois, je ne peux pas vous laisser entrer sans carte, c'est privé. »

Je vais t'en filer de ces privé, de ces Mademoiselle. Je m'évente avec le billet de dix sacs de Jean-Jean. Mon bifton lui caresse les narines, je ne peux pas croire que par-dessus le marché il soit miro.

« Désolé, si vous n'avez pas votre carte et que vous ne voulez pas donner de nom...

— Je sais, c'est *privé*. Bonne nuit! Taxi, hep, taxi! Roulez n'importe où, pour neuf mille cinq. Roulez. »

J'ai laissé à l'entrée une partie du contenu de mon sac à main : limes à ongles, allumettes, stylo à bille, pince à épiler, deux aspros, un canif, un peigne à queue, un foulard et le sac de plastique avec des cadeaux pour France que j'aurais aimé lui remettre moi-même.

J'attends dans un box badigeonné de vert guimauve, avec pour tout mobilier une table en fer de même couleur et deux bancs, un sur lequel je viens à peine de m'asseoir, l'autre qui attend comme moi l'arrivée de France. Elle ne plaisantait pas lorsqu'elle disait qu'il y avait des oiseaux à Saint-Lazare. C'est le cinquième qui vient de se poser sur le rebord de la fenêtre. Ils ont faim les petits, faim et froid. Je n'ai rien pour vous, mes pauvres vieux. Rien du tout. Au fait, pourquoi en a-t-elle peur? Que peut-on redouter d'un moineau? D'après les propos que m'a tenus l'assistante sociale, France a dû dire que je travaillais avec elle dans la coiffure. Une chance que je sois au courant de son stage chez l'Oréal. Une chance aussi qu'elle n'ait pas trop insisté pour voir mes fiches de paye, la dame. Monde de bourreaux. La voilà, je reconnais son pas. C'est bien elle.

« France, Franzie, comment tu vas? »

On s'agrippe l'une à l'autre.

« Pourquoi tu n'es pas venue hier? J'ai attendu.

— Ils n'ont pas voulu me laisser entrer ces pourris. Je t'expliquerai.

— Pas de conciliabules à voix basse, mesdemoiselles, ou nous allons être obligé d'écourter la visite. Parlez de manière intelligible s'il vous plaît. »

France fusille la matonne du regard.

« Encore une refoulée. Son mec doit pas souvent lui ramoner la cheminée.

— Chut, je t'en prie. Nous n'avons pas tellement de temps.

— T'inquiète pas, elle n'a pas que moi à surveiller. Tu m'as apporté de quoi cantiner, des pipes?

— Même un nécessaire de couture, des bouquins, une trousse

de toilette, de l'eau de Cologne, une chemise de nuit, du linge de rechange et quelque chose dont tu avais envie.

— Quoi?

— Ta patte de lapin. J'avais demandé à mon boucher qu'il m'en mette une de côté. Je l'ai là-dedans, dans ma poche.

— Tu es brave. »

France sans sa perruque ni ses faux-cils, sans ses trois couches de fond de teint qui réussissent à peine à lui donner bonne mine, attifée d'une blouse trop grande qu'elle a cependant pris soin, dans un sursaut de coquetterie, de serrer fortement à la taille avec une ficelle, a l'air d'avoir quinze ans. Ses grands yeux diffusent une sorte de candeur insoupçonnable pour ceux qui ne la voient qu'au *Saint-Louis.*

« Comment ça s'est passé, l'autre jour? On vous a relâchées tôt?

— Non, nous sommes sorties les dernières parce qu'on avait fait le bordel. Kim s'est fait la malle en sautant par la fenêtre.

— Elle va avoir droit à un méchant rapport.

— Elle s'en fout, elle dit que ça vaut mieux qu'une nuit ici.

— Elle a raison.

— Jojo s'est cassée la patte en sautant, elle est à l'Hôtel-Dieu.

— La poisse! Et toi alors, t'es restée!

— J'ai pas eu le courage de sauter.

— C'est peut-être aussi bien. Et la vieille, qu'est-ce qu'elle dit de tout ça? Elle doit me maudire. Si on ferme la taule, c'est un peu grâce à moi.

— Parle plus bas, Gédeniasse esgourde, mine de rien. Hier soir, quand je suis montée là-haut, la porte était fermée. Je ne sais rien d'autre. »

La matrone s'éloigne en traînant la savate.

« Tu as vu le mien?

— Hier soir. Tu peux pas savoir comme il avait l'air heureux quand j'ai poussé la porte du bar. On s'est aussitôt installés dans un coin.

— Qu'est-ce qu'il dit?

— Tiens, v'là déjà dix sacs qu'il m'a donnés pour toi et ta patte de lapin. »

Le tout disparaît illico dans l'intimité du slip.

« Il dit qu'il ne faut pas t'inquiéter, qu'il va faire toucher, qu'on va te décrocher rapidement.

— Quoi d'autre?

— Que tu dois garder le moral! »

Devant ce regard avide de questions, je baisse les yeux : le bout de ficelle qui pend sur son ventre n'est plus qu'un entrelacement de petits nœuds serrés, ses phalanges craquent tandis que d'une voix étranglée elle demande :

« C'est tout? Il a rien dit d'autre?

— Tu sais, les hommes avec leur pudeur, dès qu'il s'agit de sentiments... Tout ce que je peux te dire, c'est qu'il avait l'air très triste. Il se fait un mauvais sang d'encre.

— Bon, ça va. Et le tien, qu'est-ce qu'il pense de tout ça?

— On a à peine eu le temps de parler. Quand je suis rentrée, il partait chez son tailleur. Il devait m'appeler chez toi au bar. Il a dû oublier. »

France balance ses jambes sous la table, nos pieds se touchent, elle cligne des yeux et j'ai envie de chialer. Je sens qu'elle va me dire quelque chose, qu'elle fait un effort, que ce n'est pas facile à sortir.

« Ecoute. »

Elle jette un rapide coup d'œil vers la porte avant de continuer. Elle parle vite, d'une voix étouffée.

« Si je dois retourner à la Roquette, je préfère me flinguer. Mon père et mes frères ne l'accepteront pas une seconde fois, surtout que maintenant ils connaissent Jean-Jean. Je l'ai présenté comme mon mari, tu comprends. Sophie, il faut que je sois sûre de quelque chose : si je te demandais un calibre, tu l'apporterais? Réponds franchement.

— Franzie, il ne faut pas penser à ça. Tu vas sortir. Tu me fais de la peine.

— Sophie, tu me l'apporterais?

— Oui. »

Sous la table, nos jambes se sont mêlées. Et je ne sais plus refouler mes larmes. Elle tient ma main serrée, se mord les doigts, mord les miens. Je prends sa main libre que j'appuie contre ma bouche pour ne pas crier, on chiale au même rythme, on s'étrangle, on fait des bulles, on se bavouille, on se glaviotte dessus, on est malheureuses comme des pierres.

« Sophie, tu te souviens de ce que je t'ai dit quand tu as débuté? Il ne faut pas chercher l'amitié parmi les filles dans ce milieu. Ça n'existe pas. Je crois que je me trompais, j'en suis sûre même. »

Gédeniasse vient de refaire surface, d'une main elle balance un paquet de Kréma, de l'autre elle se récure les crouchtis.

« Regarde-moi cette enflée. Je préfère encore ma place à la sienne. »

Je ris à travers mes larmes.

« T'as raison.

— Alors les petites filles, qu'est-ce qu'on se raconte de beau? On est pas trop tristes au moins?

— Oh non, Madame, on a un moral d'enfer, pas vrai So?

— Un moral d'enfer! Si ma copine le dit, c'est que c'est vrai. »

La matonne s'éloigne rassurée.

« Sophie, cette nuit je pensais à toi, au premier soir. Tu te souviens?

— Et comment! c'est gravé là.

— Fallait te voir, boudinée dans ta robe noire, avec tes échasses soi-disant achetées à Londres. T'avais l'air d'une vraie pute d'avant-guerre. Tu n'osais pas t'asseoir.

— Toi, t'étais assise sur le bidet en train de faire des mots croisés. Tu m'avais frappée parce que t'étais la seule à ne pas me dévisager. T'étais la mieux.

— Tu te rappelles les autres qui t'ont demandé de monter sur le lit et de te dessaper, les vaches. Tu t'es cassée la gueule en grimpant sur le plumard. Claudie t'a aidée à te relever en se marrant; d'un air paumé, t'as demandé si c'était vraiment indispensable et, avec les encouragements, t'as commencé ton strip. Quel désastre! Ton soutien-gorge déglingué avec les baleines qui se faisaient la malle, l'épingle à nourrice qui retenait ta bretelle, ta sous-ventrière qui virait au gris.

— Une vieille gaine de ma mère. Je m'en souviens comme si c'était d'hier. La honte. Je me suis mise à pleurer. C'est là que tu es allée au renaud. Tu leur as balancé : « Alors quoi? Vous n'avez « jamais débuté? Vous avez toujours eu de l'oseille pour vous caler

« les miches dans des slips de chez Dior? Foutez-lui la paix, nom de « Dieu! » Et comme Muriel te demandait si on n'avait plus le droit de s'amuser et ce que ça pouvait te foutre qu'on rigole un peu, tu t'es levée.

— Je me suis levée. Et v'lan, un poing dans sa gueule. Elle s'y attendait pas à celui-là. Et toi qui criais en te ressapant : Arrê« tez. Vous battez pas pour moi, ça vaut pas la peine. » Encore un peu et je te morflais aussi, j'étais énervée ce soir-là, j'avais eu une engueulade avec le mien. Après, il y a eu un choix et t'as été prise. Tu te souviens?

— Si je m'en souviens! Un mec de Bordeaux, un ancien militaire. Il avait les cheveux coupés en brosse et portait des brodequins. Il a glissé vingt sacs de pourboire sous le cendrier. J'osais à peine les prendre, j'y croyais pas et un client maison par-dessus le marché, pas de chasseur à payer. Quel schpil! Avec ça, d'une douceur! Il a refusé que je lui fasse sa toilette. Il mettait un chapeau, ça m'avait évité de mettre mon éponge. Il m'a même pas baisée celui-là. Il a joui en se frottant sur mon ventre. Tu sais que je le fais toujours à chaque fois qu'il monte à Paris. Et si je suis en congé, il repart. C'est Arlette qui m'a dit ça. Ils sont drôles les mecs tout de même.

— T'as raison. Moi aussi, j'en ai deux ou trois comme ça, des fidèles.

— Quand je suis remontée, t'avais repris ta place sur le bidet. Personne ne parlait. Tu m'as fait un clin d'œil en me tendant ton paquet de pipes. Ma première cigarette. Tu m'as fait une place à côté de toi. J'ai rien dit mais j'étais rudement mal assise. Tu m'as appris à jouer au poker et j'ai perdu ma première passe. Quel rire!

— Tu ne te marrais pas tant que ça.

— C'est vrai. En parlant de fric... Tu te souviens de ta planque? Les cinquante sacs que t'avais glissés dans ton poudrier. Qu'est-ce qui t'as pris au dessert de te repoudrer le nez?

— Il brillait... Les yeux du mien aussi quand il a vu le bifton flotter sur l'omelette norvégienne. Obligée de dire que j'avais fait un extra dans l'après-midi.

— On a toutes nos planques. Le drame, c'est qu'un jour ou l'autre, elles partent en fumée!

— Comme celle de la Claudie. Faut être barjo pour planquer

son oseille dans le four! Mais tu sais qu'elle est grippe-sous, elle a trouvé l'moyen de récupérer les biftons calcinés! Il paraît qu'le sien pleurait, il lui a dit qu'elle lui fendait le cœur, qu'au prix où était la daurade, elle en avait pour quinze piges à amortir ce dîner-là!

— Franzie, qu'est-ce que c'est cette sonnerie?

— La fin des visites.

— Quoi? Déjà fini?

— Allez mes petites dames, les visites sont terminées. Dépêchons!

— France, j'espère qu'on va tout te donner.

— Te casse pas la tronche, j'ai ça. »

Elle touche son ventre tandis que Gédeniasse me pousse vers la sortie.

« Au revoir Sophie! Reviens! Et n'oublie pas, la Roquette, une fois, pas deux. »

Heureusement pour elle et pour nous, Pédro n'est pas seulement taulière du *Saint-Louis.* Elle possède également des bars, l'*Hacienda* rue Victor-Massé, *la Fiesta* rue Frochot, *la Bohème* dans la même rue, juste en face du *Macao,* un hôtel montant où elle est associée avec son amant, Monsieur Trésor, un sale petit roquet d'un mètre soixante, cheveux rares, gominés, parfumé comme sa maîtresse au *Vol de Nuit* et qui n'a qu'une seule passion en dehors de l'oseille, ses trois caniches. Nous l'appellons « Cher Trésor ».

Le surlendemain de la rafle, comme nous n'avons reçu aucune instruction et que les jules commencent à regimber, nous nous pointons toutes, dociles, à dix heures et demie au *Saint-Louis* où Pédro nous attend dans la chambre n° 3, la chambre des farces et attrapes, le salon plus précisément.

Elle est là, la taulière, sapée d'une robe de soie imprimée, confortablement installée dans le fauteuil des choix, à la place du client. Etreintes de nos robes noires, les cheveux laqués, les faux-cils ajustés dans la direction du clin d'œil, le sac planqué derrière le dos, crispé dans nos menottes fiévreuses, nous formons un cercle comme d'habitude. On le refait pour elle le sourire en accroche-cœur pendant qu'elle lisse d'un coup de langue le vermillon qui couvre ses ongles de perroquet. On ne songe pourtant plus au fric, non, le choix est plus grave, Madame Pédro, ce soir, fait sa sélection! Et cela représente beaucoup plus que dix minutes en chambre avec un dix tonnes sur le ventre. Ça ne représente plus dix sacs, ni vingt, ni cent. Ça veut simplement dire une place à refaire, une nouvelle clientèle, d'autres temps, d'autres filles, d'autres lieux, avec du champe qui vous sort de par tous les trous.

Et si nous sommes ici, ce soir, dix-neuf, l'orteil crispé dans l'escarpin, c'est que nous aussi nous avons fait un choix. Eviter les bars, ne pas boire. Bien sûr au *Saint-Louis,* il arrive qu'on commande notre demie, même notre bouteille, avec un client maison, avec la province en goguette! Nous touchons la ristourne, vingt francs sur la demie, quarante sur la grosse. Mais cela arrive si rarement! Et puis il est tellement facile de balancer nos coupes sur la moquette ou dans l'évier. Louisette et Inna se montrent si compréhensibles, elles acceptent même de prendre une coupe avec nous. Nous redoutons les bars autant que le trottoir.

Au *Saint-Louis*, nous sommes peinardes. On commence à travailler à dix heures et demie du soir pour finir à cinq heures et demie. Les clients sont presque tous des clients « maison », c'est-à-dire des habitués et la fille la moins fortunée a sa petite clientèle attitrée. Les passes sont à cent francs quand le client est « maison » c'est-à-dire qu'il vient seul. Six mille pour nous, quatre pour la taulière et il n'est pas interdit de demander un petit cadeau supplémentaire à condition de ne pas trop insister. Quand le client est « chasseur » ou « taxi », nous touchons quatre, il en reste quatre pour la maison et deux pour le chasseur ou pour le taxi.

Il nous arrive aussi de faire des spectacles qui sont presque toujours « chasseur ». Sur chaque show, nous touchons huit mille sec, rarement un sou de plus, car il y en a au moins un sur le nombre qui refuse de mettre la main à la fouille pour le supplément, ce qui fait que les mieux disposés se grattent la joue d'une main et de l'autre rengainent les dollars.

Pédro lisse toujours ses ongles à petits coups de langue. Nous commençons à prendre racine!

« On change de pied? dit Muriel.

— Pas d'ironie Madame, s'il vous plaît. Ce n'est pas le moment. »

Lorsqu'elle est fâchée, Pédro oublie nos prénoms et nous avons droit au « vous ». Elle se redresse légèrement, secoue sa tête blonde, toussote, remet en ordre les plis de sa robe, prend un air courroucé.

« Louisette » crie-t-elle d'une voix hystérique.

La femme de chambre apparaît sur le seuil, la bouche ouverte, les bras ballants, avec l'air d'avoir perdu quelque chose ou quelqu'un :

« Tu es certaine que la porte du bas est bien fermée? »

— Je l'ai fermée moi-même, Madame Pédro.

— Ne reste pas là, descends et dis à Arlette de monter. Dis aussi à Inna d'éteindre toutes les lumières. Si on sonne, répondez que c'est fermé, qu'on est en travaux, mais n'ouvrez pas. »

On change de pied. Nous l'avons critiquée la taulière, détestée, haïe même, et pourtant nous sommes prêtes en ce moment à nous mettre à genoux, à demander l'absolution, à ramper jusqu'à elle pleines de repentir. Elle le sait la maquerelle, elle le sait tellement cette insatiable jouisseuse qu'elle fait durer son plaisir en augmentant notre martyre à chaque seconde. Muriel pète en signe de protestation.

« Vous êtes dégoûtante Madame, vous finirez au coin d'une rue.

— Si j'y fais de l'oseille c'est bonard, proteste Muriel, en ondulant de la croupe.

— Dehors! Je ne vous garde pas, ni ici, ni ailleurs. Vous direz « chez vous » qu'on m'appelle. J'aurais jamais dû te reprendre.

— Fais bien gaffe, vieille charogne, qu'un jour y ait pas une de tes taules qui explose. Salut les filles, bon vent! »

Muriel sort et c'est un vent de furie qui souffle sur la toundra. Elle n'a pas manqué son numéro la copine, elle a craché au bassinet, à nous les retombées. J'ai envie d'uriner et lève le doigt pour demander la permission lorsque Arlette rentre armée de son inséparable sourire, s'insère dans le cercle, glisse ses mains sous son tablier blanc en se dandinant. Son visage ramolli, en forme de poire, n'exprime pas la moindre inquiétude. Ses petits yeux cernés de bistre, enfoncés au creux de ses orbites, vont de l'une à l'autre, avec l'air de dire : « Vous en faites pas les filles! C'est du temporaire, les beaux jours reviendront. »

Arlette notre alliée, notre sœur, la gardienne de nos manques, de nos gaffes, de nos retards, Arlette complice de nos joies et de nos chagrins. Elle qui parle si bien aux hommes, qui arrive sans peine à les convaincre que nous sommes en chambre lorsque nous avons téléphoné que nous aurons une heure de retard parce qu'un bon film... parce qu'on s'est attardées au restaurant, parce que... (mais elle ne cherche pas à savoir) nous avons simplement un béguin, et les hommes raccrochent rassurés. Elle sait les bercer, les jules au bout du fil, Arlette qui regrette de ne pas être belle pour monter avec nous au 19. Ce qui ne l'empêche pas toutefois de faire son beurre, et du « supérieur ». Elle sait les faire sauter les bâtons sur le papier, Arlette, experte-comptable, quand elle nous coince en douce le matin à cinq heures et demi. « Alors, Sophie, t'en as fait douze mais officiellement huit », et j'encaisse. Ses chouchoutes, ce sont les gagneuses. C'est sur nous qu'elle peut tricher. Ça entame un peu notre prestige vis-à-vis de la taulière. Mais l'important c'est qu'on fasse de l'oseille et que la taule tourne rond! Tout le monde s'y retrouve en somme.

Alors elle l'envoie son discours, la vioque! J'ai des fourmis rouges qui me courent tout le long des gambettes. Les copines commencent à battre du faux-cil, tout ça pour pas une tune, tout ça pour se faire salement licencier. Pas de syndicat aux asperges! Paraît qu'un jour il y a un homme qui en a parlé. On ne lui a pas laissé finir sa phrase. Il a fait une indigestion de pruneaux, le rêveur! Le syndicalisme, faut laisser ça aux grosses entreprises. Le tapin c'est de l'artisanat, un job d'artiste quoi! Des fois que les putes se mettent en tête de s'inscrire à la Sécurité sociale, de toucher des allocations familiales, une assurance vieillesse. Imaginez le désastre. Le pain des jules serait sérieusement en danger.

La vieille n'est pas causante ce soir. Elle renacle comme une vieille jument. Elle pense à notre ingratitude. Moi je pense à Gégé, Gégé qui a le trac que je me retrouve au chômage pour quelques jours, Gégé qui verse des larmes de whisky sur les douze traites de la Mustang décapotable blanche, intérieur de cuir rouge, qui doit rentrer cette semaine. C'est fou ce qu'il est sensible et inquiet, mon homme! Un soir sans boulot, et le v'là à terre. Oui mais, attention, doucement, faudrait pas se tromper, penser qu'il ne compte que sur moi! il compte avec moi. Je supporte de moins en moins de le voir fric-fraquer mon casino d'un air gourmand et étaler les biftons sur le lit quand je rentre le matin à six heures et que, par hasard, il est déjà là. Quand il n'est pas trop défoncé, il branche le fer et il les repasse à feu doux. Il n'y a pas longtemps, je lui ai dit que ça me donnait envie d'aller au refil. Il m'a claqué le baigneur en disant que si je n'étais pas heureuse, j'avais qu'à m'enfermer dans les tasses pendant qu'il faisait sa comptabilité. L'homme d'affaires quoi! Businessman ambitieux.

Un dimanche au début, dans une auberge d'amis au bord de la Marne, pendant que je me débattais avec mon homard (c'était le premier) en regardant passer les péniches d'un air attendri, il m'a lancé comme ça, tranquillement, entre deux bouchées : « Tu vois ma gueule, quand tu me tromperas autant qu'il en passe, on sera sorti de l'auberge. » Poète Gégé, mais toujours la tête sur les épaules. Il doit m'appeler vers minuit pour connaître le résultat des courses.

Pédro s'agite dans son fauteuil.

« Arlette. Viens t'asseoir près de moi. Et puis cesse de sourire, ce que j'ai à vous dire à toutes, Mesdames (elle appuie sur Mesdames) c'est très sérieux. »

Personnellement je n'en ai jamais douté et au fond je m'en fous comme de ma première liquette. Que le *Saint-Louis* ferme, ça ne me fait pas plus d'effet qu'un thermocautère sur une jambe de bois. Ça devenait exigu! Je commençais à m'embourgeoiser comme les anciennes. Olé! Pédro, parle! Je suivrai, prête à faire le voyage pour la péninsule ibérique. J'ai de quoi acheter mon billet d'aller. *La Fiesta,* l'*Hacienda* et surtout *la Bohème.* J'ai pas d'angoisse en ce qui concerne le casse-croûte. J'ai des ressources assez visibles sans compter celles que je planque. Vas-y, Isabelle de Castille, envoie, je me rallie à ta cause, j'ai un arsenal sous mon jupon, mais, de grâce, exprime-toi, j'ai aussi la vessie pleine.

« Ce qui est arrivé à votre amie Muriel vous pend au nez. »

On se regarde le nez. Il n'y a rien qui pend. Et je ne suis pas la seule à avoir envie de me marrer, à part les lèche-cul qui ont la larme à l'œil. Larme à l'œil, crotte au cul. Celles-là, elles ne pèteront jamais au nez de personne, elles se font péter dessus depuis au moins dix piges, tellement imbibées par l'odeur de la merde qu'elles ne songent même plus à en sortir.

« Que celles d'entre vous qui envisagent de travailler ailleurs sortent immédiatement. Car je tiens à vous prévenir qu'ici je n'ai plus de place pour tout le monde. »

Chœur des lèche-cul!

« Oh madame Pédro! On n'a pas l'intention de partir.

— Je dois vous replacer dans mes bars et ça ne m'amuse pas, mes filles non plus. Elles sont déjà trop nombreuses.

— Ça fait rien, on jouera des coudes. »

J'ai lancé ça sans y penser :

« Sophie, taisez-vous ou vous allez prendre la porte. »

Arlette en douce me fait un signe de main, les doigts en bec de canard. J'écrase en changeant de pied.

« Vous voyez où nous en sommes, reprend la taulière, en s'éventant avec son mouchoir en dentelles de Calais d'où s'échappe un relent de *Vol de Nuit.* J'ai été très coulante. D'abord, j'ai pris Madame France qui est mineure. On me l'avait caché. »

Sylvaine toussote.

« Même les hommes me trompent. Oui, madame Sylviane. Et pourtant c'est chez moi qu'ils mangent. Vous pouvez le répéter chez vous!

— Moi, vous savez, il y a longtemps que je ne suis plus un faux-poids. Passez vos remarques ailleurs. Quant aux femmes que mon mari a placées chez vous, je crois que vous n'avez rien à dire. Elles avaient toutes passé la vingt et une. »

Sylviane n'a pas de problème en ce qui concerne l'ordre hiérarchique. Elle connaît Pédro depuis douze ans... Quant à celle-ci, elle connaît le tempérament fougueux de la Napolitaine qui, il n'y a pas si longtemps, l'a coiffée d'un pot de bégonias au cours d'une discussion. Elle glisse donc vers un autre sujet : une femme avertie en vaut quatre.

« Ce n'est pas seulement à cause de cela que j'ai des ennuis.

(Elle reprend son souffle, elle vire au mauve.) Il y en a parmi vous qui volent le client! »

Oh! nous nous regardons, offusquées, offensées, insultées. Des voleuses parmi nous? Les lèche-cul comptent les graines de poussière.

« Oui, mesdames. Il y en a qui volent et elles le savent fort bien. N'est-ce pas, Madame Sophie et votre amie France?

— J'ai jamais fauché que pour manger, Madame. Le reste je ne m'en souviens pas. »

Cette fois, elle pousse le bouchon un peu loin la vieille. Advienne que pourra, je rue dans les brancards.

« Si vous faites allusion au « jap » qui s'est plaint d'avoir perdu cent sacs au 5, vous savez aussi bien que moi que je ne les ai pas fauchés puisque c'est vous qui avez retourné la piaule dans tous les sens avec l'aide d'Inna. Je vous ai même donné un coup de main pour retourner le matelas et bouger le sommier avant que vous ne me déssapiez. J'ai bonne mémoire ou pas? D'accord, je me suis pas laissée tripoter. J'ai refusé qu'on me retire mon diaphragme. J'avais fait une huitaine de passes. J'étais sale. Vous pensez pas qu'une fausse couche ça coûte un peu mieux que cent sacs, sans compter le mal de bide, la sonde, l'hosto et tout le bordel.

— Je ne fais allusion à rien de particulier, Madame. Si vous vous sentez morveuse, mouchez-vous. Et si vous n'êtes pas satisfaite, sortez! Quant aux vols, je sais à quoi m'en tenir. »

Il y a des moments dans la vie où on aimerait être une autre, un peu moins lâche, un tout petit peu plus sûre de soi. J'ai envie de pleurer, de mordre, de me débattre, de lui foncer dans le lard et je reste là, le pied cloué au tapis, impuissante, faible, lamentable. Inutile de chercher du secours auprès des autres! Elles se régalent. La main d'Arlette bat crescendo. Je me souviens de ce que j'ai pensé quand j'ai débuté et que j'ai appris l'âge des anciennes, trente ans. Y être encore à trente piges, jamais, plutôt me flinguer. Ça me réchauffe, j'ai toujours les mêmes belles idées, ces grandes idées idéales. Ça ne fait qu'un an, un an déjà. Me flinguer.

Pédro continue pour les autres. A moi, sa voix ne me parvient pas, ou si peu, feutrée, ouatée, presque douce à travers l'épaisseur neigeuse des cumulus. Je vogue dans les nuages, je perce la stratosphère, le cœur léger, mon calibre 22 pointé sur la veine cave. La Zone m'accompagne, me serre les doigts, nous sommes bien. Le soleil nous éclabousse, nous dépèce. Nous faisons peau neuve. En route sur les chemins de la délivrance. Dans nos yeux éblouis passent des météores. On oublie tout, le bordel, les michetons, les filles, les bars, les taulières, les chasseurs, les condés, les Mustangs, les péniches, les éponges, la vaseline, les fausses couches, Saint-Louis, Saint-Lazare, les morpions, les chaudes-pisses, les fouets, les gods, la perruque, les faux-cils, les julots. On n'a même plus de mental. Mais qu'est-ce qu'on s'en fout! Là où on va, ça ne sert à rien la mentalité, ça n'existe pas, on n'en a jamais entendu parler, c'est un mot inventé par les macs et là où on va il n'y a pas de macs, pas d'hommes ni de femmes. Il y a nous, nous et les nuages.

Pédro cause toujours. Elle garde Jeanine la femme de chambre, Michèle, la mère de famille qui est là depuis treize ans, Sylviane et Josiane son amie, Cynthia car c'est la seule fille de couleur, Nathalie parce qu'elle a les éponges mitées et qu'elle ne peut ni travailler dans la fumée ni boire, Monique parce que c'est une rousse authentique, Brigitte à cause de sa corpulence et Claudie qui fait partie des anciennes. Elle garderait bien Kim, les mecs se la disputent cette Eurasienne. Mais c'est l'amie de Muriel, alors qu'elle se démerde. Fabienne prendra des vacances. Depuis que son homme s'est fait rectifier dans un règlement de comptes, il y a deux ans, elle n'a plus de problème mais des sous en banque et voit la vie d'un bon œil... Martine essaiera les Halles où elle a une copine, rue du Cygne. La perspective ne l'enchante guère, mais alléchée par les comptées que son amie déballe au hasard de leurs rencontres, elle se résignera. Mona est prête pour le bar. Elle a passé deux ans à *la Fiesta,* ça l'arrange même, vu qu'elle a une descente en pente d'arrosoir. Valérie et Pascale prendront la route de *la Fiesta.* Sandrine et moi irons à *l'Hacienda* en attendant l'ouverture de *la Bohème.*

Voilà, la taule est pratiquement dissoute. Pédro nous laisse en nous priant de faire fissa! Nous montons au 19 en traînant la patte, sans rire et sans parler, presque en deuil. Heureusement Arlette nous rejoint. Et tandis que, penchées dans le placard, nous tentons en nous engueulant de récupérer des godasses éculées, de vieux soutien-gorges spécial turf, elle nous fait souvenir des beaux soirs d'été où nous balancions du troisième étage, sur la tête des touristes, des préservatifs gonflés d'eau au bout d'une ficelle. On s'est marré. Ça fait partie du passé.

Nous disons bonsoir au 19, nos fringues sous le bras. On embrasse Arlette. Et puis on monte la rue Fontaine jusqu'à la place Blanche. Enfin on s'étreint en se souhaitant bonne chance, même les léche-cul, surtout les lèche-cul. Autour de nous, Pigalle scintille comme une fête, semblable à un gigantesque manège mu par de multiples et d'invisibles pulsations, le cœur des copines réunies qui se disperse dans la nuit, s'évapore dans les courants d'air. Je marche et me retrouve seule en face des *Folies,* éclaboussée par les jets d'eau multicolores.

« Tu montes ma poule? Combien tu fais? »

C'est relâche. Gardez votre argent, Monsieur. Je ne suis pas qui vous croyez. Ce soir je m'émancipe. Je vais manger des huîtres chez *Charlot I*^er^*.*

Quelle heure est-il? Encore un jour nouveau qui se faufile à travers les carreaux. Une chanson que je chantais en préventorium. Il est onze heures, je m'étire dans toute la largeur du lit. Gégé a dû oublier une fois de plus son adresse. Tant pis, cela n'entamera pas ma bonne humeur, quelque chose me dit que dehors il fait soleil. Je me sens bien. J'ai la tête comme le ballon de Guebwiller, sans doute trop de Gewurzt hier soir. J'ai poussé à la consommation. Sept sacs d'addition dans la tinette! Les belons c'est bon, seulement quand ça vous repasse par les narines, c'est un truc à vous dégoûter des fruits de mer *ad vitam aeternam.* J'aime bien prendre des alkas, j'approche le verre tout près de mon visage. Il y a plein de petites bulles qui me sautent aux lèvres. Comme le champe, le champe, j'en raffole quand je ne touche pas dessus.

C'est vrai qu'il fait soleil. Si je me préparais un bon thé? Mais que peut bien faire Gégé? Il n'est pas rentré à cette heure-là? J'espère qu'il n'est pas encore parti me faire un poker à l'étranger. Il m'a fait le coup une fois. Arlette m'avait tendu le bigophone aux environs de quatre heures du mat. Crépitements dans le bigorno :

« Allo, ma petite gueule! C'est moi. Saute dans le premier avion pour Bruxelles, avec du carburant, on t'attendra à l'aéroport. T'as un vol qui part à huit heures du Bourget. »

Cette nuit-là, je n'avais plus dérouillé jusqu'à la fermeture. En rentrant j'avais raflé les deux cent vingt sacs d'économies miraculeusement intacts qui dormaient sous le matelas. Deux cent vingt plus soixante-quinze, de quoi investir dans une affaire sérieuse. J'avais éperonné le taxi à grands coups de promesses de pourliche. « Soyez génial, chauffeur. Mon homme est peut-être en danger, à moins qu'il ne soit branché sur la carambouille du siècle. » A huit heures moins vingt, j'étais au Bourget. A neuf heures moins dix, essoufflée, j'atterrissais à Bruxelles.

J'avais sans peine repéré mon ange gardien. On ne pouvait pas le confondre avec un inspecteur de douanes. Ça sentait le sauret à dix lieues. Sapé d'un costard en Prince de Galles, la pompe brillante, la tocante toute or en évidence sur son poignet velu, il faisait sauter son Dupont en jade d'une main à l'autre, dans un mouvement d'évidente impatience. Il m'avait demandé, avec son accent des Bouches-du-Rhône, si j'étais bien Madame Gérard. J'avais répondu : « Oui. » Nous avions roulé à travers la capitale belge.

Je m'étais montrée discrète comme doit l'être une femme de mitan! Il avait garé son bateau devant un bar qui semblait fermé. Je l'avais suivi dans une grande salle obscure où les chaises reposaient pieds en l'air sur des tables de bois, jusque dans une petite pièce au plafond bas, enfumée, mal éclairée, où des hommes rassemblés autour d'une table s'adonnaient au plaisir du jeu avec le mien. Spectacle réconfortant qui donne confiance en l'avenir.

C'est peut-être ce jour-là que Gérard a commencé à me dégoûter vraiment. Jusqu'alors je m'étais débrouillée pour lui trouver toutes sortes d'excuses, à moi aussi d'ailleurs. Mais ce matin-là, je l'ai vu dans un miroir grossissant. Pas une glace en bois, un beau, grand miroir en pied, propre, brillant de lucidité, et c'était pas beau. Son grand pif où couraient des veinules bleues jusqu'à la pointe arrondie. Ses petits yeux de rapace encavés profondément dans sa tête vide. Sa bouche épaisse, gâchée par ses dents abîmées, surmontée d'une moustache vicieuse. Ses joues creuses et pourtant flasques. Son teint terreux, son teint qui ressemblait à la couleur des jours que nous avions vécus ensemble. Bien sûr, il lui restait ses mains. Ses belles mains longues et blanches qui maniaient les cartes avec dextérité, ses mains qui m'avaient séduite et que j'avais baisées amoureusement, ses mains qui, dans ma banlieue, m'avaient fait jouir sur les sièges de sa voiture américaine; des mains que mon père appelait des mains de fainéant. Ces mains contre lesquelles il n'avait pas réussi, malgré tous ses efforts, à me mettre en garde. Gérard ne possédait plus que ça. Et c'était peu, très peu pour moi devenue depuis beaucoup plus exigeante.

Il m'avait fait signe d'approcher et j'avais reçu son haleine chargée de tabac et de whisky. J'avais déposé sur la table les deux cent quatre-vingt-quinze mille francs, avec le plus profond détachement. Je m'étais assise et j'étais restée là jusqu'à midi, la tête vide, les jambes molles, la bouche amère, les yeux brûlants. En quittant le bar, nous avions marché au hasard. Au coin de la rue des Petits-Bouchers, il a acheté des sprats et des patates tièdes. Il lui restait à peine de quoi faire le plein pour rentrer à Paris. Pendant le trajet, je me souviens que j'ai eu envie de lui dire que je voulais le quitter, que c'était mieux comme ça, qu'ensemble on n'arriverait jamais à rien. Et puis la fatigue, l'habitude d'être assise là, d'appuyer sur l'allume-cigare quand j'avais envie d'une pipe : je me suis tue, j'ai pressé le bouton de la radio, regardé défiler les peupliers, posé ma tête sur le cuir tiède. J'ai dormi. Les pavés du Nord, ça signifie quelque chose pour moi.

Qui sait cette fois! Beyrouth, Acapulco, Zanzibar! J'ai besoin d'exotisme. En tout cas, je ne dois pas oublier que ce soir je fais mon entrée dans le monde. Une nouvelle place. Oui! Ce soir, la Costa Brava, le flamenco, la Costa del sol. Ce soir je redébute à *l'Hacienda* et je dois être à la hauteur. Si j'allais chez le coiffeur, c'est pas une méchante idée ça! Je vais marcher jusqu'à la station de la porte de Versailles. Il fait bon dehors. Il fait gris et blanc, doux et frais à la fois. J'aime flâner loin de Pigalle, devenir anonyme. On ne siffle pas Marie, on lui sourit, on ne lui tape pas dans le dos, on la regarde, on ne lui impose rien, on la prie. Et la voici toute prise par sa joie, qui baisse les yeux, qui sourit à son tour, qui s'attendrit, le cœur débordant de tendresse sur les marmots cahotés dans leurs landaus. Elle adresse la parole aux mères béates. Elle hume le talc, l'eau de Cologne, le lait. Elle contrôle le geste de sa main qui effleurerait volontiers cette joue propre, intacte. Elle songe en marchant à reculons qu'un jour peut-être elle goûtera ce bonheur-là. Mais pas avec lui, jamais.

Dans le G7, je pense à Evelyne. Elle m'a promis que si elle voyait mes clients, mes habitués, elle me les enverrait à *l'Hacienda.* Je ne la crois qu'à moitié, sachant parfaitement qu'elle fera son possible pour qu'ils deviennent siens. C'est la règle du jeu. Dans son cas, je n'agirais pas différemment. Et puis je l'aime bien, Evelyne.

Evelyne, ça reste une femme de chambre, une demi-sel, une cavette affranchie par le tapin, rien d'autre. Mais ce qui les emmerde le plus c'est que malgré leurs coups de vice, leurs manigances, elles n'ont jamais réussi à la faire maquer. Evelyne, les week-ends à Deauville, les parties de chasse en Sologne, les sports d'hiver à Megève ou la dolce vita à Saint-Tropez, les auberges cossues de Saint-Germain-en-Laye, elle s'en glande. Elle ne s'est pas gênée pour le leur dire en face, avec sa fraîche franchise de petite Normande. Et les bidochardes, les femmes à hommes, elles ne l'ont pas digéré, même qu'une fois elles lui sont tombées à cinq dessus avec la ferme intention de lui raser la boule à zéro. On s'était battu comme des tigresses, France et moi, avec Evelyne qui n'avait nullement l'intention de se faire scalper. Elle s'en était sortie avec quelques poignées de tifs en moins et une robe bonne à jeter aux ordures. C'est dur de faire sa place au soleil quand on a décidé de garder son indépendance. C'est pour tout cela que j'aime Evelyne. Elle dit que quand elle aura son auberge dans le Nord, la porte sera toujours ouverte si je suis un jour dans la merde, si j'ai besoin d'un boulot ou d'une planque. C'est bon à entendre, même si on espère ne jamais en arriver là. En ce moment elle fraye avec un loufiat du *Balto,* un boulot, il s'appelle Loulou, paraît qu'il est gentil pour elle, qu'il n'en veut pas à ses sous. Il n'a qu'un seul défaut, il tête. Mais elle a trouvé la solution : quand elle part travailler à dix heures, elle l'enferme à clef. Je crois qu'elle réussira; en tout cas, quand elle me fait ses confidences, je la bombarde de recommandations. Elle m'écoute en disant que je ferais bien de penser un peu à moi.

Penser à moi. Ne pas m'oublier, entrer chez Molinario et lancer à mon Figaro d'un ton léger : « Fais-moi belle. »

C'est presque partout la même chose. Il y a un rideau qui sépare l'entrée de la salle et un disque de mauvais jazz qui tourne. Sandrine sera-t-elle déjà là? J'ai bu quatre Martini à *la Cloche d'Or* avant de venir, j'ai chaud à la tête, j'ai les tempes qui battent. Allez, va, Sophie, t'as pas le trac à ce point-là, personne ne va te manger, les filles sont partout les mêmes, elles risquent de te faire la gueule, de ne pas répondre à ton bonsoir, et alors? Entre, entre donc. Qu'est-ce que tu attends? Si au moins j'avais vu Gérard, nous aurions pu parler un peu. Il n'est jamais là quand j'ai besoin de lui. Commencer dans une taule sans savoir où est son homme, c'est en plein ce qu'il faut, ça aide.

« Excuse. Tu entres ou tu sors?

— J'entre.

— Alors magne, c'est défendu de rester dans la porte. »

Comment elle cause celle-là? Ça s'annonce bien.

« Bonsoir tout le monde, j'ai trouvé « ça » derrière le rideau. »

« Ça », c'est moi!

« Je viens du *Saint-Louis.*

— C'est vous Sophie?

— Oui Madame.

— Hé bien, Sophie, j'espère que vous allez vous plaire parmi nous. Ça va vous changer. Le travail au bar est différent. Madame Pédro vous a parlé un peu?

— Non Madame.

— Mes filles vont vous mettre au courant. Patricia ou toi Janou, occupez-vous de notre petite Sophie. »

Madame Jacqueline, je vous aime. Vous ressemblez à la

charcutière de mon quartier quand j'étais petite. Je sais que vous n'êtes pas méchante, que vous ne le serez jamais avec moi, que vous ne devez pas l'être avec les autres.

« Buvez donc quelque chose. Ici, vous avez droit à trois consommations par nuit. Consuelo va vous servir ça. »

Consuelo, c'est une petite boulotte, souriante, jolie. Elle semble arriver droit des faubourgs de Madrid. On se sourit. Je cale mes fesses sur un tabouret et commence à décompresser. Au bout du bar, trois filles jouent aux dés. Dans l'ombre du velours rouge, d'autres se coiffent, font glisser des pinceaux de soie sur leurs joues, parlent en sourdine. Où est l'exubérance du *Saint-Louis,* les rires, les farces, les cris, les pleurs, où sont mes débuts? Ici, les filles en robes surannées ressemblent à des ombres, à des chattes alanguies à qui on aurait ôté les griffes. Mes craintes se dissipent. Ici, je ne sens aucune agressivité. Comment, pourquoi sont-elles ainsi? Seule Mme Jacqueline et Consuelo semblent vivantes.

Patricia parle d'une voix ouatée, douce, où se balance un léger accent du Midi. Elle est jolie avec ses cheveux blonds ramassés en chignon sur la nuque et ses yeux verts à peine maquillés. Son visage d'un ovale parfait s'éclaire d'un sourire; son homme sort, elle se retire en juillet.

« J'ai trente-trois ans. Il est temps! Madame Jacqueline est bonne, tu verras, la clientèle aussi. Les passes sont à vingt mille, onze pour toi quand le client est « maison », neuf s'il est « chasseur ». Tu peux aussi tirer en chambre. Sur la bouteille tu touches quatre. Tu peux aussi sortir avec la demie où tu touches deux. Seulement la grande est recommandée. Si tu fais une sortie pour la nuit, tu dois trente à la maison. Une partouse, tu attaques à trente, et tu donnes quinze. On fait quelques spectacles, mais c'est rare. Pour le jour de congé, nous faisons un roulement; en principe les dimanches sont creux. Mais il y a des filles qui aiment le dimanche. C'est pas un problème. Tu en parles avec Jacqueline.

— La vieille, elle vient souvent?

— Elle passe.

— Où monte-t-on?

— Les plus anciennes sont acceptées quatre fois à côté. Ça

diminue les risques d'emballage. Les chambres sont propres. Sinon il faut aller au *Macao,* rue Frochot.

— Une fille qui travaille se fait combien en moyenne ici?

— Ça dépend. D'abord, ici, il n'y a pas de gagneuses. On se fait quarante — cinquante, sauf Janou et Doris, les Martiniquaises, qui sont très demandées. T'es jeune toi, pourquoi t'as pas essayé la rue? La rue c'est bon. J'ai des copines...

— Oh! non, la rue, non. Tiens, je vais reprendre un Martini.

— Dites-moi Sophie, vous n'avez rien de plus habillé, ma petite fille?

— Je travaille bien en jupe et en pull, Madame Jacqueline

— Nous verrons. »

Ohé, les clients. Le Martini, ça cogne. Pointez-vous, j'ai pas l'habitude d'attendre comme ça et je commence à avoir des escarres aux fesses. Racole Charly! Racole, je rouille. A cette heure, j'ai déjà dérouillé trois fois d'habitude. Un client maison, un mec de Toulouse ou d'ailleurs, j'en suis à l'étranger et j'ai déjà un minimum de trente dans la fouille. Vas-y Charly. Envoie-le ton char. Envoie mon pote.

« Consuelo, vous avez le disque de Brel *Quand on n'a que l'amour?*

Oui, je sais c'est pas très Espanche, mais je commence à être défoncée, et à ce moment-là, je deviens sentimentale. Elle y met de la bonne volonté, la Madrilène accroupie derrière le comptoir. Si elle persévère, c'est bon. Mais suis-je en plein délire onirique? Non c'est du réel. Ohé! Il entre, inconscient du danger, tête basse. La foule l'acclame, défilé de présentation, passe de cape. Sophie, faites couler la sangria. Je prépare les banderilles. Ses yeux noirs me fixent. Il se méfie maintenant, s'éloigne, piétine, revient. A mon tour de le fixer. Ce n'est pas un taurillon malgré son aspect rétif, la quarantaine tranquille. Qu'on me passe ma cape de lumière, qu'on me jette une rose entre les dents. Touché, passe de muleta, c'est un battant, il charge de nouveau, passe de poitrine. La foule s'est tue, il s'incline.

« Sophie.

— Enchanté. »

Il baise ma main. Plus tard, la mise à mort, plus tard, Pour l'instant, approche, laisse-moi t'apprivoiser, caresser tes cornes. Bonne bête, Maurice, bonne.

« M. Maurice est l'ami de Minouche, il est écrivain. La même chose que d'habitude, Maurice. On vous sert derrière? »

Rideau. Jacqueline le tire. Nous voilà Maurice et moi isolés du monde. On doit se faire joliment peloter ici avant de monter. Et encore, s'il monte. Sainte-Sophie, ma patronne, la seule, priez pour moi, faites que je dérouille avec lui.

« T'es nouvelle dans la boîte? J'ai l'impression qu'y a pas longtemps qu't'en fais, je me goure ou pas?

— Vous n'êtes pas loin de la vérité.

— J'te trouve bandante dans ta tenue d'écolière, mais faudrait peut-être que t'abandonne tes grands airs. J'suis un vieux singe tu sais. Les frangines, j'vous connais par cœur! Ça fait deux piges que j'essaie d'en sortir une d'ici, Minouche, et j'vais en faire ma femme, son lascar aura qu'à retourner au chagrin! Mais toi tu me plais, j'vais me payer un écart ce soir.

— Je sais que je te plais!

— Espèce de voyouse, si je te demande de m'attendre, tu vas pas filer avec un micheton?

— A condition que vous ne partiez pas en croisade et que ce ne soit pas l'émir du Koweit qui me propose une virée!

— Attends-moi, p'tit voyou, j'reviens! »

C'est bien ma veine, je suis tombée sur un énergumène qui respire le songe creux.

« Sophie, que se passe-t-il, mon p'tit? M. Maurice est sorti en courant. Vous n'avez pas été désagréable au moins?

— Pas du tout. qu'est-ce qu'il écrit au juste?

— Des séries noires. Vous savez qu'il en pince pour Minouche, une longue histoire... »

Janou vient de s'installer à la table en face de la mienne avec un gros homme qu'elle appelle son amour. Il baise ses doigts et cite Baudelaire :

Vous feriez à l'abri des ombreuses retraites
Germer mille sonnets dans le cœur des poètes
Que vos grands yeux rendraient plus soumis que vos Noirs.

Elle rit, la folle, et lui a l'air de l'aimer. Jacqueline a disparu derrière le rideau rouge. Il est minuit. Je n'ai pas une tune dans mon sac et Gérard qui n'a pas appelé, Gérard qui n'appelle plus depuis longtemps déjà. Drôle de nuit. Un nouveau couple vient de s'asseoir, la fille éclate d'un petit rire nerveux en tirant sur sa robe.

« Attends mon chou, voyons, pas comme ça devant tout le monde. Sois patient. »

Tout le monde n'est pas là à les regarder, l'homme le sait. L'homme n'est pas patient. Il veut toucher tout de suite, maintenant. Toucher, se faire toucher. Il rédige un chèque rapidement entre deux coupes. La fille le prend, se penche. Sa tête blonde disparaît sous la nappe sombre.

L'innocent Paradis plein de plaisirs furtifs
Est-il déjà plus loin que l'Inde et que la Chine?
Peut-on le rappeler avec des cris plaintifs
Et l'animer encore d'une voix argentine?
L'innocent Paradis plein de plaisirs furtifs...

poursuit le poète.

« Tiens, Sophie, j'aurais aimé en trouvé davantage. J'ai fait le tour de la place.

— Tu es fou, je n'aurai jamais assez de vases pour les mettre toutes.

— Nous en achèterons. Tu auras des roses tous les matins à ton réveil. Viens, sortons d'ici. J'ai envie de te regarder ailleurs, dans la lumière. Je paierai ta sortie. J'en ai payé d'autres, go fillette.

— Et les roses?

— Jacqueline s'en chargera. Sortons. »

Drôle de nuit en vérité.

« J'ai froid. Où allons-nous?

« N'importe où, faire l'amour. T'es pas faite pour ce boulot. Mais qu'est-ce qu'ils vous font donc les macs? Allez, gamberge pas, tu pourras lui rendre des comptes. »

Drôle de type en vérité! N'importe où n'est pas ce que j'ai imaginé; l'appartement luxueux se dissipe au fur et à mesure que je grimpe les marches de l'hôtel crasseux qui sent la punaise de bois de lit, le savon de Marseille, le foutre, un hôtel de passe, l'hôtel *Pigalle.*

Je me déshabille en silence, déçue. Maurice à genoux me regarde. Vulnérable Maurice, relève-toi, je renonce à la mise à mort, je suis fatiguée, fatiguée. A ton tour, fais-moi grâce. Non, tu refuses, la lueur brillante qui danse dans tes yeux noirs me dit que je ne serai pas épargnée, pauvre moi!

Allez, Maumau, sers-toi mais fais ça vite. L'endroit est sinistre, le dessus-de-lit poisseux. Ne cherche pas mes lèvres, elles m'appartiennent, c'est à peu près tout ce qui me reste d'intact. Eloigne ton visage, tu sues. Et puis ne bouge pas autant, ça ne sert à rien qu'à faire grincer le sommier. Ne me regarde pas ainsi, je n'y suis pour rien si tu ne bandes pas. Non, malgré tes roses, ton champagne et ton chèque mirobolant, je ne ferai aucun effort. C'est vrai, tu aurais pu mieux tomber; un soir de forme, je t'aurais fait plein de trucs, la roue, les pieds au mur, les reins cassés. Je te demande pardon, t'as l'air d'un brave mec, d'un fou comme je les aime, t'as rien de rebutant, t'as presque un corps d'adolescent, une bouche propre, un slip propre, tu transpires juste sous les bras, mais je peux tout de même pas t'en vouloir pour ça. Tu fais ton possible pour me faire du bien, hein Maumau? T'essaies de me rendre heureuse, c'est pas la bonne volonté qui te manque, seulement tu bandes mou, t'as la queue comme une chiffe et ce soir j'ai pas mon âme de Jeannette. Tant pis pour nous, on grimpera au septième ciel, chacun pour soi, avec une échelle différente, c'est tout. Il y a tout de même pas de quoi fouetter un chat.

« Sophie, tu me bouleverses, tu m'empêches de bander. J'ai bu mais c'est pas ça. On s'en grille une? Après tu pourras partir.

— Je partirai.

— Tu diras rien à Myriam?

— Je ne la connais pas. Tu disposes de ton argent, non?

— Elle a failli se faire flinguer pour moi.

— Bon sujet pour un de tes bouquins, la pute repentie qui quitte tout pour l'amour d'un client, de quoi faire pleurer Margot!

— Sois pas cynique, ça ne te va pas!

— Qu'est-ce que tu en sais? Ecoute Maurice, tes histoires

de fesses avec Myriam, je m'en fous. Ça me laisse froide. Et puisque tu joues les affranchis, laisse-moi te dire une chose : l'important c'est que j'ai touché mon pognon. Basta! Nous aurions pu passer ensemble un moment agréable. Tu en fais un mélo. C'est ton problème. Et puis tu oublies de dire que t'as envoyé dix bâtons pour qu'elle te suive, ta dulcinée. C'est beaucoup d'argent, dix briques. Je ne connais pas beaucoup d'hommes qui auraient résisté. Entre nous, Maurice, tu es sûr qu'il a voulu la flinguer, son mec? Laisse-moi finir : elle a trente-cinq ans, si j'ai bien entendu, quatorze de tapin, un môme qui marche avec des béquilles. Permets-moi d'être sceptique, je vois mal ce que les sentiments viennent foutre là-dedans.

— Tu es méchante.

— Pas exactement. Allume m'en une autre, tu veux? Je suis lucide, réaliste si tu préfères. Moi, mon truc c'est de faire du cinéma, du court métrage à la nuit longue! Ce soir je suis fatiguée. Alors je cause. Je dis des choses comme ça. Je déroule la bobine. Je m'emmerde, je m'emmerde dur. Mais je ne serai jamais capable de jouer le rôle de Myriam! Jamais. Et si toi aussi tu t'arrêtais de te prendre pour un autre, si au lieu de rêver de tenir un calibre, tu te contentais de tenir ton stylo, tu ne penses pas que ça simplifierait ta vie, franchement? T'as la générosité des voyous, tu baises leurs femmes, tu parles leur langage! Qu'est-ce qui te manque? Les risques, les années de galère, l'éternelle cavale? Explique-moi, je ne demande qu'à comprendre!

— Sophie, tu me plais de plus en plus, j'ai envie de te faire jouir!

— T'as pas plutôt envie d'te raconter?

— Je ne sais plus.

— T'as une femme, des mômes?

— Elle est internée, ça fait onze mois qu'elle est à Sainte-Anne... J'ai fait trois filles. Minouche les adore.

— Alors pourquoi vous ne vivez pas ensemble?

— Elle paye l'amende. J'ai déjà largué dix briques.

— Belle somme.

— Une avance. Il en reste autant à donner.

— C'est moche.

— Soso, je ne sais pas si ce que je te propose cette nuit

vaudra dans trois mois, mais j'aimerais qu'on parte ensemble dans le Midi avec mes mômes. J'ai une maison à Saint-Raphaël. Cinq cents pour deux semaines, ça devrait calmer ton lascar?

— Tant de choses peuvent arriver en trois mois. Je n'aime pas promettre.

—Je te donne toujours mon numéro de téléphone et mon adresse. J'attends ton coup de fil ou ta venue. Tu peux partir. »

Extravagant et généreux Maurice! Je ferais bien un bout de chemin avec toi, seulement il y a demain... et cette mouche qui court sur mon front annoncerait-elle l'orage?

« Depuis quand tu balances ton blaze au clille? C'est une nouvelle trouvaille? Tu réponds quand je te cause?

— Tu voudrais qu'il le rédige à l'ordre de mon cul! A ton nom peut-être?

— Tu manques! Tu parles de plus en plus mal. Va falloir que j'te redresse le poil.

— C'est toi qui m'y oblige, toi avec tes insinuations, tes questions idiotes. Il fallait peut-être que je dise au mec : « Fais-le au nom de Sophie? »

— S'agit pas de ça. T'avais qu'à le faire mettre au porteur.

— Au porteur pour que le premier venu m'arrache mon sac et encaisse les cent sacs que j'ai transpirés? Vraiment, pour dire des conneries, t'as pas besoin de te forcer.

— J'vais pas m'forcer non plus pour te filer une emplâtre si tu baisses pas d'un ton.

— Ecoute, ça fait deux jours qu'on ne se voit pas. Ça va pas recommencer.

— Ça va continuer. Alors comme ça, t'as passé ta nuit avec un mec, un seul? Il a dû t'en faire pour ce prix-là?

— Il ne m'a pas baisée si ça t'intéresse. Il bandait pas. T'es rassuré? Et puis sur ces cent sacs, j'en dois trente pour ma sortie, plus deux bouteilles à sept mille cinq. Vas-y, toi qui compte bien. Calcule ton bénéfice.

— Arrête de m'charrier, tu vas morfler.

— J'te charrie pas. J'fais les comptes.

— T'aggraves ton cas! Pince pas les lèvres. J'aime pas ça. Qui est ce mec?

— J'en sais rien. Tu crois que j'leur demande leur *curriculum vitae?* Et puis arrête de me faire croire que t'es jaloux, même en t'appliquant tu n'y arriveras pas.

— Tu te fous de ma gueule. Un mec qui page une nuit avec une frangine, il a le temps de lui en raconter. Il t'a filé son téléphone au moins? Son adresse? Tu l'as fait chez lui ou à l'hôtel? Comment il s'appelle?

— Tatave. On est monté au *Pigalle,* en face, où travaille ton ex-femme.

— Ta gueule, remets pas ça sur le tapis. Tatave quoi?

— Tatave merde!

— Tu le fais exprès d'me pousser à bout? Tu la veux, ton avoine!

— C'est toi qui me pousses à bout. Toi, toi! Tu préfères que je m'écrase dix mecs pour le même prix. Ça t'arrange. Avec dix d'affilée, j'ai pas le temps d'm'envoyer en l'air. C'est ça hein, dis-le. Rassure-toi, j'm'envoie plus en l'air depuis longtemps, ni avec toi ni avec personne. Personne. Ça m'est sorti de la tête. Complètement. J'ai un grand vide entre les cuisses, un trou, une fente, une tirelire, un Jack Pot, un vide!

— Tais-toi ordure, tais-toi, tu vas attirer les condés, c'est ça qu'tu veux, m'faire emporter, tu serais tranquille.

— Tranquille. Frappe, frappe donc. Vas-y si tu les as encore accrochées. Cogne dur, pourri, tu m'fais pas mal. Plus fort. Que j'me relève pas, que j'vois plus ta sale gueule! Crève-moi, emmanché. Mais, crève-moi, donc. Crève-moi. Gérard, pas là! Gérard, pas les seins! Tu me fais mal, Gérard, arrête, je t'en supplie. Regarde, je saigne, j'ai du sang. Gérard frappe plus. Pas la tête, pas la tête. Ma main! T'écrase mes doigts. J'te demande pardon.

— A genoux!

— A genoux, mais soulève ton pied, je t'en supplie.

— T'es une ordure.

— Si tu veux.

— Pas si je veux, t'es une ordure.

— Oui, je suis une ordure. Retire ton pied.

— T'iras faire les biques à la *Goutte-d'Or.* Ça t'apprendra à vivre.

— T'iras te faire empapaouter! L'jour où j'ferai les biques, les poules auront des faux-cols.

— J'vais t'canner, t'étrangler comme une chienne.

— Canne-moi, fumier, tu mettras ça à ton palmarès de vermine. »

Tu peux frapper, j'sens plus rien. Mais n'oublie pas qu'la concierge baise avec le principal du Quinzième. Le boucher, la mercière, les gens du quartier, tout le monde te connaît, toi et tes bagnoles américaines, toi et ta gueule de hareng.

Et pendant que je dormirai peinarde, enfin, tu croupiras en galère comme une larve, comme un étron. Et un matin, à l'aube, on viendra te chercher.

« Pose ces ciseaux, petite ordure! Lâche-les! »

Il pleuvra, ce matin-là, une pluie fine et glacée. Dans la cour déserte de la prison, il y aura ton avocat, d'autres hommes. Ils auront tous hâte de regagner leur lit. Il sera tôt.

« N'approche pas ou je te plante. Recule! »

On sera obligé de te traîner en te soutenant sous les bras jusqu'à la guillotine parce que tu seras mort de trac. Tu chieras dans ta culotte en chialant. Y aura d'la merde plein ton froc, plein tes chaussons, une merde qui pue. Ton avocat et les autres se pinceront le nez d'un geste de dégoût. En montant les marches de bois, tu te débattras comme un poisson au bout d'une ligne, avec le même désespoir, tu perdras tes écailles, toi le barbillon, tu agiteras tes branchies maladroitement, tu feras pitié. Malgré la pluie, tu manqueras d'eau. Trop tard. Bon pour la friture Gégé.

« Si t'as envie de continuer ta carrière de mac, laisse-moi passer. Dégage de l'entrée. J'ai besoin d'air.

— T'es cinglée. Où tu veux en venir? Raisonne.

— C'est toi qui le dis! Pousse, dégage!

— Grisette!

— Y a plus de Grisette! Laisse-moi passer. J'ai mal. Ici y a rien pour me soigner. Rien, ni personne. Bouge!

— T'es folle! On va t'arrêter! Tu t'es pas vue dans une glace! Les lardus vont rappliquer ici! T'as pensé à moi?

— J'arrête pas, appelle-moi un taxi.

— Tu vas chez ta mère?

— C'est ça. Elle sera ravie de me voir dans cet état-là.

— Reviens.

— Crève. »

« Rue Boursault, s'il vous plaît, Monsieur! Au 51.

— Qu'est-ce qui vous arrive, ma petite dame? Vous êtes sûre que c'est pas plutôt à l'hôpital que je vous emmène?

— Une explosion, boum! Ma cocotte-minute. Tout pris dans la tête. Rue Boursault, vite. »

Tout de suite après, j'irai à l'hôpital. Mais oui, bien sûr. Je vous le promets, Monsieur, ne vous inquiétez pas. Me voilà réduite à rendre des comptes au chauffeur de taxi; si j'avais pas la bouche enflée, j'me marrerais. Et l'autre raclure! Il doit déjà avoir bouclé sa valise. A moins qu'il ne se soit recouché cette lavette, cet incapable! Je me demande vraiment c'que j'ai fait au bon Dieu pour avoir décroché un lascar pareil. A l'avenir, si avenir il y a, va falloir que je sois prudente. Il serait méchant, Monsieur, dangereux même.

En attendant, je me demande bien la tête que va faire Maurice quand il va voir la mienne. Je crois que je vais d'abord lui parler au travers de la porte. Il va être surpris. Il ne m'attendait pas si tôt, mais au fond c'est de sa faute ce qui m'arrive. Pourvu qu'il se souvienne de moi. Avec les mecs, on ne sait jamais. Ils ont des réactions tellement imprévisibles. Un jour, ils t'aiment, ils veulent te retirer, tu es la femme espérée, l'unique. Et la semaine d'après, ils montent, sous ton pif, avec une copine qui n'a pas du tout le même genre que toi, qui serait même l'opposée. Et là, attention, faut pas leur sourire, ni surtout t'aviser de leur dire bonsoir. Ils te tirent une gueule longue comme ça. Ils t'ont oubliée, ma vieille. Ton insistance les gêne, dans leur regard, tu peux lire un mélange de dégoût et de mépris. Comment ont-ils fait pour te baiser? Problème insoluble! Heureusement, il y a la croupe de la copine qui ondule devant, juste assez près! Ils te balancent un dernier regard et là, plus de mystère, tout est clair pour lui et pour toi! Il a trouvé la femme qui lui rendra toute sa virilité et toi, t'as perdu un micheton, un bon! Pourtant ça faisait trois mois que tu le montais régulièrement toutes les semaines. Ils sont comme ça, les mecs, changeants. Pas tous, heureusement. Reste à espérer que Maurice fasse partie de ceux qui se souviennent et qu'il ait de la monnaie pour casquer mon taxi.

« Bonjour, ma grande! Je t'écris de chez un client où je suis en convalescence depuis maintenant deux jours. Pas de panique, rassure-toi. On n'a pas tenté de m'étrangler avec une serviette mouillée. J'ai pas eu le couteau planté entre les abatis. Juste une danse de Gérard, une vraie comme dans les films, avec du sang et des grincements de dents! Motif néant! Pas valable, une histoire de chèque. Trop long à t'expliquer par écrit. J'ai un cafard à couper au couteau. J'ai essayé de t'avoir plusieurs fois au téléphone, on me répond toujours que tu es occupée. Tu vas finir par être riche. Si tu l'es un jour, tu m'en feras croquer, j'espère! Car, pour moi, c'est mal parti. Avec un mec comme le mien, je risque de marcher toute ma vie à côté de mes pompes, à moins de me faire la malle. Et pour tout te dire, depuis deux jours, je ne pense qu'à ça, prendre le large, mettre de l'espace entre lui et moi.

« Je descendrais bien à Toulon, mais je suis raide comme un passe. Quinze sacs en banque. J'ai payé le loyer de maman, et rhabillé les petits des pieds à la tête. Ils t'embrassent et demandent de tes nouvelles à chaque fois qu'on se voit. Je n'ai toujours pas de nouvelles de papa. Mais je sais que son affaire ne s'arrange pas. Le jugement a eu lieu, tu es peut-être déjà au courant. Il a écopé de trois ans par défaut. Pauvre vieux! Quelle connerie à son âge d'avoir replongé dans une combine comme celle-là. Avec son passé, il risque de se les faire fermes, les trois piges. Ça me fait de la peine car, au fond, je l'aime bien. Chaque fois qu'on sonne à la porte, j'espère que c'est lui. Je ne comprends pas qu'il ne soit pas encore venu. Il a tort, je n'ai aucune rancune, je suis prête à le planquer le temps qu'il faudra! C'est mon père après tout!

« Et toi, ma grande, comment vas-tu? Tes amours? Le boulot? J'aimerais tellement te voir! Tant de choses à te dire! Es-tu plus heureuse que la dernière fois qu'on s'est vues? Yves a-t-il rompu avec cette gamine? A-t-elle fait passer le môme, finalement? Quelle histoire de cons, les mecs sont inconscients. Si je t'avais écoutée je n'en serais pas là, mais à quoi bon... On n'échappe pas à son destin.

« J'ai commencé à travailler à *l'Hacienda,* tu sais, rue Victor-Massé, le *Saint-Louis* est tombé. Oh! il rouvrira, j'en suis sûre, avec le condé de Carmen, pas de soucis. Pour ma part, je ne pense pas y retourner. Je commençais à étouffer là-dedans.

« Ecoute sœurette, *la Bohème* ouvre d'ici une quinzaine de jours. J'ai déjà ma place, la vieille a besoin de femmes, pourquoi ne monterais-tu pas? Je suis certaine qu'elle te prendrait illico. Au début, vous habiteriez à la maison, toi et Yves. Nous serions toutes les deux, ce serait bien, j'ai tellement besoin de toi. Je pense rentrer demain à la maison, après-demain au plus tard. Appelle-moi aussitôt que tu recevras cette lettre. Je la poste en « Express ». J'attends. »

Bouchon

P.S. Tu te rappelles quand nous étions en prévent, les croix en haut des lettres? Ça voulait dire qu'on s'ennuyait.

J'ai fait l'ouverture de *la Bohème* où je règne en tyran, roulant des hanches dans mon kilt de soie rouge. Je distribue des conseils gratis. On fait semblant de me respecter, on me craint. La majorité des filles débutent. Vicky additionne les taches de son qui lui couvre les mains en pensant à Renato. Quatre petites nuits d'amour par mois, c'est tout ce qu'il lui offre en retour. Passive, elle présente tous les symptômes de la doublarde.

Derrière la grille de fer forgé qui sépare la salle de la piste de danse, Fabienne gesticule au rythme d'un mambo. Fabienne, fille du soleil qui n'hésite pas à marcher sans bas l'hiver pourvu qu'elle remonte les boules de Carlos, mac reconnu sur la place de Paris : une douzaine de femmes tournent pour lui. Elle fait du rentre dedans à mes clients. C'est le genre « claque-moi, je tends l'autre joue ». Je ne suis pas dupe. Pour moi Jésus est mort, vive son remplaçant, et son remplaçant a une méchante droite, je m'en méfie.

Assises au bar, Sandrine et Nathalie, surnommée Crevette à cause de son odeur, jouent au yam en attendant le client. Aussi miraud l'une que l'autre, pas capables de distinguer le condé du miché à trente centimètres. C'est la raison pour laquelle Crevette a renoncé à la rue. Juive, elle est mariée à un Juif du Faubourg qui la gâte. Fabienne dit qu'elle pue, je n'ai encore rien senti.

Sandrine laisse échapper un dé qu'elle regarde rouler, elle est molle comme un boudin blanc dans une vitrine de Noël. Jolie quand elle veut, mariée, divorcée, remariée avec un certain Jeannot, un Parisien jaloux qui s'amuse à lui faire des boutonnières dans les parties charnues de son individu. Doublarde ou non, elle s'en fout. Je l'ai connue au *Saint-Louis* et c'est moi qui l'ai baptisée. A court pour choisir son nom de guerre, elle avait dit : « Corinne, comme ma fille », la vraie flasquade qui manque totalement d'imagination, qui confond tout.

De l'autre bord du comptoir, Mme Rose scrute la pendule. Son visage buriné par l'émotion trahit son impatience : vingt-deux heures, pas un pékin. Elle fait la sous-mac pour allaiter ses deux garnements qui tirent quinze piges à Clairveaux. Nous n'avons pas beaucoup d'affinités toutes les deux. Je n'en ai pas davantage avec Josépha, la barmaid, une Corsoise aux yeux couleur chagrin qui ne jure que par les hommes. Dans moins d'une heure, Pedro et Miguel, les guitaristes maison, vont faire leur entrée, les notes s'échapperont de leurs doigts, ils souriront en jouant ma chanson, sachant qu'à chaque fois qu'ils s'approcheront de ma table au cours de la nuit, je les ferai toucher. Tout le monde a droit à sa part de baba et moi je danserai, danserai à m'en décarcasser pour ne pas penser à ma sœur qui arrive la semaine prochaine, à Gégé qui a promis de ne plus casser les carafes de lait qui contiennent mes pièces de cinq francs, qui ne prend plus d'argent dans mon sac, mais dans le premier tiroir de la commode, qui fait ses comptes discrètement au salon, et qui claironne que tout baigne dans l'huile depuis que nous avons fêté notre réconciliation en faisant une virée dans le Berry, sa terre natale, à bord de sa nouvelle voiture. Ne plus penser à Maurice qui balance entre *l'Hacienda* et *la Bohème,* ne plus penser aux baisers que nous échangeons dans son gourbi de la rue Boursault, alors que les copines se restaurent, qu'un jour crémeux se dessine et que j'ai sommeil.

Oublier les nuits creuses, les petits matins tristes. Ne pas oublier France dont je suis sans nouvelles depuis que Jean-Jean a donné ordre que je ne m'occupe plus de rien parce que je créais des embrouilles. A sa sortie, elle partira en Corse où elle séjournera jusqu'à sa majorité. Un an de soleil, de baignade, de vraie vie. Je n'arrive pas à y croire. Pas le choix cependant, la parole de « l'homme » reste indiscutable. Saint Simon, notre chasseur, fais-moi signe, dis-moi que le géant qui te précède est pour moi. Je t'assure, ce ne sera pas un coup dans l'eau.

Simon se hisse jusqu'à l'oreille d'Atlas, son doigt tremble dans ma direction, l'homme est d'accord, pas le genre à s'attarder sur les détails. Rose nous installe à une table sous l'œil rageur des collègues. Elle propose une bouteille, Atlas rétorque qu'une demie suffira amplement, c'est un pince-sans-rire, ne nous formalisons surtout pas.

Josépha s'avance en tortillant du croupion. Le bouchon saute. Si nous portions un toast? Ça détendrait un peu l'atmosphère.

« A la vôtre, il est bien frais.

— Buvez seule, je ne prends jamais de champagne. »

Voilà qui met à l'aise.

« Vous n'êtes pas d'ici, votre accent...

— Combien dois-je pour ça?

— Pas déjà, nous venons à peine de nous asseoir...

— Combien le tout?

— Cent cinquante francs, plus vingt pour la chambre et quarante-cinq de champagne. On prend son temps. Vous pouvez laisser un pourboire à la barmaid, mais il n'est pas obligatoire. »

De *la Bohème* au *Macao,* il y a tout juste à traverser la rue Frochot. Simon me décroche un clin d'œil, six qui vont bien pour lui. En général, à peine dans l'escalier, les hommes envoient les mains, celui-ci est sans doute un introverti. La porte claque, je vais savoir à quoi j'ai affaire...

« Inutile de te déshabiller, retire ta culotte et tes bas. »

J'aime pas ce genre de mec... j'aime pas ça.

« Vous ne vous mettez pas à l'aise?

— Combien pour te faire raser le cul?

— Cent.

— T'en auras soixante-dix. »

Sophie, qu'est-ce que tu fais? Sophie, t'es job? T'as vu le rasoir, un vrai rasoir à main avec le manche en os et ici pas de sonnette à la tête du lit. Et la lame? S'il m'égorge, j'pourrai même pas crier. Rien, je suis fondue, tarée, pas possible, c'est pas moi ça.

« Ecarte davantage, croise tes mains sous la nuque.

— A sec? Le papier doré, c'est pourquoi?

— Les emporter en souvenir. Ecarte bien.

Oh, mon Dieu, cette fois si je m'en sors, c'est que je suis fiontée. Je ne recommencerai jamais, plus jamais. Ça crisse... un écart et il me lapide les cuisses, la gorge, me fend les seins. Faut pas qu'il sente que j'ai le trac, faut que je souris, que j'aie pas l'air crispée. Oh! mon Dieu, si vous voyez encore clair, regardez-moi, j'veux pas mourir comme ça, par où j'ai péché. Et mes clients, j'vais perdre mes clients, un sexe rasé, c'est laid. Et Gégé? Ça va être ma fête. P'tit bon Dieu, j'ai perdu ma route, invente un déluge, envoie un ange frapper à ma porte, j'en peux plus, fais qu'il se passe quelque chose, le feu, une descente, la fin du monde. Faut qu'on me sauve.

« Regarde pas, couche tes mains. Maintenant tu peux remballer, c'est pas beau à voir. »

Ça alors, c'est un marteau, un vrai, je l'ai échappé belle. Aïe, j'ai envie de chialer. Qu'il sorte, qu'il disparaisse vite. Merde, je ne suis donc bonne qu'à faire des constées, je me dégoûte, je m'enfonce, je dégringole.

« Salut les filles! Vous avez l'air radieuses, vous pensiez que je n'allais pas venir? Manqué! Bonsoir Madame Rose!

— Bonsoir Sophie. On vous attend au fond.

— Un client déjà? Good.

— Non, une jeune femme.

— Une femme?

— Bonsoir.

— Vous êtes Sophie?

— Oui.

— Mon mari a rencontré en prison des personnes qui vous connaissent. Pas vous personnellement, votre mari. On lui a dit que vous êtes une brave femme.

— Ça fait plaisir à entendre.

— J'ai aussi rencontré en allant au parloir une fille avec qui vous avez travaillé, Josiane, une grande blonde.

— Son mari est à Melun?

— C'est ça. Elle m'a dit que si un jour j'avais besoin de travailler, je pouvais venir la voir au *Saint-Louis :* si elle n'était pas là, je n'avais qu'à demander Sylviane ou Sophie. Je suis allée rue Fontaine. On m'a répondu que je vous trouverai à *la Bohème.*

— Tu cherches une place en somme? T'as déjà travaillé au moins?

— Un mois à Grasse, dans une maison.

— C'est tout? Pourquoi t'es pas restée? T'étais pas bien là-bas?

— L'abattage. Rien que des Arabes. Douze cents en un mois.

— Bouge pas, j'vais nous chercher deux cognacs.

— Oh non, madame, je ne bois pas.

— Tu vas prendre un cognac. Ensuite, nous parlerons tranquillement. »

Soirée des bonnes œuvres! Il faut dire que je me suis rarement trouvée en face d'un tel désarroi. Elle a l'air secouée, la petite, pas affranchie pour deux ronds. Une petite mère de famille, sortie de sa banlieue par la force des choses! Ça ne m'étonnerait pas qu'elle ait un gosse ou deux sur le paletot.

« On va se boire ça. Je t'assure qu'après tu te sentiras mieux. Tchin. Quand veux-tu commencer? La vieille a besoin de filles, ça devrait marcher.

— Vous croyez?

— Il suffit de vouloir. Au fait, comment tu t'appelles?

— Claudine.

— T'as pas de nom de guerre?

— Là-bas, c'était Claudia.

— Oublie là-bas. J'avais une copine en prévent qui te ressemblait, elle s'appelait Maloup, elle était douce.

— Vous êtes gentille.

— On dit ça. Qu'est-ce qui lui est arrivé à ton mari pour qu'il se retrouve en Centrale?

— Ça faisait quatre ans que nous étions mariés. Nous vivions tranquilles avec notre petite fille. Je ne posais jamais de questions quand il sortait. Quelquefois, il partait plusieurs jours en disant qu'il avait à faire en province. Il revenait avec des cadeaux pour la petite et pour moi, du champagne. Je le trouvais bien exubérant. Il disait que l'important était que je sois heureuse. Nous n'avons jamais changé d'appartement. J'habite toujours le même deux-pièces rue d'Aboukir. Je ne pouvais pas imaginer ce qu'il faisait. Il y a six mois, la police est venue frapper à ma porte. J'ai dû laisser Isabelle à la concierge. C'était terrible. Ils m'ont gardée, interrogée pendant quinze heures. J'étais dans une cellule avec les menottes. Ils venaient sans cesse et me questionnaient en me traitant de menteuse, de salope. Ils m'ont battue, ils m'ont menacée de me mettre en prison, de m'enlever mes droits maternels en me disant qu'Isabelle irait à l'Assistance si je ne parlais pas. Mais je n'avais rien à leur dire, je ne savais rien, c'est eux qui m'ont appris que Bébert était un casseur.

— Pleure pas. Tu vas faire des sous, ça va changer ta vie.

— Ma vie! Bébert a été condamné à cinq ans. Tu crois qu'on peut changer sa vie comme ça! L'argent ça m'écœure, tu peux pas savoir ce que j'ai donné aux avocats pour obtenir une liberté provisoire. Un million. Un million! J'aurais jamais pensé avoir autant d'argent entre les mains. C'est pour ça que je suis partie à Grasse sur le conseil des associés de mon mari. C'est eux qui m'ont placée là-bas, sans rien dire à Bébert. Je crois que s'il savait ça, il les tuerait en sortant. Je ne lui en parlerai jamais. Je lui ai dit que c'était eux, ses amis, qui avaient payé. De lui-même, il aurait jamais accepté une chose pareille. C'est moi, au fur et à mesure des visites, qui lui en ai donné l'idée pour les mandats, pour qu'il cantine, pour que la petite ne manque de rien. Cinq ans, c'est long. Quand il sortira, sa fille en aura neuf, moi, vingt-six, vous comprenez? Et si je ne me défends pas, je n'y arriverai jamais. Pour l'instant, ma fille est en nourrice. Je la veux près de moi, avec moi, je n'ai plus qu'elle, je veux être capable de payer une nurse à la journée, au mois. Je veux ma petite, c'est tout.

— Demain on commence à neuf heures et demie. T'as de quoi aller chez le coiffeur?

— Plus un sou.

— Prends dix sacs, tu me les rendras demain soir. Prends. Il y a une chose qu'on a oublié de te dire c'est que j'aime rire, alors souris. Quand tu commenceras à faire des sous, faudra te faire arranger un peu les dents. Ce sera tout à fait bien. O.K.? Maintenant, je dois y aller. Je t'attends demain à neuf heures et demie.

— A demain, merci madame.

— Sophie. « Madame » tu garderas ça pour les deux rombières qui sont derrière le bar. Salut. »

La porte claque. Les dents des copines grincent.

« Elle en faisait une gueule, celle-là. Qu'est-ce qu'elle voulait?

— Celle-là, elle cherchait une place. Elle commence demain.

— Ah, parce que t'embauches maintenant? Sans l'avis de Mme Pédro?

— Je licencie également sans aviser la taulière. Alors si tu veux pas te retrouver sur le trottoir avec mon pied dans le cul, miss Merguez, je te conseille de la mettre en veilleuse.

— Elle devient de plus en plus susceptible, cette Sophie. Vous ne trouvez pas les filles?

— C'est pas de la susceptibilité, c'est de la lassitude à force d'entendre des tronches comme toi. Indigne-toi, si tu veux, mais descends pas de ton perchoir ou j't'emplâtre.

— Sophie, c'est fini, oui! Pour qui vous prenez-vous? Ça va durer longtemps ces séances d'intimidation. Vous êtes ici au même titre que vos compagnes. Rien ne vous autorise à élever la voix. Si ça continue, je vais être obligée d'avertir Mme Pédro.

— Faites-le donc maintenant, j'ai justement besoin de lui parler.

— Vous êtes insolente. De mon temps...

— De votre temps, j'étais encore dans les testicules de mon père.

— Si vous aviez été mariée avec un de mes garçons...

— J'aurais demandé le divorce, on me l'aurait accordé vite fait. J'crois bien qu'on m'aurait casquée en plus. Maintenant ça suffit. Laissez-moi tomber pour ce soir, Rose. Et toi, Babel Oued, évite de m'adresser la parole, sauf si c'est pour me faire toucher d'la monnaie. Josépha, servez-moi un autre cognac au fond. Douze cents troncs... Foutus débuts.

DEUXIÈME PARTIE

Moi aussi, j'ai débuté... Se prostituer, c'est comme vivre un éternel hiver. Au début, cela semble impossible et puis, avec le temps, on finit par se dire que le mot Soleil n'est qu'un mot inventé par les hommes.

On a tous débuté un jour, que ce soit dans un salon de coiffure ou dans un grand magasin, sur la scène, à l'usine ou dans un bureau. On a tous ressenti un drôle de petit pincement au côté gauche de la poitrine, une angoisse au creux de l'estomac, la crainte de ne pas être à la hauteur, de tomber sur un contremaître pointilleux, un chef de rayon autoritaire, un patron trop exigeant, un metteur en scène hystérique. On s'est senti épié, jugé, disséqué, on a tous eu le trac la première fois, à la différence qu'au tapin quand la porte de la chambre a claqué, il n'y a plus d'échappatoire... Voie sans issue, pas de porte de secours.

Vous vous retrouvez dans une piaule plus ou moins propre, une serviette à la main, face à un inconnu. Plus vous reculez, plus il avance et comme la pièce est plutôt exiguë, vous vous retrouvez rapidement le dos au mur, les bras du mec autour de votre corps, partout à la fois, comme des tentacules visqueuses qui vous fouillent, vous dessapent, vous entraînent, vous tirent jusqu'au lit. Le poulpe a reniflé la débutante. Il se régale à l'avance du festin qui vient de lui tomber sous la main! Une mousse blanche apparaît aux commissures de ses lèvres, il fait les yeux blancs, son visage vire au pourpre. Vous, vous êtes décolorée, crucifiée sur le pucier, privée d'énergie, vous attendez le coup de grâce. Vous êtes tellement paumée que vous oubliez les précautions élémentaires, faire la toilette, vous faire casquer.

Vous suivez d'un œil abêti le renflement qui s'amplifie dans la braguette et comme ça dure, comme il ne cesse de vous contempler, la bouche baveuse, vous vous impatientez presque, vous jetez un regard au plafond, il y a des fissures, des fils de la vierge, vos yeux les suivent. Vous échappez pour un instant au cauchemar, vous retournez au patronage, dans la cour, sous les tilleuls, vous jouez à la marelle. Il vous semble que c'était hier et vous vous sentez presque bien, vous fermez les yeux afin de perpétuer le rêve. Quand vous les rouvrez au bout d'une demi-seconde, la réalité vous aveugle, une réalité en forme de bite, une vraie quéquette de père de famille, un peu molasse, mais encore vaillante.

L'homme s'abat sur vous, hagard, en vous appelant sa petite fille, son enfant chérie, sa pucelle à lui, sa moule, sa girouette, sa cramouille baveuse, sa salope, sa pute adorée. Il vous transperce en haletant, en grinçant des dents, en ruant comme un cheval arabe. Et tandis qu'il crache, vous inondant le ventre d'un mois d'abstinence, vous demeurez immobile dans la même position, bras ballants, jambes ouvertes, le regard fixe. Vous vous sentez salie, abîmée, complètement gâchée, et pendant qu'il récupère, confortablement avachi sur vous, ruisselant d'une sueur aigre, de drôles d'idées vous passent par la tête. Quand il daigne se lever sans aucune précaution, vous vous dirigez machinalement jusqu'au bidet où vous vous asseyez, écœurée. Vous attendez pour tourner le robinet, vous avez besoin de récupérer vous aussi. Vous faites couler l'eau, la froide, la chaude, les deux ensemble très fort. Vous empoignez le savon et vous vous frottez rageusement l'entre-cuisses, le ventre, les seins, les dessous des bras, les yeux. Tant pis si ça pique. Vous éprouvez un besoin maladif de vous décrasser. Vous frottez, frottez comme une perdue, l'eau fraîche vous réveille, vous criez : « Chéri, n'oublie pas mon cadeau. » Vous vous acceptez presque.

L'homme est prêt avant vous. Vous êtes maintenant seule dans la chambre; sur la table, il y a quinze sacs, dix ou cinq, c'est la même chose. Vous les fourrez rapidement dans votre sac avec la hâte de vous retrouver dehors. Vous franchissez le seuil de l'hôtel comme une voleuse en regardant à droite et à gauche de la porte. De l'air! Vous avez besoin d'air. Pour vous donner du courage, vous palpez sans les regarder les billets : quinze sacs, dix ou cinq, c'est de l'argent. Vous commencez à faire des projets. Des voitures passent qui vous éclaboussent. On est en train de nettoyer les caniveaux. Vous penchez votre regard sur vos bas tachés. De petites flaques noires maculent vos jambes jusqu'aux genoux, jusqu'au cœur et vous avez envie d'en finir, de vous jeter sous une de ces bagnoles qui roulent, indifférentes. Vous n'êtes pas tout à fait une pute. Vous débutez et, au tapin, les débuts sont difficiles. Pour vous, ils se révèlent tragiques.

Mon premier client s'appelait Jacques. Il ressemblait à Jean Sablon. Je l'avais suivi dans un hôtel de la rue Daunou. Et là tout s'était passé exactement comme ça. Et si j'ai l'heureuse faculté d'oublier les mauvais souvenirs, je n'ai jamais réussi tout à fait à oublier celui-là. Bien sûr, il n'a pas surgi comme ça, par le simple effet du hasard. Il a fallu un concours de circonstances, un enchaînement d'événements, un fil conducteur que j'ai saisi à pleines mains, une fin d'après-midi, en rentrant du boulot.

Comme chaque jour, à six heures, je me dirige chez Mado, le bistro du coin, où mon père joue à la belote pendant que ma mère s'envoie nerveusement son ricard. Il fait beau puisque nous sommes en juin et que j'ai vingt ans. Les bouteilles de pinard à déconsigner me battent joyeusement les mollets aux travers des mailles du filet. Je chantonne en traversant la troisième cour du H.B.M. Des fenêtres ouvertes me parvient la voix de Catherine Langeais. Au-dessus de ma tête se balance un morceau de ciel bleu accroché aux antennes de télé. On s'embourgeoise au 14 de la rue Hoche. La vie est belle. Je me marie dans deux mois! J'ai déjà une cocotte-minute et deux douzaines de torchons, j'ai surtout un appartement à la porte de Vanves, deux pièces, cuisine, W.-C. sur le palier, qu'il faudra partager avec la grand-mère de mon fiancé, pas longtemps si tout va bien puis qu'elle a soixante-dix-huit piges. Décidément, la vie est belle. Jean-Paul a une bonne place de dessinateur industriel chez Renault. Cent vingt mille par mois et mes quatre-vingt-dix, de quoi se la faire coquette et crapuleuse, sans compter les allocations. Jean-Paul a envie d'avoir des enfants très vite. Ça fait quatre ans qu'il saute en marche, je le comprends.

J'ai tellement hâte de partir de la maison que je le trouve beau. Il ne peut plus rien m'arriver de désagréable, tout est chouette autour de moi, tout chante. A la grille du porche, les mômes font le cochon pendu, la bouche barbouillée de carambar. Ils se ressemblent tous et j'ai du mal à distinguer mes frères.

J'avance, confiante en l'avenir. Au premier, entre les torchons et les géraniums, les serins de madame Parme battent de l'aile dans leur cage. Et vlan! En franchissant la grille du porche, ça m'éclabousse comme un soleil : elle est là, fringante, brillant de tous ses chromes, une insulte à la misère, une vraie bacchante provocante, sûre d'elle, écrasant par sa splendeur la mobylette et la petite-reine. Faut dire qu'ils sont minables les deux roues à côté d'elle, avec leurs porte-bagages rouillés, leurs gourdes de plastique qui pendouillent aux guidons, leurs petits drapeaux d'évasion accrochés au cadre et leurs pneus lisses, fatigués de rouler de l'usine au troquet, des pneus qui désespèrent de faire le tour de France, qui s'avachissent tranquillement dans le bitume tiède de juin, qui s'enfoncent. Le vélo le plus dégueulasse est celui de mon père. Ça fait bien un an qu'il parle de le repeindre! Pas foutu de s'en offrir un autre!

Comme le choc est brutal! Je m'appuie contre le mur. A qui peut bien appartenir cette merveille? La dernière fois que j'ai vu un engin pareil à Malakoff, ça remonte à six ans. Il appartenait à Louis le Corse, deuxième fiancé de ma sœur. Il faut tout de même que je l'approche, que je voie de quoi il s'agit. Les sièges sont chauds, gonflés de soleil. Il y a un paquet de cigarettes américaines qui traîne sur le tableau de bord. Je balance un regard dans le rétro de côté, mouille mes lèvres, lisse mes sourcils, tire mon pull. Mon Dieu, que je m'assierais bien à côté du chauffeur, la tête pleine de stéréo, la bouche remplie de Lucky Strike. Ça doit être bon de se balancer sur ces sièges-là, de partir loin de sa banlieue, sans souvenirs, sans regrets. Mais non, je délire. Même si c'est le roi du pétrole, je ne lui demanderai pas de me faire le plein. Je lui dirai simplement : « Faites-moi faire le tour du rond-point Henri-Barbusse et ramenez-moi à la maison, je me marie en août. » Ou bien alors, je ne dirai rien, je me laisserai glisser sur le cuir rouge. Peut-être va-t-il me remarquer quand je vais rentrer chez Mado... Il est peut-être beau... Et s'il n'était pas au bistrot, si j'attendais un peu?

Assise sur le trottoir, les bouteilles entre les jambes, la nuque courbée au soleil finissant, je rêve d'évasion. Partir, oh, partir! De l'autre côté de la rue, les éclats de rire des gosses éclatent comme des bulles de savon qui montent au ciel. Oublier tout ça, ces grappes de mômes accrochées aux grilles noires, ces fenêtres aux rideaux jaunis où quelqu'un guette toujours parce qu'ici les distractions sont rares, alors on espionne, on colporte le moindre geste, le moindre baiser, tout est rapporté, bavassé, amplifié, sali. Ici, on ne vit pas, on guette et je ne veux plus être guettée, je ne veux plus entendre parler de pétitions de ces gens du H.B.M. qui rêvent de nous faire expulser de notre deux-pièces. J'en ai marre d'être insultée, d'être interpellée par le gérant boiteux, y a pas que mes frères qui cassent les carreaux. J'en ai assez de lire sur les murs que ma mère est une catin. J'en ai marre de payer la note des années de prison de mon père, il a suffisamment payé lui-même. Je suis fatiguée d'entendre frapper cinq jours sur sept à la porte et de voir la gueule de l'assistante sociale, jamais la même, avec à chaque fois des prétextes différents.

« Bonjour, mon petit, bave-t-elle d'un ton bienveillant, votre maman est là? »

Non, madame, ma maman est au bistrot du coin, mon papa aussi. Vous voulez voir si on couche dans des draps? Vous tombez mal, ma sœur est justement en train de tirer une crampette dans le lit des vieux, en profitant de leur absence. Non, je ne vous laisserai pas entrer, Lulu a déjà été dérangée quatre fois cette semaine, vous voulez la rendre frigide ou quoi? Non bien sûr, vous désirez simplement avoir des nouvelles du petit dernier. Ne vous inquiétez pas, il profite, on lui fait toujours ses biberons au Préfontaine, oui, c'est cela, le velours de l'estomac. Depuis qu'il a été opéré d'une sténose au pylore, on le soigne. Moi, ce que je fais? Si je travaille toujours? Mais oui, bien sûr.

C'est que, voyez-vous, Madame Dugland, je vous connais

moi, avec vos paroles de catéchisme, j'ai eu affaire à vous. Vous vous souvenez? J'étais à six mois de passer mon certificat d'études. Ma frangine venait de faire sa première fugue. Vous avez fait brusquement irruption dans ma vie, alors que je passais mes dimanches à faire des révisions, vous avez déclaré tranquillement qu'il fallait me sauver, m'arracher au milieu familial et j'ai été jetée hors de la communale. Vous ne saurez jamais combien c'était important pour moi cet examen. J'aurais été la première de la famille à accrocher un diplôme au-dessus de mon matelas et nous l'aurions contemplé fièrement tous les huit, mais vous n'avez pas compris, madame l'assistante sociale, psychologue de mon cul, et vous m'avez placée dans une famille bien plus tarée que la mienne où le mensonge et l'hypocrisie fleurissaient au creux de moelleux canapés sur lesquels on ne m'a jamais permis de m'asseoir.

C'était à Chavanne-sur-Surant, dans le Doubs. Vous vous souvenez? Non, vous avez des trous de mémoire. Pourtant, c'était moi, la petite fille que les gendarmes sont venus chercher un jour dans cette maison cossue. Oh, pour rien, une broutille, il y avait juste deux garçons d'allure suspecte, deux blousons noirs, deux délinquants comme vous les appelez, qui arpentaient les rues de ce paisible village. Ils faisaient peur aux villageois, la maréchaussée les a embarqués au commissariat et n'a jamais voulu croire que ces jeunes arrivaient en stop de Paris. Elle les a accusés d'avoir volé une bagnole, ça tombait bien, un vol de traction avait été signalé deux jours plus tôt à Bourg-en-Bresse. Alors elle les a fouillés. Et ça tombait mal parce que justement l'un d'eux avait une photo de moi dans son portefeuille, une petite photo d'identité avec au dos un cœur transpercé d'une flèche et quelques mots. « Je t'aime pour la vie. Marie. » Difficile de nier avec de pareilles preuves. Cependant, je l'ai fait, j'ai nié, juré qu'il s'agissait d'un sosie, je me suis débattue. Quand les gendarmes m'ont traînée de force jusqu'à ma chambre, au grenier, quand ils ont ouvert ma misérable valise de carton bouilli, je me suis jetée sur eux : ce n'était pas pour ce que j'avais volé, si peu en somme, quelques brassières pour les petits, et encore, je les avais jaunies en les repassant et j'avais peur des réprimandes, ce n'était pas pour le quart d'une meule de gruyère dont ma mere raffolait. Non, Madame, c'était pour les serviettes hygiéniques sales que je cachais sous mes pauvres nippes, simplement parce que j'avais honte, parce que je n'avais personne à qui parler de cette chose-là.

Et je suis partie comme une voleuse sous la huée des gens bien pensants, encadrée par deux gendarmes qui, d'une main, guidaient leur vélo, et qui, de l'autre, m'enserraient les bras.

Comment, vous partez déjà? Vous ne voulez pas jeter un coup d'œil dans le buffet, puisque vous êtes là, dans la cuisine? Vous ne dérangez personne. Non, vous avez des vapeurs, un léger malaise, l'atmosphère, oui je comprends, l'air est un peu vicié ici. Au revoir, Madame l'assistante sociale! La prochaine fois, ne vous donnez pas la peine de monter les six étages. Allez directement chez Mado. Vous voyez le bistrot qui fait le coin?

Oublier tout ça! Partir! Et partir pour partir, je préfère les sièges d'une Thunderbird au cadre d'un clou rouillé. Jusque-là, la chance s'est montrée un peu avare et je me dis que c'est peut-être ça, cette bagnole américaine et son propriétaire, à chacun sa chance, à chacun sa part de rêve. Je pousse la porte du café, le cœur en tumulte. Ai-je assez de seins? Suis-je assez maquillée? Ma mère me décroche un regard courroucé. Oh, pas ce soir, maman, pas d'engueulade devant tout ce monde. Je sais, j'ai un peu traîné et l'épicerie ne va pas tarder à fermer, mais je t'en prie, pas ce soir, pas devant lui. Car il est là, je ne peux pas me tromper, assis en face de mon père, à la table des joueurs de belote. Je n'ai guère de mérite à le distinguer. Il fait tache parmi les autres en bleu de chauffe. Vêtu d'un costume gris, d'une chemise blanche, cravaté, il brille comme sa bagnole au milieu des vélos. « Surtout ne crie pas, la mère. Je cours à l'épicerie, donne-moi juste le temps de dire bonsoir à papa, de l'approcher. »

« Bonsoir mon père. »

Je dépose un baiser sous la casquette, à la place de la tonsure.

« Bonsoir ma môme. A toi Gérard. »

Il s'appelle Gérard. Ses yeux détricotent mon pull, fouillent les plis de ma jupe, glissent le long de mes jambes comme une maille qui file. Me voilà toute nue au milieu du bistrot, impudique que je suis.

« C'est une de tes filles, ça, Lucien? »

Le père me sourit maintenant en envoyant à cœur :

« La plus jeune. Elle en a dans le chignon, la gamine. Pas vrai, gosse? »

Oh oui, papa, tout ce que tu veux, continue de parler, que je le regarde encore. Il n'est pas beau, il a quelque chose de plus, de la sûreté, de l'élégance, de belles grandes paluches manucurées avec une bagouze au petit doigt. Un peu vieux peut-être, mais pas tellement au fond. Et puis il ne cesse de sourire, même que je commence à me sentir gênée. Il a quelque chose d'inquiétant dans le regard, un je-ne-sais-quoi qui m'impressionne, il ne porte pas d'alliance.

« Dis donc, la môme, tu t'magnes le train, la mère Berto va fermer. »

J'ai oublié les bouteilles à déconsigner, les courses à faire. Je traverse la salle, je ne sais même plus marcher. Je sens son regard sur moi, en moi, Gérard, te reverrai-je? Sur le pas de la porte, je trouve l'audace de me retourner. Ses yeux répondent oui.

Je le revois le soir-même. Après avoir fait manger les gosses et fermé le gaz, je redescends chez Mado. Il est encore là, attablé avec mes parents et Paul, un ami. Je m'approche sur la pointe des pieds, mes yeux sont plus noirs, ma bouche plus brillante et je me suis changée. Il sourit du même sourire en passant la langue sur ses lèvres. Je demande à mon père en me penchant à son oreille si je peux rester un peu avec eux. Gérard tire une chaise en me priant galamment de m'asseoir. Comme ils sont à la fin d'un repas bien arrosé et que ma mère entonne *Les Feuilles mortes,* personne, sauf lui, ne fait attention à moi. Je remercie les cadavres de bouteilles de Côtes-du-Rhône gisant sur la table. Balayées *Les Feuilles mortes!* Comme tout le monde en redemande, la mère chante *Le Dénicheur,* en roulant des yeux de braise à Paul. Mon père, le regard noyé dans la fumée de sa pipe, semble heureux. Sous la table, le genou de Gérard caresse ma cuisse et ce contact soudain me donne la chair de poule jusque sous les aisselles. Gérard, pour fêter l'événement, commande une rouille à Blandine qui sommeille sur sa lavette.

Tout le monde passerait bien la nuit là. Seulement Mado commence à montrer des signes de fatigue évidents. Alors, la quille bue, Gérard propose d'aller finir la soirée chez la grande Suzie, impasse de la Gaîté, avec une pression des genoux contre ma cuisse, qui veut dire : « Tu viens? » Quelle question! Et comme par hasard, je me retrouve à côté du chauffeur, nous roulons cuisse contre cuisse dans les rues désertes de Malakoff. Derrière, mon père et Paul commentent la partie de boules de l'après-midi. Il fait doux, ma mère chantonne.

Quand nous arrivons impasse de la Gaîté, la grande Suzie nous accueille pompeusement. On a à peine franchi le seuil qu'il y a déjà une bouteille sur le compoir. Elle étale son sourire phosphorescent en ouvrant largement les bras. Il y a un mot pour chacun. M'apercevant, elle s'exclame : « Dis donc Lucien, elle devient belle ta gosse. » Mon père bombe le torse, tandis qu'elle me gratifie d'un baiser gras. Elvire, la barmaid, débarrasse une des tables qu'encombre un énorme bouquet d'œillets rouges. On s'installe. Cette fois Gérard se trouve en face de moi. Un bouchon saute, deux, puis trois. Je commence à avoir des papillons noirs sous la paupière. Au bar, les filles jouent aux dés ou font des réussites. Une mulâtresse se glisse aux côtés de Gérard. Il lui flatte la croupe en pressant mon pied sous le sien. Ses yeux semblent dire : « T'en fais pas, c'est déjà toi ma préférée. » L'heure tourne, ce qui m'empêche pas Suzie, qui en a un sérieux coup dans la musette, de faire la culbute dans sa jeunesse. Sandra la mulâtresse se laisse maintenant aller contre Gérard, qui paraît tout à fait à l'aise. Il abandonne même mon pied. Paul couve ma mère du regard. Mon père plonge le sien dans le balconnet de Jeanine, une grande brune qui semble préférer notre compagnie à celle des attardés du bar. Suzie est intarissable :

« J'avais seize piges quand j'ai connu la Moto. Il m'a sorti une quéquette pleine de tatouages et plus elle grossissait, plus j'faisais connaissance avec ses femmes : douze prénoms étaient inscrits là, y avait plus de place pour moi qui arrivait la treizième. Il a dit : « T'en fais pas, la gosse, y'a encore de l'espace sur mes baloches. » Un vrai jules, la Moto, qu'a pas attendu la vingt et une pour m'y mettre. A dix-sept ans, j'avais ma place au *Sphinx*, une taule comme on n'en fait plus et c'est dommage. Au bout du premier mois, il m'a régalé d'un diam qui m'couvrait toute la phalange. J'bichais un peu. L'mois suivant, j'ai chopé l'nase. Une vraie déveine. J'ai bien pensé perdre mon homme, parce que, dans c'temps-là, mesdames, avec le nase, vous passiez pas une nuit à Saint-Lazare, c'était Falguière, jusqu'à être blanchie. Sinon, vous restiez encristée. D'mon temps, on blaguait pas avec l'hygiène, on était encore en brème. Mais il a pas été rosse, la Moto, il a compris mon désarroi et, pour combler le manque, il a r'fourgué ma bague. Au début, ça m'a fait un vide. J'avais l'impression d'être à poil. Mais j'ai rien dit. J'l'aimais et je crois que d'son côté, il l'avait dure pour moi. Ah, c'est tarte de d'venir viocarde. Tiens Lucien, sers-moi une gamelle que j'me rince la gorge. »

La jambe de Gérard vient de s'enrouler autour de la mienne, j'ai sommeil, demain c'est le boulot, réveil à sept heures. Je ramasse mes jambes sous la banquette, appuie ma tête sur l'épaule de mon père. Gérard propose de nous reconduire. Quand il nous dépose dans l'allée Marie-Louise, il lance à mon père qu'il sera là demain vers huit heures. Message reçu.

Cette nuit-là, malgré ma fatigue et l'alcool, j'ai du mal à trouver le sommeil. Je suis en face d'un homme. J'attends de lui qu'il m'ouvre les portes du désordre. Le corps tiède de mon jeune frère, son haleine d'enfant m'aident à retrouver le calme jusqu'au lendemain huit heures.

Et doucement, imperceptiblement, grâce à moi qui rêve d'évasion, à ma mère qui a besoin d'un paravent pour ses ébats avec Paul, j'entre dans le triangle qu'ils forment. Je découvre les bistrots de banlieue, chante pour les ivrognes jusque tard dans la nuit puisque je ne me lève plus, puisque je suis en congé de maladie, puisque ma mère, qui a un ami toubib, a obtenu pour moi un certificat d'arrêt de travail. Entre Gérard et moi, il ne s'est encore rien passé à part des frôlements de jambes, des pinçons sur les hanches, des plaisanteries : « Quand tu seras ma femme, on se la fera belle! » Je souris, sachant qu'il est déjà marié, que sa femme se défend à Pigalle, qu'il a aussi des intérêts chez la grande Suzie, avec Sandra. Je l'écoute et l'aguiche gentiment, je ne prends plus tout ça très au sérieux : Jean-Paul rentre de l'armée dans un mois et je me marie quinze jours après. Je joue à cache-tampon, je joue avec le feu, sûre de moi, de mon âge, de mes possibilités sans penser aux failles.

Et un jour, après un déjeuner bien arrosé, on se retrouve tous les quatre au bois de Meudon. Paul demande à Gérard si la berlue est toujours dans le coffre. Il s'éloigne en soutenant ma mère perchée sur ses talons, maladroite, un peu saoule. Ils s'enfoncent tous les deux dans les buissons à la recherche du temps perdu.

Ils se sont connus vingt-deux ans plus tôt, au *Petit Drapeau*. Paul était avec un copain, elle a dansé avec eux toute la nuit et, au matin, comme il fallait se séparer et qu'elle ne savait pas lequel choisir, le copain a demandé au patron la piste de quatre-cent-vingt-et-un et ils l'ont jouée aux dés. Que le meilleur gagne! Il y a eu deux manches et la belle. Elle était bien roulée, caressante et c'est mon père qu'il l'a gagnée. Paul a dû faire contre mauvaise fortune bon cœur, pourtant il faut croire qu'il ne s'est jamais complètement résigné. Aujourd'hui, c'est sa revanche, une revanche tardive qu'ils ont tous deux l'air d'apprécier, une revanche où il y a un joueur en moins. Paul ne s'est jamais marié, il vit à la colle avec Rose, une ancienne gamine, qui en fait encore à la place Sainte-Opportune, oh! pas de quoi intimider quiconque, loin de là. Elle assure la galtouze, rien de plus, et Paul s'en contente. Il peut changer de chemise trois fois par semaine et payer son coup, pas davantage, et ma mère a l'air heureuse. Pour lui, elle se dessine une nouvelle bouche, assombrit son regard, éclaircit ses cheveux, un coup de jeunesse, quoi! Je les regarde disparaître et ne veux pas penser.

Entre Gérard et moi, il y a soudain comme un malaise, je n'ai plus envie de chahuter, ni de rire. J'ai peur, peur de ce qu'il va dire. Entre deux touches, il parle. Je regarde de biais son profil anguleux. Je le trouve laid.

« Il fait beau, nous n'allons pas passer l'après-midi dans la voiture. Si nous allions faire un tour nous aussi? »

Nous aussi, comme Paul et ma mère; il y a sûrement une deuxième couverture dans le coffre mais je ne veux pas ça, Gérard, tu t'es trompé, c'était seulement un jeu. Je n'ai pas envie de faire l'amour avec toi. Je n'ai jamais trompé mon fiancé et je ne vais pas commencer si près du mariage. La seule pensée que tu puisses me prendre me répugne. Avec toi, j'ai l'impression que ça va être sale, comme eux, quand je les voyais se sucer la langue au restaurant. J'avais beau détourner les yeux, je ne voyais que ça, leurs bouches en technicolor avec tous les défauts de leurs dents. Ma mère a beau dire que, devant moi, elle ne se gêne pas parce que je la comprends, n'empêche que je trouve ça dégueulasse. Avec toi aussi ce serait dégueulasse, parce que t'es trop vieux, t'as les dents pourries. Avec

Jean-Paul, c'est pas la même chose, on a des bouches saines, des langues neuves. Avec lui, même si ça ne me fait pas de bien, c'est agréable de faire l'amour parce que nous avons le même âge et que je l'aime.

Tu comprends Gérard? Tu ne vas pas m'en vouloir si je te dis non maintenant? Tu ne vas pas te fâcher ni me forcer en me traitant d'allumeuse? C'était juste un jeu, on s'est bien amusé. Tu m'as bien promenée dans ta voiture décapotable, j'ai connu le goût du pastis, quelques bonnes auberges. J'ai rendu service à ma mère. Maintenant c'est fini, je dis « pouce ». Allez au bois sans moi. Je retournerai le dimanche au cinéma avec mes frères. Mais j'ai peur que tu ne comprennes pas.

« Allons, viens, ne restons pas là! Donne-moi la main, marchons un peu. »

C'est ça. Marchons, allons retrouver Paul et ma mère qui ne doivent pas être bien loin. Maman, où te caches-tu? Maman, tu me laisses tomber à ton tour. Il y a un marécage, j'ai peur de m'enliser. Maman, fais pas la vache, réponds. T'auras d'autres dimanches pour vibrer au milieu des ajoncs. Hé! la mère, c'est un S.O.S., peut-être le dernier, réponds-moi. J'ai déjà d'la boue jusqu'aux chevilles.

« Si on s'asseyait un peu là? »

Là, c'est un peu humide, mais puisqu'il insiste. Autour de nous le sol est jonché de fleurs, je me mets à les cueillir rageusement, comme ça. Pour retarder l'heure, pour faire diversion. Peut-être qu'avec un peu de chance, Paul et ma mère...

« Laisses-en pour les autres. Viens ici, près de moi. T'as l'air toute changée? Qu'est-ce qui se passe? C'est pas la première fois tout de même, dis? Regarde-moi, mon chéri, n'aie pas peur, je ne veux te faire que du bien. Allonge-toi. Tu es belle. Ça fait tellement longtemps que j'attends ça, depuis que je t'ai vu entrer chez Mado. Tu te souviens? N'aie pas peur, ta mère ne viendra pas, elle a autre chose à faire. Oh! tes seins. Ton ventre! Ta chatte! T'es un vrai cadeau du Bon Dieu. Bouge mon chéri. Remue tes reins, remue ma petite salope. Je ne te laisserai plus partir. Tu me plais trop. »

Gérard, tu te méprends. Je ne ressens rien à part les piqûres de moustiques. Dépêche-toi, sors de moi, continue seulement à m'embrasser, c'est bon, tu le fais bien. Pour le reste, il est trop tôt... Un peu trop tôt, avec le temps peut-être...

Maintenant, je rencontre Gérard chaque soir en rentrant du travail. Nous montons au bois de Clamart. Il gare sa voiture dans une allée cachée. Je jouis sur ses doigts, la tête renversée sur le siège. Il dit qu'il m'aime, mais cela ne me rend pas heureuse. J'ai rompu mes fiançailles, écrasé ma bague dans un accès de colère, arraché les amoureux de Peynet qui pendaient à mon cou. Jean-Paul, penché dans la cage de l'escalier, a sangloté, crié. Je ne suis pas remontée. J'ai continué à descendre les marches, les yeux brouillés de larmes. Il y a des fractures qui forcent à marcher toute une vie avec des béquilles. Je ne veux pas boiter.

Même avec un toubib dans la manche, on ne passe pas sa vie à la Sécu!

J'ai été heureuse de retourner au chagrin. C'est en flânant sur les quais pendant mon heure de table que j'ai rencontré Braco, un étudiant yougoslave qui traduit nos poètes dans sa langue. Nous nous sommes embrassés le premier jour. Nous nous rencontrons depuis au *Vert Galant*. Nous prenons des bains de pied en mangeant des sandwiches au camembert. Je dis : « Je me lave les pieds. » Il dit : « Tu laves aussi ton âme. » Et je trouve ça beau et il est beau lui aussi. Il repart dans une semaine pour son pays. Je suis triste... Il dit encore : « Je t'attendrai le dix août à la gare de Zagreb. » Et je réponds : « Je ne sais pas encore comment je m'y prendrai, mais j'y serai! »

Nous sommes le neuf. Gérard fait une drôle de tête ce soir et me voilà bien embarrassée pour lui annoncer mon départ.

« Qu'est-ce que tu as? Des problèmes avec ta femme? Une migraine peut-être? Les affaires?

— Tu aurais pu m'affranchir de ton départ.

— Mon départ?

— Oh! arrête ta pantomime. Ta mère m'a mis au parfum. Je sais que tu vas rejoindre ton intellectuel au pays des cailloux. »

Elle m'a trahie, la vache!

« Ecoute, Marie, je considère ça comme une fugue, la première et la dernière. Tu te rendras vite compte que tout ça n'est pas sérieux, c'est de ton âge. Mais écoute-moi bien, ta place, la vraie, c'est avec moi, pas avec un gratteur de paperasse. On se nourrit pas de l'air du temps. D'ailleurs, tes vieux sont d'accord. J'ai parlé avec eux. Et quand tu auras épuisé tes cinquante sacs, tu rentreras fissa au bercail et c'est toi qui me demanderas de te reprendre. Je sais pas si je serai encore disposé. Ecoute, t'as toute la nuit à toi pour gamberger. Si tu changes d'avis, fais-moi signe. Je serai chez Mado à midi. Maintenant embrasse-moi. Ce soir, j'ai pas le temps de m'attarder, j'ai à faire, tu piges? Et j'voudrais quand même pas qu'on gâche cette dernière soirée, parce que j'sais pas si je t'reprendrai dans un mois.

« Tu m'suis ma gueule? C'est là ta place, auprès d'un homme. J'te donne pas huit jours pour rappliquer, pas huit, mon p'tit chéri, pour que tu comprennes que t'es pas née pour vivre dans la misère, avec une paire d'espadrilles l'été, une paire de sabots l'hiver et les vacances à la fenêtre d'un sixième. C'est pas pour toi ça! Tu m'écoutes ma gueule, dis? Ces mains-là sont pas faites pour la lessive. T'entends mon chéri? T'as l'étoffe d'une femme de classe. T'es faite pour péter dans la soie, pas pour torcher une flopée d'chiards. Réagis, nom de Dieu! T'as l'exemple de ta mère sous les yeux. C'est une vie qu'elle a? Obligée d'se faire sauter à la sauvette pendant qu'ton père joue aux boules. J'vais dire, ta mère, elle a tellement besoin de vivre qu'elle se ferait sauter par n'importe qui. Par moi, si je voulais. D'accord, elle a de beaux restes. Mais Paul avoue lui-même qu'j'ai plus de chances que lui. »

Paul le minable! Le mange-merde! J'ai bien peur qu'ensemble, vous fassiez une belle paire. Vous devriez peut-être vous mettre en ménage. En tout cas, moi je m'en fous. Demain douze heures trente mon train décolle, même que je passe par Venise, même que, si ça se trouve, j'refoutrai jamais les pieds à Malakoff. Alors si ça te tente Gégé, fais-moi l'amour une dernière fois. Ce sera mon cadeau d'adieu.

Le lendemain, Gérard me mettait dans le train. Sur le quai, ma mère mitait en secouant son mouchoir. A voir leurs mines déconfites, leurs yeux battus, on avait réellement l'impression qu'ils regardaient filer leur capital. Auraient-ils échafaudé derrière mon dos des plans machiavéliques? Qu'importe! Je sors du triangle.

A Zagreb, Braco est fidèle au rendez-vous. Tandis que nous nous dirigeons vers la sortie, p'tit frère me dit en prenant ma valise, qu'il ne m'aime plus, mais que cela ne doit pas gâcher mes vacances. J'allais oublier qu'il n'est pas politicien, mais poète. Nous faisons une halte de quelques jours dans la somptueuse villa de ses parents près de Zagreb. Une femme de chambre me sert le petit déjeuner au lit sur un plateau d'argent, fromage de brebis et raki. Je pète le feu. Nous prenons la route de Bosnie pour Travnik, un petit village de montagne où Braco a de la famille. Pendant le trajet en troisième classe, sur des banquettes de bois, son âme de poète se réveille. Il retombe amoureux. A Travnik, on tue le mouton en mon honneur. Cette nuit-là, Braco m'honore neuf fois dans la nuit. Je commence à ne plus interpréter la poésie à sa façon.

Nous descendons vers la Côte Dalmate. A Split, petit frère demande ma main; je refuse et reçois la sienne sur la figure devant une troupe d'Allemands écarlates. « Je ne te rendrai pas ton passeport, hurle-t-il, tu ne quitteras pas mon pays! » Au bout d'une heure de pourparlers, sous un soleil à casser la tête aux ânes, je récupère mon passeport avec l'aide des autorités locales. Les poulets entraînent mon poète vers le poste de police. Une histoire d'amour qui finit mal. Je pleure doucement, les joues en feu, les épaules brûlées au troisième degré, raide comme un passe.

Je voyage en wagon de troisième classe jusqu'à la frontière italienne et passe une nuit sur un banc, aux alentours de la gare de Trieste, près d'une fontaine aux jets d'eau multicolores. Demain la France, demain Toulon et ma sœur qui financera la fin du voyage. Petit Jésus, faites que Lulu soit là, qu'il y ait une escadre d'Américains dans la rade, qu'elle n'ait pas eu l'idée, elle aussi, de courir l'aventure. Dans le train qui roule vers la France, assis en face de moi, il y a un couple d'Italiens en voyage de noces qui n'arrêtent pas de s'embrasser, la bouche pleine de pizza. Ils doivent me prendre pour une voyeuse. J'ai les yeux comme des soucoupes. Après plusieurs heures de délire gastronomique, le train stoppe en gare de Toulon. Vive la France! Ma valise jetée d'une fenêtre ouverte par une main secourable, rebondit sur le bitume. Oh merci! Merci à vous que je ne connais pas. Il ne manquait plus que ça, que je rentre cul nu. De la gare, je fais du stop jusqu'à la Médina et Dieu soit loué, j'aperçois Lulu dans la vitrine avec deux marguerites au bout des nattes.

C'est pas comme ça que je te voyais... Pauvre toi! Pourquoi tu t'entêtes à faire ce sale boulot? Pourquoi tu montes pas travailler avec moi, à Paris? On se louerait un petit studio. On ne serait pas riches mais on irait danser le samedi soir, on retournerait à la fête à

Nation, on remonterait dans le Grand Huit et tu me serrerais contre toi en criant que c'est la dernière fois que tu te laisses prendre. On se retrouverait tout étourdies, les jupes par-dessus la tête, sur le plancher de l'Assiette au Beurre, et puis on irait se balader au milieu des cris et des manèges en croquant une pomme d'amour. Les gars nous suivraient en sifflant. On aurait trois amoureux à la fois pour pas s'accrocher, pour se marier le plus tard possible. Il est encore temps tu sais, on a juste six ans de différence, six ans c'est rien et y en a qui seraient rudement heureux de te revoir à la maison.

Il s'agit maintenant de te faire sortir de ta boutique. Hé Lulu! Regarde-moi au lieu de discuter avec ce crouille. Petits pas, petits pas, petits patapons, faut marcher un peu, regarder les petits bougnouls qui jouent dans le caniveau, regarder le ciel, imaginer la mer là-bas, une belle mer bleue et propre, pleine de poissons volants, pleine de coquillages transparents et nacrés, pleine de fleurs inconnues, inaccessibles. Une mer douce et tiède qui se balance, indolente, par-delà la crasse de la Médina. Je frappe un coup sec dans la vitre. Le coup l'atteint en plein visage. Elle sort. On s'étreint sous le regard bovin des copines. Malgré l'affection que je lui porte, malgré que je ne l'ai pas vue depuis plusieurs mois, je n'arrive pas à partager son enthousiasme exalté. Il me gêne même. Et tandis qu'elle questionne, maternelle, je regrette d'être venue. La voilà qui parle fort, qui me présente aux filles, à sa taulière.

Lulu j'ai faim, j'ai rien mangé depuis hier matin. La tête me tourne, ça sent fort dans ta tanière, Lulu. Pardonne-moi sœurette, c'est l'odeur d'ici, la fatigue, la faim. Ne sois pas triste Lucette si je repars ce soir-même. Ne crois pas que tu me dégoûtes. J'ai de la peine, c'est tout, la même peine que le soir où j'ai trouvé, dans ton sac, cette lettre d'une amie qui te demandait si tu descendais faire l'escadre. Je ne comprenais pas ce mot. Alors j'ai cherché dans le dictionnaire, j'ai trouvé et j'ai pleuré. Adieu sœurette! Merci pour le billet de retour...

A les voir au même endroit, j'aurais juré qu'ils n'avaient pas bougé depuis trois semaines, les yeux au milieu des joues, le teint brouillé. Sûr, ils avaient passé la nuit dehors. Maman, Gégé, il ne fallait pas, non, je vous assure. Vous auriez dû rentrer à la maison. Trois semaines sur le quai d'une gare, dans la chaleur et la poussière, ça n'a rien d'humain. Il fallait vous reposer, vous amuser. Moi, j'ai frôlé les portes de l'Orient à Sarajevo, campé sur l'île d'Amour au large de Vela-Luka. Je me suis laissée bercer par les violons sur les remparts de Dubrovnik. J'ai mangé chaque fois avec Tito qui me caressait du regard, du haut de son cadre. Et vous êtes restés là? Oh! je m'en veux terriblement. Laissez-moi vous serrer, vous embrasser. Vous étiez inquiets, vous aviez peur de ne plus me revoir? Calmez-vous, c'est fini, je suis de retour. Nous allons chanter encore et boire le pastis. Mais non, Gérard, je n'ai pas changé, je suis toujours la même, il ne m'a pas fait jouir, mon poète. Bien sûr, nous retournerons au bois, à Chaville, à Meudon, à Clamart, où tu veux. Mais oui, tu me prendras encore et je te donnerai de mon soleil, j'en ai plein ma valise, plein la peau.

Un mois a passé depuis mon retour. Le soleil s'efface de mes joues. De la fenêtre de la cuisine, je regarde les bâtiments neufs qui se dressent, suintant de monotonie. La mère scrute désespérément le fond de la lessiveuse. « Où t'as planqué tes cravates à Charlot, salope? » T'alarme pas la mère et crie pas surtout! J'ai juste un loupiot au chaud! Je sais, tu vas encore t'enfoncer les doigts dans la tête en hurlant qu'ça fait partie des choses défendues! Vous m'avez défendu tant de choses... Joue pas avec les crachats de Mémé! Embrasse pas les gars sur la bouche, crucifie pas les punaises, couche jamais avec un homme, après il ne t'aimera plus. « Il ne m'aimera plus », c'est la seule explication que vous m'ayez donnée! Mais si vous acceptiez mon bambin... Le reste, quelle importance!

Finies les nuits de solitude, j'aurais quelqu'un à qui parler, à qui dire : « Secoue-toi, adorable pionceur, tends tes mains potelées. On la touche la félicité, le bonheur est là, visible! Regarde, maman le tire par la manche, l'accroche parmi la foule aveugle! Maman le tient, maman y tient. Vois de tes beaux yeux bleus de méthylène, avec quelle tendresse elle te l'offre. Prends mon loupiot, serre, petit prince, il te revient. »

En somme, la mère, ce serait simple. Il te suffirait de caresser mes tempes, d'avoir un mot gentil et moi, la meneuse de tendres débauches, la coupable d'aimer, je me blottirais contre toi, je me confierais. Mais tu grondes, tu m'insultes et, comme chaque soir, j'ai du mal à avaler. Mon loupiot me chauffe, me déchire, me dilate, me donne autant envie de vomir que de mourir. Demain, sans plus tarder, il me faudra avertir l'imprudent.

Ironie du sort, le lendemain est un jeudi, le jour des enfants. Le père du bébé en sursis roule comme un dingue jusqu'à la rue Chaptal où loge le grand sorcier détenteur des piqûres-miracles. J'attends dans la voiture. Les minutes sont comptées. Au 14, le couvre-feu tombe à huit heures! Rien n'a bougé depuis l'enfance, la tradition reste immuable. Enfin l'imprudent revient, sourire aux lèvres.

« C'est bon, j'ai les piquouzes... On va monter vite fait au bois de Clamart! Tu m'en veux pas, ma gueule, d'pas avoir l'esprit de famille? Tu dis rien? »

Adieu boule d'amour, j'ai pas le temps de comprendre. Les fesses éclairées par la lumière du tableau de bord, le cœur au bord des yeux, je reçois sagement l'injection tout à l'égout, un mélange de proluton œtradiol et de benzogynœstryl 5. Trois jours passent. Toujours rien, sinon un épouvantable mal de ventre que j'emmène travailler avec moi. Gérard prêche la patience. Au bout de dix jours, nous retournons rue Chaptal. Cette fois, le mélange est additionné d'une dose de quinine par voix buccale, de sauts à la corde, de coups sur les reins, dans le bas ventre, de toute une gymnastique barbare. Le traitement de cheval dure jusqu'en décembre. Gérard commence à montrer des signes d'impatience :

« Puisque le môme s'accroche, reste plus qu'une solution, la sonde, et vite fait! Tu commences à prendre du bide. »

Je dis oui à tout. Il ne manque que l'occasion qui me permette de découcher une nuit. Ça, c'est une autre affaire. Pourtant elle se présente. Le 12 décembre, je dois partir au Havre pour une journée. L'ouverture d'un supermarché où j'ai un stand à monter! J'annonce à mes parents que j'y resterai deux jours car je dois déjeuner le lendemain avec les acheteurs. Mon père dit que d'ici peu je serai une femme d'affaires formidable. Cher père, tellement crédule.

Le douze au soir, j'arrive avec une demi-heure d'avance devant *Chez Dupont* où Gérard m'a donné rendez-vous. Je guette avec anxiété parmi les grincements de pneus, ceux qui vont me rassurer et m'arracher à mon angoisse. Je n'ai qu'un bout de nuit devant moi. Derrière moi, les huîtres font étalage. Des gens, des couples rient, entrent et sortent. Une chaude rumeur me parvient, l'odeur d'une soupe à l'oignon. Paris vibre sous la neige, c'est déjà presque Noël. J'ai froid et commence à désespérer. Mais non, il ne faut pas, j'ai eu trop de mal à avoir cette nuit. Nuit imaginée, nuit traquée, Gérard, j'ai froid, mes ballerines prennent l'eau. L'horloge de la gare marque onze heures; la Thunderbird se cabre de tous ses chevaux le long du trottoir en m'éclaboussant.

« Dis bonjour à mon ami. C'est Georges le toubib. On va faire ça chez Micheline, sa femme. »

Bonsoir monsieur le grand sorcier aux remèdes bidon, bonsoir vous qui n'êtes pas plus médecin que ma sœur n'est dans les ordres. Bonsoir Georges, pourquoi ne pas vous saluer, vous qui d'ici quelques minutes allez tout connaître de moi? Bonsoir monsieur le faiseur d'anges. J'espère que malgré les whiskies, vous voyez encore un peu clair, que vous ne vous tromperez pas de trou, que ça ne me fera pas trop mal, que demain je pourrai rentrer à la maison. Merci Micheline, merci de faire ça pour moi que tu ne connais pas, merci de prendre le risque de recevoir, chez toi, une mineure enceinte jusqu'aux yeux même si on t'a pas laissé le choix de refuser.

Gérard stoppe dans un quartier inconnu. Une neige épaisse efface tout. Un ascenseur hermétique nous arrache de terre, bloque brutalement, une porte s'entrouvre. Gérard me pousse sur un lit, un lit qui ressemble à une table d'opération, recouvert d'une alaise, où traînent des paquets de coton, des serviettes, une cuvette de plastique bleue, un thermomètre, une pile électrique.

« Elle y est de combien, demande la femme?

— Trois mois, répond Georges. Trois bons même.

— On a tout essayé, ajoute Gérard. Il est bien accroché! J'fais pas les choses à moitié quand j'm'y mets. »

Mais de quoi parlent-ils? Quel est ce dialogue de sourds? Pourquoi suis-je ici? Comment se fait-il que je tremble ainsi? D'où vient ce froid, cette chair de poule? Pourquoi me regardent-ils ainsi, tous les trois? Pourquoi les hommes retirent-ils leurs vestes, remontent-ils leurs manches de chemise? Pourquoi demandent-ils à

Micheline de leur servir un whisky? Pourquoi suis-je ici cette nuit? Mais pourquoi ai-je tellement peur?

« Allez, pas d'fausse pudeur, on sait tous c'que c'est qu'un cul. »

Un cul, mais c'est pas n'importe lequel, celui-là, c'est le mien et j'ai pas l'habitude de l'faire voir comme ça en public.

« Tiens, ma gueule, avale ça. Cul sec! Avale. »

Merci Gérard de prendre ainsi soin de moi. Maintenant ça va mieux, j'ai chaud aux oreilles mais l'alaise sous mes fesses, c'est froid et ce truc entre mes jambes, c'est glacé.

« Détends-toi. Ecarte plus. Si tu te crispes comme ça, on y arrivera jamais. Micheline, tiens-lui la tête à plat.

— Elle est serrée la vache. Pourtant j'ai mis d'la vaseline. C'est pas croyable que t'y mettes pas plus d'bonne volonté. Tu crois que ça nous amuse d'être là, à faire ça? »

Non, Gérard, je ne crois rien, je ne crois plus en rien, mais je t'en prie, ne crie pas, ne te fâche pas. Je vais me détendre, voilà, comme ça, vous voyez mieux, vous trouvez le trou?

« C'est la première fois que je vois ça. Elle a l'utérus comme une tête d'épingle. On n'est pas sorti de l'auberge.

— T'es sûr que ta sonde est pas un peu grosse?

— C'est tout ce que j'ai trouvé. Faut que ça rentre ou que ça dise pourquoi. On va tout de même pas passer la nuit là-dessus?

— Approche la lampe de chevet et sers-nous deux autres whiskies. J'ai des crampes dans les paluches. »

J'ai comme un carillon dans la tête, un carillon qui sonne toutes les secondes, qui fait un vacarme épouvantable. Le balancier frappe mes tempes. J'ai dix cœurs, cent cœurs qui battent dans mon ventre à un rythme fou. Et si j'allais mourir? Paraît qu'il y a un truc qui s'appelle le péritoine, un truc fragile, si on le crève, on est foutu, mais moi j'veux pas mourir. J'veux juste vivre, je n'ai que vingt ans, j'prendrai pas beaucoup d'place sur la planète. J'ai juste besoin d'un peu de soleil, d'aller danser sur les places les soirs du 14 Juillet . Alors m'laissez pas! Ecoutez-moi. Regardez-moi. Secouez-vous. Vous voyez donc pas que je crève, qu'j'suis en train de crever. Vous n'allez pas m'laisser mourir, dites. Vous voyez mes jambes, je les ouvre. Mieux que ça, je peux pas faire. Vous voyez mes bras écartés, ma tête bien à plat, mes doigts qui se tendent. Alors donnez-moi la main, ça fait mal, mal, Micheline, ta main, t'avais promis ta main.

« Non de Dieu, j'crois qu'ça y est. Trois quarts d'heure pour foutre une sonde. Enfin demain, tout devrait être nettoyé. Tu vas la mettre au page tout de suite et surveiller sa température. J'vais laisser une piquouze au cas où la fièvre monterait. Nous, on va y aller. Ça va ma gueule? Tu peux dire qu'on s'donne du mal pour toi, hein? »

La nuit a glissé lentement, interminable. Couchée aux côtés d'une inconnue, j'ai retenu mes plaintes, tenté d'apprivoiser la petite couleuvre rouge qu'on avait introduit dans mon ventre et qui ne m'a pas laissé une minute de répit. Je me suis tournée, retournée afin de faire taire les gargouillements qui me faisaient souffrir. Puis l'aube est venue.

Je la regarde monter, un peu pâlote, plutôt triste, et se glisser dans les plis des rideaux oranges. Micheline dort, le drap rabattu jusqu'au milieu du visage. Nous sommes déjà demain, et je sais déjà, à cause de la douleur lancinante qui me casse les reins, que je ne rentrerai pas aujourd'hui à la maison. Pourtant je n'ai plus peur des représailles. Je ne crains plus les reproches ni les coups. J'ai trop mal en moi pour appréhender autre chose. Je me sens presque bien, je ne redoute même plus l'hôpital. A vrai dire, je n'ai jamais pensé y échapper. Tout à l'heure, Micheline va se lever et partir pour quelques heures, et c'est tout ce qui m'inquiète. Me retrouver seule!... J'ai peur d'être seule, de ne pas savoir quoi faire de la chose qui va sortir de moi.

Si je m'en sors sans trop de bobo, je partirai. J'ai vingt et un ans dans trois semaines. Je connais une agence qui organise les départs. J'irai passer un an à Londres dans une famille. Je partirai, personne ne pourra me retenir ni m'en empêcher. Je serai majeure. Personne ne comprendra, on dira : « La petite Marie est partie! Elle avait l'air si gentille. » Les petits, non plus, ne comprendront pas. Ils vont se sentir bien seuls. Plus personne pour leur payer des esquimaux à l'entracte, plus personne pour leur passer en douce les casse-croûte pain-sucre, quand ils sont privés de manger. Plus personne pour parer les coups, pour apaiser les colères de ma mère. Fini de recoudre en cachette les boutons arrachés, de détacher les tabliers pleins d'encre, fini de payer le crédit des carambars chez l'épicier. Fini les batailles de polochons, la semoule au chocolat! Terminé les câlins sur le matelas, les baisers sur la bouche en cœur du petit Patrick. Fini, tout fini.

Mais si je reste, je cours à la catastrophe. Je le sens, je le sais, Gérard me l'a dit. « Tu vas être majeure. Tu dois choisir, ou croupir dans ton H.B.M. ou vivre à mon heure », et son heure c'est le tapin. Et le tapin, pas bon pour moi.

Il y a le visage de Lulu qui se balance derrière la vitre sale, avec les marguerites de plastique au bout de ses nattes noires. Il y a Lulu qui parle avec les mains, qui fait bondir ses seins hors du corsage, Lulu qui roule des hanches dans une jupe noire. Il y a le visage de l'Arabe qui approuve en opinant de la tête. Il y a deux inconnus qui grimpent un escalier crasseux. Il y a Lulu qui redescend en balançant son sac, Lulu qui m'aperçoit, qui parle toujours trop fort comme si elle se sentait obligée de crier. Lulu qui s'adresse à moi, me sourit tendrement. Mais il y a ces deux rides aux coins de sa bouche, ces deux petites rides que je ne lui connaissais pas et qui durcissent son sourire.

Lulu, Lucette si tu étais là, couchée à la place de cette femme, comme je me sentirais apaisée. Tu as toujours si bien su prendre soin de moi. Un jour, c'est moi qui ai pris soin de toi. Tu avais voulu mourir en avalant un tube d'optalidon, parce que ta tête n'était plus qu'une grosse plaie bosselée, parce que maman n'avait pas su arrêter à temps de cogner avec l'embout du balai-brosse et que papa, pour ne pas la contrarier, t'avait donné le coup de grâce en t'envoyant valdinguer contre le radiateur où ta bouche avait éclaté. Tout ça parce que Jeannot t'avait sifflé de la cour, parce que tu voulais aller danser deux soirs de suite et que tu avais oublié de préparer le linge des petits pour le lendemain. Alors tu t'es traînée jusqu'à la chambre des parents et je t'ai suivie. Je t'ai vue avaler les cachets, je leur ai dit, ils m'ont répondu qu'on arrête notre cinéma, que j'arrête mes conneries si je ne voulais pas écoper moi aussi.

Puis ils sont descendus ensemble chez Mado et toi tu t'es couchée. Je me suis installée à la table de la cuisine et j'ai commencé mes devoirs. Les petits sont venus pour me dire que tu pleurais. Je me suis accroupie près de toi sur le matelas mais tu ne pleurais pas, tu râlais, tu réclamais des couvertures alors que je suffoquais. Tu demandais : Pourquoi? Pourquoi? Et ta tête roulait d'un bord à l'autre du traversin. Tu avais mal dans le ventre et tu me suppliais de te faire vomir et les petits sanglotaient en disant : « Dis, Marie, elle va pas mourir Lucette? Elle va pas mourir? »

Alors je suis sortie pieds nus, en chemise, j'ai couru jusque chez Mado mais les vieux n'étaient plus là. J'ai couru de toutes mes forces jusque chez le médecin. Quand je suis arrivée à la maison, avec lui, tu gisais au milieu du matelas. Par terre, il y avait une casserole d'eau où les petits trempaient des torchons qu'ils t'appliquaient à tour de rôle sur le front. Le toubib s'est agenouillé, t'a soulevée dans ses bras. On vous a regardés descendre par la cage de l'escalier. Le docteur s'arrêtait à tous les paliers. J'ai pensé que tu ne t'en sortirais jamais, que vous n'arriveriez jamais à temps à l'hôpital. Après, on s'est penché tous les quatre à la fenêtre de la ciusine en nous hissant au maximum sur le rebord de la fenêtre. Vous avez tourné le coin de la deuxième cour. On a suivi le bruit du moteur jusqu'à ce qu'il s'estompe complètement dans la nuit. Si j'avais su que je n'allais plus te revoir pendant deux ans et demi... J'ignorais qu'on pouvait se faire émanciper.

A table, les vieux interdisaient qu'on prononce ton nom. Tu n'existais plus, il fallait t'oublier, je ne m'y résignais pas. Le temps a passé et je me suis mise à penser que c'était toi qui avais envie de nous oublier, jusqu'au jour où un de tes copains de *l'Etoile d'Or* m'a dit que tu m'attendrais le samedi suivant à Montparnasse, au train de deux heures et demie. Tu t'es avancée sur le quai en sautillant à ma rencontre sur des talons trop hauts. Tu m'as serrée, tu m'as soulevée dans tes bras sans rien dire, tu sentais bon Lulu, ce jour-là, je t'aurais suivie au bout du monde!

Ta chambre ressemblait à une loge d'artiste avec ses murs tapissés de photos. Tu me les a racontées fièrement, les unes après les autres. Je suivais tes ongles nacrés sur le papier glacé. Tu en avais fait du chemin depuis la maison... Nous avons bu du vin blanc sucré sur une petite table basse encombrée de slips, de soutien-gorges, de bas, de porte-jarretelles, un vrai fatras, tout l'attirail d'une danseuse en somme. Fallait-il que je sois crédule, Lulu, pour ne pas comprendre que la revue dont tu faisais partie était vieille comme le monde. J'avais la tête qui tournait, tu remplissais mon verre en me racontant qu'après ta sortie de l'hosto où tu avais bien failli y rester, une assistante sociale de la police t'avait placée chez un toubib. C'était pas l'extase : lui qui te traquait entre deux visites et elle qui se pointait sans arrêt aux renseignements. Alors t'as valisé. Tu es retournée au bal de la Marine et tu y as rencontré une copine qui gagnait sa vie en se déshabillant; t'as tracé dans son sillon. Tu t'es rapidement habituée à te démailloter en public, t'as trouvé que le champagne était moins amer que la bière. Et quelle assistance sociale la plus téméraire aurait osé pointer son nez au *Narcisse?* C'est là que tu as rencontré ton premier impresario, Louis le Corse. Et moi je t'avais écoutée ce jour-là, éblouie, me raconter ta réussite. Moi qui n'arrive toujours pas à effacer de mes pensées ce que j'ai vu à Toulon, dans le quartier de la Médina, où tu vis, où tu meurs bien plus qu'à Malakoff.

Lucette... Cette fois je suis au bout... Il faut que je réveille la dame. Mes reins éclatent, j'ai des frissons. Si c'était toi à sa place, je n'aurais pas honte de ma faiblesse... Je sais qu'elle va se pencher sur moi les cheveux en désordre, la bouche épaisse. Elle va parler d'infection, proposer du kawa. Tu sais que je n'en bois jamais... La mère dit que ce n'est pas intelligent de partir le matin sans rien dans le corps avec mes éponges fragiles. Et aujourd'hui tout est fragile, friable, cassable... Et l'autre qui s'étire en bavant, qui raconte qu'elle a rêvé que son Georges latchavait avec une gamine de mon âge, l'autre qui mélange tout, les piqûres, l'hosto, la vie à deux! Elle tire les doubles rideaux en titubant... Le ciel dégringole dans la pièce, j'ai le vertige.

Micheline a piqué dans la fesse droite. Cette nouvelle douleur m'a fait un moment oublier l'autre, je suis restée couchée sur le ventre, je l'ai écoutée faire sa toilette en pensant à ce qu'elle venait de me dire. Une mise en garde, une autre après celle de Lulu, celle de mon père. « Fais attention, ma fille, faut pas mettre le bout du petit doigt dans l'engrenage. Après tout y passe, y a personne pour m'arrêter la machine. Moi, j'vieillis, je ferai pas pour toi c'que j'ai fait pour ta frangine. Je suis monté, une fois, enfouraillé à Pigalle pour récupérer l'aînée. Le dos tourné, elle a refait la malle et j'ai juste réussi à passer pour un nave : une fois Marie, pas deux. T'as la chance d'être plus intelligente, profites-en, évite de faire la même chose que la grande. » Je ne vous décevrai pas, je ne décevrai que Gérard. Je vais partir, je vous le promets, oui, je vais partir.

Avant de sortir, Micheline s'est penchée sur mon front. Sa main fraîche et parfumée m'a fait du bien, elle a tâté mon pouls en disant : « Je serai de retour vers midi, une heure au plus tard », et elle est partie confiante, sachant que plutôt que de lui attirer des ennuis, je préférerais me traîner dans la rue. Il faut bouger, ils l'ont dit, danser, faire du ménage. Pieds, petits pieds posez-vous, jambes, petites jambes, soutenez-moi. Cœur, cœur gros, ne frappe pas si fort. Tête, petite tête, ne m'abandonne pas. Ventre, ne tire pas comme ça. Mes reins, voyons mes reins, dérouillez-vous. Si nous y mettons du nôtre tous ensemble, nous allons réussir à nous tenir debout, allez, encore un effort. Ça fait mal, je sais, un mauvais mal, sournois, têtu, un mal de chien, chien perdu, perdu chien, mal de perdu! Perdu! Mal! Chien! Eh! ma tête grosse, tête de moi, fais pas l'œuf, me laisse pas choir, ça va aller. Je vais te mettre de la musique, t'aime toujours la musique, dis, t'aime encore ça? Patiente, tourne pas comme ça dans tous les sens, sinon, je n'arriverai jamais jusqu'au poste. Aide-moi bon Dieu, ça ne sert à rien de regarder le monde à l'envers, le monde c'est toujours le monde dont on fait partie, dis? On a nullement l'intention de lui faire la malle, c'est beau le monde, c'est grand, on en a encore rien vu ou si peu. Dis petite tête, tu te souviens quand on se regardait pleurer dans la glace après une java? C'était tellement beau. Je te parlais en lapant mes larmes à petits coups de langue. On était bien non? Valait mieux que ce soit moi qui te cogne plutôt que la mère. Je sais, j'étais juste bonne à encaisser, à écraser. Mais j'avais aussi le droit d'exploser non? J'avais le droit ou pas? Si j'avais pas explosé, tu serais devenue folle! Alors ne sois pas mesquine, oublie tout ça. Si je te parle à toi, c'est qu'aujourd'hui tout le reste me fait la malle. De la musique, de la musique, nom de Dieu, j'existe encore! Travailler en musique, faire un beau grand nettoyage par le vide, effacer toutes les taches à l'extérieur comme à l'intérieur! On va tout faire reluire. Ça vient, ça décroche, ça coule le long de mes cuisses, ça fait mal mais ça vaut largement la peine de souffrir! Peut-être qu'ensuite la fièvre va tomber, que ce soir nous dormirons à la maison, que tu t'enfouiras dans le traversin, près du petit Patrick, que tu commenceras à oublier. Tout cela n'aura été qu'un mauvais rêve, mauvais, pas bon, vilain, un rêve! *Vous les gens devenus sages, qu'à notre âge, vous étiez comme nous,* chante Aznavour. La salle de bain! Vite la salle de bain! *Tout comme nous pressés de vivre et de suivre le chemin de vos joies.* Nom de Dieu, j'me vide de partout à la fois, j'vais crever là. Non accroche-toi Marie, vomis, chie, ça fait rien, tu nettoieras après. *Alors pourquoi jeter la pierre, laissez-faire, tout ça se calmera! Alleluia! Alleluia! Nos vingt ans n'ont qu'un temps.* Pousse, pousse, ça vient, ne regarde pas. *Laissons-les passer. Alleluia! Alleluia, le temps donne ce qu'il nous donne pour en profiter.*

Maintenant retire doucement tes mains du lavabo, décrispe-toi, ne te baisse pas trop vite. Calme-toi, tout est fini! Il est là, passe-le sous l'eau comme te l'a conseillé Gérard. Tu dois le faire, ils ont besoin de savoir si tout est bien sorti. Il y en a encore? Oh non, j'la glisse maman, j'ai des jumeaux, je suis maudite. Relève-toi, bon Dieu! Tu vas pas rester prostrée dans ta merde. C'est des garçons et alors, qu'est-ce que ça peut te foutre? Quand bien même t'aurais voulu, mais tu voulais pas. Je voulais pas. Alors à quoi ça te sert de regarder ça? C'est sale. Caca. Nettoie et va coucher. Coucher. J'peux pas aller me coucher. J'peux pas me relever. Mes reins! Alleluia, alleluia! Rampe, t'as des coudes et des genoux, rampe. Alleluia, alleluia! Allez, encore un effort, le lit n'est plus loin. Dodo! Couche, ma tête. Laisse-moi en paix, laisse couler, t'as fait ta part, dors maintenant, repose.

Gérard a roulé comme un dératé jusqu'à la Salpêtrière. J'ai jeté la couverture à l'arrière et je suis partie sans me retourner. J'ai vu une autre fois le monde à l'envers, j'ai marché dans les nuages, c'était difficile d'avancer. Ils étaient épais, cotonneux, gris sale, j'en avais jusqu'au ventre. J'ai aperçu les racines des arbres tendus vers la terre noire. J'ai vu des ambulances rouler sur les toits, la sirène étouffée dans la boue nuageuse. J'ai vu des infirmières marcher sur les mains, la cape retroussée jusqu'au nombril. J'ai vu des trottoirs suspendus, j'ai senti la pluie monter. J'ai parlé à une femme accrochée à son bureau comme une chauve-souris, la tête en bas. Je me suis accroupie pour lui dire que j'avais mal, que je perdais beaucoup de sang, elle m'a couverte de sa coiffe blanche, nous sommes parties toutes les deux sur un chariot ailé à travers de longs couloirs blancs, peuplés de formes diaphanes.

Ensuite, on m'a soulagée. Une forme s'est penchée sur moi et m'a piquée au bras gauche. J'ai touché le ciel tant je me suis sentie bien. J'ai même entendu parler les anges, oh! pas longtemps, les anges sont très discrets, si peu bruyants, ils ne nous ressemblent pas.

A présent, je sens que je redescends, mais je ne suis pas pressée, surtout pas. Tout à l'heure, j'étais heureuse de grimper, j'ignorais tout de là-haut. Ici je connais trop bien, c'est pour ça que je n'ouvre pas les yeux. Chut! Je fais la morte pour rentrer au monde des vivants, je les entends déjà avec leurs voix haineuses chargées de reproches et d'insultes. Les vivants avec leurs bouches pleines de grimaces et de dents gâtées, avec leurs escarres, leurs fractures, leurs bobos sales, leurs bassins pleins de pipi. Les vivants décharnés, plus morts que vifs! Pourquoi m'a-t-on mise dans une salle avec des vieilles, rien que des vieilles? Pourquoi suis-je attachée au lit? Pourquoi m'empêche-t-on de bouger? Pourquoi? Je veux parler à l'infirmière tout de suite, je veux qu'on me détache.

« Détachez-moi.

— Tu vas te taire, petite salope! T'appelais pas ta mère quand tu y a touché. J'ai une fille de ton âge, Dieu merci, c'est pas une roulure de ton genre!... Dire que de mon temps on curetait à vif, dommage que ça ait changé! »

Je suis restée attachée jusqu'aux visites du soir, le médecin m'a tapoté la joue en disant qu'il faudrait une autorisation écrite de mes parents pour que je sorte, j'ai pleuré. Je tremble à chaque visite de voir arriver ma mère, je suis comme mon vieux, je n'aime pas les cris. Quand elle a ses crises d'hystérie, quand elle ouvre grand les fenêtres afin que toute la cour l'entende, il dit : « Dis maman, tu sais pas parler sans crier, tu vois pas que tu nous abrutis, les gosses et moi. » Je ne veux pas me retrouver en face d'elle et de ses nerfs malades. Dans quelques jours, c'est Noël, je ne veux pas passer Noël ici. Je rêve d'escalade, mais comment faire, je n'ai même pas une paire de chaussons, Je pourrais piquer ceux de la vieille d'à côté, ça fait deux jours et deux nuits qu'elle râle, je crois qu'ils ne lui serviront plus à rien, mais après?

C'est Lulu qui m'a tirée de cette galère, Lulu que Gérard avait réussi à joindre et qui a repris son avion le soir même en me faisant promettre d'être sage.

Quand j'ai poussé la porte de chez Mado, à l'heure de l'apéro, nous nous sommes vues en même temps, ma mère et moi. On aurait dit qu'elle m'attendait. J'ai eu envie de me jeter contre elle, de m'y blottir, de demander pardon. Après tout, elle avait bien eu mon premier frère à seize ans, elle pouvait me comprendre, nous étions deux femmes maintenant, elle et moi. Qui sait? Peut-être cet accident allait-il dissiper nos malentendus? Je me suis approchée, craintive, mais confiante. Après tout, rien n'avait changé. Je n'étais pas partie si longtemps. Elle buvait encore du ricard et, au fond de la salle, les joueurs de belote se lançaient les mêmes mots affectueux. Mon père était à sa place, en face de Gérard, Paul aussi était là, Schmol l'Alsacien avec son menton en galoche, le père Picard et son blanc-cassis, le gros Dédé et puis les autres, les habitués. Blandine essuyait le comptoir avec la même lavette dégueulasse, Mado faisait un quatre-cent-vingt-et-un avec Coco l'Algérien. Les coupes des tournois de boule étaient sagement alignées sur les étagères tout autour de la salle, l'antique machine à café, que Mado refusait de changer par avarice, hoquetait toujours de la même manière. Les rideaux n'avaient pas été lavés. Le tuyau du poêle crevait encore le plafond lézardé. Au baby foot, Loulou et deux autres garçons du 14 se démenaient toujours comme des diables. Mariette la Poivrade se roulait des gamelles avec son maçon, assise à la même table près du juke-box, sans se soucier des onze gosses qui croupissaient à l'Assistance, le ventre gros d'un treizième en préparation.

Rien n'avait changé, rien. Gérard dans la glace me regardait comme la première fois. La mère, en signe de bienvenue, m'a filé un aller-et-retour magistral, façon maison. J'ai cru entendre des applaudissements. J'ai vu des papillons noirs, des petites bulles, des sillons, des zigzags. J'ai entendu loin dans ma tête sa voix qui résonnait, qui rebondissait sur toutes les lèvres et formait un chœur. « T'as encore les yeux bordés de reconnaissance, monte à la maison, salope, on règlera ça là-haut. » La salope n'est pas montée tout de suite, la salope a marché le long de la ligne du chemin de fer, elle est restée longtemps penchée sur la passerelle à regarder passer les trains, à cracher dessus.

Peu de temps après, un matin, très tôt, elle a pris un grand train gris, avec quinze cents balles en poche et une adresse dans le Surrey. Les parents ne s'étaient pas réveillés mais, sur le quai, les mains des petits s'agitaient, devenaient de plus en plus minuscules, disparaissaient.

A Godalming, la famille Mac Oil, des Irlandais, ma accueillie avec beaucoup de chaleur et d'enthousiasme. J'ai fait la connaissance de Katy et de Thierry, deux enfants blonds de deux et trois ans. Je les ai couchés dans mon lit pendant que leurs parents allaient voir Shakespeare et je leur ai chanté nos berceuses. J'ai volé du pudding dans le frigo et les ai ensuite accusés. J'ai mangé du porc et des patates bouillies avec eux le dimanche et j'ai découvert Sherlock Holmes et plusieurs chaînes de télévision. J'ai appris à faire du feu dans la cheminée, j'ai écouté France-Inter dans la cuisine en faisant la vaisselle et je suis allée voir *La Ronde* en français, dans un cinéma près de Victoria Station. J'ai erré dans les rues de Londres, désemparée, ne sachant pas trois mots d'anglais. J'ai quand même réussi, au bout de deux semaines de bons et loyaux services, à m'offrir une paire de chaussures en verni noir à talons très hauts et à voler une robe dans une boutique.

Quand la porte de ma chambre se referme le soir et que les enfants et les grandes personnes rejoignent leurs rêves, je vis le mien. Moulée dans ma robe noire, perchée sur mes talons, le nez effronté, le sourire aux fesses, le sourire aux seins, la bouche mouillée, les yeux noyés, je prends la file de l'air. J'imagine des bas noirs, des sautoirs, je joue les vespérales, je pense à Gérard, Gérard que j'ai fui. Mais est-ce bien lui que je fuis? N'est-ce pas plutôt le fond de cour, ce sixième où les fleurs pendent sans espoir de soleil, ces cabanons badigeonnés de gris, la façade de chez Guilvard, une entreprise funéraire qui me plombe les yeux chaque fois que je me mets à la fenêtre. N'est-ce pas plutôt les coups, les cris, les scènes, les fins de mois difficiles avec le riz au gras, le ragoût de mou? N'est-ce pas plutôt le 14, rue Hoche tout entier que je fuis? Alors pourquoi me torturer? Pourquoi continuer à torcher les moutards des autres? J'ai assez torché mes frères, non?

Si je n'avais pas rencontré Gérard, ç'eût été un autre. Bien sûr, avant de le connaître, je n'ambitionnais pas de me déhancher dans les courants d'air en tirant des clins d'œil aux passants, bien sûr l'idée de faire la pute ne m'avait jamais effleuré l'esprit, bien au contraire. Mais si c'était lui qui avait raison? Si c'était la fin de la misère, le début d'une brillante existence? Si j'essayais toute seule? Au fond, c'est pas bête ça, je connais des rues de Paris où les filles le font, rue de la Verrerie par exemple, à côté de la boîte où je travaillais, et elles sont belles en plus. Elles rient, elles n'ont pas l'air malheureuses ces filles-là. Si je fais ça, je n'atterrirai pas forcément comme Lulu à la Médina. Il n'y a pas que les Arabes qui vont voir les putains. J'ai vu des hommes bien suivre les filles rue de la Verrerie. Alors au diable le droit chemin! Ma route part de Paris. Gérard avait réussi à rendre sa voix émouvante sur le fil, il m'entendait mal, il criait « Rentre ma gueule, rentre, je t'aime *for ever,* je t'attends. »

Gérard avait tenu parole. Il m'attendait à la gare du Nord, au train de treize heures cinquante-cinq, vêtu d'un pardessus en chevreau. Il se frottait les mains pour se donner une contenance et il avait le nez rouge à cause du froid. Je l'ai trouvé laid, un peu vieilli déjà, mais je l'ai pourtant suivi pendant deux mois dans les hôtels de Montparnasse, des hôtels avec des glaces aux murs qui me faisaient rougir. Nous vivions des revenus de sa femme et de ceux de Sandra. La grande vie ou presque, les bars, les cabarets, le champagne! J'avais droit à du Madame Gérard long comme le bras de la part des amis. Bien sûr, je n'avais pas encore la garde-robe qu'il faut pour ce genre de vie mais ça allait venir, Gérard y songeait fermement. C'est ainsi qu'un soir, entre deux huîtres, il a déclaré qu'il m'avait trouvé du boulot. J'allais vendre des cigarettes chez une copine à lui, dans le quartier de l'Opéra. Quelle promotion!

Voilà comment on se fait avoir, les filles, c'est pas plus compliqué. Même si on sort de la zone et qu'on se croit affranchie, on se fait tranquillement piéger comme des cavettes. Il n'y a plus de gisquettes, plus de gadgies, ni de louloutes, plus de gavalies. Il y a une fille, une fille de dix-huit ou de vingt et un ans, une fille marron, nikée, qui chiale le front appuyé contre la porte des chiottes d'un bar américain. Elle chiale la petite sœur, la copine, parce qu'elle croyait être là pour vendre des cigarettes. Elle a voulu y croire, jusqu'au bout, même quand la taulière a cogné à la porte des gogues parce qu'il y avait un client au bar.

Il s'appelle Jacques, il a bu un Martini avec la petite et il veut maintenant la baiser à tout prix. Il est prêt à y mettre quinze sacs, cinq de plus qu'à l'ordinaire, mais il la veut. Il la veut parce qu'elle a encore les joues pleines, les yeux sans cernes, parce qu'elle n'a pas l'air de! Parce qu'elle ne porte pas de dessous affriolants et qu'avec un peu de chance, elle est encore un peu négligée dans sa culotte, parce que d'où elle vient, on ne connaît pas le bidet, on se lave les fesses dans la bassine à vaisselle quand elle n'est pas encombrée d'assiettes grasses. Il la veut tout de suite parce qu'il a reniflé la débutante et il veut être le premier. La patronne lui a dit qu'il serait le premier. Enfin le premier pour une fois de sa vie! Vite avant que d'autres n'arrivent. L'abîmer. Il veut être le premier à l'abîmer, le *first, O.K.,* vous me suivez? Vous voyez comment on se retrouve coincée dans une chambre de passe de la rue Daunou. Vous comprenez un peu mieux pourquoi on a envie de se filer en long sous une bagnole quand le printemps chante.

Après Jacques, il y a eu Raymondo, un Argentin en mal de tango qui m'a enseigné un drôle de pas, un pas où les pieds n'avaient pas un grand rôle à jouer et où la bouche se tordait de dégoût, « Avale, qu'il disait l'Argentin, avale! » J'ai fermé les yeux, serré les poings, j'ai essuyé ma bouche avec le coin d'une nappe. C'était pas chouette le temps du tango quand Raymondo m'a filé cinq sacs d'un air suffisant. Je n'ai pas refermé mon carnet de bal pour autant et j'ai fini la nuit avec Bata, sur un lit trop étroit pour sa graisse. Bata, le cloporte au ventre plissé comme celui d'une chenille, Bata le sénile qui, après m'avoir abreuvée de sa sueur rance, m'a plantée sur le trottoir de la rue Montpensier en me casquant avec un billet d'*Holiday on Ice.* Quand je suis rentrée, j'ai réveillé Gérard en hurlant : « Rends-moi ma liberté, donne-moi une chance. » J'avais mal en moi, une nouvelle hémorragie s'était déclenchée, la cinquième depuis ma fausse-couche. J'étais avide de tendresse, de toute la tendresse du monde. Et tandis qu'il émergeait, contrarié, de son profond sommeil et qu'il me fixait de son regard d'oiseau de proie, je savais bien qu'il ne me donnerait même pas une miette de cette tendresse tant espérée et je sentais la peur monter en moi. Il parlait d'une voix que je ne lui connaissais pas.

« Tu veux partir? Va. Mais il faut que tu saches que je t'aime. Ne te trompe pas : si j'accepte que tu fasses ce boulot, c'est seulement pour qu'on s'en sorte rapidement, qu'on se la fasse belle! Quand je t'ai prise, c'était un bail à vie. Tu vois, ma gueule. J'ai trente-trois piges, si j'regarde bien, j'ai tout raté. Pour la société, je suis un paumé. M'reste plus qu'à m'en filer une dans la tronche pour faire le compte. »

Je l'écoutais, il me faisait pitié. J'avais imaginé toutes sortes de réactions sauf celle-là. Un vrai mélo! De quoi faire pleurer Margot et Margot, elle pleurait. Elle était toute secouée de sanglots longs parce qu'elle savait bien que, si elle ne le quittait pas maintenant, c'était foutu. Elle signait un méchant bail, peut-être pas à vie, mais de quoi la démolir corps et bien. Pauvre Margot, brave Margot toujours prête à ramasser les chiens perdus.

Et Margot regardait Gérard-chien sortir son calibre 11,43 de sous le matelas. Elle avait l'impression d'assister à la projection d'un film noir et blanc. Cinéma vérité! Elle lui a demandé entre deux hoquets de ne pas faire de bêtises, de remettre le flingue sous le matelas. Il lui a répondu d'aller rejoindre son cavestron. Y avait qu'un nave pour replonger à son cinoche, mais pas Gérard-chien : il avait besoin d'une femme, d'une vraie, avec de la mental! Maintenant il fallait qu'elle se casse. Mais quand elle s'est approchée de l'armoire pour prendre les trois nippes qui pendaient, il a armé le calibre. Ça a fait un bruit sec et elle s'est retournée, prise de panique, en disant : « Ecoute, Gérard-chien, on s'est peut-être mal compris, tu sais, je ne suis pas une mauvaise fille, au fond. Je ne demande qu'à bien faire. Comprends-moi. Je veux essayer de nouveau mais pas comme ça, pas comme ça. » Il lui a demandé de venir s'asseoir près de lui. Il l'a serrée très fort. Elle a pleuré encore un peu, une mauvaise habitude dont elle ne parvenait pas à se défaire. Alors, il lui a dit : « Nous irons à Capri, dis ma gueule! » Et elle a soupiré oui en se laissant aller contre son poil.

Gérard en fin limier avait fort bien flairé qu'il fallait que je change d'air avant les grandes vacances. J'avais un besoin urgent de dépaysement. En attendant, je ne retournerai pas au *Sportsman.* Ce qu'il me fallait, c'était travailler dans une taule, une vraie, avec des femmes, des chouettes. Rien de tel qu'une bonne promiscuité enrichissante pour la débutante que j'étais. Quoi de mieux qu'un travail de groupe quand on n'est pas affranchie? Au contact des autres, j'apprendrai, qui sait? Je deviendrai peut-être une gagneuse?

Un coup de grelot à un placier, une parlotte de quelques minutes avec une taulière avisée : « C'est dans la poche, exulte Gégé, t'as une placarde rue Fontaine au *Saint-Louis,* mon pote Antoine dit que ça fait des sous gros comme ça! » Le soir même Gérard stationne son landau devant *le Fifty...* Le chasseur saute sur la portière.

« Merci mec! On n'est pas client. »

C'est vrai. Pour moi, l'aventure commence de l'autre côté de la rue... au *Saint-Louis.* J'y pénètre à la suite de Gérard sur la pointe des pieds. Une dame nous accueille à mi-voix. « Installez-vous au petit salon, monsieur Antoine vous y attend. »

Le petit salon se compose de deux pièces minuscules. Aux murs de la première sont crucifiés des danseurs espagnols, suspendus des éventails de nacre noir et or, des banderilles, des castagnettes, des roses de plastique rouge. Un bar miniature croule sous les glaïeuls, de hauts tabourets en bois sculpté espèrent le voyageur! La dame écarte une épaisse tenture de velours grenat. « Monsieur Antoine » tend les bras à son ami sans lâcher son cigare. Je suis présentée. La dame se retire, une lumière jaune tombe du plafond. Je m'installe sur une vilaine banquette écossaise. Monsieur Antoine que son ami appelle « Toine » sourit beaucoup sans lâcher son cigare. Voici la dame qui revient, une bouteille de champagne plantée dans sa poche kangourou :

« Madame Pédro descend. »

Un timbre retentit. La dame se précipite... des pas... des voix d'hommes derrière le rideau grenat. Un nouveau timbre, plus strident cette fois, une cavalcade de bottines au-dessus de ma tête... des rires... une porte claque, des voix de femmes. Vierge Marie! d'ici peu je serai parmi elles. J'avale ma coupe. Mon tuteur me la remplit aussitôt. Mère de Jésus! M'a-t-on vraiment conduite dans un bordel d'antan? Est-ce bien vrai que l'endroit est uniquement fréquenté par des notables? Les hommes lissent-ils toujours leurs bacchantes, l'œil égrillard, le pouce coincé dans le gilet? Rendent-ils toujours visite aux dames, vêtus de redingotes éclaboussées par un jabot, la canne à pommeau posée sur le bras gauche, la montre gousset à la place du cœur?

Dis Marie, mère des Sept Douleurs, est-ce bien ici que des filles épanouies comme des fleurs de ton jardin, offrent aux regards des pécheurs leurs épaules de marbre rose? Est-ce bien de lourdes boucles d'ambre qui projettent des ombres sur leurs joues pâles lorsqu'elles se mirent? N'est-ce pas plutôt l'ennui, dis-moi Marie? Pardonne-moi Vierge Marie, on m'a lavé le cerveau. On m'a injecté le sérum de persévérance et me voilà prête à me vendre, à me distribuer sans tapage, me voilà faite comme un melon, bonne comme la romaine, *Money, Money, Money.*

Un visage sans grâce s'encadre dans le velours, ma patronne sans doute. Je peux déjà te dire, Marie-Joseph, que ce n'est pas le genre à arroser les géraniums de ses pensionnaires après le boulot! Elle a la voix grinçante la mousmée.

« Antoine s'écrie-t-elle les mains au ciel.

— Pédro, tu es toujours aussi pimpante! Mon ami Gérard... La petite.

— Elle fait le poids? »

Ciao, Marie de Bethléem! on m'arrache à mon rêve! me v'la mutée au cœur de la réalité.

« Ça fait un mois qu'elle est adulte, pas ma gueule?

— On va la confier à ta femme, Antoine, ça devrait travailler ça ici.

— Claudie va vous mettre au coup, Madame, ça fait cinq ans qu'elle est en place. Vous verrez, c'est pas une taule à embrouilles! Fais-la donc descendre, Pédro. »

J'aurais préféré qu'elle s'appelle Pétunia, j'aurais aimé être ailleurs tandis qu'ils décident de mon sort. Chut! trop tard, la voici, mon initiatrice, toute essoufflée, apparemment surprise de voir « le sien ». On la croirait échappée d'un cocktail mondain! Une bourgeoise en goguette qui me dévisage de ses grands yeux sans expression. Moi, ficelée comme l'as de pique dans ma robe noire tchourée à Londres, avec mes échasses de dix centimètres, je me sens aussi fraîche qu'un gardon sur un tas de machefer!

« Faut lui trouver un nom avant qu'elle monte au 19! »

Pédro me jette un regard oblique.

« Vous avez une idée? »

Aucune! j'ai pensé à tout sauf à ça! Appelez-moi Hortense, Rebecca, Conception, Iphigénie!

« Madame Pédro, puisque la Libanaise ne reviendra pas, on devrait l'appeler Sophie.

— Parfait, Sophie c'est un nom que les clients retiennent bien. »

Et voilà, on venait de me rebaptiser dans un bordel de Pigalle, Amen. Gérard m'a flatté la croupe, bonne pouliche, Sophie!

De capiteux parfums m'effleurèrent les naseaux, un mélange de savon ordinaire, d'eau de Boto, de mercryl-laurylé, de déodorant aux senteurs de muguet, de sueurs tièdes. Ma paume glissait sur la rampe branlante. Le tapis grenat qui s'arrêtait au deuxième exhibait sa trame et j'apercevais, par endroits, le bois sombre des marches. Le sang m'empourprait les joues. Claudie a poussé une porte et s'est retournée en disant :

« Voilà le 19. »

Je suis restée interloquée au milieu d'une chambre où des filles assises tranquillement tricotaient, lisaient ou faisaient du crochet. Claudie m'a présentée.

« Sophie, mariée à un ami du mien. »

Silence d'outre-tombe. J'étais surtout la nouvelle, la dix-neuvième, et je me sentais mal dans ma peau. Elle a demandé qu'on me fasse une place sur la banquette. Personne n'a bougé. Elles m'observaient, me décortiquaient, me palpaient des yeux, sauf une, toute menue, toute brune, éclaboussante de beauté, trop absorbée par le journal de mots croisés qu'elle tenait sur les genoux, une canette de bière coincée entre les pieds : France! France qui m'a si bien secourue cette nuit-là, France comme moi échappée des portes de la ville. France, qui avait le bonheur de connaître la zone peuplée de guitares et de roulottes, de fêtes foraines et d'herbes folles, la zone, dernier vestige d'évasion dans un univers de béton armé. Une belle Martiniquaise aux gestes lents, à la voix douce, ses cheveux crépus emprisonnés sous une perruque châtain, m'a fait place près d'elle. Il faisait toujours silence jusqu'au moment où Muriel a demandé le strip.

Au *Saint-Louis,* j'ai fait mon apprentissage. J'ai rencontré et connu des hommes célèbres, des obscurs et des braves types. J'ai grimpé sur le dos d'un prince qui se prenait pour un pur-sang!

J'ai éperonné de mes talons ses flancs gras, tandis que France lui cravachait la croupe et qu'il caracolait sur la moquette usée jusqu'à la trame, hennissant de satisfaction, léchant la poussière. J'ai fait chanter *Le Petit Bonheur* à un Canadien pendant que France lui fauchait ses dollars, et que je lui racontais qu'il avait la voix de Félix Leclerc. J'ai appris à un puceau de trente-cinq ans comment employer un préservatif en lui expliquant que s'il s'entêtait à vouloir tout rentrer dedans, cela risquait de provoquer une éjaculation précoce ou pas d'éjaculation du tout. J'ai lié les mains d'une nymphomane avec mes bras et coincé sa tête entre mes cuisses pendant que France la sodomisait et que le mari assis dans un fauteuil tirait paisiblement sur son Havane. J'ai fait mon entrée au *Claridge* avec Josiane et un Américain qui avait horreur des hôtels de passe et qui préférait payer pourvu qu'on lui défèque dessus dans une chambre luxueuse des Champs-Elysées. J'ai eu l'imprudence de me laisser attacher au radiateur par un Luxembourgeois au regard fou qui éventrait le matelas à coups de canif tandis que j'entendais sonner les trompettes de la mort.

J'ai rencontré le marquis de Sade ressuscité sous les traits d'un magnat hollandais de trente ans. Herbert accomplit toujours un choix préliminaire. Il balaie le cercle d'un rapide coup d'œil bleu, sélectionne trois victimes éventuelles à qui il ordonne de se déshabiller et en élimine deux qu'il dédommage grassement.

La porte claque! je suis seule, face à mon bourreau. Il ne manque rien! La bouteille est là, plantée dans la glace. Au milieu des deux coupes vides, une serviette usée d'où s'échappent les lanières du martinet. Je passe une main sur ma nuque. Il contourne le lit, les fauteuils, me lance un regard en commençant par les pieds, s'arrête au ventre, remonte jusqu'aux seins, néglige le visage. Je dirais bien quelque chose, mais quoi? Ce n'est pas le genre à aimer les banalités. Je souris, il ne sourit pas. Pourtant je lui plais, j'ai toujours plu aux sadiques depuis que je suis toute petite, je plais à Herbert qui remplit nos deux coupes. Je me détends, ma main s'avance en direction du plateau.

« Non! tout se mérite. »

Je ne réplique pas, ça fait partie du jeu. Il s'empare de la bouteille et disparaît dans le cabinet de toilette. A quoi jouons-nous? Je tressaille : du Dom Pérignon dans la tuyauterie du bordel? Quelle galvaude! Ce mec-là est fou, fou à lier. Oh mais non, pardon, y a erreur, il a pris soin de boucher le lave-fesses!

« A genoux, bois. »

Si vous insistez, je vais me forcer. Mais c'est vraiment pour vous faire plaisir. Surtout que je trouve ce verre plutôt dégoûtant et mal rincé. Vous voyez l'écume grise, là, tout autour : le personnel semble fort négligeant dans cet établissement. Je soupçonne même la barmaid de se gratter le bas du ventre en faisant la plonge, vous n'en avez pas, vous, dans votre verre? Vous avez de la chance. Je suis peut-être tombée sur un jour de vaisselle où elle avait des petites bêtes.

« Fais pas semblant, avale. »

Avale, pense aux deux cents sacs sur le coin de la table. Avale, songe à ce que tu vas pouvoir planquer sur un coup pareil, à la petite paire de chaussures Christian Dior que t'as vue dans la vitrine de chez Jourdan, au sac assorti, à l'imprimé de soie que tu vas offrir à Dédé pour la fête des mères. Elle en a tellement envie, elle en rêve tout haut chaque fois qu'elle te voit. Pense aux bottes que le petit t'a fait voir à l'étalage de chez André. Il en a marre de mettre des bouts de carton dans ses godasses. Pense à eux, à Gégé, pense à toi, pas trop, pense plus à rien, bois un coup, ça dessaoule...

« Ça suffit. A genoux devant la glace, en rampant. Chaque fois que tu retireras tes mains de la tête, tu auras un coup sur la poitrine. »

Mais c'était pas convenu comme ça! Pas les seins, ça fait trop mal. Il n'y a rien de convenu et je ne suis pas là pour te faire du bien. C'est ça, serre les dents, serre les poings. Oui, regarde-toi pleurer, regarde-toi gémir, vilaine insoumise, enfant pas sage. Essuie encore tes yeux que je te frappe mieux, là où la chair est tendre, douce, marbrée et satinée, là où elle se tend, où elle craque. Laisse couler le noir de tes yeux, laisse couler ton nez. Retiens tes cris, mêle tes larmes à ma joie. Viens que je coule en toi, que je me répande, que je te caresse, que je lèche tes plaies, viens que tu me pardonnes.

Herbert était comme ça! Après m'avoir suppliciée durant plus d'une heure, il s'est jeté à mes genoux en implorant le pardon et s'est enfui à ma première parole. Je suis remontée brisée, pantelante, sans slip, sans bas, ni soutien-gorge, la robe sur le bras. Je ne supportais plus rien sur ma peau. Les filles m'ont fait une place sur le lit et France et Cynthia se sont relayées pour m'appliquer des serviettes mouillées d'eau froide sur la poitrine, les reins, le dos et les cuisses. Elles parlaient, les copines. Elles bavaient, elles écumaient d'une rage jalouse, en pensant aux deux cents tickets à plat dans mon sac. Si elles avaient osé, si je n'avais pas été mariée à un ami d'Antoine le Niçois ou si un homme s'était trouvé en galère à ce moment-là, si France n'avait pas été présente, je crois bien qu'elles m'auraient achevée à coups de crocs, à coups de talons, de griffes et d'insultes et qu'elles m'auraient fauchée. J'ai laissé dire. J'ai sommeillé jusqu'au matin, je leur ai laissé leur chance, quoi!

Le temps a passé, les boursouflures se sont résorbées. J'avais oublié, les autres aussi. Et puis un soir, Arlette a poussé la porte du 19, toute essoufflée. Herbert était là, il m'attendait au 2. Les copines ont viré au mauve. Moi je suis descendue en caracolant. Sur la table, le seau à champagne était à sa place mais pas la serviette. Il a dit :

« N'aie pas peur. Cette fois, je ne te ferai pas de mal, moins que la dernière fois. »

Il m'a demandé de me mettre nue et de m'allonger. Il s'est assis sur le bord du lit, m'a tendu une coupe puis une autre. Nous avons fait connaissance.

« Pourquoi fais-tu ça? Qu'est-ce qui t'a poussée? Pourquoi pas chez toi plutôt qu'ici? Quel âge as-tu? Y a combien de temps?

— Et toi, quel âge? Que fais-tu dans la vie? Tu es marié? Pourquoi tu aimes faire mal? Pourquoi m'as-tu de nouveau demandée? Où habites-tu? Je ne connais pas Amsterdam, paraît que c'est beau. Les canaux, les champs de tulipes. Oui, je viendrai un jour.

— Tu seras mon invitée. Tu dormiras chez moi. Tu feras connaissance avec ma femme et mes deux fils, je lui dirai que tu es étudiante, que je t'ai rencontrée à Paris. Le soir, nous sortirons tous les deux. Elle comprendra. On sera bien. La maison est grande. Elle te plaira.

— Qui?

— La maison, ma femme, les enfants, la ville. J'ai des photos, tu veux voir?

— Montre-moi. C'est elle?

— Oui, mais tu verras, elle est beaucoup mieux en naturel. Là, elle paraît sévère à cause des lunettes.

— Tu la bats?

— Jamais. Sophie, j'ai une surprise, ferme les yeux, allonge-toi.

— Mais tu me fais mal. Tu es cinglé, qu'est-ce que tu fais avec ce peigne fin?

— Je coiffe ton ventre, Sophie. Ton ventre! »

Il s'est sauvé après comme la première fois, sans un mot, J'ai ramassé l'argent sur le coin de la table. Cette nuit-là, les copines ont fait une jaunisse. J'avais trop parlé cette nuit-là, quel besoin avais-je eu de lui conseiller d'aller voir un psychiatre? Pourquoi ne m'étais-je pas bornée à faire mon boulot? Pourquoi lui avoir dit que je trouvais dommage qu'un homme comme lui, avec une brillante situation et une charmante famille, soit obligé de chercher refuge dans les bordels? J'avais agi contre mon intérêt, je ne l'exciterai plus, j'aurai mieux fait de me couper la langue ou de lui dire tout simplement : « Je suis bien avec toi. » Je ne comptais plus revoir mon marquis.

Je me trompais. Il est revenu et nous avons fait l'amour sans violence, pendant deux belles heures où j'ai oublié que je me trouvais sur mon lieu de travail. En me quittant, il m'a longuement embrassée au pied de l'escalier. En ouvrant de nouveau les yeux j'ai vu la robe de Claudie voler en haut du mirador. Quand je suis remontée, elle a dit : « ... Y a des filles qui manquent de tenue... »

Je m'en foutais, j'avais ma comptée assurée pour trois jours et j'étais amoureuse. Quand Herbert venait à Paris, il me téléphonait la veille au *Saint-Louis*. Et le lendemain, je jouais relâche. Gérard ne faisait aucune objection à ce que je ne passe pas ma soirée de congé avec lui puisqu'il s'y retrouvait largement. Je lui en glissais une centaine et c'était dans la poche. Cent dans la sienne, autant dans la mienne. Je ne demandais rien à Herbert et, pourtant, il continuait à me payer au tarif du premier soir. C'est vrai, j'étais amoureuse, mais je n'allais tout de même pas le contrarier pour une banale question d'argent. Nous nous rencontrions pour l'apéritif au *Café de Paris,* avenue Matignon. Nous avions changé notre marque de champagne et troqué le Dom Pérignon, qui nous rappelait de mauvais souvenirs, contre un Cristal Roder. Ensuite, nous allions dîner chez *Drouant,* au *Petit Bedon,* chez *Prunier* ou chez *Lasserre.* Nous finissions la nuit dans sa chambre au *Crillon* et, parfois, quand il avait du mal à atteindre l'orgasme et qu'il grinçait des dents en me broyant les épaules, je lui proposais la ceinture dont il s'emparait comme un dément pour en frapper les murs jusqu'à ce qu'il s'affale, épuisé, sur le lit, en larmes, mains ouvertes, me demandant pardon.

Je crois que je l'aimais. Nos rencontres ont ainsi duré deux ans, trois rencontres chaque mois. Il m'a suivie partout, il avait toujours mon nouveau numéro de téléphone jusqu'au jour où j'ai ramé hors de Pigalle et suis partie sans laisser d'adresse, par peur de le décevoir peut-être. On m'a dit qu'il m'avait cherchée dans tout Pigalle, qu'il avait dépensé des sommes folles pour passer un moment avec d'anciennes copines qui lui parlaient de moi, qu'il avait été jusqu'à payer des chasseurs pour me retrouver. On m'a rapporté tant de choses sur son compte! Que croire dans tout cela? Les filles sont tellement menteuses. Herbert, mon cher amant malade, mon demi-dieu au regard fou, n'as-tu pas plutôt jeté ta pauvre tête dans un canal?

Le *Saint-Louis* était l'inverse d'un *no man's land,* toutes sortes d'oiseaux pouvaient s'y poser sans craindre de se froisser les ailes.

Ceux qui s'y posèrent, ce soir-là, arrivaient du Grand Nord, des Rocheuses. C'étaient des oiseaux à gros becs, affublés d'un curieux accent. Un des mâles se posa sur la commode, les deux autres au pied du lit; les femelles, les ailes pudiquement repliées sur leurs rondeurs tièdes, firent leurs nids dans les fauteuils qu'elles avaient reculés contre la fenêtre. Les trois coups tombèrent et le spectacle commença! Josiane laissa glisser sa robe, la mienne tomba comme une pierre, c'était mon premier *show!* Les femelles piquaient du bec dans leurs corsages de guipure amidonnée, les mâles battaient des ailerons en piaillant que, tabarnouche, nous étions des hosties, d'belles pelotes et qu'il n'y en avait pas d'même à Montréal.

Jo en profita pour demander notre petit cadeau, une des femelles se dressa sur ses ergots :

« On en supporte ben assez à c't heure, si faut encore donner du supplément, nous on s'en va ben raides! »

J'étais liquéfiée, Josiane *super-cool* s'installa sur les genoux du banquier.

« Allez mon pingouin, sors un peu tes piastres, qu't'aies pas fait le voyage pour rien, tu vas voir, on a un beau Popol dans la valise!

— Ecoute donc Roméo, qu'elle disait la Québecquoise, on est pas pour passer la nuit ici, donne-leur donc c'qu'elles te demandent ces femmes-là et qu'on parte d'là, ça pas d'bon sens votre affaire! »

Roméo a extrait de sa queue de pie un billet de vingt dollars en flattant les courbes de Jo. Ma coupe de champagne dans la bouche, je l'ai regardée s'emparer de la petite valise, son contenu m'était tout aussi inconnu qu'aux spectateurs... Une trompe monstrueuse a jailli, elle l'a fait tournoyer au-dessus de nos têtes en criant :

« En v'là mesdames d'la quéquette! »

J'ai passé ma main sur mon sexe en pensant que, tout compte fait, je céderais volontiers ma place à une autre. Inquiète, j'ai regardé Jo se harnacher de l'instrument de torture, nouer soigneusement les courroies autour de ses reins, de ses cuisses et la chair de poule me gagnait la tête tandis qu'elle, malicieuse et perverse, bandait son gigantesque phallus en direction des femelles. Mystère que la vue de cet olifant? Jeanne la renaudeuse, à qui nous devions notre petit cadeau, s'est alors projetée dans les doubles-rideaux en hurlant.

« J'm'en vas moi, j'm'en vas; par la porte ou par la fenêtre mais j'm'en vas! »

Roméo l'a entourée de ses plumes, leurs becs se sont choqués, il a pris sa main dans la sienne et l'a forcée à caresser « la belle grosse queue de la demoiselle ». Le mystère s'épaississait, pleurait-elle, riait-elle? Ce qu'il y a de sûr, c'est qu'elle touchait, qu'elle soupesait les « gosses » de caoutchouc en bredouillant que c'était pas des farces, qu'elle avait jamais imaginé qu'il puisse exister « des affaires de même ».

Jo, en artiste, avait dégagé son olifant tandis que moi, crucifiée sur le pucier, je rêvais aux Lacs Supérieurs, aux tendres forêts d'érables, aux derniers Mohicans, à Maria Chapdelaine, aux neiges de printemps, à ma note de gaz et d'électricité! Il fallait gamberger à tout, sauf à la défense de caoutchouc que Josiane braquait en direction de mon ventre. « T'affole pas, c'est tout bidon, t'as juste à serrer les miches » m'avait-elle murmuré d'un ton rassurant. J'avais envoyé un baiser aux éléphants d'Afrique tandis que sa coupe teintait contre la bouteille de champagne et qu'elle réclamait silence.

Dieu du ciel, fallait-il qu'ils soient maso, qu'ils aient de l'artiche à balancer, nos Canacs, pour battre de l'aile pendant que nous les bernions! Jo pirouettait, la bouche pleine d'ironie. « Excite-toi Sophie! » Sa trompe turgescente crevait le plafond, s'enroulait autour de ma cuisse, s'égarait dans le désordre du lit, plongeait dans le traversin, j'haletais et le sommier jouait un fameux concert de musique de chambre! Nous nous étions enlacées dans un retentissant éclat de rire, ignorant qu'autour de nous, tout le monde se masturbait à l'unisson... Même Jeanne, surtout Jeanne! Le rideau était tombé sur une formidable débauche, sur un absurde dégoût! Jo, stimulée par la masturbation de groupe, en avait profité pour abréger, pour passer au dernier acte. En baissant les lumières, elle avait murmuré : « Les lesbiennes. » Jeanne alors s'était sagement empalée sur le sexe de son Roméo pendant que les quatre autres, hagards, déboutonnés, avaient pris place sur le lit. Le champagne était aussi tiède que la langue de Jo et je l'avais laissé fouiller au plus profond de mon intimité sans oser lui dire que le spectacle était terminé!

C'était mon premier *show,* depuis il y en avait eu beaucoup d'autres. Et j'avais appris à ne plus redouter l'instrument de torture, à ne plus laisser aux copines le loisir de satisfaire leurs désirs en leur balançant, lorsque leur langue s'égarait, un fameux coup de genoux dans les côtes afin de leur rappeler que nous étions en train de bosser.

Je me croyais aguerrie, mirage! Les drôles d'oiseaux du *Saint-Louis* ne devaient pas cesser de me surprendre... C'est ainsi que, par une tiède nuit d'été, aux environs de quatre heures, notre chère Arlette m'a coincée entre deux portes, écrasant mes lèvres de ses doigts.

« La « passoire » est là. »

Elle semblait passablement excitée, sa langue battait son tablier! Je ne comprenais pas les raisons de tant de mystère.

« C'est un ministre discret comme une ombre. Beau temps, mauvais temps, il arrive avec un chapeau enfoncé jusqu'aux yeux et des lunettes noires, une écharpe de soie blanche lui camoufle le bas du visage et ses mains sont gantées de cuir. Il prend toujours la nouvelle arrivée. Avec lui, t'en as cent cinquante au chaud. Monte au 19, mets-toi en barboteuse, quand il sera prêt je t'appellerai.

Les copines avaient la bouche en biais, elles se poussaient des coudes pendant que France m'attachait les bretelles de la barboteuse. Je jubilais. C'est ma faute à moi si je plais et si j'ai pas les tétines en oreilles de cocker? Si j'ai pas une bedaine plissé soleil et si la boule à zéro me fait mieux qu'une perruque Hélène de Troie? C'est ma faute si j'ai de belles dents et que j'les montre au choix? Si j'ai un tic à l'œil droit qui me fait cligner de la mirette? C'est ma faute si je me déhanche en souplesse et si, au lieu d'avoir des moletons d'première ligne, j'ai la gambette racée, si j'ai pas le fouindé au ras du sol? C'est ma faute, nom de Dieu, si j'ai vingt et une piges et que vous avez dépassé la trentaine?

Franzie a extrait une épingle de son chignon :

« Tiens, tu en auras besoin. »

Le mystère s'épaississait... Au coup de sonnette d'Arlette, je suis descendue, laissant les copines ruminer leur fiel. Elle m'attendait au deuxième, une passoire à la main.

« Dépêche-toi, il n'aime pas attendre. Tu t'installes au 5, face à la glace et tu mets ça sur la tête, arrange-la comme tu veux mais, chaque fois qu'elle tombe, c'est trente sacs en moins. Tu ne le verras pas, mais il te verra. »

Le mystère n'en était plus un : la glace était sans tain.

« Parle très fort, raconte-lui des histoires de micheton, fais du mime, appelle-le Monsieur le Ministre, il y est sensible, mais j'te préviens, il est dur à la détente. Quand c'est fini, il glisse une enveloppe sous la porte. Allez, vas-y. »

Sophie, on te demande sur le plateau, dépêche-toi ma vieille, on tourne. Accessoires, passoire, épingle à cheveux, j'arrive Monsieur le Ministre, ne vous impatientez pas, juste le temps de hérisser quelques mèches au travers des trous, de fixer l'instrument. C'est mon premier grand rôle, savez-vous? J'y suis, cramponnez-vous au siège! Eclairagiste, la tête! Pleins feux sur la passoire, captez le détail, les pattes, coco, les pattes, mais non, pas les miennes, celles de la passoire. Bouge plus, t'as le bon angle, le gros plan est parfait. A moi :

Je m'appelle Slup-Slup. Je viens d'un lieu connu de tous et pourtant vous n'en soupçonnez rien, d'un lieu mille fois exploré, fouillé par vous, d'un lieu tiède et douillet, accueillant mais un peu humide, d'un endroit où il fait bon vivre, d'une contrée où l'on ne parle pas de politique mais de plaisir, où les dirigeants sont dirigés, les costauds matés, les incompris compris, les malheureux réjouis, les jouisseurs satisfaits, les obscurs illuminés, les intellectuels abêtis. Mon existence se meut dans les profondeurs féminines.

Je m'appelle Slup-Slup et mon imagination se fait la malle par les trous de la passoire. Ohé, Ministre, je pourrais te raconter des histoires obscènes, faire plein de trucs avec mes doigts et ma bouche... simuler l'orgasme dévastateur, celui qui fait rouler les yeux dans tous les sens comme un mécanisme détraqué, celui qui fait craquer les articulations, qui te vrille le cervelet, celui qui te donne envie de vivre à reculons... Ohé, vieux Léviathan... Colle un peu ton oreille au miroir... As-tu jamais connu cette joie-là? Approche, ne crains rien, je ne suis qu'un microbe pacifique. Masturbez-vous en paix, toi et tes semblables. Les germes ne traversent pas encore les cloisons. Le ministre de la Santé publique se penche sur la question. Bientôt les maladies vénériennes fleuriront à l'extérieur des bordels. Vous pourrez continuer d'y venir en toute tranquillité. Ce sera la rue qu'il faudra éviter, la rue grouillante de staphylocoques géants qui vous agresseront à chaque tournant... Faudra vous méfier parce qu'elles seront salement bien roulées les p'tites bêtes, et pas très exigeantes. Un jambon-beurre fera pratiquement l'affaire. Vous tremblez, froid peut-être... Ohé! ne vous sauvez pas! Je tiens à toucher mon cachet, attendez... Je vais vous parler de Petit Lait... un vieux nécrophile qui pète en jouissant.

J'ai débloqué pendant une heure, la passoire en équilibre sur la tête, les yeux fixés sur la rainure de la porte, où une main complaisante a fait glisser l'enveloppe. Je me suis jetée là-dessus comme la pauvreté sur le bas monde. C'était une belle enveloppe blanche, bien nette, bien cachetée; rien qu'en palpant, je savais que le taf se trouvait là-dedans. Je ne l'ai pas ouverte tout de suite. Je l'ai fait sauter d'une main à l'autre, en chantonnant. Je me suis étendue sur le lit, j'ai posé l'enveloppe sur mon ventre, je lui ai parlé tout bas. « Je te mérite, tu sais, je te mérite vraiment. »

On se console comme on peut, on a tellement besoin d'excuses quand on se regarde dans la glace et qu'on se répète à mi-voix, pour n'être entendue que de soi-même, c'est pas toi, ça, Marie, c'est une autre, une inconnue, tu sais, comme celle à qui Mme Job Jeséquel s'entêtait à enseigner l'algèbre et qui ne comprenait absolument rien. Sophie, ça deviendra aussi abstrait que ça. Tu l'oublieras comme tu as oublié les équations, tu brûleras tes robes et tes godasses comme tu as brûlé tes cahiers de classe, un jour tu deviendras toi et ton enfance oubliée ressurgira avec une extrême précision. Tu commenceras alors à comprendre. Il y aura de moins en moins de coins obscurs dans ta mémoire. Tu auras finalement forcé les portes du bonheur, un bonheur qui n'est pas accessible à qui veut. Un bonheur farouche qui se défend des agressions, un bonheur qu'il faut mériter à coups de crocs, de poings, à coups de chagrin. Surtout ne désespère jamais. Le bonheur te revient.

Ce soir ne pleure plus. Je sais que tu es blessée. On vient de t'humilier, de te ridiculiser plus encore que le soir du *strip-tease.* Tu regardes la rue, t'en as gros sur la patate. Si c'était pas si haut tu sauterais, histoire de faire une belle pirouette, de bousculer un peu l'atmosphère, une tache de gaîté quoi! Une belle flaque rouge au milieu de tout le noir, comme au 14, quand tu te penchais jusqu'au vertige, quand tes pieds n'avaient plus la tranquille assurance de sentir les casseroles du placard juste sous la fenêtre de la cuisine... Pourtant dans ce temps-là, t'avais aussi de bonnes raisons de t'envoler, mais tu gambergeais pas à l'envers. Qu'importe ce qu'elles ont fait cette nuit, les filles! Tu ne seras pas toujours la nouvelle, la dernière arrivée. Une autre viendra. Et toi, tu seras avec les copines de l'autre côté du miroir. Et tu riras devant le désarroi de la nouvelle, car c'est elle qui trouvera le papier hygiénique dans l'enveloppe, avec un message différent cette fois. Et tu riras plus fort que les autres parce que tu aimes rire, parce que tu es capable de monter un scénario toi aussi.

Maintenant rhabille-toi, il va être l'heure de rentrer, la nuit tire à sa fin et n'en veux pas à France si elle ne t'a rien dit. Elle fait partie des anciennes. France, pas spécialement généreuse, France pas belle, jolie, jolie, pas malhonnête pour un rond, voleuse comme une pie, pas douce, douce pareille, pas vraiment brutale, violente, hagarde, la nuit où j'avais, encore une fois, eu une embellie avec ce mec qui m'avait fait respirer la poudre magique, France folle furieuse, bacchante en délire, il avait camé sa copine, l'ordure, il avait osé lui faire renifler de la schnouf. Franzie, féroce, qui l'a jeté à poil sur le palier après lui avoir retourné ses poches et son larfeuil, France sauvage, frappant, frappant, tandis que je protégeais mon visage de mes mains, France qui m'insultait, tandis que je tentais de lui dire que ce n'était pas ma faute que c'était la première fois que j'entendais prononcer le mot cocaïne, que j'ignorais totalement ce que c'était, qu'il fallait qu'elle me pardonne si je riais comme ça, sans raison apparente, si j'avais envie de chanter et de grimper aux doubles rideaux. France ma pote, ma complice, ma coéquipière, mon paravent, mes muscles, ma sœur.

France ma Zone, avec qui je remonte ce matin à l'aube, comme chaque jour la rue Fontaine, en silence. Des taxis roulent au pas à la recherche du client égaré dans la faune barbouillée de Pigalle. C'est l'heure où les bars ouvrent grandes leurs portes comme d'énormes bouches pâteuses qui soufflent leurs relents d'alcool et de tabac froid, l'heure où les filles fatiguées quittent leurs perchoirs, l'heure où le savant maquillage n'est plus qu'un masque grinçant, l'heure du cerne bleuté, triste à dormir, l'heure où les chasseurs, à grands renforts de gestes, font leurs comptes. L'heure où l'homme titubant cherche la route du sommeil, où une bande de marins braillards, le pas mal assuré, le pompon à l'arrière, dérivent en quête d'un navire en partance, où quelques obstinées tentent de repousser l'aube, d'accrocher en vain, de racoler le roi du pétrole. Les enseignes multicolores clignent des yeux, s'éteignent, tout un monde bascule, disparaît, un monde d'illusions semblables aux vampires des légendes qui naissent et meurent avec la magie de la nuit.

C'était tout ça le *Saint-Louis* et qui sait combien de temps encore je serais restée là si, un soir, alors que je venais de faire ma première B.A. de la soirée, je n'avais croisé cet homme sur le palier, cet homme à qui j'ai dit :

« Qu'est-ce que tu cherches, mon gros? T'as perdu ton chemin? Tu sais pas que c'est défendu de rôder dans les étages? »

J'ai dit ça parce que j'étais au *Saint-Louis* depuis un an déjà, parce que j'avais pris ce qu'on appelle du métier, parce qu'il avait une tronche de voyeur. Il a répondu à mon arrogance par une phrase toute simple :

« Police! Montre-moi le chemin. »

Comme j'hésitais, comme il n'avait pas exhibé son badge sous mon nez et que je croyais avoir affaire à un imposteur, j'ai aggravé mon cas en lançant :

« Police, mon cul! »

C'est seulement à ce moment-là qu'il a tiré de la poche intérieure de sa gabardine sa carte de visite, toujours sans s'énerver. C'était un vieux poulet que l'approche de la retraite avait rendu patient. C'était aussi l'inspecteur X de la Brigade mondaine, le bras droit de Monsieur Z, chef de la même Brigade, qui était, je l'ai su plus tard, en train de discuter le bout de gras avec Arlette aux cuisines.

Pauvre Arlette qui, prise de court, n'avait pas eu le temps de sonner les trois coups qui nous auraient permis de nous répandre de la cave au grenier. Pauvre France qui n'avait pas eu le temps de se glisser dans l'armoire à double fond réservée aux mineures et aux filles frappées de contraintes. Pauvre moi quand j'ai poussé la porte du 19 avec mon ange gardien qui n'a pas eu besoin de se présenter. Il y a eu comme un malaise dans la chambrette. Les aiguilles, les crochets, les *Intimités du Foyer,* les cartes sont tombés dans un silence lugubre. C'est moi alors qui me suis sentie de trop, à tel point que j'ai failli me mettre sous la protection de la police. Heureusement, Monsieur Z n'a pas tardé à rejoindre son petit camarade avec une bande de copains et comme par enchantement, l'atmosphère s'est détendue. Il y a même eu des échanges, de bonjours, des « Tiens, comme on s'retrouve! », des « J'croyais que t'étais retirée toi, tu t'es pas faite défichée, il y a six mois? », des silences, des rires, des jurons de part et d'autre.

Et comme toujours, en cas de coup dur, les filles n'hésitent jamais à se donner la main, à se faire des crocs-en-jambes. Nous avons quitté le *Saint-Louis* en chantant le grand air de la solidarité. Devant la porte, la voiture de ces dames était avancée et notre chère Arlette avait toutes les difficultés du monde à garder ses mains dans les poches de son tablier blanc, tandis que nous prenions la route, direction quai des Orfèvres.

TROISIÈME PARTIE

Quand j'étais petite fille, je ne jouais pas du piano, je ne jouais pas au cerceau ni à la poupée. Je jouais du couteau de cuisine, des tessons de bouteille, des talons aiguilles. Je rêvais d'être marchande de mauvais coups, la nuit, au fond des bois, parce qu'on m'avait rabâché qu'il n'y avait que ça qui payait et qu'il n'y avait pas trente-six manières de s'en sortir.

Et si j'aimais l'ordure? Si, insidieusement, je cultivais mon mal? Je donne à Gérard le nom de mari sans y croire. Grâce à moi, il prend du galon. Je projette aux yeux des autres l'image d'un dur et, pourtant, je sais qu'il n'est qu'un lâche, qu'un faible qui tremble à l'idée de me perdre. Et voilà qu'au cours des jours le piège se resserre. Gégé croit à son personnage, le gauchit, le façonne, le fignole. Voilà qu'il s'installe dans sa peau d'homme avec la même aisance que dans ses robes de chambre en soie. Voilà que je rapetisse, qu'il se nourrit de moi, qu'il me dépossède nuit après nuit de mes pouvoirs. Et pourtant, je veux encore y croire certains soirs de tendresse et je continue à le hisser, à bout de bras, à une place qui ne lui revient pas, je le sais.

Enfant, j'ai vainement tenté d'apprivoiser le regard de ma mère, j'ai collé mes lèvres à ses moindres dessous, j'ai bu son parfum à m'en rendre malade, je l'ai aimée à la folie comme il est convenu d'aimer. Et pourtant, quand au terme de ses voyages, elle se couchait près de moi, le seul contact de sa peau me faisait tomber du lit. Quand est venu le temps des talmouses, est-ce moi qui les ai provoquées en espérant que des caresses leur succéderaient? J'ai cru que la vie allait devenir belle, mais la vie c'est la vie, et j'en suis encore là aujourd'hui.

Lulu était fugueuse et Marie trop docile. Combien de fois ai-je tendu mes poignets à la corde, et même si j'avais pu, je les aurais liés moi-même pour ne pas lui déplaire, pour la séduire, pour qu'elle m'aime enfin! Le temps des caresses n'est pas venu et j'ai commencé à faire de drôles de rêves. Au creux de ma main droite, je serrais une poignée de sable empoisonné et chaque soir, au dîner, j'en laissais échapper en souriant quelques grains dans le verre de ma mère. Mais elle ne mourait pas, mon poison était sans effets. Elle persistait à rire et à courir dehors dès que la nuit tombait. Alors j'ai jeté le sable sur l'évier et ont commencé mes nuits blanches. Les yeux rivés aux aiguilles du réveil, j'en ai imaginé des embardées, des flammes, des froissements de ferraille. Entre Meudon et Malakoff, chaque carrefour devenait mortel. De Chaville à Versailles, tous les feux étaient verts. Dans la descente du Petit-Clamart, les freins lâchaient et je couvrais mes oreilles avec mes mains pour échapper au grand fracas. Mais le cliquetis de ses talons sur le trottoir de la cour me ramenait à la raison. Tout était à refaire.

Et puis, un soir où je venais tout juste d'entreprendre mon rêve, à l'instant où le chauffeur de la voiture folle amorçait en riant le virage du Rond-Point, elle est rentrée. Dans le noir, je l'ai regardée enjamber les matelas. Elle tenait ses chaussures à la main, elle a murmuré : « Marie tu dors? — Non maman. — Alors viens me frotter le ventre! » Cette nuit-là, je l'ai chevauchée sans une plainte jusqu'à ce que mes poignets craquent et j'ai découvert avec horreur que son ventre n'était pas l'œuf aux contours nets dont je rêvais, d'où j'étais sortie, mais une douve grouillante où se tordaient des noms barbares. Son duodénum, son gros colon, son pancréas charriaient, sous mes doigts, des spasmes et des pulsations, tout un limon fétide. Elle connaissait son ventre par cœur, elle en parlait avec tendresse. En l'écoutant, j'abandonnais mes rêves. Quand mes cuisses se décollaient de ses flancs et qu'elle ronflait, la bouche entrouverte, je remontais doucement le drap sur ses épaules. Il lui arrivait parfois dans un demi-sommeil de retenir ma main en murmurant : « Toi, t'es pas une égoïste, t'es pas comme les autres. »

Tu te trompais la mère, je l'étais davantage, je voulais tout de toi, tout, et tu m'avais donné un moyen de te séduire. Alors j'ai provoqué nos rencontres et j'ai décidé de vivre à ton heure, de bâcler mes devoirs du soir. Je t'ai traquée sans trêves à travers nos trois pièces. Je t'ai massée debout, assise, je t'ai massée partout. J'ai réussi à te faire rire et plus rien n'existait. J'oubliais ma fatigue quand au faîte de ton ventre je t'écoutais glousser. Tu disais : « Aïe, doucement. » Tu disais : « Tu tiens de moi, plus tard tu auras mal au ventre! » J'ai cru que c'était gagné, que tu ne pourrais plus te passer de moi, que j'avais réussi là où Jacques et Lulu avaient échoué. Et puis, un jour, un étranger s'est arrêté chez Mado. Je ne sais ce que tu lui as trouvé, mais je sais que tu as repris tes gambades et que mes mains t'agaçaient. Loin de ton ventre, j'ai replongé dans le délire. Tu m'avais amputée du cœur, alors j'ai rêvé d'épouser un aveugle, un mal bâti comme moi qui ne me ferait jamais la malle.

Ai-je reconnu cet informe en Gérard? Exercez-vous sur moi le même pouvoir? Pourquoi vos peaux ont-elles le même grain? Oh, la mère, j'ai glané des années durant toutes les moissons de ton ventre en sachant que c'était perdu. Onze ans c'est long! Je suis fatiguée, je n'ai plus de force dans les poignets.

J'ai fait de l'argent mon allié, je sens Gérard bien à ma main. Malgré les apparences, c'est lui qui vit sous ma coupe, à ma botte. Je l'ai choisi juste assez vil pour qu'il ne m'échappe jamais : un jour ce sera à mon tour de me payer le luxe de le larguer comme on m'a larguée!

Si je tente aujourd'hui de faire le point sur ma vie, tout n'est qu'embrouillement. Mes yeux sont deux fenêtres borgnes ouvertes sur le monde. Un homme est venu et parce qu'il m'a payée sans me toucher, parce qu'il m'a dit « Tu es saine », parce que nous avons passé des soirées à nous embrasser les doigts en écoutant Miles Davis, j'ai cru que ma cécité finissait. Je suis tombée en amour, lui ai abandonné confiante mon cœur... Il était cardiologue.

Un soir de détresse, j'ai formé d'une main tremblante son numéro sur le cadran, je lui ai dit : « Je m'ennuie », il m'a répondu : « Occupe-toi, achète-toi un âne, ça ne consomme pas, fais le tour du monde, apprends l'hébreu, fais des gosses. » J'ai failli lui répondre : « Il faut être deux pour ça. » J'ai raccroché en pensant aux affreuses cartes postales glacées qu'il m'avait envoyées du Népal, portant au dos des barbouillages de tendresse où il jurait de me raconter son voyage.

Quand Gégé est rentré, je me suis laissée aller toute imprégnée de larmes et d'alcool entre ses bras mous. Quand ce n'est pas dans les bras de Gérard, c'est contre la poitrine de Lulu que je dérive, cette gorge tendre trempée de caresses, cette poitrine compréhensive et généreuse, toujours prête à éponger toutes les peines, tous les chagrins de la création. Je glisse sur ses pentes douces, me glisse au creux du val tiède et soyeux, m'y roule, m'y love, m'y abandonne, m'y soulage, m'y installe bien afin de planter d'un coup brut mon angoisse dans ce sein offert. Le gauche de préférence, le plus gonflé, le plus romanesque, le plus vulnérable. Oh! Marie, ne doute pas un seul instant, le sein de Lulu encaisse bien la charge, il frémit juste un peu sous le nylon. Quelques larmes roulent autour du mamelon durci, Lulu les lape d'un coup de langue rapide et puis, ses lolos bandés vers le plafond, elle cherche l'inspiration, tente de crever la bulle d'angoisse qui enveloppe sa petite sœur. Tendus au paroxysme, ne parvenant pas à atteindre les brumes où s'enlise Marie, ils s'affaissent ensemble penauds, fatigués mais invaincus, encore capables de distribuer de la tendresse, juste de la tendresse, mais j'ai besoin d'autre chose et je barbote, je fais des clapotis, des ricochets. J'espère.

La Bohème bouge. Lulu, Maloup et moi faisons équipe. L'autorité de la taulière chancelle. Quand elle embauche, on désembauche en s'assurant que la nouvelle n'est pas mariée avec un petit cousin d'Al Capone. Si c'est le cas, nous rusons. L'important, c'est de lui rendre le bar inaccessible, de faire sauter son tour. Nous avons chacune notre méthode. Maloup offre un coup et propose un yam en s'intéressant à la belle montre de sa nouvelle amie. Si la fille n'a pas de montre, Maloup s'intéresse à ses pompes ou à son sac : voie libre. Sophie réceptionne les arrivantes, leur montre le vestiaire, les aide même à suspendre leurs vêtements. La fille ne sera pas surprise lorsqu'au cours de la nuit, Sophie l'entraînera dans les toilettes, l'air grave, sous prétexte de l'éclairer : voie libre. Lulu attaque de front : « J'ai cru entendre une mauvaise parole, c'était pour moi? » La fille n'a pas le temps de répondre, Lulu lui froisse le groin d'un revers de main et signale à Rose que la nouvelle fait preuve d'une mauvaise volonté évidente.

On clôture en se rinçant la dalle avec notre nouvelle recrue qui ne demande pas mieux que de se rallier à notre cause. A Pédro qui, certaines nuits orageuses, nous menaçait d'expulsion, nous avions promis d'être compréhensives. On ne jetterait plus les gonzesses mal mariées, on les remarierait. Du coup, Lulu et moi, frappées de génie, nous nous demandions si, en remontant attentivement l'arbre généalogique de la famille, nous n'allions pas nous découvrir des racines phéniciennes plutôt qu'auvergnates.

Un matin de juin, une grande fille brune vêtue d'une robe de cuir, un œil brun, l'autre vert, pousse la porte de *la Bohème*. Je tombe en émerveillement devant ce beau regard vairon. Elle semble se mouvoir hors du temps, la fille. Subjuguées, nous abandonnons nos ruses, sauf Lulu :

« T'es sûre que tu t'es pas gourée de crèmerie?

— Sûre. Je m'appelle Odette et j'régale d'une tournée. »

Lulu se cabre. Bigle en Biais pare la charge.

« Baby pour tout le monde? »

Lulu plie. Inutile d'envoyer notre oseille pour la faire jacter, elle a l'élocution facile, la copine. Elle cause, elle cause, nous transporte en pleine science-fiction. Cramponnées aux sièges de l'aéronef, nous l'écoutons fascinées. Inconsciente, suicidaire ou lucide? Je ne saurais le dire. Ce qui est sûr c'est que si, malgré ses propos incongrus, elle réussissait à nous convaincre, nous rentrerions dans nos logis, nous réveillerions nos hommes, à condition qu'ils soient là, et nous les enverrions tapiner à notre place! On se secoue, on se pince, nous ne sommes qu'en 1966. Qu'importe! Elle embraye, replonge dans son délire, nous entraîne avec elle. On vogue en pleine utopie, on salive d'envie en imaginant l'existence privilégiée des poneyttes de l'an 2000.

Tout bien pensé, les hommes méritent-ils tant de cruauté? Est-ce possible que tout un règne s'effondre par sa bouche? Nous nous retenons de ne pas verser une lacrime sur le sort des julots. Des sons rauques agitent nos poitrines, entravent notre respiration. Bigle en Biais nous ausculte à distance, les mains sur les hanches. Prises de frissons, on grelotte, on se blottit l'une contre l'autre, on fait la lippe à l'idée que nos consœurs de demain puissent être maquées par des frangines de chez Moune.

Bigle en Biais se martyrise la poitrine afin d'appuyer ses dires :

« J'ai jamais été maquée! Faut vraiment que vous soyez des truffes pour envoyer votre oseille aux julots. J'vous le répète, j'suis venue toute seule aux asperges et l'mec qui me prendra mon flouze, faudra qu'il en ait une comme ça!

Un éclair lubrique ébranle le beau regard d'Odette. Derrière ces propos futuristes se cache-t-il une femme à hommes? Même si je refuse de l'admettre, j'admire Odette. Elle exprime bien haut ce que je pense tout bas. Je l'écouterais volontiers toute la nuit. Elle ne se doute pas un seul instant, en s'exposant ainsi à la lumière que, dans l'ombre, nos arbalètes bandées sont prêtes à lâcher les flèches qui lui crèveront les yeux, le ventre et le cœur.

Et tandis que les autres se détournent et replongent dans la monotonie, un dessein machiavélique germe dans ma tête rousse : rosser d'abord copieusement l'animal jusqu'à le priver de mouvements, lui tendre ensuite une main repentie, aller même jusqu'à le flatter, enfin bien le nourrir et l'abreuver. Une longue nuit s'offre à moi, une nuit qui va me permettre de mijoter paisiblement mon entreprise.

A l'aube, lorsque *la Bohème* ferme ses portes, qu'il est déjà demain et que les copines regagnent leurs chambres vides, Lulu, Maloup et moi entreprenons notre expédition punitive. Bigle en Biais remonte la rue Frochot jusqu'à la place Pigalle. On suit à distance. Inutile d'effaroucher le gibier. Boulevard de Clichy, sentant la meute à ses trousses, la bête consciente du danger fait volte-face.

« Qu'est-ce que vous voulez?

— Rien, on se balade, on flâne. »

La bête s'éloigne, elle s'emmêle un peu les guibolles en trottant. Je m'attendris. Est-ce de la savoir « pleine »? Un petit jour crémeux balaie les façades du boulevard. Je regarde Maloup, le front penché vers le bitume. Pense-t-elle aux mêmes choses que moi? Lulu, ardente, sa crinière noire rejetée à l'arrière, ouvre la marche. La nuit a été pâle pour elle : neuf sacs avec un client chasseur, elle a le mors aux dents. Odette semble avoir perdu son adresse.

Nous nous retrouvons en ligne toutes les quatre au même feu rouge. L'horloge de Barbès marque six heures dix. La bête halète, nous distance, passe à l'orange, manque de se faire filer en l'air par un taxi. On accélère, un écart, elle nous échappe, vire à droite, à gauche, rebrousse chemin. On la coince enfin rue du Delta. Traquée, le dos au mur, le sac aplati sur la poitrine, les mains ouvertes. Ses grands yeux lancent des S.O.S. Lulu vise le ventre, le sac saute, les bras tombent. Précise et ordonnée, Lulu cogne à la manière d'Yves. Après le ventre, les seins. La bête se couvre et vacille. Sa face grimace, semble nous narguer, pas longtemps... On l'achève avec nos poings, nos pieds, nos talons. Criblée de coups, elle tombe sur le flanc, la robe par-dessus la tête, la perruque sur le trottoir, elle geint. Avant de sauter dans un taxi, Lulu balance un coup de pied dans le sac d'Odette, son contenu s'éparpille dans le caniveau.

« Pour se remettre, si on allait se taper un morceau à *la Cloche d'Or?* Ça te va Bouchon?

— C'est moi qui vous invite à condition qu'on ne parle plus de ça! »

Où se lèvent-ils les matins sans révolte ni violence où tout est rose et cotonneux, les aurores où l'esprit plane hors de la folie, en pleine folie douce! Emmène-moi, folie douce, loin de l'ignorance, de la bêtise et de la cruauté. Perce la stratosphère à grands coups de génie. Elève-moi au-dessus des matins gris d'incertitude. Fais que je me balance dans les striures glacées des soleils bleus, visibles de toi seule. Ma folie douce, mon enfant malade, ma compagne de route, sauve-moi, ne me laisse pas pourrir parmi eux.

Et ce matin-là, une fois de plus, les commerçants du quartier ont regardé les deux danseuses de la rue Auguste-Chabrière qui rentraient chez elles légèrement ivres.

Quand Lulu et Yves se sont installés à la maison, je me suis sentie heureuse d'avoir ma sœur près de moi. Grâce à elle, je découvrais l'enfant terrible de Gambay qui cassait les châtaignes à coups de marteau sur la tête de son frère, qui accusait sa sœur de lui avoir enfoncé une aiguille dans l'abdomen, alors qu'elle venait d'être piquée par une guêpe. J'apprenais avec stupéfaction que j'avais attaché des casseroles aux queues des chats qui traversaient le village en miaulant comme des damnés. Lulu secouait les souvenirs enfouis très loin, dont personne ne m'avait jamais parlé, et cela me rendait heureuse. J'étais de nouveau Marie. Je l'écoutais pendant qu'elle lavait la vaisselle ou repassait les chemises des hommes. Je découvrais, par sa bouche, ma cruauté et ma tendresse, mes joies et mes manques et je la regardais éblouie : lorsqu'elle me parlait ainsi, l'autre, celle que j'avais tant de mal à comprendre, s'effaçait pour faire place à la grande sœur que j'aurais aimé garder intacte au fond de mon souvenir.

Hélas, les choses se sont rapidement détériorées. A *la Bohème,* Lulu travaille peu, moi beaucoup. Ça la rend agressive, jalouse, amère. On dirait qu'elle prend plaisir à broyer les valeurs auxquelles je crois encore. Elle n'aime pas Maloup, ne supporte même pas que je prononce le nom de France, et mes efforts pour la faire travailler et pour m'adapter à elle s'avèrent inutiles.

Dans la maisonnée, si l'argent manque, les ramponneaux pleuvent. Nos supermacs, qui s'entendent comme larrons en foire, poussent le vice jusqu'à nous faire cirer leurs pompes avant de nous les filer dans le ventre. Yves, qui ne respecte rien, cogne dans la vitrine de Lulu qui va au chagrin les yeux cernés quatre jours sur six. Cela n'arrange pas ses affaires. Je divise ma comptée en deux. Aussi j'ai droit à ma ration de jetons! Je n'ai pas l'estomac particulièrement délicat, mais je les digère mal...

J'ai soudain envie de respirer un autre air. Les joues dans les mains, je rêve d'un bel appartement où Maloup et moi travaillerions par téléphone. Hélas, Lucette et son Toulonnais s'accrochent! Je secoue ma boîte à idées à pleine main. Eurêka! sur la table de ma gamberge roule la petite graine que j'avais mise à germer deux semaines plus tôt. Je la contemple, d'abord étonnée puis surprise qu'elle ait pris tant de force. C'est maintenant un bel haricot rouge, rond et lisse, qui prend les formes d'Odette. Notre acte de bravoure de l'autre jour passé n'était-il pas destiné à marier Bigle en Biais à mon jules? C'est ainsi qu'un matin, j'invite la grande Odette à manger avec moi à *l'Alsace.*

Elle plonge sec la fille, heureuse de se savoir finalement acceptée, d'avoir une amie. Elle ne se demande pas pourquoi je l'ai invitée. Ça lui semble tout à fait normal que nous soyons là, toutes les deux, devant un plateau de fruits de mer et une bouteille de vin d'Alsace. Elle se donne franco de port, n'exprime aucun ressentiment. Elle s'excuse presque de me parler des croûtes qui lui couvrent la tête et qui la gênent encore quand elle se coiffe. Elle avoue sans malice qu'elle me préfère à ma sœur, veut savoir si j'ai les moyens de la rancarder pour sa fausse-couche et me demande de l'aider à se trouver un studio pas trop loin du boulot. T'en fais pas Dédette, ce matin tu déjeunes en face de la Providence!

Je guette la porte. Nous entamons notre seconde bouteille quand Gérard entre par hasard... J'éclaire mon visage d'un sourire psychédélique. Il avance armé d'un sourire qui en dit long, qui dit : « Tu es sûre de ce que tu fais, certaine que tu ne vas pas me faire une scène si je m'assieds à côté de ta copine? » Mes yeux répondent « Non, vas-y, je suis sûre. »

Allons, un peu de courage, Gégé. Je sais, tu ne t'attendais pas à ça de moi. Tu m'as toujours prise pour une imbécile, tu croyais que j'étais jalouse, mais tu te trompais sur toute la ligne. Jalouse, oui, mais pas d'une autre, de mon oseille que tu balances à tire-larigot, sans compter. Ignorant! Pendant que t'avances, je prie pour qu'elle te plaise, pour que tu bandes pour elle, pour que tu ne lui donnes pas envie d'aller au refil. Je prie pour qu'elle paye, à ma place, les traites de tes tires pourries, tes whiskies, tes costards. J'fais une prière au p'tit Bon Dieu pour qu'elle arrive à te faire oublier que j'existe, pour que tu la quimpes, que tu lui fasses avaler ta panade. C'est pour moi que je travaille Gégé, seulement pour moi. Comment peux-tu être assez nave pour penser, ne serait-ce qu'une demi-seconde, que je fais tout ça pour ta pomme?

Plus je vous regarde, plus je trouve que vous formez un beau couple, *old fashion,* à l'enseigne des tromblons réunis. Rencontrez-vous, aimez-vous, faites ce que bon vous semble. Moi, j'ai fini. Bonsoir Clara. Maintenant que les présentations sont faites et que tu me débectes un peu plus, j'aimerais me retirer. Je te fais le cadeau de régler l'addition et sa fausse-couche. Je vous laisse prendre le café en tête-à-tête, elle est mûre comme une melon... *Wait and see...*

Après elle en écrasera à ma place. Doucement, j'arrêterai d'aller à *la Bohème.* Je ne ferai pas de scène quand il rentrera. Je lui suggèrerai de l'emmener en week-end à Deauville de lui faire visiter le Berry, de la gâter un peu. Doucement, les amis l'appelleront Madame Gérard. Doucement, il s'attachera à elle en se détachant de moi et je m'éclipserai sur la pointe des pieds en lousdé. L'avenir appartient à ceux qui hissent la voile. Ne me remercie pas Odette, ne dis pas que c'est le ciel qui m'envoie. Je ne veux rendre de comptes à personne, surtout pas au Bon Dieu!

Je n'avais pas imaginé qu'il était aussi simple de fournir une doublarde à son homme. Je ne ressentais rien, ni tristesse ni remords. J'ai marché insensible jusqu'au Pont au Change, cherchant à faire la somme des jours heureux passés avec Gérard. Une lumière mauve s'étalait de l'autre côté du fleuve, inondant les tours de Notre-Dame. J'y suis entrée et j'ai brûlé un cierge.

Avec le temps, je deviens la confidente d'Odette qui se plaint amèrement des absences de son mari, de son manque d'ardeur. Temps et ardeur que je ne lui vole d'ailleurs pas puisque notre homme préfère le whisky et les barmaids. A *la Bohème,* les nuits creuses, sous le regard moqueur des filles, ma petite sœur me conte sa vie par bribes, une vie dure où sa jeunesse a passé à la vitesse d'une tornade. D'orphelinat en solitude, de larmes en rafales, le vent l'a poussée jusqu'à Paris.

En descendant du train en provenance de Rouen, Odette s'était immédiatement dirigée vers un kiosque à journaux : c'était bien beau d'être à Paris, mais si elle voulait y rester, il fallait qu'elle trouve au plus vite du travail. L'idée d'en repartir bredouille et de retrouver sa place de fille de ferme lui faisait monter les larmes aux yeux. Pour elle, la campagne percheronne avec ses collines trempées de pluie était la plus triste de la terre. Elle avait eu vingt-six ans le mois dernier. Il était grand temps qu'elle fasse quelque chose.

Installée à la terrasse de chez *Mollard,* sa petite valise de carton serrée entre les jambes, elle fouillait, en s'appliquant, la colonne des « Gens de Maison ». Elle aurait bien repris un croissant mais, à chaque fois que ses petits doigts rouges et potelés s'avançaient vers la corbeille, son bon sens de petite Normande lui criait halte! Paris offrait un visage maussade de début mars. Des grêlons gros comme des pois rebondissaient sur l'asphalte. Les autobus dégorgeaient une foule ensommeillée qui se hâtait vers le chagrin. La grosse horloge de la gare marquait huit heures.

Odette avait presque atteint le bas de la page. Son cœur grossissait tandis qu'elle léchait les dernières gouttes de son café-crème. Il restait à peine une dizaine d'annonces. Soudain son bras se détendit, sa petite main ronde s'allongea pour s'emparer d'un autre croissant, l'étreinte de ses jambes se dénoua, elle avait trouvé! Car si elle ne savait pas écrire, si elle signait son nom d'une croix maladroite, elle avait au moins appris à lire et ce qui était inscrit là sous son doigt sans ongle, c'était pour elle : « Hôtel cherche femme de chambre, bonne présentation, avec ou sans références, bien rémunérée, logement assuré. Téléphoner à TRI... » Rémunérée? Elle avait buté sur le mot, mais la voix au bout du fil l'avait rassurée : elle serait bien payée!

Le ferme de la banlieue rouannaise se dissipait dans les brumes de l'oubli. « Métro Blanche », répétait-elle à haute voix, « Métro Blanche », tandis que le garçon retournait promptement la soucoupe où elle avait laissé la monnaie d'un billet de mille francs : il lui en restait dix-neuf.

Elle fendit les grêlons, le cœur gonflé d'espoir et s'engouffra dans le métro. En mars, le temps a des sautes d'humeur imprévisibles. Lorsqu'elle sortit place Pigalle, parce qu'elle n'avait pas osé bousculé le monde et que sa valise la gênait considérablement, un soleil blanc balayait les toits. Le nez en l'air elle renifla le printemps : décidément la vie était belle. Pigalle de jour ressemblait à une fille démaquillée dont rien n'accroche le regard en particulier.

Après s'être renseignée auprès d'un chauffeur de taxi, Odette descendit un bout de la rue Pigalle, remonta un peu la rue Fontaine, s'arrêta devant le numéro 59, appuya sur la sonnette fichée dans le mur, le cœur battant. C'est Madame Pédro qui vint lui ouvrir en retenant les pans de son déshabillé de nylon vert. Elles s'installèrent ensemble dans la cuisine. La question fut rapidement réglée. Odette accepta en bégayant une tasse de café et suivit, jusqu'au troisième, Madame Pédro qui lui expliqua en quoi consistait une journée de travail au *Saint-Louis*.

Odette découvrit sa chambre avec émerveillement, déposa sa valise de carton sur le petit lit recouvert d'une cretonne fleurie. La porte claqua. La patronne lui avait demandé si plus tard, lorsqu'elle serait habituée à l'hôtel, elle accepterait de travailler de nuit! Elle avait répondu oui avec enthousiasme, elle allait commencer de vivre à l'envers! Elle était si fatiguée par tant d'émotions qu'elle avait envie de rire et de pleurer à la fois. Assise au bord du lit elle pleura doucement. Des larmes tièdes comme une averse de printemps glissèrent sur ses mains rugueuses.

Odette durant sa première journée de travail, s'étonna qu'aucun pensionnaire de l'hôtel ne fût présent lorsqu'elle pénétrait dans les chambres. Rien ne traînait, ni vêtements, ni chaussures, ni linge de maison, ni brosses à dents. Les lits étaient juste en désordre, à croire que l'hôtel était habité par des fantômes. Des fantômes qui fumaient beaucoup, qui utilisaient une quantité astronomique de kleenex et de préservatifs. Odette pensa qu'elle était tombée dans un hôtel de voyageurs où les gens ne faisaient que passer et que, peut-être, la coutume à Paris était de refaire soi-même son lit avant de quitter les lieux. Il ne lui sembla pas nécessaire de poser de questions. D'ailleurs, l'autre femme de chambre, une vieille Guadeloupéenne, n'encourageait pas le dialogue. Elle lui avait indiqué la marche à suivre dans un cafouillage incompréhensible en lui désignant d'un geste las le placard à balais. Odette, rôdée aux travaux domestiques, s'était fort bien débrouillée seule sans plus de détails.

A la fin de sa journée, elle s'en fut le cœur léger s'acheter un sandwich et une bière au tabac du coin et regagna la chambre 21, au troisième étage, en se préparant à une bonne nuit de sommeil. Elle se glissa dans les draps rendus doux par de nombreuses lessives enfonça sa tête au plus profond de l'oreiller. Elle ne se souvenait pas avoir été aussi heureuse. Le sommeil commençait à engourdir ses membres, à noyer ses pensées quand des éclats de rire et de voix lui parvinrent; elle se secoua, se dressa sur les coudes, prêta l'oreille : sans doute des voyageurs attardés, un car de touristes. Elle en avait remarqué plusieurs ce matin place Pigalle. De toute manière, la journée était terminée pour elle. Elle replongea sa tête au creux de l'oreiller, rabattit le drap contre son visage, elle avait sommeil.

Cependant les voix montaient, les rires se faisaient plus aigus, se glissaient sous sa porte, sous le drap, des petits rires nerveux avec des prénoms de femme : Valérie, Brigitte, Josiane, Kim, Muriel, France. Les rires insistaient. Elle se retourna vers la porte et entendit le timbre strident d'une sonnerie, suivi de bruits de pas dans l'escalier qui ressemblaient à une cavalcade. Puis le silence retomba.

Odette assise au bord du lit cherchait à comprendre. Comme le silence persistait, elle se recoucha. Les rires fusèrent à nouveau, ébranlèrent les murs de sa chambre. Il lui parut alors raisonnable de demander à ces voyageurs d'être un peu plus discrets. Elle enfila sa robe de chambre en ouatine rose, sortit de sa chambre, pieds nus, le cheveu ébouriffé. Sur le palier, la porte d'où fusaient les rires était entrouverte. Odette frappa timidement.

« Qu'est-ce que c'est, répondirent les voix? »

Odette avala sa salive. Si elle voulait dormir cette nuit, il fallait oser.

« C'est la femme de chambre, j'habite au 21 et... »

Sa phrase resta inachevée.

« Et quoi? »

La porte du 19 venait de s'ouvrir brusquement. Odette cligna des yeux, se demandant si elle ne rêvait pas.

« Eh bien! entre ma poule, n'aie pas peur! Est-ce qu'on te dérange par hasard? », continuèrent les voix.

Oh! comme elle aurait aimé s'enfuir à ce moment-là, se confondre avec les murs, disparaître à jamais. Comme elle se sentait nue, seule, mal à l'aise devant ces regards moqueurs!

« Assieds-toi cocotte. Si tu bosses ici, autant qu'on fasse connaissance. On est de la maison nous aussi. Allors les filles, faites-lui une place. »

Odette s'assit sur le lit, accepta la cigarette qu'on lui tendait, but une bière au goulot, sans soif, comme dans un rêve. Ses yeux n'étaient pas assez grands, ses oreilles trop petites, sa bouche trop pauvre.

« Alors comme ça, t'es de jour? Dommage... avec les châsses que t'as, tu devrais demander à la vieille de travailler de nuit! Tu te ramasserais de drôles de pourliches. Les clilles c'est tous des vicelards. Rien qu'en leur passant la serviette, tu les ferais triquer.

A nous, ça faciliterait la tâche et ça arrondirait drôlement tes fins de mois. Comment tu t'appelles au fait? »

Odette répondit d'une voix étranglée qu'elle était arrivée le matin même. Mue par un étrange mécanisme, elle se raconta, elle dit tout : la ferme de Normandie, le patron qui la persécutait en lui fourrant la main entre les cuisses chaque fois que sa bourgeoise tournait les talons, l'humeur acariâtre de celle-ci, la jalousie des femmes de cuisine, les travaux éreintants, la soupe au lait après quinze heures de boulot, sa chambre au grenier, peuplée de souris et d'araignées, son mariage raté avec un commerçant de la ville, son voyage en train de Rouen à Paris, son petite déjeuner chez *Mollard,* l'annonce dans le journal, le métro, la station oubliée. Sans doute aurait-elle parlé des heures encore si la sonnerie ne l'avait interrompue.

Les filles descendirent en cavalcade. Odette assise au milieu du lit déserté suivit le cliquetis des talons et des rires. Elle vida une bière qui traînait là. Quelque chose de plus fort que l'envie de retrouver son lit la retenait dans cette chambre. Elle souhaitait encore entendre ces voix, ces rires. Elle se cala le dos au mur et attendit. Les filles remontèrent commentèrent le choix, un choix bidon : des Amerlocs repartis la queue entre les jambes. Les affaires allaient mal, des chiffres tombèrent : trente sacs, cinquante sacs, des merdes quoi! Odette, les oreilles enflées, n'en revenait pas. Lorsqu'elle regagna le 21, à trois heures du matin, avec une dizaine de bières dans le corps, sa paye de quatre-vingt mille francs par mois lui parût si dérisoire qu'elle pleura et ce furent de vraies larmes cette fois qui roulèrent sur ses mains.

Comme la première nuit au *Saint-Louis,* Odette pleure maintenant sans bruit. Elle a tenu le coup quatre ans entre le *Saint-Louis* et *l'Oklaoma* en jouant les fausses dures, les affranchies et c'est à trente ans qu'elle se fait piéger! Ce n'est pas faute d'avoir connu des mecs et des beaux encore! Et c'est lui Gégé avec sa gueule de travers qui l'a fait chuter... J'ai beau la plaisanter, lui dire : « Tu ne pleures que d'un œil », elle ne sourit pas et me fixe à travers ses larmes... L'œil brun me dit : « Ce n'est pas possible les bruits qui courent sont faux! tu n'es pas la femme de mon mari! » L'œil vert sec et froid accuse : « Ordure, scélérate. » L'histoire se répète : je refais à Odette le croche-pattes de Judas à Jésus au Mont des Oliviers.

Bigle en Biais est partie. Ce qui suit, je m'en lave les mains. D'ailleurs je ne suis pas coupable, je ne fais que subir. C'est lui le coupable, lui qui encaisse des deux bords, lui qui commençait à trouver dangereuse la promiscuité de ses deux femmes. Il me connaît, il sait que je suis tout à fait capable, sur un coup de tête, d'affranchir ma petite sœur. Alors il l'a expédiée à Barbès. Moi je suis innocente.

La Bohème joue un petit air triste malgré l'été qui fait son entrée à grands coups de soleil. A son tour, Lulu nous quitte pour rejoindre la Médina. Maloup parle de vacances avec sa fille. Une nouvelle a remplacé Odette mais je m'en fous. Je suis fatiguée de la guerre, j'ai besoin de faire la planche... Maurice est mon salut. Je suis certaine qu'en appâtant bien Gérard, en lui avançant des mots suivis de chiffres, il signera mon sauf-conduit. Impatiente de me retrouver, de revoir la Méditerranée, j'organise un vrai souper d'amants et déplanque sans regret une partie de mon pécule que je glisse sous la serviette de mon tuteur. Il se lèche les doigts, me couve d'un regard trouble.

« T'es une reine Grisette, une vraie femme! C'est pas comme l'autre vache que j'soupçonne de s'envoyer en l'air avec les troncs. »

J'aimerais tellement qu'il se taise, qu'il se contente de me donner son accord. Seulement quand il a bu, il débloque à fond Gégé, il devient tendre même, et ça c'est le plus difficile pour une petite femme comme moi. Doux Jésus, il ne me facilite pas la tâche, cet homme-là!

« Elle a l'air d'aimer le zan ta copine. Tu verras c'que j'te dis, ma gueule, ça passera pas l'hiver cette frangine-là... Une bordille. J'suis obligé d'me défoncer pour lui en filer un coup et ça m'fait même pas reluire. Tu m'suis ma gueule? »

Je te suis Gégé. Tu m'remues les entrailles, t'as pas l'envergure pour tenir deux femmes en laisse... Tu n'es qu'un mac d'occase! Mais le jour où tu marcheras à côté d'tes lattes, compte pas sur moi pour te donner la becquée. Maintenant file-moi vite ta bénédiction, que j'me trisse au soleil, que je vois si je fonctionne encore comme une femme normale... Amen!

Deux jours plus tard, par une tiède matinée de juillet je prends la route avec Maurice et ses deux filles, à bord d'une vieille Peugeot à injection. A moi la mer bleue, les oliviers, les grillons. Maumau est aux anges, parle de mariage pour l'automne. Il fait chaud, mais rien n'a changé sous le soleil! Maurice, c'est encore un joueur de pipo, la villa de ses rêves appartient à son éditeur! Je m'évertue malgré tout à lui faire plaisir, je m'essouffle à jouer à cache-cache, premier touché, avec lui et ses gosses. Mais voilà que monsieur trébuche, roule sur le gazon et perd son dentier et soudain le ciel se couvre, charrie de gros nuages. Subitement la foudre me tombe dessus, on me cloue au pilori, on m'accuse publiquement! Est-ce ma faute si monsieur porte un râtelier, s'il a plu deux jours, si l'eau est froide, s'il perd au casino? Est-ce ma faute s'il est à demi impuissant, si je suis là à la place de Minouche, si les hommes se retournent sur moi dans la rue?

Ah! Maurice, tu oublies que c'est toi qui m'as acheté cette collection de mini-jupes, toi qui m'obliges, dans la rue, à marcher devant avec tes filles! Pauvre toi, avec ou sans dentier cela ne change rien, c'est là-haut dans ta tête qu'il y a un vice. Sans blague, je te larguerai bien dans l'heure mais il y a le soleil rare et chaud et, malgré tes injures, le ciel reste superbe. Et puis ne l'oubliez pas, nous sommes en compte monsieur l'écrivain... J'attendrai la rentrée pour vous dire adieu.

Une rentrée qu'il faut préparer! J'écris à Maloup : « Louve, veille au grain, prends soin de mes clients et pense bien à la proposition que je t'ai faite au sujet de cet appartement. » Seigneur, aurai-je l'embellie de me recycler un jour dans un couvent de province. J'ai envie de prendre le voile, la voile, de tracer vers des horizons plus clairs!

Je rentre avec Maurice qui menace de faire opposition à son chèque si je ne voyage pas avec lui. Accrochée à mon siège, l'œil hagard, je vois défiler les platanes.. zones d'ombre et de lumière, creux et vallons, boqueteaux ou forêts profondes. Maurice ne voit rien. Le regard torve, les mains crispées sur le volant, le pied au plancher, il trace. La vieille Peugeot prend des allures de dévoreuse d'asphalte. A l'arrière les enfants dorment. A chaque virage, mes yeux s'élargissent. « T'as le trac », demande Maurice en forçant le mécanisme? Je colle ma joue à la vitre, ferme les yeux. Après dix heures de transes, nous arrivons porte de Versailles. « Descends, va r'trouver ton lascar, c'est tout c'que tu mérites au fond! »

Right Maumau, inutile de te répéter, j'ai pas la tête dure, tu sais. Un coup de marteau, ça me fait une bosse! Bon vent mec.

Je retrouve mon quartier avec un certain plaisir. Gérard sera-t-il à la maison? La concierge m'accroche au passage, elle prend un petit air salé pour m'inviter à pénétrer dans sa loge. J'imagine le pire.

« Vous prendrez bien un p'tit café », susurre la pipelette, tandis qu'elle se dirige vers le réchaud.

« Vous ne devriez pas laisser votre mari seul comme ça... »

Ça y est, je sens qu'elle va s'affaler... Elle lâche le courrier, me serre les épaules, fait claquer sa langue, soupire longuement et j'en apprends de belles par la bouche de madame Boisramé! Elle parvient même à m'étonner.

Ainsi, durant mon absence, Gégé a vécu la *dolce vita.* Des filles ont creusé mon lit, fouillé dans mes affaires, utilisé mon parfum, que sais-je encore? En montant mes deux étages, je me sens pauvre, bafouée, jalouse. Moi qui était prête à épouser Maurice en octobre, je me mets à espérer la présence de Gérard. En boule sur le paillasson, le chat de la voisine fixe sur moi ses beaux yeux jaunes. Salut à toi Raminagrobis, phénix des gouttières, je te donne ma langue, trop d'énigmes m'épuisent.

Deux heures plus tard Gérard est là. En signe de bienvenue, il m'allonge deux ramponneaux, histoire de me brouiller le teint. Tout ça parce que j'ai oublié d'envoyer une carte postale! Il dort maintenant, les yeux éteints et bave en rêvant au sein laiteux d'une douchka de passage. Gérard crève une nouvelle fois mon cœur.

Je reprends mon poste à *la Bohème* un dimanche soir et j'apprends par les filles que Maloup est partie en vacances la veille. Je m'en veux de ne pas lui avoir téléphoné. En dehors de son absence et du vide que cela crée, rien n'a bougé. Fabienne s'empresse de me dire qu'elle a fait tous mes clients en précisant combien chacun lui a donné et ce détail me rassure, ils me sont restés fidèles. Une femme a téléphoné plusieurs jours de suite pour moi en refusant de dire son nom... France! Qui d'autre peut s'entourer d'un tel brouillard. Le cœur en fête j'appelle le bar *In the Wind.* « Il n'y a pas de France au numéro que vous avez demandé, il n'y a pas... » Je raccroche avec un cafard de l'autre monde.

Le boulot ne me dit rien. J'ai deux jours de retard dans mes règles. Mes amies se baguenaudent sous les étoiles, les autres font la soupe à la grimace. Je ne sais plus par où attraper mon spleen, il me colle à la peau, il est dans mes cheveux, dans mes mains, j'essaie de le noyer, mais il aime le whisky! Allons Sophie réagis, gagne ta croûte, gagne à la loterie, gagne à être connue, marche ou crève... T'es là pour gagner ta nuit! Sois vite sur jambes, fonce sur ce petit homme au visage d'oiseau qui vient de pousser la porte, regarde comme il a l'air paumé dans son costume gris trop grand pour lui. Guide-le, joue-lui de l'Orgue de Barbarie, balance tes seins gonflés de soleil sous son regard flou, déploie ta jupe jusque sur ses genoux.

« Je m'appelle Sophie.

— Mon nom c'est Paul. »

Paul, vous avez l'air tellement emprunté, vous avez un cou si maigre que j'aimerais vous étrangler... Mais je n'en ferai rien, vous semblez si doux, si généreux! Je ne crois pas me tromper en vous disant que vous n'êtes pas d'ici? Ah! vous vivez les trois quarts de l'année en Afrique? Petit gâté, vous avez dû en voir des paysages, en contempler des arcs-en-ciel, en caresser des nuques brunes, en apprivoiser des gazelles!

« Que faites-vous si loin? »

J'ai pris la main de Paul, elle était moite. Nous avons passé la moitié de la nuit au *Macao*. C'était un drôle de type plein d'inhibitions, qu'il me plaisait de choquer. Il disait : « Sophie, je ne saurai plus me passer de vous, partez avec moi l'année prochaine en Afrique. » Il parlait, la joue posée sur mon ventre, je caressais la brosse de ses cheveux en rêvant à l'oiseau bleu, aux grands soleils oubliés. En sortant de l'hôtel, il a insisté pour m'offrir une autre bouteille. Ayant largement fait ma nuit avec lui, j'ai accepté. Il avait pris goût au *slow*. Après trois danses, nous sommes remontés, nous avons pris la même chambre, le lit était chaud, entre deux étreintes Paul s'excusait de ses transports. La nuit était belle, j'avais cent vingt mille francs dans mon sac et je venais de faire la connaissance d'un gentil monsieur que j'avais toutes les chances de revoir...

Finalement, ce retour de vacances qui avait si mal démarré ne s'annonce pas trop mal. L'été bat son plein, la porte de *la Bohème* reste ouverte toute la nuit. Les filles vêtues de robes légères offrent leurs appâts aux chalands... Simon, en manches de chemise, harangue les foules dans toutes les langues. Josépha parle avec enthousiasme des criques tièdes de son pays, du maquis, de sa maison sur la colline. Madame Rose l'écoute en gémissant sur le sort de ses fils à l'ombre. La vie pourrait être belle. Les hommes ne se font pas tirer par le col pour entrer dans notre auberge, je ne les boude pas, seulement voilà, j'ai des langueurs, ma jupe de soie rouge ne tourne plus dans la lumière... Je suis enceinte!

Gérard qui refuse de se charger de ce travail qu'il qualifie de dégueulasse a pris rendez-vous pour moi avec un faiseur d'anges, une sorte de géant aux pattes velues que je suis dans une chambre-grotte avec la peur au ventre. Le bûcheron me déleste rapidement de mes soixante-dix billets. Je culbute dans la nuit, je sais qu'une fois encore je vais faire un stage à l'hôpital. Ça ne me fait pas peur, ce sont les risques du métier, les petits coups bas de la vie quotidienne, de la mienne. Je parierais que Gérard ne rentrera pas ni ce soir ni demain. Il ne téléphonera peut-être même pas. Il dit que ma souffrance le gêne, qu'il ne supporte pas de m'entendre geindre.

Lorsque j'ai fait ma dernière fausse-couche, il y a six mois, il a trouvé le prétexte d'une affaire urgente en province pour s'éloigner de la maison. A son retour, j'étais clouée au lit avec une fièvre de cheval. Quand je lui ai dit que j'avais fait venir un médecin qui avait diagnostiqué une rétention placentaire, que je devais entrer d'urgence en clinique et que cela coûterait au bas mot deux mille francs, il m'a éclaté de rire au nez en disant : « J'ai tout flambé à Deauville! Si tu veux te faire enlever tes saloperies, t'as qu'à demander d'l'oseille à tes bonnes amies! »

Ma fierté en avait pris un drôle de coup! Sophie la gagneuse forcée de quémander de l'argent pour se payer un curetage! Cynthia m'avait donné cinquante sacs, sa comptée de la nuit. France le double, elle avait eu un coup heureux. Elle avait insisté pour me reconduire chez moi. Devant ma porte, j'avais trouvé le courage de lui dire que j'avais menti, que Gérard n'était pas en cavale. Nous étions restées un long moment l'une près de l'autre, le front appuyé contre le mur, sans parler. C'était la seconde fois que je l'entendais pleurer... Où est-elle aujourd'hui? A-t-elle réussi à faire un petit avec Jean-Jean? Est-ce bien elle qui m'a téléphoné à *la Bohème*? Sera-t-elle la même si nous nous retrouvons, n'aura-t-elle pas elle aussi rencontré une Maloup? Franzie si semblable à moi, un geste, un regard nous suffisent, nous sommes de la même race, de la même couvée. France, tu me manques! Comme ce serait chouette de vivre avec toi. Si seulement les hommes comprenaient qu'il y aurait moins de risques pour eux, ce serait déjà un grand pas de fait, une trouée vers l'indépendance. Et puis je ne serais pas là à écraser mon ventre sur le carrelage de la salle de bain, à chercher la fraîcheur comme je te cherche, en bouffant une serviette éponge pour ne pas gueuler.

Tu me mettrais une bouillote avec des glaçons sur le ventre, tu me ferais un tilleul, tu prendrais ma fièvre et je me laisserais dorloter comme une enfant confiante. Quand les douleurs seraient trop fortes, tu pousserais doucement la sonde dans mon ventre en prenant garde de ne pas me faire mal davantage. Tu enfoncerais juste assez, avec adresse, pour accélérer la descente. Demain, aux premières gouttes de sang, tu la retirerais avec douceur et nous irions ensemble chez le gynéco, le gynéco des putes qui gagne sa vie lui aussi en nous écartant les cuisses.

A quatre sacs le prélévement il est bien à l'abri des courants d'air, ce cher docteur. Pourtant, il faut avouer qu'il est consciencieux, poli, séduisant même. Il y a des mauvaises langues qui disent que c'est pas un bon toubib parce qu'il soigne une angine comme une blenno. Et alors? Chacun sa spécialité. Elles n'ont qu'à aller consulter un oto-rhino.

On lui reproche aussi de ne pas être serviable, a-t-on envie de l'être quand on a pignon sur rue! Non, il serait fâcheux pour sa notoriété qu'un beau matin la police lui parle en ces termes : « Allez docteur, on ferme le cabinet, vous allez rejoindre les conjoints de vos clientes à la Santé. » Franchement, faudrait que ce soit le roi des tromblons. Oh! soyez tranquille, le docteur Profit ne risque pas de se mouiller. Trop à perdre! Qui pourrait l'en blâmer? Et puis, s'il commençait à s'apitoyer, vous imaginez un peu son cabinet? un bateau, un lavoir, un lac, un océan, Versailles, les grandes eaux quoi! Il finirait bien par s'y noyer ce cher homme!

Avec Profit, tout est simple. Ordre et méthode semblent être sa devise. Demain, après-demain ou plus tard, j'entrerai dans son cabinet, il se tiendra debout les deux mains à plat dans les poches de sa blouse immaculée, et j'entendrai le rituel : « Bonjour Mam'zelle Sophie. Ça va bien? », accompagné d'un sourire coincé. Je répondrai : « Non docteur, ça va mal! » Il ne cessera pas de sourire et je sentirai l'alaise froide sous mes reins... Il jettera un rapide coup d'œil à l'intérieur, me demandera de quoi je me plains puisque ça saigne. Il lèvera les épaules, rédigera le papier grâce auquel j'aurai droit à un curetage sans problème. Révision utérine qu'ils appellent ça les toubibs. Voilà, c'est pas plus difficile que de jouer aux bouchons.

Avec ce petit laissez-passer, plus quatre-vingt-dix sacs payables d'avance à l'entrée, vous enquillez *aux Bleuets* les doigts dans le nez. On vous installe même dans une chambre à deux lits, avec télé-tirelire s'il vous plaît. Et personne ne se permet de faire la moindre allusion. Chouette, choucard l'endroit. Moi, j'appelle ça de l'hypocrisie bien organisée, car tout le monde sait ici qu'avant d'arriver vous vous êtes fait charcuter le bas-ventre par n'importe quel sagouin : une fausse note, un mouvement maladroit, une sonde mal désinfectée et crac, vous auriez tranquillement passé l'arme à gauche. Mais qui s'en préoccupe? Les apparences sont sauvées. Les toubibs s'en lavent les mains. Ils ont la conscience claire comme de l'eau de roche.

Comment osez-vous protester? Allez, taisez-vous petite révoltée! Vous jouez de votre corps, donc vous payez de votre corps, c'est logique. Tout est bien qui finit bien dans le meilleur des mondes. Vous essayez de vous en persuader quand vous vous retrouvez le lendemain à moitié estourbie, les narines bardées de chloroforme, deux balançoires à Mickey et un kilo de coton hydrophile coincés entre les cuisses. Vous marchez comme si vous aviez fait l'exode sur un camion citerne, en vous demandant ce que vous foutez avenue de la République à cinq heures de l'après-midi, le cheveu gras, la joue pâlotte, l'œil anémique. Vous vous sentez comme un étron dans lequel on viendrait de mettre le pied.

Ce soir, vous bossez. Pourtant, vous avez promis au grand chef de rester peinarde au moins pendant une quinzaine de jours. Il vous a tapoté la joue en faisant la moue et, un instant, vous avez plongé, vous avez osé lever les yeux sur le grand manitou, sur vos lèvres pâles s'est dessiné un merveilleux sourire, plein de gratitude... Fourrée, vous vous êtes fourrée! Il est aveugle l'homme en blanc. En vous tapotant machinalement la joue, il gambergeait à sa partie de bridge du jeudi soir, aux soirées de l'Automobile-Club où, entre gens de sa caste, on se rince les gencives au bourbon en postillonnant sur la misère des autres. Il avait bien raison, puisque dans quelques heures, vous serez au turf. Noblesse oblige! Toutefois, prévoyez une soirée calme, abandonnez les folies aux copines, elles en raffolent. Cette nuit, biaisez, jouez les petites mains, donnez un concert de flûte. Tout le monde sera content, les macs en tête et vous aussi, vous qui ne perdrez pas votre nuit tout en préservant votre petite santé, une santé qui leur est si chère, qui n'a pas de prix, qui vaut de l'or.

Si j'agis ainsi, ce n'est pas par avidité, mais par défi. Défi vis-à-vis des toubibs, défi vis-à-vis des copines qui se régaleraient si mon absence durait plus d'une nuit, défi envers Gérard à qui, malheureusement, j'ai encore quelque chose à prouver. Défi vis-à-vis de moi-même surtout, vis-à-vis des lois, des structures établies. Têtue comme mille bourriques réunies, il faut que j'aie le nez dans la merde pour admettre que ça pue. Il n'y a qu'ainsi que j'espère m'en tirer un jour ou l'autre. Il faut que je parvienne par tous les moyens à m'écœurer, à me dégoûter, à me faire mourir pour mieux renaître, par ma seule force, sans l'aide de personne. C'est ainsi que j'avance dans les dédales de la prostitution, bille en tête, l'œil agrandi, ne me ménageant à aucun moment, ne refusant jamais un client, qu'il soit bossu ou tordu, manchot ou cul-de-jatte, sadique ou masochiste, répugnant. Un sexe lavé devient un sexe propre et les préservatifs ne sont pas faits pour les chiens.

Je veux connaître mes limites, les toucher, m'effondrer pour me retrouver. Cela devient une véritable obsession. Il me semble que je vis un cauchemar, traversé de temps à autre par de fulgurants éclairs de réalité. Je souffre en reculant chaque jour mes limites, tente d'élucider le mystère qui fait que je suis inconnue de moi-même. Je me regarde dans la glace sans me reconnaître, je fais des grimaces qui n'évoquent plus rien à celle qui les reçoit. Quand je sombre dans ces périodes de crises, de plus en plus fréquentes, j'imagine que je finirai un jour par être internée dans un asile dont je ne sortirai plus. Avec qui partager mes angoisses? Qui comprendrait? A qui pourrais-je confier que j'ai peur d'aller chez ma mère, que sous son regard je deviens transparente, que je n'ose plus embrasser mes petits frères de peur de les salir. J'ai un écriteau dans le dos, sur le front, sur la poitrine, une petite ardoise noire où est écrit à la craie blanche le mot putain.

Mes obsessions ne perturbent que moi. Gérard qui se vautre dans la facilité me veut pute de jour comme de nuit, pute avec lui. « Grisette, bave-t-il, sois pas mauvaise, raconte-moi un d'tes coups. » Grisette n'a rien à raconter, elle est sortie *des Bleuets* ce matin... Elle a du sommeil plein les yeux, le ventre sensible. Elle tire doucement les doubles-rideaux, dépose *La Bête humaine* à son chevet, s'étend sur le lit en désordre...

« Feignasse, tu penses qu'à pioncer et tu t'étonnes que j'tringle ailleurs?

— Ne cherche pas de prétextes, laisse-moi me reposer.

— J'ai pas besoin d'chercher. En v'la... Prends-toi ça dans la gueule! J'en ai plein le cul qu'tu balances l'oseille à t'acheter des pompes comme ça. Madame retombe en enfance, madame veut jouer les minettes! »

Le menton vient de trinquer. Je suis trop claquée pour l'ouvrir. Si je l'ouvre, je vais me manger le deuxième mocassin. N'excitons pas la bête.

« Quand est-ce que tu vas te décider à ressembler à une femme, une vraie? J'ai honte de marcher à côté de toi avec des pompes pareilles. J'sais pas ce qui me retient d'te défoncer quand tu fais des comptées comme ça? L'autre au moins ressemble à une femme, elle sait se fringuer.

— A une pute tu veux dire, à une catin. Si t'avais pas fait l'julot, t'aurais été un drôle de micheton. Tu m'brises, tu m'empoisonnes. Fous le camp, fais ta vie avec Odette! Fous-moi la paix, tu vois pas qu'plus rien n'me touche?

— Et ça, tu sens rien?

— A peine. Largue, tu m'dégoûtes, tu m'fais vomir. T'es encore plein comme une vache et mes goûts c'est pas demain que j'les changerai.

— C'est tout d'suite. Regarde c'que j'fais d'tes pompes pourries, d'tes pelures, d'tes jupes plissées à la mords-moi l'nœud. Par la fenêtre, envolées, au chiffetir.

— T'es dingue, calme-toi, tu veux nous faire emporter?

— Bouge pas ou t'y passes toi aussi. »

Pauvre de moi. Quand il eut défenestré la moitié de ma garde-robe et une dizaine de paires de chaussures, il s'est couché en ânonnant : « Grisette, faisons la paix, raconte-moi un d'tes coups. » J'ai entrouvert la fenêtre de la salle de bain et aperçu le boucher et sa femme, les mains tordues sur les hanches, la coiffeuse bouche bée, un babyliss entre les dents, une cliente écarlate à peine sortie du casque, la concierge dont les doigts crochus se tendaient vers le ciel, la mercière agrippée au bec de gaz. Un livreur qui avait abandonné son camion au beau milieu de la chaussée, bouchant toute la circulation jusqu'à la rue du Hameau, hurlait : « Nom de Dieu que tous les fous n'étaient pas enfermés loin de là et que ces putains de flics n'étaient jamais là quand il le fallait. » Bien sûr, ce spectacle ne m'encourageait pas à descendre dans la rue. Je me suis recroquevillée dans un coin du lit, doutant une fois encore de trouver la porte de sortie.

Nous fêtons le retour de Maloup à *la Venta.* La paëlla est touchante, le vin pathétique, nos yeux brillent et nos doigts se retiennent... Maloup s'étouffe en riant.

« Je crois que j'me suis un peu pissée dessus! »

Insortable Maloup, une vraie gosse...

« T'es pas possible, un courant d'air, une cigarette mal roulée, te v'la dans le ruisseau... T'es assez chienne au fond. »

Elle écarquille ses petits yeux gris...

« Chienne?

— Tu perds facilement le contrôle, c'est tout. Faut qu'on s'arrache, on est à la bourre.

— Au cul la mère Pédro et le père Trésor, au cul les chasseurs, le champe, Rose et Joséphа, au cul les filles!

— Une autre bouteille et au cul tout le monde! On va s'envoler un d'ces quatre, toi, moi et les p'tits oiseaux, on va se la couler douce, enfin peinardes, dans un beau meublé du seizième... Les soirs de spleen, on se calera les joues au caviar en se racontant nos vies.

— On aura un pick-up!

— Et du blues. On claquera dans nos doigts et les mecs tomberont comme des mouches. On recevra Monsieur Négrita, Papazof, Javel et Lacroix, Prévert, Messieurs Saint-Raphaël et Quintonine.

— Picasso...

— Manolidès! A bas les macs, aux chiottes. Liberté! Tu connais ce poème d'Eluard? Non tu connais pas : *Sur mes cahiers d'écolier, sur mon pupitre et les arbres..., sur toutes les pages lues, sur toutes les pages blanches... sur mon lit coquille vide j'écris ton nom. Je suis né pour te connaître, pour te nommer Liberté.* Je ne m'en souviens plus, j'avais appris ça en classe... Faut qu'on secoue. Allez, roulez taxi, via Pigalle la nuit, via l'inferno... »

« Salut les nanas, bonsoir Rose et Josépha! D'accord, on est en retard sur le cédule, mais y a pas foule ce soir.

— Vous n'avez rien manqué. Y a que Sandrine qui est occupée. »

Rien à dire. Elles sont braves ces poneyttes, dévouées. Sûr que si je me retournais à la seconde, je surprendrais leurs regards chargés d'amitié posés sur ma personne. C'est bien fait pour votre gueule si vous êtes marrons, vous êtes des truffes! Vous crèverez au turf. Tiens, l'autre baveuse de Sandrine, qu'est-ce qu'elle peut bien raconter à ce mec? A chaque fois qu'elle l'ouvre, c'est pour dire une ânerie. Je la vois à quarante piges celle-là, le mégot au coin des lèvres, appuyée à un bec de gaz : la vraie caricature, la pute incurable. Vingt-trois ans, maquée deux fois. Il lui faudra au moins quinze lascars avant de comprendre que les mecs la voient comme une tirelire. Faut pas s'aviser de faire une observation à ces nanas-là, ça se rebiffe, ça grince des dents. Elles ont tout vu, tout compris. Elles ont chié le monde quoi! Pour elles, en dehors des asperges, rien n'existe, elles refusent le dialogue. Celle qui essaie de leur ouvrir les yeux n'a pas de mental!

La mental! Elles ont raison. On doit se sentir moins seule à quarante piges au coin d'une rue quand la mentalité vous accompagne. On peut jacter avec sa mental, évoquer des souvenirs de jeunesse, lui taper dans le dos, lui offrir une pipe. Mais la mental ça nourrit pas, mesdames. Si au moins elles comprenaient ça. Je ne leur demande pas d'envoyer les hommes au dur. Moi aussi j'aime les hommes. D'ailleurs la mentalité, elles en parlent, elles s'en gargarisent sans jamais avoir eu à prouver qu'elles en avaient. Je donnerais pas cher de leur mental après un passage à tabac des condés. Avec elles, les poulets n'auraient pas besoin de défourailler leur barbarie. C'est leur prodigieuse bêtise, leur désir de paraître qui les feraient chuter. Seulement moi, Mesdames, ce n'est pas avec ma mentalité que j'ai envie de vieillir, c'est avec un jules aux mains douces, ce n'est pas aux yeux des flics que j'ai envie de paraître, mais à ceux des clients.

Eh! client de Sandrine, t'as une tête de pion de la communale. Regarde-moi. Bouge tes yeux derrière tes lorgnons. C'est moi la petite Sophie. Tu ne trouves pas que je danse bien. Regarde-moi, n'aie pas le trac. Tu lui as pas promis le mariage à la nana assise à côté de toi. Je sais que ça l'ennuie que je danse comme ça, devant la table, mais que veux-tu, quand j'entends la musique, c'est plus fort que moi, il faut que j'ondule, que je fasse aller mes reins, mes gambettes, j'entre en transes. Regarde, mate, je vais tourner un grand coup. Avec un peu de chance, tu vas voir le Mont-Cenis. T'aimes ça, cochon! J'en étais sûre. Il y a des étincelles derrière tes carreaux.

Alors si tu l'as dure, qu'est-ce que tu attends pour larguer cette flasquade qui est à côté de toi, pour m'inviter à ta table? Dis, Amorphe, qu'est-ce que tu bricoles? Si tu n'oses pas la renvoyer, monte-nous toutes les deux. J'lui en voudrais pas de ne pas t'avoir à moi toute seule. Je ne suis pas jalminse. T'hésites? Attends, je te fais la roue, le grand écart, deux entrechats. Ça y est, t'es éclairé, décide-toi, je commence à m'essoufler et je voudrais quand même pas que tu t'envoies en l'air dans ton culbutant à ma santé. Ce serait pas loyal à l'égard d'une collègue de travail. Décide-toi, Peine à Jouir. Un tour à l'endroit, un tour à l'envers, déhanchement maison, sourire prometteur, œil de velours... dans deux minutes je suis à leur table.

« Sophie, viens t'asseoir. »

Allons, souris Sandrine, les mecs viennent pas ici pour qu'on leur fasse la lippe, mais pour oublier celle de leurs bonnes femmes... Ils nous veulent légères, futiles, drôles, laissons-leur croire que nous le sommes. Laisse-moi mener la barque, on va tâcher de lui en prendre une pincée...

« Vous dansez très bien Sophie.

— J'aime ça. Et vous, qu'est-ce que vous aimez?

— J'me demande bien ce qu'il aime, ça fait une demi-plombe qu'il a l'cul posé là et qu'il m'parle des Impressionnistes, j'ai jamais entendu parler de ça. Tout c'que je sais, c'est qu'il s'appelle Ernest et qu'il est ambassadeur, t'as compris?

— Vous aimez la peinture?

— J'aime vous voir danser, dansez pour moi, faites-moi voir vos cuisses. Votre amie peut se retirer. »

Je t'avais prévenue Sandrine, une putain triste, c'est vraiment trop triste.

J'ai fait mon *show* toute seule, comme une grande. Ernest bavait dans sa coupe en me contemplant. Au bar, les copines s'accrochaient désespérément au revers des clients réticents, tentant de leur faire oublier ma présence. Faut dire qu'une nana sans culotte, ça a son charme. A deux tables de la mienne, Maloup était pendue au cou d'un Italien, ronde comme un petit pois. Pas utile de la faire souffler dans le ballon pour s'en rendre compte. Je me suis approchée en dansant, j'ai dit :

« Doucement Maloup, bois doucement, prends le temps de déguster, les ripalos sont chauds lapins.

— J'm'en fous, qu'elle a répondu, celui-là m'a promis un voyage à Rome. »

Elle commençait à baver dans son balconnet. Chance de voyage à Rome. La fontaine de Trévise, le Colisée, les thermes de Caracalla. Vas-y Maloup! T'es encore bonne pour une biture. Mais n'oublie pas de te faire casquer le billet avant. J'ai rejoint ma table. Ernest m'a entraînée dans un slow langoureux, un slow frémissant où tout est confondu. Je me suis faite toute petite, chatte alanguie contre Ernest. Rien. Que dalle! Bande pas Monsieur l'Ambassadeur. Glacé comme un macchabée. Et s'il faisait partie des grands mutilés de guerre, s'il avait perdu ses valseuses dans une tranchée? Oh shit! J'en chialerais presque. Un homme tellement robuste sans couilles! Quelle misère.

Ernest, souris-moi, rassure-moi. Dis-moi que t'as des baloches, qu'elles sont grosses, pleines de désir pour moi, prêtes à éclater. Ernest, dis-moi que je ne suis pas en train de perdre ma soirée pour dix sacs ou rien. Ernest regarde-moi. Plonge tes lunettes dans mes yeux, n'aie pas peur de me faire mal. Voilà, comme ça c'est mieux. Tu prends ma main, tu réagis, tu la portes à tes lèvres, à tes dents, tu mords. Mords fort, ordure. Tu m'fais mal, pourri. Mais ça ne fait rien, je supporte. Maintenant que tu m'as affranchie de ton vice, tu peux y aller, défoule-toi, aiguise tes quenottes, je suis le mamelon de ta maman, grignote, Coco Bel-Œil. Ce qui te fait triquer, c'est de faire mal... Bon de mordre, ça te fait une grosse queue, dis, mon loup? Tu goûtes le résinet? Elle va te coûter cher tu sais, cette petite plaisanterie. J'aime pas des masses qu'on me fasse souffrir, non j'aime pas ça.

Il a croqué jusqu'à l'aube Ernest, sans parler, sans monter, assis ou en dansant. Il n'a fait que mordre ma main. J'aurais pu le larguer dix fois dans la soirée. Pourtant, je suis restée près de lui, patiente, attentive à son vice et j'ai bien fait : en partant, il a glissé deux billets de cinquante sacs dans ma menotte endolorie, ma menotte dont la peau partait comme si je pelais, ma main toute gonflée que j'ai passée sous l'eau froide du lavabo tandis que dans les chiottes, Maloup renvoyait son billet du Palatino.

Qu'est-ce qui ressemble plus à un Jap qu'un autre Jap? Dès qu'il entre un Jap ou un Chinois, je les confonds. Ces mecs-là se multiplient à une vitesse vertigineuse à cause de leur ressemblance, c'est sans doute ce qui fait leur force. Deux têtes de riz viennent d'émerger dans la fumée des gitanes filtres.

« V'là des Chintoques!

— C'est des Japs, nom de Dieu! L'œil en croissant de lune, la lunette à triple foyer, les bajoues astiquées à la cire Johnson, le pépin noir, la flasque de whisky dans la fouille du costard. Maloup, des jours, t'es idiote. Tu crois qu'les Chinois ont les moyens de s'offrir du whisky en guise de désinfectant?

— C'est à ça qu'tu les reconnais?

— Je t'expliquerai. »

Fais rebondir tes oreilles de cocker. Injecte ton regard bleu d'outre-mer. Je veloute le mien au champignon. Arrondis tes épaules, je dégage mon cou. Défroisse tes esgourdes, je galbe mes pulpeuses.

« J'suis pas leur genre.

— T'es saoule, frime, il déchire ton corsage avec son regard sournois.

— C'est toi qu'il regarde.

— T'es folle comme une herbe folle... *What is your name darling?*

— Qu'est-ce que tu racontes?

— La ferme. Champagne, *driking champagne, yes*? C'est bonnard. Maloup, sonne Josépha, moi je fais la conversation.

— Fais gaffe, je crois qu'le mien comprend.

— Alors Lichtamorve, tu dissimulares? Parlez-vous français? Ah, c'est toi le guide? »

Eh bien! voilà, suffit de s'exprimer entre gens du monde. On arrive toujours à se comprendre. Si Maloup y met du sien, si elle cesse de tanguer comme une chaloupe à la dérive, si elle mord la berge, nous avons de fortes chances de nous palper au minimum une cinquantaine chacune. Vaille que vaille, sans le savoir, en le voulant, j'ai ferré le gros poisson. Poussocultamoto, entre tes bras lisses et cuivrés, sous ton regard éteint, entre tes cuisses visqueuses, je vais fouiller Tokyo et sa périphérie. Réagis, Chien jaune, réponds, j'aime pas les passifs. Quand je suis défoncée, j'ai des réactions un peu violentes. J'ai une maudite envie de te faire becter du verre blanc. Comme ça, t'auras à boire et à manger, Face de Rat. Dis quelque chose, fais-moi un signe, illumine tes meurtrières. C'est moi Sophie, la petite Sophie, qui s'ennuie ce soir.

Quel dommage que tu sois moche. Si t'avais été beau, quel panard on se serait pris ensemble. Pour toi, j'aurais retroussé Pigalle tout entier, démystifié les Champs-Elysées, éventré Saint-Denis, culbuté la Madeleine et l'Opéra, rallumé les lumières de la Ville lumière. Oh, si t'avais été beau, j'aurais ouvert mon cœur et mes cuisses dans un grand fracas de vaisselle cassée. Je t'aurais suivi, ruisselante, soumise, aimante. Je t'aurais encouragé à recoller les morceaux. Ensemble, nous aurions craché, bavé sur les débris, nous aurions postillonné au ciel. A bas les cumulus, l'amour est sous nos pas. Toi et moi marchant vers le Japon d'avant, d'avant toi et moi, d'avant tous les autres que je ne connais pas, que tu ne connais pas. La tête renversée, les yeux au creux des paumes, les mains élargies, le front déchargé, les jambes déliées, tu m'aurais pliée sous un pommier pourpre. Mon ventre, sous la caresse de l'ambre de tes doigts, t'aurait éclaboussé, un vrai feu d'artifice, un 14-Juillet à Tokyo.

Pourquoi faut-il que tu sois moche? D'ailleurs, tu n'es pas vraiment laid. Insignifiant, pétri de brouillard, anonyme, fade comme les autres. Tu n'es que toi et je ne peux pas t'en vouloir. Pauvres toi et moi.

Au bout d'une heure de délibération, la bouche pâteuse, les gambettes arrosées au Dom Pérignon, on se secoue Maloup et moi, on se déplie, on bâille à s'en décrocher la mâchoire, pleines d'arrogance. On entraîne nos têtes de riz comme deux matelots en bordée. C'est tout juste si on ne les tire pas par la braguette. On traverse la rue Frochot au pas de course, entre les tirs des branleurs qui confondent vitesse et accélération, on escalade les escalbuches collants du *Macao,* on aperçoit la gueule de travelo de Michou, la chamber-maid à qui mon Jap règle les piaules avec réticence, ses triples foyers collés aux biftons. Sont méfiants ces étrangers.

Les questions bassement matérielles étant réglées, on se balance un regard plein de sous-entendus Maloup et moi. Proposer une partie de jambes en l'air à quatre à des Japs, c'est comme de pisser dans un violon. Mais nous ne sommes pas des vandales; malgré la merde qui nous étreint, on conserve le goût du beau, du superbe, de l'absolu; on n'aime pas esquinter les instruments qui procurent du bien-être. Face à face, sur le palier croulant, Maloup et moi nous nous caressons des cils avec regret.

« Sincères condoléances, ma copine.

— Bonne bourre, ma pote. »

Les portes claquent, mots d'amour suivis de froissements de papier, strip en ré mineur, gargouillements dans la tuyauterie, gémissements de ressorts, râles menteurs. Halos spamodiques dans les reins de Jimmu Tennô, cercles obscurs, ronds lumineux, parallélépipède, rectangle, triangle isocèle, périmètre, carré, surface et circonférence du cercle, explosion du ciel et de la terre, mariage de l'*ulva lactucula* et du *fucus vesiculosus* avec le nimbo-stratus et le cumulo-nimbus. Jouissance, oh! jouissance! lorsque tu viens, pourquoi te retiens-tu?

« *Good for you, my darling?*
— *Good, very good!* »

Je lui ai fait tellement de bien qu'il dépose un chaste baiser sur mon épaule. J'en frémis. Je trouve sa façon de remercier très douce, très inattendue. En principe, les Japs après l'amour, avant même la fin de l'éjaculation, se précipitent dans le cabinet de toilette pour s'arroser le pénis au Jonnhy Walker. Comme ils ne retirent jamais leurs chaussures, c'est toujours comique de les voir courir vers le bidet avec leurs petits mollets jaunes et musclés cerclés de noir et les bandes Velpeau dont ils s'emmaillotent la bedaine. Jimmu Tennô est emmailloté lui aussi, mais il a pris soin d'ôter ses souliers. Il lambine sur mon sein, je l'encourage en égratignant son dos trop doux, sa peau si lisse, je tends mes lèvres vers son nez plat. Sans ses lunettes, il paraît plus jeune. Quel âge peut-il avoir? Entre trente et quarante-cinq? Impossible de fixer une date sur ce front-là.

Le rire de Maloup perce la cloison. Il est convenu que l'on se retrouve tous les quatre à *la Bohème.* C'est moi qui ai l'argent de Maloup. Je n'ai pas eu besoin de fixer un prix. Jimmu m'a tendu deux cents dollars. Maintenant, il s'arrache doucement de moi, récupère ses yeux en tâtonnant. Je n'ai pas envie de bouger, je suis bien. Là-haut, le plafond lézarde; de la rue monte le bruit des klaxons.

Jimmu, si tu voulais, nous pourrions recommencer. Il suffirait que tu me donnes en échange un petit supplément, un petit billet vert en échange, comme tout à l'heure. Je te ferais monter au ciel une nouvelle fois et toi tu m'éviterais de redescendre en enfer. Jimmu, tu es propre et pas compliqué, garde-moi cette nuit. On n'a pas besoin de parler la même langue pour se comprendre. Jimmu, j'ai l'âme à la vague, garde-moi.

Jimmu ne se précipite pas vers le bidet, Jimmu roule sur lui-même en travers du lit poisseux, sa main épouse ma hanche, effleure mon pubis, il chuchote des chose que je ne comprends pas. Vicky vient de monter. Je reconnais sa voix derrière la porte close, celle de Michèle qui réclame ses vingt francs de chambre, celle du client qui renaude. La porte du 1 claque. Maloup descend en chantant *Etoile des neiges.* Jimmu s'empare de mes doigts qu'il ballade sur son ventre. Nous recommençons. Vicky simule l'extase et fait vibrer les murs. Sur le palier, Fabienne et Crevette débattent le prix d'un spectacle de lesbiennes avec deux Libanais, leurs voix se mêlent. « On était d'accord en bas. Vous n'allez pas nous faire avaler qu'à Beyrouth on baise à l'œil? Heureusement qu'les Français sont moins compliqués. Alors, vous vous décidez puisqu'on vous dit que c'est pas bidon, qu'on est des vraies gouines? »

Jimmu Tennô, heureux que tu ne comprennes pas sinon t'aurais des doutes. Tu finirais par croire que j'suis pas une femme du monde. Jimmu cambre bien tes reins, te laisse pas distraire par la rumeur extérieure, dérive entre mes jambes. Après, si tu es en forme, si tes gambettes te soutiennent encore, je t'emmènerai becter des p'tits gris, des écrevisses à la nage, des cuisses de grenouilles provençales, du saumon fumé, du caviar d'Iran à *la Cloche d'Or,* arrosés de blanc, de bleu, de rouge, comme tu voudras.

Nous regagnons *la Bohème,* Jimmu et moi, à cinq heures dix. Au bar, Simon sirote un pastis. Rose fait les comptes tandis que Josépha vide les cendriers, les copines s'étirent en bâillant. Maloup et Lichtamorve sommeillent, la joue appuyée contre le skaï rouge des banquettes. Une bouteille entamée aux trois quarts traîne sur la table.

« Debout ma blonde, la nuit est jeune, on va se becter un morceau à *la Cloche d'Or!* »

Maloup entrouvre ses paupières, s'étire à son tour, le guide se secoue. Jimmu Tennô caresse mes hanches, me fait confiance. J'ai les pleins pouvoirs.

« Il y en a cinquante qui vont bien pour toi. On y va? J'ai les crocs. »

Maloup écarte sa frange blonde, dénoue ses jambes...

« J'en ai un coup dans la musette.

— Viens la vider. »

Je tire d'un geste complice la cravate de Jimmu, soutiens une fois de plus de mes mains le front moite de Maloup au-dessus de la cuvette.

« Faut que t'arrête de picoler.

— J'ai le loific pourri. Sophie, j'voudrais crever.

— Ça passera. Tiens, v'la tes cinquante sacs, fais-moi risette, viens croquer un bout.

— Si on se suicidait?

— J'ai envie d'en voir le bout, de savoir ce qu'il y a derrière cette merde. Pense à ta gosse, à Bébert en train de croupir à Melun, ils n'ont que toi.

— Justement.

— Fais-le pour moi, c'est pas des farces, Maloup, la nuit est jeune. »

Maloup secoue sa tête dans la tinette en éclaboussant les bords, se pend à mon bras, l'estomac vidé, la tête pleine. Je mène le bal. Jimmu Tennô et Lichtamorve nous suivent à *la Cloche d'Or.* On se régale tous les quatre, les yeux au creux des plats, en parlant d'ailleurs, des pays lointains, le guide traduit. Jimmu ronge mes ongles nacrés! Quand nous nous séparons à neuf heures et demie, devant l'Agence Cook avenue de l'Opéra, les pupilles à côté des orbites, la langue épaisse, le verbe las, j'ai rendez-vous à l'aéroport de Fumichino, un mois et demi plus tard, avec Jimmu Tennô.

Rome, 15 novembre : Jimmu est là, il se presse contre la barricade qui sépare ceux qui attendent de ceux qui arrivent. Je gesticule, j'ai besoin d'y croire. Roma, Ville éternelle, cité aux mille fontaines que Maloup aimerait tant connaître.

Maloup, *la Bohème,* les filles, c'est encore si proche et pourtant si loin. Gérard a tout de suite donné son accord. Il n'a pas rechigné sur les cent dollars par jour payés d'avance en traveller-chèques et m'a fait promettre d'être sage. La mère Rose disait que, dans son temps, un homme n'aurait jamais permis ça. Son temps est loin, enfoui au creux de ses sourcils mauvais. De son temps, les hommes ne permettaient rien. Ils jouissaient des pleins pouvoirs.

Aujourd'hui est un autre jour. Jimmu agite les bras au-dessus de sa tête gominée. Aujourd'hui m'appartient. Je vibre hors du quotidien. Ce soir, j'étendrai mes jambes dans un lit « Quatre Etoiles ». Ce soir, je me vautrerai dans un luxe doré. Demain, à la fontaine de Trévise, je ferai un vœu en jetant une pièce de cent lires dans l'eau trouble : revenir à Rome accompagnée de l'homme que j'aimerai. Le policier italien me déshabille du regard, dédaignant le passeport que je lui tends.

« *Prego, signorina! Prego.*

— *Gracie, gracie tante!* »

Quelques mètres seulement me séparent de Jimmu. Comme je voudrais l'aimer. Il ne sait rien de moi, sinon que j'adore le champagne. Je sais qu'il est propriétaire de la plus grosse bijouterie de Tokyo et que je lui plais. Mais nous ne sommes pas capables d'avoir une conversation de plus de deux minutes. Pas facile de retrouver quelqu'un qu'on ne connaît pas. Il embrasse mes cheveux, coince ma valise entre ses jambes, me sourit, tire de sa poche un petit paquet et cercle mon poignet de trois rangs de perles fines. Jimmu, *I love you, darling.* Le monde entier nous observe, lentilles braquées sur mon enthousiasme. Intimidés nous nous détournons des flashes. Jimmu frôle ma hanche. Mes lèvres traînent sur son col amidonné. Je bafouille dans son cou : « Protège-moi. Loin de *la Bohème* je perds l'équilibre, tout est si nouveau, je me grise à tes dépens, je ne t'aimerai jamais. Fais que je t'aime un peu, juste assez pour supporter le voyage. »

Nous fendons la foule, joue contre cœur. Je suis bien. Autour de moi des voix résonnent d'un accent nouveau chargé de soleil. Une Continentale et son chauffeur nous transportent loin des ruelles chamarrées et criardes, vers le *Hilton* du Monte Mario. Les mains écrasées sur les genoux, se laissant bercer par le ronron du moteur, Jimmu n'en bâille pas une. Tant mieux! J'écarquille les yeux en kinopanorama, l'air conditionné me fait frissonner.

Jeudi, 18 novembre. « Allo, la réception? Chambre 117, je voudrais un numéro à Paris, je ne quitte pas, merci. Madame Rose? C'est Sophie... de Rome... Maloup est en salle?... Oui, je vais bien, non je ne quitte pas... » J'aime presque cette grognasse ce soir. J'entends des bruits courir sur le fil, ceux de *la Bohème,* des bruits insolites concernant mon amitié avec Maloup, bruits de langues, rumeurs d'amitié particulière. Elles se gouinent. Elles doivent se gouiner. Elles se gouinent. Elles doivent... Moi, me gouiner! Jamais, même pas quand j'étais petite. Aux histoires de touche-pipi sous la couverture du dortoir, je préférais les cartes, la pichenette, les osselets, les trucs qu'on fait sous son drap, pendant la sieste, avec un bout de laine, la tour Eiffel, le parachute, le bol, la barrière, à un, à deux, à trois.

Me gouiner, ça avait failli m'arriver tout au début, lorsque j'étais avec Gégé. Une fin d'après-midi, ma copine Niquette nous avait aperçus au moment où nous nous quittions au Rond-Point Youri-Gagarine et, dans notre quartier, on ne se disait pas bonsoir avec un signe de main! On se mordait les lèvres, on se serrait les doigts en se demandant ce qu'on allait manger le soir. Elle était affamée Niquette, elle l'avait trouvé bath! J'étais pas égoïste, pas spécialement partageuse non plus, Gégé, c'était pas du pudding, c'était un Saint-Honoré qui reniflait la crème au beurre, ça m'écœurait un peu... Alors je lui en ai fait croquer, mais quand on s'est retrouvé tous les trois à loilpé sur le lit, j'ai eu un vrai haut-le-cœur... Moi, faire à Niquette ce qu'exigeait Gégé, impossible. J'imaginais comment elle faisait sa toilette : les coins, elle les laissait aux autres. J'avais pas une âme de ménagère. J'avais un jardin dans la tête, une pivoine en guise de cœur, des bleuets plein les yeux, des perce-neige au bout des doigts. Quand il faisait gros temps, je me réfugiais parmi mes fleurs, manque de pot, ce soir-là elles m'ont fait la malle! J'ai eu beau creuser la neige, fouiller la mousse, les appeler par leurs prénoms, rien, pas d'écho. Mes ongles étaient noirs, ma pivoine perdait ses pétales, mes yeux n'étaient plus bleus...

Ce soir-là, mal installée dans un fauteuil des Galeries Barbès, j'ai fait semblant de lire *Détective,* en buvant un reste d'alcool à brûler pendant que Gégé nourrissait Niquette, gourmande Niquette qui faisait aller ses gambettes entre les pages du crime pendant que je me demandais si, non d'un chien pelé, ce galimatias aurait une fin.

Maloup et moi? Infamie! J'aime les hommes comme au temps de l'enfance! Ces chers trésors, combien de supplices n'ont-ils pas enduré de mes doigts innocents : allumettes enfoncées dans le rectum, petit cailloux, fétus de paille. Tout ça pour diagnostiquer une grosse fièvre, cette merveilleuse fièvre qui provoque le délire, cette fièvre contagieuse qui fait frissonner le médecin. Quel médiocre toubib je faisais!

Quant aux filles, je leur réservais un tout autre traitement. Montez mes canards, accourez le jeudi après-midi, aidez-moi à finir les lessives de blanc et de couleur. Frottons, rinçons, étendons. Ensuite, mes chéries blondes, allongez-vous sur le pussier, écartez largement vos cuisses imberbes, que le docteur vous examine. Fallait voir comment elles s'ouvraient les camarades de la communale. Ne bougez pas mes péronnelles! Détendez-vous. Votre bon docteur va chercher ses instruments. Oh! merveille quand la boîte à couture de Dédé devenait ma trousse de médecin, quand les petits boutons plats en forme de fleur s'inscrivaient dans la chair vierge. Elles me les décrivaient leurs symptômes, cuisses au ciel et mains sur les yeux, ces salopes, ces chères petites putes en herbe. Comme traitement, je leur donnais deux *Notre Père* et un *Je vous salue Marie.* Nous dévorions les cerises ou les oranges qu'elles avaient apportées selon la saison. Plus tard, elles dégringolaient soulagées les six étages, l'œil terne, la cuisse luisante.

Maloup, tu me manques tellement, tu peux pas t'imaginer... Oui, c'est une ville superbe. Les Italiens ont des yeux au bout des doigts, ça fait drôle... Non, ça va, y a des lits jumeaux, t'inquiètes pas. Et toi? Les filles t'emmerdent pas trop?

A quoi bon retourner et vers quoi? Jimmu, garde-moi, fais de moi ton épouse. Je m'appliquerai à t'aimer, sache me retenir La voix de mon amie, les guitares espagnoles me déchirent les viscères, me font mal à crier. Non, je ne pleure pas. Je suis un peu enrhumée. Ecoute Maloup, je te laisse pour ce soir. Oui, c'est ça, embrasse Maurice, oui je t'écris, ne t'inquiète pas pour moi. Je vais très bien. Salut!

Pourquoi ne pas aimer Jimmu? Tout deviendrait si limpide. Finis le grand chahut, les questions et les hésitations, finis les mauvais mots et l'alcool. Ecrasée, vaincue, la lutte journalière. Oh, mon Dieu! Regarde-moi! Tu vois bien que je n'ai pas l'esprit compétitif, que je suis lasse d'allonger mes cils, de tendre mon ventre, d'écarter mes cuisses. Où retient-on cet homme que j'aime depuis l'enfance? Dans quelle tribu, au fond de quel cachot m'espère-t-il? Sous quels cieux délabrés marche-t-il à ma rencontre?

Se baigner en novembre, frayer avec les dieux grecs, arpenter les souks en donnant des dollars aux petits Arabes qui vous collent à la peau comme des mouches. Visiter la grande mosquée, admirer les poils de la barbe de Mohammed. Contempler le sphinx et ses blessures, voguer sur les antiques galères égyptiennes, se signer devant Pharaon au milieu d'un troupeau d'Allemands écarlates, boire le meilleur champagne matin, midi et soir, dans une timbale d'argent, s'entendre appeler Princesse par l'homme qui vous escorte et qui ne réclame jamais rien. Je devrais être heureuse.

De quoi je me plains? Je ne me plains pas, je constate simplement que sa générosité ne fait que m'éloigner du but recherché. Je suis prête à tout abandonner, à tout léguer aux copines. Les Maurice, les ambassadeurs, les plombiers, les voyages désorganisés, les bracelets de perles fines, les pyramides, les ballades à dos de chameaux, les Gérard et toute leur descendance. Tiens! je ne suis pas chienne, j'abandonne même le diamant de cinq carats que Jimmu m'a promis si je le suivais à Tokyo ou à New York. Je largue tout. Je quitte Jimmu et Le Caire aujourd'hui.

Jimmu a le blues, deux petits yeux tristes roulent derrière ses carreaux embués. Cette nuit, leur dernière, sa Princesse l'a jeté au bas du lit... C'était la première fois qu'il se démaillotait! Dommage qu'elle s'en soit aperçue trop tard... Ne pleure pas, Jimmu Tennô, ne m'en veux pas, une Princesse surprise dans son sommeil, c'est tellement fragile!

Le champagne manque de saveur au bar de l'aéroport, j'en ai assez de lui, de ses douceurs fades, de sa plate soumission. Et si je passais sans le savoir à côté du bonheur? Oh! vite que la voix de l'hôtesse éclate dans les haut-parleurs, que le bruit des moteurs m'assomme, que je retrouve Maloup, Gérard et ma *Bohème,* que tout rentre dans l'ordre. Le champagne à ristournes saoule plus sûrement que celui de Jimmu.

« Je t'enverrai des poupées de Bangkok. » Il a prononcé cette phrase en français. Jimmu, pardonne-moi de ne pas t'aimer.

« Les passagers du vol 618 en partance pour Paris sont priés de se présenter à la porte n° 7. »

Joyeux Noël et Bonne Année! Les fêtes sont passées. A quoi ressemblaient-elles? Je ne m'en souviens pas. Qu'importe, je n'aime pas les fêtes et ce n'est pas Gérard qui me fera changer d'avis. Je traîne son cadeau sur mon dos. Une peau de castor chouravée en province. Papa Noël a été casqué avec mes devises étrangères, merci Gégé! Raides comme des passes, nous attaquons janvier, un janvier sec et hostile qui me défend d'imaginer que le soleil existe. C'est dur de reprendre le collier après huit jours d'absence.

Comme il fait froid à *la Bohème* cette nuit! Les filles croisent leurs bras sur leurs décolletés en frissonnant. Maloup tousse, le rhum n'arrive pas à me réchauffer. Des ombres incertaines passent et repassent derrière les carreaux de couleur... La porte s'ouvre brutalement, un courant d'air me glace le cœur, des ombres se dressent menaçantes dans la demi-obscurité, une sirène hurle quelque part entre Blanche et Pigalle. La chasse est ouverte, mais vous ne m'aurez pas!...

C'est l'heure où, entre chien et loup, mon cœur se déchire, envahit ma poitrine, vagabonde jusqu'à la masse sombre des arbres, s'y écorche en cherchant sa raison de battre. Cœur de beurre, ne bats pas si fort, nous ne sommes pas en forêt. Derrière cette mince porte de bois qui nous protège toi et moi, il y a un flic en faction, un homme qui a un cœur mais qui l'ignore et si tu ne cesses pas de tambouriner, de jouer les biches aux abois, il va nous emporter, nous enfermer toi et moi! Je ne veux pas dormir sur un banc de fortune, je ne veux pas étouffer ton galop, je veux sentir battre ton rythme, tu me comprends, dis? Je ne veux pas me réveiller demain matin toute chiffonnée à la ratière! Je t'en supplie mon cœur, tais-toi ou je te broie...

« Alors on joue à cache-cache? Allez, au trot, y a encore d'la place pour toi dans l'panier! »

O.K. poulet, je t'emboîte le pas. Inutile de me secouer comme un prunier et de me parler dans la figure, tu pues la mort, tu fais peur à mon cœur.

Pour une rafle, c'en est une! Il ne manque personne, les corbeaux des journaux scandaleux sont là... Excusez-moi, messieurs les envoyés spéciaux, si je dissimule mon sourire, mais cette nuit je préfère passer incognito. Bien malgré moi, je n'accorde d'interviews qu'à ces messieurs de la grande maison, tas de gredins! Un jour, vous bouillirez tous dans la même marmite et c'est moi qui craquerait l'allumette, pour mettre le feu aux poudres.

Tout Pigalle est cerné. Les lanches doivent se ronger les ongles des doigts de pieds. Les filles entassées brutalement dans le car bavent d'indignation.

« Nous faire ça en début de nuit!

— Déjà qu'il n'y a rien à glander.

— Eh! poulet d'mes deux, avoue qu'c'est plus facile de courir après une pute qu'après un lascar? Eh! Guignol, quand j'te cause tu pourrais répondre. C'est mon parapluie qui t'fout le trac? »

P'tit Jésus, accomplis un miracle, souffle sur son pépin, transforme-le en rameau d'aubépine, sinon je te garantis qu'il va y avoir du grabuge. Trop tard. Le front du Guignol est strié d'arcs-en-ciel. La fille est soulevée de terre par une méchante gauche lâchement appliquée à l'estomac, ses reins rebondissent sèchement sur la banquette de bois. Sans se relever elle hurle sa haine pour tout ce qui porte l'uniforme. J'ai honte de mon mutisme.

Le panier s'ébranle enfin au milieu des soupirs et des grincements de dents. Une fille de la rue brûle la pointe de ses cheveux avec son mégot, une autre transperce ses bas avec une épingle. Chaque fois que la pointe effleure sa cuisse elle lâche un petit cri de souris. Maloup assise sur mes genoux tousse à s'en déchirer la poitrine. Nous cahotons ainsi jusqu'à l'avenue Trudaine.

« Allez mes cocottes, cette nuit, régime de faveur, on change de voiture. Tâchez de pas jouer les mariolles. »

Une dizaine de grands fourgons bleus stationnent sous les arbres noirs. Une foule de curieux, le col au milieu des joues, les mains bien au chaud, regardent en souriant les brebis partir pour l'abattoir. Marchez en paix, honnêtes gens, le trottoir de Pigalle vous appartient jusqu'à demain.

Cette nuit-là, les maniaques de la pellicule, non contents de nous traquer à la sortie des bars, nous ont devancé au quai des Orfèvres, ont guetté sournoisement le troupeau qui s'engageait dans le grand escalier de pierre à l'intérieur des locaux punitifs et clac, ils ont remis ça. Le buste dans le vide, ils dévident allègrement leurs kilomètres de saletés. Des filles hurlent et s'agglutinent entre elles. D'autres, frappées par la lumière des flashes, roulent en bas des escaliers, jupe par-dessus tête. Certaines au contraire les gravissent le poing levé. Un terrifiant corps à corps s'engage. Je reste bloquée dans la mêlée, les mains collées au visage, le dos calé au mur pour éviter de tomber. Sous mon manteau Maloup sanglote.

« Sophie, quel chagrin je ferais à ma mère si elle me voyait sur le journal. »

La nuit a coulé tristement. Ils nous ont relâché à huit heures sans nous monter à Saint-Lazare. Nous traversons le quai de Conti. J'ai glissé ma main dans la poche de Maloup qui accorde son pas au mien.

« Viens dormir avec moi, Sophie, je supporte plus d'être seule. »

Elle a parlé de suicide toute la nuit, je l'ai écoutée avec lassitude, je n'ai plus rien à donner et la voilà qui serre mes doigts, qui tend vers moi un petit visage si douloureux que j'ai honte. Maloup, je voudrais tant te prendre sous mon aile quand tu grelottes, mais il faut d'abord que je me libère de l'emprise de Gérard! Qui a dit : « Quel oiseau aurait le cœur à chanter au milieu d'un buisson de questions? » Et moi la fauvette, j'ai raté mon envol, et même si mes ailes m'avaient portée jusqu'au Japon, on serait venu m'en chasser et je n'aurais jamais eu assez de ma vie d'oiseau pour payer ce manque. Tu comprends Maloup? J'ai besoin, comme toi, d'un nid tiède et doux et plein d'œufs bleus, d'un nid douillet fait d'un mélange de coton perlé, de paille de riz et de fils de la Vierge, d'un berceau entre ciel et terre où je puisse cacher ma tête sous mon aile, échapper aux agressions des briseurs de rêves.

« Alors tu viens?

— Bien sûr. »

Après les rigueurs de l'hiver, le printemps a rappliqué tambour battant. La rafle de janvier n'est déjà plus qu'un mauvais souvenir. Pourtant, depuis le début de la soirée Maloup ne cesse d'en parler.

« Arrête, tu vas nous porter la poisse.

— J'te dis que j'les sens, j'veux m'en aller.

— Tu restes! C'est pas la peine de me regarder comme ça. » Ohé Maloup! quelque chose a foutu le camp de tes yeux, parle, dis quelque chose, tes quinquets ressemblent à deux cailloux, qu'est-ce qui nous arrive?

« Règle d'abord tes problèmes Sophie. Ensuite on pourra parler des miens. »

Elle enfile son imper, je m'enfile un baby. Elle n'est pas dupe de mon échec et son arrogance me le confirme. Elle sort sur la pointe des pieds, sans claquer la porte, sans se retourner.

Les clients peuvent faire la queue du *Wepler* à *la Bohème,* les poches gonflées de châteaux en Espagne, la gueule pleine de louis : cette nuit, s'il y en a un qui me fait décoller de mon tabouret, c'est moi qui le casque! Allez-y les filles, régalez-vous, je suis partie pour une défonce à mort.

Pourtant, quand Alain, un ancien du *Saint-Louis,* pousse la porte, je me jette sur lui comme la misère sur le bas clergé. Après, dans le cabinet de toilette, tournant mon visage vers la lumière crue du néon, il m'a dit :

« Sophie, tu files un mauvais coton, tu t'es boursouflée. »

C'est pire que s'il m'avait dit : « Sophie, tu vieillis. » Je sanglote le front collé à la glace. Dans la buée, se dessine le visage d'une autre. Mon Dieu, ai-je déjà tellement changé? Alain, penaud, me paye pour me voir sourire.

En sortant du *Macao,* Simon m'accroche.

« Sophie, écoute, ma fille, écoute Simon.

— Qu'est-ce que tu veux me vendre?

— Dis pas de bêtises, j'ai un micheton en or pour toi, il a de l'oseille comme ça! J'lui ai parlé de toi, t'es son type. Il va te donner quarante, on partage et on dit rien à personne.

— Où tu le planques ton mec?

— Tu montes au *Macao,* j'ai tout arrangé avec la femme de chambre. Il t'attend, vas-y ma fille, va. »

J'aime bien tester mon monde avant le grand frisson mais grâce à ce que j'ai bu ce soir, je me sens l'audace d'affronter un cyclope. Sur le palier du deuxième, une porte est entrouverte, pas de lumière, pas la moindre rumeur. Bizarre autant qu'étrange.

« Ohé du bateau, c'est Sophie. Où êtes-vous?

— Je suis là.

— Allumez la lumière, j'ai pas des yeux de chat.

— Je m'appelle Edgard, approchez.

— Allume d'abord.

— J'allume, mais n'entrez pas tout de suite. »

Encore un louf!

« Où tu te planques maintenant?

— Je suis là, derrière le paravent, approchez, ne criez pas, promettez-moi de ne pas vous sauver. »

Avance Sophie, encore un maniaque qui prend son pied en essayant de faire peur aux filles. Les montres n'existent que dans les légendes, fais le tour du paravent. C'est lui qui va avoir le trac, allez, prends-le par derrière... Oh! horreur que cette créature rabougrie sur le bidet, qui tente de tenir la savonnette entre ses moignons. La tête réduite à la grosseur d'une noix de coco est percée de quatre orifices béants. De ce qui fut un jour les yeux s'échappent de grosses larmes. Pauvre chose informe, est-ce Dieu ou Diable qui te maintient en vie? Ne tremble pas, je reste, viens, appuie-toi sur moi. Chut, ne te crois pas obligé de raconter, j'ai entendu parlé de la guerre... Doucement, ne sers pas trop fort, ton corset m'étouffe... Oh non, je t'en supplie, ne passe pas tes moignons dans mes cheveux, il ne m'en reste qu'un sur la tête qui me sépare de la folie. Oh Maloup! pourquoi m'as-tu laissée dans cette horrible nuit? Adieu Edgard, il se fait tard. C'est l'heure du pastis pour Simon, l'heure du ménage pour Josépha, celle des comptes pour Rose, celle de la solitude pour les copines, l'heure pour moi du dernier whisky avant de courir chez Maloup.

Dans le taxi qui m'emporte vers la rue d'Aboukir, j'ai quelques pressentiments. Il me semble que les feux rouges se multiplient, que la circulation à cette heure matinale est d'une extravagante densité. Quelle sale nuit! Le parcours qui me sépare de Maloup est interminable. Le chauffeur, un vieux Russe émigré, ne cesse de se confondre en excuses, contourne deux fois la place de la Bourse, emprunte la rue Réaumur en sens unique, ce qui achève de m'exaspérer. Je le plante là, en lui laissant soit par faiblesse, soit par habitude, un généreux pourboire.

Je cours de la rue Réaumur à la rue d'Aboukir. La clef n'est pas sous le paillasson! Ah! sacrée garce, si tu m'as fait la malle je t'étripe!

« Maloup, oh ma Louve, ouvre, nom de Dieu, c'est Sophie ta copine. Ouvre ma Louve. C'est pas parce que j'en ai un coup dans l'aile que tu dois m'laisser dehors. Ouvre Maloup ou j'défonce ta porte! Louloup, c'est pas possible que t'aies pris le train sans rien me dire, tu peux pas m'faire ça, t'as pas le droit d'abord. Louloup, m'laisse pas à la lourde, j'suis trop ronde pour rentrer... Maloup réponds-moi, dis quelque chose! Tu me fais peur, Maloup, fais pas ta mauvaise tête, ouvre, c'est Sophie.

— Alors, c'est pas fini ce barouf! Vous voulez réveiller tout l'immeuble?

— T'as gagné : v'là ta pipelette qui s'en mêle! Ah! tu nous mets dans de beaux draps!

— J'ai une valise à prendre chez Mme Langlois. Si vous avez un double des clefs, ça m'arrangerait! Bougez pas, je descends les chercher.

Une chance que la pipelette aime le blé. Contre un saccotin, elle me file les clefs. Dessoûlée, je grimpe les étages en me félicitant de ma hardiesse! Maloup, je t'avais presque oubliée. Je retrouve mon angoisse en tournant la clef dans la serrure. Je traverse à tâtons la cuisine en cherchant l'interrupteur. Dans la chambre, je sais où le trouver pour l'avoir baissé plus d'une fois lorsque nous partageons nos nuits. Tu t'endors avant moi sans jamais te plaindre de mes lectures tardives. Loup, il faut que tu sois là, j'ai si mal en moi.

Par bonheur, la lumière me la découvre sagement pelotonnée au creux du lit, le drap couvrant les yeux! J'ai envie de repartir comme je suis venue. Demain, elle trouvera un mot griffonné sur la table de la cuisine... Merci Loup, merci simplement d'exister. Mais j'ai aussi envie de dormir, de l'embrasser, de m'étendre à côté de sa chaleur. La fatigue et l'alcool viennent de me tomber dessus. Ce sommeil tranquille dissipe mes craintes. Epuisée, je me glisse à ses côtés. Ses cheveux cachent son visage mais je sens son souffle sur ma joue, je suis bien.

Maloup, laisse-moi divaguer à ton oreille, je ne troublerai pas ton sommeil. Tu sais, j'ai eu peur que tu fasses une bêtise cette nuit. Je ne me le serais jamais pardonné! Quelle importance si tu quittes *la Bohème*? C'est toi qui a raison. Et si tu n'y arrives pas, si la monnaie manque, je t'aiderai, sois tranquille. Maloup, on va bien rire ensemble quand tout cela sera passé. Loup, je sais que je parle beaucoup, mais la vérité c'est toi qui la tient. Ton homme t'aime, vous avez une gosse ensemble, ce n'est pas lui qui t'a mise au turf. Quand Bébert reviendra de ce lointain voyage, quand tu auras ton pavillon de banlieue, vous m'inviterez le dimanche à boire du vin frais à l'ombre des glycines. Tu porteras un grand chapeau avec des cerises, le mien sera plus petit et piqué d'une branche de lilas. Tu tisseras, je lirai. Isabelle et Bébert planteront des fleurs d'hiver. Et les gens en passant devant la barrière bleue nous salueront. Nous répondrons par un sourire tranquille, nous n'aurons plus de passé. Dors Maloup, je vais dormir aussi... Mais qu'est-ce que c'est, c'est tout mouillé... t'as pas pissé au lit tout de même? Maloup, réveille-toi, Maloup! Réponds ou j'te frappe. Mais qu'est-ce que t'as fait, Maloup qu'est-ce que t'as fait!

Je me lève pour allumer la vérité et c'est pas beau. Son poignet gauche est si fortement entaillé que la chair mousse tout autour de l'os jusque sur la main. Le sang ne coule presque plus.

Maloup me regarde, ses lèvres exsangues se tirent dans un pauvre sourire.

« Ne pleure pas, ne bouge pas. Je vais t'emmener à l'hôpital. »

En descendant l'escalier, j'ai le sentiment d'avoir commis quelque chose d'irréparable. J'ai envie d'étrangler la concierge qui pousse des cris en se tapant sur les cuisses, envie d'étrangler ses trois chiards qui pointent leur tête dans l'entrebâillement de la porte, envie de bousiller tout ce qui bouge, tout ce qui respire puisque là-haut mon amie meurt. La pipelette se décide finalement à appeler Police-Secours... Elle veut monter. Désolée, pas de ça Lisette, rentre dans ta cage, vieille buse, fabrique-toi des émotions à ta mesure, guette les flics.

J'enroule le bras de Maloup dans une serviette de toilette propre, ouvre fenêtres et volets, tombe à genoux à son chevet : « Pourquoi, pourquoi tu l'as fait? On s'était promis, si un jour ça n'allait vraiment plus, de le faire ensemble. Dis, pourquoi tu me fais la malle? Et moi comme un con qui te raconte des histoires de chapeaux, de cerises, moi qui t'invente des barrières de bois bleu, des glycines, une histoire d'amour les pieds dans la braise, un pavillon de banlieue! Pardon ma pauvre musaraigne, j'ai pas vu que tu étais si malheureuse! Toi qui dis toujours que tu te sens sale après une passe, rassure-toi, ils ne t'ont pas salie en profondeur, t'es propre, Loup, tu rayonnes dans la crasse. Tu t'en tireras, il faut que tu t'en tires. Pose ta tête, ne me regarde pas, j'ai les yeux plein de flotte. »

Maloup râle doucement, comme Lulu une nuit de notre enfance. Maloup si tu en reviens, je saurai te préserver des mauvaises choses, je te le jure.

Police-Secours arrive précédée de la concierge. Maloup est entortillée dans une couverture grise, chargée sur un brancard. Dans la rue, les commerçants se pressent sur le seuil de leurs boutiques, là-haut un drôle de ciel se balance.

« Vous êtes de la famille?

— Non, une amie.

— Montez, nous allons avoir besoins de vous. »

Dans le car qui nous emporte vers l'Hôtel-Dieu, ce n'est plus sur Maloup que je pleure, mais sur moi.

Il y aura toujours un trou dans la muraille de l'hiver pour revoir le plus bel été. C'est Jacques Prévert qui a dit cela, et moi je serai toujours là, Maloup, pour veiller sur toi, jusqu'à ce que tes ailes soient bien fortes, jusqu'à ce que tu sois capable de ramer loin de la tourmente. Brave petit soldat, si tu n'avais pas toutes ces aiguilles plantées dans les veines, je te serrerais.

« Quel effet ça te fait de ressusciter?

— Je suis fatiguée.

— C'est pas si facile de faire la malle à la vie! J'ai vu ta pipelette, j'lui ai filé vingt sacs, rassure-toi, elle a pas craché dessus. Donc, pas de problème de ce côté-là : t'es pas mariée, pour les flics tu restes Claudine Langlois.

— Et s'ils font une enquête?

— T'agite pas. Quand t'as été emballée, t'as toujours fourni ta carte d'identité de jeune fille, alors?

— Si l'enquête est poussée et qu'ils découvrent mon mariage, Bébert va morfler. Tu sais combien ça paye de prostituer sa femme légitime.

— Je sais surtout que t'es en train de te masturber inutilement les méninges : tu t'es prostituée toute seule alors qu'il était déjà au ballon. C'est facile à prouver, dans le pire des cas, et puis il est peu probable qu'ils poussent l'affaire plus loin. C'est jamais qu'un suicide manqué : t'es là, bien vivante en train de te taper du porto en lousdé avec ta copine, donc tout va bien. Arrête un peu de t'apitoyer sur ton sort, parce que si je m'y mets aussi, on est pas sorti de l'auberge. Hier, j'ai écrit à Bébert que t'étais au pieu avec une grosse grippe intestinale, rien de grave, mais tu peux pas écrire, ni bouger! Minute, laisse-moi finir : je lui ai expédié son mandat d'la semaine, c'est pas parce que sa femme veut jouer la fille de l'air que c't homme-là doit pas cantiner!

— Sophie...

— Silence, arrête de gesticuler, tu vas bousiller l'mécanisme. J'suis aussi venue aux nouvelles, j'ai parlé avec le toubib. D'ici huit jours t'es sur pied, à condition que t'arrêtes de gamberger à l'envers.

« J'ai écrit à Beauvais, j'ai eu une réponse ce matin, v'là la lettre, ta fille t'attend. Ça te laisse un bon mois et demi de repos, jusqu'à fin juillet. Après, c'est comme tu te sentiras, comme tu voudras.

— J'reste avec toi, Sophie...

— Ce qui compte, c'est qu'il y en ait une qui s'en sorte, ça laisse une porte de sortie à l'autre. Pleure pas, c'est mauvais pour ce que tu as.

— Et toi?

— Pour moi, tout baigne dans le beurre. Gégé a décidé de me faire voir l'Italie, Rome, Naples, Capri. Une vraie lune de miel!

— T'es pas heureuse.

— Heureuse? C'est peut-être l'occasion de recoller les morceaux. On verra. De toute façon, en rentrant, j'ai décidé de prendre un appartement, il est d'accord pour me mettre à l'essai. Une fois installée, qu'il soit content ou pas, je ne bouge plus. Les débuts seront difficiles, mais j'm'en fous, j'en ai ras l'bol d'engraisser des tauliers. Le seul truc qui m'emmerde, c'est de pas avoir les coordonnées de Paul.

— Paul?

— Mon ingénieur agronome, l'Africain, il a l'air tellement gentil, ce mec.

— Tu devrais te marier.

— Avec qui? Enfin, on se trisse en juillet. Le soleil, Maloup, la mer bleue...

Je regarde Maloup placer ses cartes avec difficulté. J'ai encore une fois envie de lui dire :

Tu es maladroite! C'est pour ça au fond que tu ne gagnes jamais. J'ai envie de lui dire plein de choses, d'être méchante avec elle ou bien simplement de dire : « Si, au lieu d'épier ce téléphone de merde, nous allions au cinéma? Nous en sommes à notre centième rami de la journée et je n'en peux plus, j'étouffe, j'ai envie de sortir, d'entendre la sonnerie du téléphone, envie d'interrompre ce jeu machinal. » Je regarde son vernis écaillé, ses cheveux gras!

« Tu te laisses un peu aller en ce moment, non? »

Elle lève sur moi un regard surpris, laisse tomber les cartes. Elle ne répond pas. La voilà qui sourit en s'étirant. Je la regarde, ses jambes maigres, ses bras maigres, ses gros seins, son petit visage de musaraigne! je la connais par cœur, et ce soir plus que jamais, j'ai l'impression qu'elle n'est pas faite pour ça, que, sans moi, elle aurait sans doute renoncé.

« Y a des jours où t'as vraiment l'air d'une Marie-Salope! Oui, je sais, tu t'en fous du moment que Bébert reçoit son mandat et que tu payes une partie du loyer. Un peu d'ambition, Maloup, crois-moi. Si c'est pour gagner des miettes, autant que tu retournes débiter des kilomètres de passementerie à la Samaritaine. J'ai raison ou non? Allez Maloup, prépare-toi, ce soir on fait peur au monde.

— J'ai pas envie de bosser ce soir.

— Si je t'écoute, t'as jamais envie. On a tout de même pas pris cet appartement pour se les rouler. Tu crois que ça m'amuse moi de transformer mon plumard en baisodrome? Allez, tais-toi, tu délires, assieds-toi que je te maquille un peu les yeux.

Nous marchons en silence dans la rue de la Faisanderie. En passant devant le commissariat, nous saluons poliment les pèlerines qui frémissent sous leurs képis, du rêve à l'œil! Nous ne nous retournons pas, mais sentons leurs regards de goinfres nous caresser les hanches jusqu'à la place du Paraguay... On flâne, mine de rien, prêtes à tout, dans la contre-allée de l'avenue Foch où roulent au ralenti quelques étoiles filantes solitaires super platinées, super carrossées.

« T'aimerais pas te défendre en voiture?

— Non. T'as vu le mec en 404? Je crois que t'as une barre, tâches de me brancher mais attaque piano. »

C'est parti pour la gloire! Aucune prudence Maloup, elle penche ses gros nichons roses à la fenêtre, gesticule, l'œil en accroche-cœur sans remarquer la main de l'homme qui s'active sournoisement du côté de sa braguette.

« Raconte pas ta vie, tu vois pas qu'il est en train de s'envoyer en l'air dans ton balconnet! »

On traite le mec de vicieux, de voyeur, de tous les noms d'oiseaux. Il n'entend rien. La bave aux lèvres, il décolle aux frais de la princesse.

« T'es contente? Ma pauvre Maloup, quand tu comprendras que moins ils en voient mieux ça vaut, t'auras tout compris. T'as pas de flair. »

Je sens sa peau sur mon épaule...

Au diable la raison! Nous courons presque jusqu'au Rond-Point des Champs, faisons la ronde autour des arbres qui sentent bon l'été. Vive la vie! Les bagnoles peuvent toujours ralentir, les propositions pleuvoir, nous sommes sourdes et aveugles. Cette nuit, c'est décidé, on se taille une vraie tranche de bonheur! Dans la course, le chignon de Maloup s'envole, le bleu de ses paupières s'estompe, mon rimel me pique les yeux, on s'en fout! Nous arrivons de Rouen ou de Palavas-les-Flots-Bleus, nous avons l'intention d'en profiter! Nous sommes deux cousines de province en vacances, et Dieu que Paris est joli avec son Arc de Triomphe qui monte au ciel et ses touristes texans qui descendent la plus belle avenue du monde!

Devant l'immeuble du *Figaro* on lambine un peu, on jette un coup d'œil sur les gros titres, des hommes nous frôlent, on se consulte du regard... Ne te sens pas coupable Maloup, je pense aux mêmes choses que toi. S'il y en avait un parmi eux qui murmurait à notre oreille : « Je vous emmène toutes les deux, mon hôtel est à deux pas », nous ne dirions pas non, nous irions, parce que ce serait un type bien avec qui nous n'aurions pas à discuter du prix. Il proposerait cinquante à chacune, sans préambule, parce qu'il nous trouverait fraîches, parce qu'il en aurait marre des poneyttes aux yeux tamisés de faux cils, qui n'ont plus d'odeur tellement elles se parfument, parce qu'on ne fait pas putes...

Hélas, les gentlemen ne sont plus de saison, ici ça sent le branleur, les hommes manquent de goût ou d'argent. Mais qu'importe, puisque nous sommes en vacances, que la terrasse du *Madrigal* est toute proche, que les fauteuils nous tendent les bras, qu'ici on rit dans toutes les langues. Au premier porto le regard de Maloup s'allume! Pinçons nos mandolines, la voilà branchée sur les Ritals à côté de nous. Elle s'échauffe tellement que ses nichons jaillissent à nouveau du balconnet.

« Qu'est-ce que t'en penses Sophie?

— Arrête, tu te gaspilles, tu les fais triquer pour du vent, tu vois pas leurs frimes congestionnées? Viens, on change de rue.

Nous remontons les Champs en direction de la rue de Berri. Paris a perdu ses atours. Nous arrivons devant *le Val d'Isère* quand une Taunus gris métallisé stoppe à notre hauteur...

« Combien pour les deux?

— Trente.

— Montez. »

Je m'installe à côté du chauffeur. Il affiche la trentaine : visage ouvert, allure sportive. Le boulot reprend ses droits, j'oublie ma faim. A l'arrière, Maloup fredonne, le mec appuie sur le bouton de la radio.

« Comment c'est vos noms?

— Maloup, Sophie. Et toi?

— André, j'suis de Bagneux. »

Ça nous fait une belle jambe. Toi mon pote, j'ai pas l'impression que t'as été éduqué chez les frères! Roule et baisse d'un ton mec, c'est pas n'importe quelle turne qu'on habite, c'est un hôtel particulier!

Le feu se consume dans la cheminée, qu'il fait bon chez nous! Comme Maloup est belle lorsqu'elle est un peu grise, comme j'ai envie de faire un rami, d'écouter un bon disque, de rêver...

« Dites-donc les poulettes, c'est chouette votre piaule, bourgeois, tranquille! Vous vous cassez pas le fion!

— Chacun son truc. Les hôtels c'est tellement déprimant, sans compter les risques. Et puis on aime la propreté, ici on a deux salles de bain, pas de promiscuité.

— En principe tu sais on ne travaille que par téléphone, t'es une exception!

— Tu nous fais notre petit cadeau maintenant, comme ça nous sommes tranquilles. »

Tranquilles, mon œil! Je le regarde sortir trois billets de cent francs de son portefeuille en plastique... Maloup se verse un porto, j'ai des nausées.

« Tu as mal compris, c'est trente chacune!

— Arrête ton cirque. Quinze et quinze, pas un rond de plus! »

Sainte Marie, mère de Dieu, priez pour nous pauvres pécheresses, on est tombé sur un méchant. Du haut de ton âne, vois ses lèvres se décolorer, ses narines se pincer, ses poings larges et crispés. Je crache au ciel et je te jure qu'il refoutra jamais les pieds dans notre crèche, qu'après le coup de grâce je lui refilerai un téléphone bidon.

« Te fâches pas, c'est un malentendu. On va te gâter tout de même, n'est-ce pas Maloup?

— Bien sûr qu'on va te gâter Bébé, viens voir notre chambre.

— Hé là, pas si vite les filles, moi j'ai tout mon temps. Donne-moi donc un autre whisky, ma belle Sophie.

Une petite flamme bleue danse sur les braises, c'est la dernière, après le feu va s'éteindre. Ses poings sont toujours crispés.

« Il fait chaud non? Si on se mettait à l'aise?

— Vous êtes sonnées de faire du feu au mois d'août. Ça marche pour vous les affaires. Vos jules doivent être contents?

« Laisse ça aux filles des Halles et vas leur demander si elles habitent un hôtel particulier? »

Maloup me balance un coup d'œil de biais. Elle a compris, je suis soulagée.

La flamme bleue chavire, on chavire avec elle, on se fait câlines, aimantes, on a les yeux pleins de braise, on caresse en roucoulant les cuisses du rugbyman... Il enchaîne imperturbable.

« Et la syphilis, vous êtes au courant? »

Tabernacle! Je développe tout un chapitre sur ce mal répugnant qui fait tomber dents et cheveux, ronge jusqu'à la moelle épinière, dévore sexe et cerveau!

« Pourquoi parler de ces choses-là? Nous sommes absolument saines, tu veux voir notre dernier prélèvement? »

Il fait la grimace, vide son verre.

« On y va, mes cocottes! »

Nous batifolons sur le lit pendant une heure et demie. On ne peut pas dire qu'il manque de souffle le Dédé! Nous, on invente, on innove, on se dépasse, on s'étonne, on se confond, on se crève. Maloup complètement dessaoulée lui murmure qu'elle aime la façon dont il fait l'amour. Il pousse un cri alarmant qui risque de défaire notre réputation de jeunes filles sérieuses et s'abat sur son corps. J'éprouve un bien-être incroyable en tirant la première bouffée de ma cigarette que je tends à Maloup restée coincée sous l'étreinte, je respire à fond... Après ce match, un brin de toilette me paraît nécessaire. On traîne notre rugbyman dans la salle de bain, on le guide vers le salon en le congratulant, on lui passe son slip kangourou, ses chaussettes de nylon, enfin on le rhabille, prêtes à entonner *la Marseillaise*! Tout pourvu qu'il parte, qu'il se trisse vite, lui, son ballon et ses chaussures à clous.

Brisées, on s'écrase dans le canapé du salon en guettant le coup de sifflet... Illusion, nous n'en sommes qu'à la mi-temps : le sportif se balance devant nous, plus grand et plus fort qu'avant; il fourre ses mains dans ses poches et j'ai peur.

« Vous m'avez fait les vagues, maintenant s'agit d'aller au refil! »

Je regarde Maloup et je vois ma pâleur se refléter sur ses joues, je me lève doucement.

« Ecoute André, on ne t'a rien volé, tu le sais très bien!

— Vous êtes deux salopes. Toi, la Sophie, t'as plus de bagout qu'ta copine, mais moi j'fais pas partie des tronches que vous avez l'habitude d'embobiner! Maintenant au refil, vite fait!

— On ne t'a rien volé, tu nous a tringlées pendant une heure et demie pour trente sacs seulement. Sors d'ici maintenant, sors!

— Attention, les filles, j'suis pas patient. On va commencer par le mobilier... »

Un grand cri dans nos oreilles. La télévision vole en éclats!

« Arrête!

— Ta gueule, la vilaine!

— Arrête André, fais pas le con, on va te rendre tes trente mille francs. »

Les lampes, les bibelots, les pots de fleurs, les disques, les bouquins, tout vole!

« Arrête, je t'en supplie, prends ton argent et va-t'en. »

Il prend d'une main, frappe de l'autre, ma bouche éclate.

« Mais pourquoi tu fais ça? »

Ses poings fermés sont énormes. Il empoigne la bouteille de whisky et l'envoie valdinguer contre la porte vitrée, soulève Maloup par le cou et vise les yeux avec son poing gauche. Ma petite musaraigne s'écrase sur la moquette en poussant un cri d'animal.

« Ça vous va ou on continue? »

A demi assommées, nous rampons jusqu'à la chambre.

« J'ai peur d'être aveugle.

— Et moi édentée. »

Je ris d'un petit rire nerveux en lui tendant nos sacs.

« Pourquoi ce massacre? T'avais qu'à nous faucher sans frapper, tout est là, sers-toi.

— Boucle-la! »

L'ordure vole jusqu'à la ferraille en ricanant, claque Maloup à la volée.

« T'es qu'une pute, tu baises mal, je r'viendrai! »

La porte claque. Nous restons le dos appuyé au battant, sans parler, tremblantes...

« Quel coup de simoun! Je crois qu'on va reprendre des vacances.

— Me fais pas rire, j'ai trop mal.

— Maloup, le numéro de la bagnole! on est dingue! Faut le rattraper... »

Trop tard... dans la rue Dufrénoy c'est le noir, le vide, un homme seul parle à son chien, des fenêtres ouvertes tombent des sons étranges. Monde à l'envers, la nuit est douce pourtant. La main dans la bouche, la bouche dans la main, je retourne doucement vers la maison. On devrait se coucher. Demain il fera jour...

Une sonnerie retentit loin dans ma tête. Je me jette sur le téléphone. « C'est la porte », murmure Maloup. Je vacille jusqu'à l'entrée, l'effet du valium dix n'est pas encore dissipé. A travers l'œil-de-bœuf j'aperçois le propriétaire... J'ouvre en camouflant ma bouche. Geste ridicule, ma main n'est pas assez grande, mes lèvres débordent en un énorme rictus. Et le voilà qui parle avec l'aisance des gens gavés.

« Mademoiselle, ce qui s'est passé ici cette nuit ne m'autorise pas à vous garder comme locataires. L'inventaire sera fait à la fin du mois. »

Il jette un regard dédaigneux par-dessus mon épaule : on se croirait à la foire à la ferraille, honte au vandale!

« Faites rapidement nettoyer la moquette, le sang part difficilement! »

Ainsi il a tout entendu et nous serions mortes sous son toit qu'il n'aurait pas levé le petit doigt. Monde stérile!

A peine installées, faut décaniller. Dire que j'avais tellement misé sur cet appartement! Adieu quiétude, nous voilà de nouveau à la rue, à cause d'un fou qui passe, cogne, brise, détruit tout et part en sifflotant. Ah! si seulement j'avais assez de tripes pour me pendre.

« J'ai tout entendu. Qu'est-ce qu'on va faire?

— Dors.

— J'ai plus envie, j'ai mal partout. Passe-moi une glace. Si on retournait à *la Bohème*?

— Jamais! J'aime pas rétrograder et puis le champagne défigure plus qu'un coup de poing dans la gueule! T'étais bien d'accord quand tu m'as suivie : plus de tauliers, plus de champe, plus de filles, rien que nous deux! T'as sauté de joie quand on a quitté là-bas, t'étais comme une folle quand j'ai trouvé cet appartement, tu disais que tu ne pourrais plus travailler autrement. Alors on va s'organiser.

— J'veux pas mourir étranglée.

— T'es pas morte, t'as les yeux pochés! »

Quand Maria a ouvert la porte à une heure et demie, elle a poussé un grand cri en pénétrant dans le salon.

« Mon Dieu, mon Dieu! Qu'est-ce qui est arrivé aux « mademoiselles »? Qui donc m'a mis la maison dans cet état-là!

— Maria, venez, nous sommes là, dans la chambre. Laissez les rideaux tirés. Je vais vous aider à déblayer le salon. Avant, faites-nous du thé bien fort.

— Non, il faut vous soigner d'abord! Ah! Les demoiselles ne sont pas prudentes de ramener des gens qu'elles ne connaissent pas! Vous avez des messieurs tellement gentils qui viennent vous voir, Monsieur Maurice par exemple, Monsieur René! Faut pas chercher dans la rue, Mademoiselle Sophie. Y a des filles pour ça, mais pas vous.

— D'accord Maria, on le fera plus. On n'est pas tombé sur un gentleman, c'est tout.

— Et Monsieur de Lespinay, qu'est-ce qu'il pense de tout ça?

— Monsieur de Lespinay, il pense pas! Il nous fout à la porte. On sera obligé de se quitter Maria. »

J'avais pensé à toutes sortes de réactions sauf à celle-là. Voilà Maria à genoux qui se met à sangloter, et Maloup qui suit le mouvement! Elle parle, Maria. Elle dit qu'elle nous suivra partout, que pour l'instant nous avons besoin de vacances avant de prendre une décision. Elle raconte un joli petit village près de Lisbonne, sa mère et son fils José. Elle raconte les bateaux qui se balancent sous la lune, la tiédeur de la mer. Les fados, toute la lyre quoi! On chiale toutes les trois au milieu des débris : Maria sur son fils au Portugal. Maloup sur sa môme en nourrice à Beauvais. Moi, je chiale sur moi, sur le manque à gagner, sur ma bouche qui éclate à chaque mot. Je chiale sur moi, parce que je ne peux pleurer personne d'autre et c'est pire.

Et voilà le téléphone qui grelotte et moi qui décroche en planquant mes sanglots et la voix empâtée de Gégé au bout du fil : « Qu'est-ce qui t'arrive? » Et la mienne déformée qui répond : « Rien. Une tête au carré. » Et celle de Gégé qui reprend : « Parle plus fort, j'entends rien. » Et la mienne dans un murmure : « J'peux pas, j'ai les lèvres enflées. » Et celle de Gérard qui insiste : « Comment il s'appelle, le mec qui vous a fait ça? » Et la mienne qui crie : « T'es en plein rêve ou quoi? Tu crois que j'leur demande leur carte d'identité avant d'me les faire? » J'éloigne l'écouteur de mon oreille. « Tu veux que j'vienne, ma gueule? » Non Gégé le mac, maintenant c'est trop tard, il aurait fallu que tu sois planqué hier soir dans un placard avec un nerf de bœuf à la main. Saoule-toi en paix, je ne suis pas trop amochée et d'ici trois ou quatre jours, je serai au turbin.

Les vacances ont duré une bonne semaine pendant laquelle Maloup et moi avons tapé le carton à l'ombre des doubles-rideaux! Maria s'est montrée plus attentive, plus secourable qu'une mère. Elle a fait les courses et la cuisine, répondu au téléphone que les demoiselles étaient parties se reposer une quinzaine de jours et noté des rendez-vous!

Le dixième jour, on a pointé le nez dehors. A la première pharmacie, j'ai choisi une paire de lunettes de soleil pour Maloup qui avait l'œil encore un peu cerné. On s'est secouées au soleil de deux heures en riant, on s'est trouvé jolies et on se l'est dit. Pendant notre convalescence, nous n'avions pas cessé de faire des projets, de tirer des plans sur la comète! J'ai hélé le premier taxi et ordonné d'un ton décisif : « La Madeleine, s'il vous plaît. »

La Madeleine, son église Napoléon, son cloître suspendu, son marché aux fleurs, sa rue Godot, mes vrais premiers pas! Avant Londres, avant *le Sportman,* avant le *Saint-Louis*... C'était un soir de novembre. Maman Dédée était en bringue à Nantes, le père à la pêche, Gégé jouait aux cartes chez Mado. J'ai laissé les petits chasser la punaise et me suis éclipsée sur les talons aiguilles de Dédée, en direction de la Madeleine. J'ai croisé mon loden râpé sur ma poitrine de demi-vierge en arrivant rue Godot. Pourquoi rue Godot? Le diable seul le sait. Il faisait froid cette nuit-là, les filles se tenaient les coudes devant leurs boutiques. Leurs voix gouailleuses choquaient les étoiles et, par la Madone, je ne savais plus ce que je faisais. Je me suis plantée à l'autre extrémité de la rue, bien loin d'elles, près de l'église, là où les hommes ne viendraient pas me chercher, et j'ai attendu à l'abri d'une porte cochère, attendu que le temps passe en serrant mon foulard de nylon violet sur mon cou.

Un homme est venu avec ses tics et son fric. J'ai soufflé « Vingt », en croisant davantage mon loden sur mes seins. Quand il s'est éloigné, mon cœur à recommencer à battre. Un autre s'est arrêté et j'ai murmuré : « J'attends quelqu'un. » Et puis, j'ai claqué dans mes mains, non, je n'étais pas une putain! Le troisième, je l'ai suivi. Je suis montée dans sa voiture. Oh! maman, je me suis écroulée contre son épaule en t'appelant! C'était une bonne épaule qui m'a écouté parler sans m'interrompre et j'ai tout mélangé : toi, papa, mes maîtresses d'école, les coups de pied dans le ventre, le ragoût de mou, Gérard et mes supermarchés, mon noir obscur! Quand j'ai eu fini, il m'a dit qu'il m'emmenait chez un ami à lui, un curé. Je l'ai suivi, j'aurais suivi le diable. Plus tard, en mangeant des spaghetti préparés par saint Paul, j'ai raconté encore une fois ma vie et j'ai écouté leurs sermons, en fixant une branche de pommier rose plantée dans une bouteille de verre. J'ai promis de ne pas succomber, de reprendre le droit chemin, et puis j'ai oublié leurs merveilleux visages.

Le meilleur moyen lorsqu'on ne connaît pas un quartier c'est de s'installer à la terrasse d'un café et de prendre la température des lieux. *Le Madeleine-Tronchet* nous paraît propice. Après deux thés au citron, nous constatons que ce n'est pas un endroit de défense, il y a des gens biens, des petites vendeuses sexy, des douairières qui s'empiffrent de tartes aux fraises et des hommes d'affaires pressés qui avalent un café au comptoir... Nous allons lever l'ancre quand un homme fait un discret signe de tête à Maloup.

« On se retrouve ici, si je suis occupée, tu m'attends. »

La sortie de Maloup est passée inaperçue. Je suis le balancement de sa robe dans la foule de la rue Tronchet et commande un autre thé. Le garçon, un rougeaud au visage sympathique, me décroche un sourire de connivence. Je baisse les yeux. Lorsque je les relève je vois aussitôt celui qui va me faire étrenner le quartier! Il se dandine devant la terrasse en me décrochant de gros clins d'œil gourmands, passe sa langue sur ses lèvres, affiche « Cinq » de la main. Christ! J'envie la discrétion du client de Maloup. Si je ne me lève pas, il est capable de venir me chercher... Vas-y Sophie, courage... Personne n'a rien vu! Je n'ai pas le temps de faire deux pas qu'il entoure ma taille de son bras velu.

« Non, marche derrière moi.

— En v'là des manières. Moi, j'aime ça, marcher avec une belle fille dans la rue! C'est bien cinq que tu prends?

— Plus la chambre.

— Moi, c'est Marcel et toi?

— Sophie. Tu connais un hôtel dans le coin?

— Rue de Castellane! C'est là que je vais quand je fais un dépannage dans le quartier! Tranquille, tu vas voir. T'es mignonne, toi, dis donc, où t'étais avant?

— Ailleurs.

— Ailleurs, ailleurs ça veut rien dire ça! T'es de mauvaise humeur? T'as tes ours? »

Calme Sophie! Garde ton calme. T'as besoin de fraîche.

Dans le bureau de l'hôtel, un petit homme gris, au teint brouillé, au regard soupçonneux, encaisse les vingt-cinq francs et me tend une clé froide.

« Le douze, au troisième. »

Marcel me pince les mollets à chaque marche :

« Tu sais Sophie, dans mon métier, j'en vois des drôles. C'est pas les occasions qui manquent! Elles aiment ça, les bourgeoises! Tiens, j'en ai une pas loin d'ici qui m'appelle toutes les semaines. Même que je lui ai dit que ça lui coûterait moins cher de remplacer la télé! Je t'en fous! Ce qu'elle veut, c'est son Marcel. Son mari est représentant en brosses dans la région parisienne. Si j'étais salaud, elle le quitterait. Faut dire que j'm'y entends pour la « chose », tu vas voir... »

J'ai vu, même que nous avons ri ensemble après en fumant une cigarette, assis au bord du lit.

« Tu comprends maintenant Sophie, moi aussi j'ai ma clientèle! J'les rends heureuses, les femmes! Je suis un tendre! Pas de vice, rien. De l'amour, des câlineries. Elles aiment ça, les coquines! Tu vois, même avec vous autres, j'peux dire qu'j'en ai jamais manqué une, jamais. T'as aimé hein? Je l'ai senti. Tiens, en voilà cinq de plus. »

J'ai fourré les billets dans mon sac en déposant un baiser sur sa joue mal rasée.

« Si tu passes la semaine prochaine, je suis dans le coin. Jette un coup d'œil au café! Au revoir! Je passe devant. »

Dans l'escalier, j'ai croisé Maloup, suivie d'un type au bide proéminent. Je lui ai soufflé en la frôlant :

« Fais-le dessus!

— Quoi?

— Dessus, toi sur lui! Clair? »

Le poussif fait halte sur le palier. Nous en profitons pour faire un brin de causette. En passant devant nous, Marcel m'applique une claque dans le dos.

« Un marrant celui-là. Je te raconterai après.

— J'ai fait mon premier rue Vignon, et toi?

— Ici. C'est celui qui descend. »

Le mastodonte pousse Maloup devant lui en haletant. J'entends la clef tourner dans la serrure. En passant devant le bureau, le petit homme gris me fait signe : « Pas plus de quatre, vous le direz à votre amie. » Je réponds « merci » sans savoir pourquoi.

Pour ne pas retourner au *Madeleine-Tronchet,* j'ai flâné le long des vitrines. Le soleil me caressait la nuque. Je me suis sentie bien, anonyme. J'ai vu un petit ensemble qui m'a plu et les dix sacs m'ont servi d'arrhes. En sortant de la boutique, un homme m'a tendu les bras.

« Sophie!

— Paul!

— Je n'ai pas cessé de penser à toi, tu n'as pas changé... Si on se trouvait un petit coin tranquille, le Tabac par exemple... Parle-moi de toi, tu as quitté *la Bohème*?

— Tu sais, je n'avais pas l'intention d'y passer ma vie. L'ambiance n'était pas drôle à la fin : la jalousie des filles, les réflexions de la mère Rose, le partage avec les chasseurs, l'enfer! Je n'ai pas envie d'en parler. Moi aussi, j'ai pensé à toi!

— Continue, ma petite fille. Et puis non... Plus tard. Emmène-moi. »

Le taxi nous dépose à l'angle de la rue Dufrénoy et de la rue de la Faisanderie. Nous franchissons le seuil du 119 mieux qu'un couple légitime. Maria a mis des fleurs partout. L'appartement est calme et apaisant. Je guide Paul avec un pincement au cœur en réalisant combien je suis attachée à ces lieux. Il a fallu qu'un fou passe...

Salut Polo, poursuis ton rêve sans moi. J'ai d'autres chats à fouetter, des vrais matous de gouttière aux poils tout hérissés. Et puis Maloup m'attend.

Les cloches de la Madeleine égrènent leurs six coups. Qu'importe si je suis seule à les entendre. Sonnez matines, résonnez musettes! Salut les bourgeoises, vous avez bien raison d'acheter des fleurs, c'est beau les fleurs, ça sent bon, ça n'a ni ongles ni griffes, ça fait bien chez soi et quand elles se fanent on les jette. C'est tellement pratique de balancer les choses qui vous gênent. Moi aussi je balancerais bien Gégé maintenant que j'ai retrouvé Paul! Seulement Gégé c'est pas une marguerite, c'est un chardon, une fleur vorace qui s'emberlificote dans mon jupon toutes les fois que j'essaie de gravir une marche. Et sapristi, chaque fois que je regarde le grand escalier, j'ai un foutu vertige. Heureusement qu'il y a Maloup qui m'attend au *Madeleine-Tronchet,* Maloup qui ne jette pas les fleurs fanées, qui les conserve dans une boîte cloisonnée. C'est pas une gaspilleuse Maloup, elle est capable de tout garder, à elle je peux tout raconter.

« Sophie, je commençais à m'inquiéter. Tu prends un porto? Je t'invite.

— Si tu m'invites, ça change tout! Devine un peu qui je viens de quitter? Paul, mon ingénieur agronome, regarde son chèque.

— Quel blaze il a?

— Qu'est-ce que tu crois! La vieille noblesse française : Je monte pas que des plombiers. Ça me fait une bonne journée. Et toi? Tu es contente? Allons, souris. Ils reviendront les jours heureux pour toi et pour moi. Ils reviendront, fais-moi confiance.

— Tu te souviens, la première fois que tu m'as emmenée manger en sortant de *la Bohème*? T'as dit : « Je t'invite, j'ai envie de « *chilis con carne!* » Avant d'entrer au *Birland,* tu as croisé mon imper sur mon décolleté.

— T'étais excitée, tu disais : « J'aime le jazz, j'aime ici. » Ça me faisait plaisir, j'avais l'impression de te faire un cadeau. T'as bu le vin dans les gros ballons en tenant ton verre à deux mains. Tu riais Maloup, tu riais si fort ce matin-là en scandant le rythme avec ta tête! Après les *chilis con carne,* t'as eu chaud et t'as défait ton imper. J'ai suivi le mouvement. Je me souviens qu'il y avait du monde au balcon! Tu ne voyais plus rien et moi pas grand-chose, mais j'entendais encore et les commentaires sur nos nichons m'ont agacée. On a vidé nos verres.

« Dehors, tu t'es accrochée à mon bras, j'ai boutonné ton imper.

On a marché au hasard des rues. On a croisé ceux qui partaient au chagrin les yeux englués de rêve. « Parle encore Sophie, tu disais, « parle ». Alors j'ai décidé que nous allions prendre un café sur la terrasse d'Orly. Ça nous changerait de voir les avions décoller.

— En sortant, tu te rappelles, on a pris un taxi et t'as demandé au chauffeur de foncer, nous ne voulions pas louper notre vol. On a inventé une histoire insensée et le mec nous a balancé un drôle de regard dans le rétro.

— Oui, même qu'il portait un béret, et puis va savoir ce qui nous est passé par la tête, c'est dingue quand on y repense, on a sauté comme deux gazelles dans le premier vol pour Nice. Pourquoi Nice? On n'y connaissait personne. Un petit hôtel au hasard, une chambre pour trois nuits, le restaurant sur le port, les rougets grillés, le rosé, les petites robes sages qu'on a achetées l'après-midi. Quelle folie!

— Et les deux mecs dans ce club, et la brasserie le matin, les œufs durs, la bière, la crise de rire. Moi qui disais à mon mec que j'étais amoureuse et son copain qui te racontait *La Cigale et la Fourmi* avec l'accent arabe, tu te marrais comme une dingue, moi aussi, j'en avais mal à l'estomac.

— Par contre, plus tard, c'était moins drôle! Tu te dandinais, t'hésitais sur le trottoir devant l'hôtel. Il a fallu que je te pousse au crime et, pendant trois jours et trois nuits, je vous ai écoutés faire l'amour, recroquevillée dans mon coin. Tu peux pas savoir à quel point j'étais gênée! Pourtant on avait fait des mecs ensemble mais lui, c'était autre chose, j'te reconnaissais plus, t'avais le béguin.

— Ne parle plus de ça!

— N'empêche qu'au retour, j'ai été obligée de déplanquer ce que j'avais mis dans ton pot de fleurs. J'suis pas prête d'oublier le sourire qu'il a eu, l'autre, quand j'ai fait glisser les trois billets de cinquante entre mes doigts.

— Tu crois vraiment que tu le quitteras?

— J'attends l'occasion qui provoquera l'événement, je suis d'une nature patiente, excessivement patiente... Faut que j'y aille, Loup. Il m'attend à côté pour becter. Un dîner d'hommes! »

Au *Baudet,* je retrouve le folklore. Jean-Pierre, le gros barman, me tend une main poisseuse avec un sourire de faux derch. A la caisse, crispée sur ses ergots, la bouche pleine de fiel, Pascale, la régulière du Niçois, roule les pièces. De l'autre côté du comptoir, Fabienne rêve de prendre sa place en se faisant une réussite.

Fabienne! Quel dossard portes-tu? Tu n'es pas la régulière, tu le sais et ça te mine. Doublarde! Oui bien sûr, c'est le mot qui convient. Mais jusqu'où? Ton homme, c'est un mac patenté, un vrai julot au sourire élastique, au cœur élastique, à la pine élastique! Un braqueur de sacs à main! Et tu rampes devant lui, tu marches sans bas l'hiver pour lui donner deux sacs de plus! Tu chiales parce que tu le crois à la Santé, alors qu'il se la fait belle sur la Côte avec un autre « numéro ». Lorsqu'il revient, six mois après, tu t'étonnes de le trouver bronzé et t'avales que c'est au cours des promenades qu'il a pris des couleurs! Et lui l'homme, le vrai, il s'envoie en l'air en comptant les biftons que tu déposes chaque semaine dans les pattes tentaculaires de son bâtard de barman. Tu peux en faire des réussites ma fille, t'as toute ta vie pour y croire, je te souhaite du bon temps! Et plus il te fait mal, plus tu l'aimes.

Oh tu sais, je ne te dénigre pas, je pige tout. Mais ce qui me désole c'est que tu fasses semblant de ne pas me voir! Quand je pense que nous avons vécu côte à côte pendant des mois à *la Bohème.* Pauvre toi, si tu comprenais que j'ai rien à prouver! Tiens, regarde mon mec qui entre avec ses chaussures à bascule. C'est pas une évidence ça! Monde tarabiscoté! Dire que j'ai simplement besoin d'un sourire et que vous avez tous la bouche plantée de clous! Allez, vas-y Gégé, fais ton numéro de cirque, baise la main de ces dames, secoue bien celle du gros Jean-Pierre, suce Carlos par procuration. C'est tellement important pour toi qu'il sache que t'es venu balancer de l'oseille chez lui, c'est ça qui fait la cote d'un homme!

Dans l'arrière-salle, des hommes, des vrais, parlent sur un ton confidentiel. Gégé me fait remarquer que je ne me conduis pas en femme.

« J'suis un gentil garçon, mais faudrait pas qu'tu dépasses les bornes, j'aimerais bien qu'tu respectes un peu mes amis. Si c'est la tourlousine que t'as pris l'autre soir qui t'émoustille, j'vais t'en filer moi! »

Attends, tu l'auras ta pochette surprise! Et quelle surprise! Une flûte, une belle flûte en bois et tu pourras en jouer à qui tu veux mais sûrement plus à moi... Gérard a posé sa longue main sur mon genou et je caresse ses ongles brillants, perdue dans mes pensées. Deux années déjà que je dors avec lui.

« Fais pas ta gueule de vache! »

Les copines sont assises sagement à l'écart. Quel pied! Sans rire, les nanas, si j'avais amené de la laine et des aiguilles, on aurait pu passer une agréable soirée. Tant pis! On va se contenter de blinis et de caviar! Faut pas être plus royaliste que le roi! Allons-y mes belles, plongeons le groin dans nos auges, nous sommes à bonne école, dilatons nos tympans! Ce dîner est important. Ecoutons nos hommes parler, commenter les gros titres. Ne soyons pas mesquines, apitoyons-nous avec eux sur le sort de machin qui a été fait marron sur le tas, condamnons chose qui s'est mis à table comme une lope! Soyons reconnaissantes à cet avocat corrompu qui fait circuler les dossiers, crachons sur les juges, indignons-nous, soyons dignes de nos hommes, mes sœurs!

Chut, ils enchaînent sur Valérie, Valérie la Bordille, la honte du mitan, la dérobeuse qui s'est fait la malle avec un gigolo quand son homme est tombé. Valérie au grand cœur qui a fait cadeau de la garde-robe de son julot à son nouvel amour. Quel désastre pour les amis. Gérard qui, jusque-là s'est contenté d'approuver la bouche pleine, a le mot de la fin :

« Pour moi, une femme c'est un sexe au-dessus de deux jambes! »

Oh! dois-je m'extasier? Ça ne peut pas être de lui, c'est trop subtil, trop empreint de romantisme. Je le tire discrètement par la manche, colle mes lèvres à son oreille :

« Et toi t'es un enculé. »

Ma cheville éclate sous la table; je plonge ma cuillère dans le café liégeois sans cesser de sourire.

« T'es saoule!

— D'accord, d'accord sur le thème! »

C'est vrai je suis ivre, ivre et lucide. Ah! comme ils sont touchants les adieux, comme ce monde-là a l'air de s'aimer! Foutaises, leurres, mensonges! Vous êtes tous des enfants de salopes avec vos costards à rayures, vous me faites penser à des doryphores, nuisibles et omniprésents, dévorant nos feuilles, pompant notre sève, atrophiant nos racines pour nous larguer finalement au coin d'une nuit, toutes chiffonnées, blettes, seules dans l'ombre de la quarantaine!

Dans la voiture, Gégé le Doryphore décide d'aller faire un tour au bois avant de rentrer.

« Lequel?

— Qu'est-ce ça peut te foutre, un bois, c'est un bois. »

Le champagne a tourné au vinaigre. Ma fête deux fois dans le même mois, je trouve que c'est un peu trop.

« J'irai pas au bois, si tu as l'humeur bucolique, vas-y tout seul! »

Un revers de main, un sanglot, un feu rouge. J'en profite. Me voilà les fesses sur le trottoir devant la statue de Jeanne d'Arc. Me relever vite, sauter dans un taxi, rejoindre Maloup qui doit attendre... Pourquoi ce flic sous les arcades en train de faire des ronds de jambes dans les courants d'air? Il s'avance, il a vu maintenant, bien sûr, Gérard dessaoulé bondir de la voiture. Je reste par terre. Je suis une femme, une femme saoule! Il parle, le Gérard, il a de la verve dans ces cas-là : « Bonsoir, monsieur l'agent, qu'il dit, ma femme a un peu bu. Voulez-vous m'aider à la remonter? » Je ris. Il joue le rôle de sa vie à deux pas du Théâtre-Français. Je me laisse soulever, docile. Ils m'installent à l'arrière. J'ai manqué ma sortie, je pleure doucement le visage contre le cuir froid tandis que le flic déclare d'un ton amical :

« Après un bon somme, ça ira mieux. »

Deux, trois coups d'accélérateur. Gérard m'administre un somnifère façon maison un peu brutal mais efficace. Je sommeille jusqu'à la rue Auguste-Chabrière. Arrivé dans notre nid d'amour, il fric-frac mon sac à main d'une main habile.

« Tu files du mauvais coton depuis que t'as un peu d'indépendance! Va falloir sévir. C'qu'il te faut, c'est une taule, une vraie, avec des *femmes*. »

Il parle de la rue de la Goutte-d'Or. Un joli nom! Je lui demande d'une voix lasse :

« Où c'est?

— Barbès! La Chapelle!

— Connais pas.

— Tu vas connaître et quand tu t'seras écrasée une cinquantaine de crouilles dans ta journée, t'en rabattras un peu! »

Dans la nuit, j'ai fait un cauchemar affreux, je me suis réveillée en portant mes mains à mon ventre. Gérard dormait sur le dos. Je me suis penchée sur sa bouche :

« Gérard, tu dors? »

Il m'a regardée les yeux gonflés de sommeil.

« Je ne veux pas aller faire les bics.

— Dors! Tu m'emmerdes. »

Je t'emmerde zigomar pâteux, mais s'il me prenait la fantaisie de larguer les amarres à la nouvelle lune, affranchis-moi un peu, que deviendrais-tu? Courrais-tu jusqu'au cap Gris-Nez, une bouteille à la main, une bouteille à la mer, lancer des S.O.S. « Ma femme a mis les voiles, elle m'a laissé tout nu. Que celui qui la retrouve me la ramène à grands coups de pied dans le cul au bureau des objets perdus. »

Rigolo va, t'as le sommeil lourd et la mémoire courte, t'oublies que jusqu'ici c'est moi qui ai mené la barque. Bien souvent, les vents m'ont été contraires et j'ai dû ramer à contre courant. J'ai fait naufrage sans quitter terre, mais j'ai coché méthodiquement, avec mes dents, chaque jour chagrin sur le grand mât du temps perdu! Dors, j'aperçois la rive à fleur d'eau, j'aperçois les baguenaudiers, je croque leurs gousses orangées. Il fait déjà bon sur mon île et tant pis si tu es méchant, je n'irai pas rue de la Goutte-d'Or, moi je m'offre au soleil couchant.

Les jours qui suivent sont calmes et prospères. Maloup et moi nous continuons à prospecter le quartier de la Madeleine avec la même discrétion en vue d'un prochain déménagement. Au *Madeleine-Tronchet,* le patron et sa femme nous ont définitivement adoptées et le garçon nous plaisante gentiment. La vie de famille en somme, à tel point que nous y prenons nos repas. Il faut dire que le service est soigné et que nous lui laissons des pourboires généreux.

C'est la mi-septembre. Les Parisiens ont réintégré la capitale, la joue gonflée de soleil et l'air morne. Nous décidons Maloup et moi de les distraire envers et contre tout. Il faut dire qu'ils se montrent reconnaissants et la première semaine de septembre est fructueuse. Je partage mes nuits entre la rue Auguste-Chabrière et la rue de la Faisanderie, entre Gérard et Maloup. Elle a le moral au beau fixe, lui aussi. Les soirs où je suis avec lui, il repasse soigneusement les billets à feu doux avant de les épingler, de les dépenser dans les bars tandis que je rejoins mes rêves, lovée au creux du lit en pensant, après quelques portos, que cette période de ma vie, entre la complicité malicieuse de Maloup et la paix relative que me laisse Gérard puisque l'argent rentre, pourrait bien ne jamais finir.

Comme Maloup possède une nature plutôt lymphatique et que j'ai encore un sens du devoir très développé, j'entreprends d'écrire les brouillons de lettres adressées à Bébert. « Mais tu es folle! hurle Maloup, il va croire que je l'aime encore! » Pourtant elle recopie sagement. Les réponses de Bébert me brûlent les doigts! Je décachette les lettres avant elle et lui fais la lecture. Calée contre deux oreillers, Maloup écoute émerveillée jusqu'au jour où Bébert exige qu'elle se rende au parloir sans slip et sans soutien-gorge.

« Voilà, t'as gagné avec tes conneries, hurle Maloup. Maintenant, il faut que je me balade à poil dans les couloirs de Melun. »

Pour la calmer, je lui propose un marché.

« On partagera toutes mes passes pendant que toi tu feras la queue à la prison.

— J'm'en fous, Sophie! C'est pas la question! Je ne peux pas, tu comprends, j'l'aime plus, Sophie, j'l'aime plus! »

J'empoigne sa petite tête de musaraigne entre mes mains et lèche ses larmes.

« Ecoute Maloup, il ne s'agit pas d'aimer! Il vient de se faire deux piges, il en a encore trois à se farcir et il n'y est pour rien dans ce qui t'arrive, Maloup, c'est ça l'important. Il vit dans le rêve de toi, de ton souvenir. Nous ne savons pas ce que c'est qu'une cellule, toi et moi, mais avec un peu de cœur, on peut imaginer... Une cellule, c'est quatre murs sales, pourris d'humidité, une latrine à découvert où tu peux même pas chier en paix parce que t'es épié dans tes gestes les plus secrets, les plus simples. Maloup! Réveille-toi! Fais-le en souvenir du premier sourire de votre fille! Après, il sera toujours temps de lui dire que tu renonces, que tu craches sur cette vie, et tu sais, je serai là et je ferai l'impossible pour t'aider à en sortir, mais pas maintenant. Parce que nous avons la chance de respirer les saisons, de faire la différence entre l'hiver et le printemps, de nous saouler dans la tristesse, pas lui. Lui, il a uniquement vingt minutes par semaine et, pendant ces vingt minutes, il est épié par l'œil abruti et obéissant d'un maton merdeux. Tu comprends? »

Nos visages se touchent presque, je suis le tremblement de ses lèvres, le palpitement nerveux de ses narines. Je reçois ses larmes avec reconnaissance. Pleure, pleure bien petite musaraigne. Elle se laisse aller contre moi, je caresse doucement ses cheveux trop fins. Elle murmure :

« Et si on se tuait?

— Et si on fuyait quelque part, au bout du monde, où personne ne nous connaîtrait, où personne ne saurait rien de nous? On arriverait à l'improviste, vêtues de robes fleuries, dans un village tiède et accueillant. On apprendrait à vivre, simplement à vivre. Je ne sentirais plus de larmes rouler sous tes paupières, mais des graines de soleil par milliers.

— Oui, Sophie, des graines de soleil par milliers. Oh! pourquoi cette vie, Sophie, dis-moi pourquoi?

— Maloup, il y a une chose que tu ignores : lorsque j'ai débuté, et que j'ai vu les fillles avec qui je travaillais, j'ai fait un pacte avec moi-même : Si à trente ans j'y suis encore, je me fous en l'air tranquillement. Trois années ont passé depuis ce jour-là, mais je n'ai pas oublié. Je ne veux pas mourir, je veux m'en sortir, je sais que je m'en sortirai. Tu ne connais pas Prévert, mais écoute ce qu'il a écrit : *Il y aura toujours un trou dans la muraille de l'hiver pour revoir le plus bel été.* Tu comprends Maloup, nous ne faisons que traverser un long hiver, rien d'autre. »

Je dépose sa tête sur l'oreiller, essuie ses yeux avec un coin du drap, allume deux gitanes. Nous fumons en silence. Je me sens bien, elle aussi je crois, car sa respiration devient plus régulière, ses mains s'ouvrent... j'éteins la lumière. Dans ce monde-là, tu auras été ma seule amie.

Le 31 du mois de novembre, Monsieur de Lespinay nous honore de sa présence. L'inventaire est fait par le menu. Nous dénombrons jusqu'aux petites cuillères. Le cher homme parle de faire appel à une entreprise de désinfection après les choses qui se sont passées ici! Monde désarticulé! Je lui propose, au point où il en est, de faire également changer le numéro de téléphone pour éviter que les nouveaux locataires ne soient dérangés dans leur sommeil! Quant à Gégé, après de nombreuses nuits de perplexité, c'est l'apaisement. Le fiasco de la rue de la Faisanderie lui permet de reprendre les rênes. Il sait que je vais me battre pour ne pas retourner dans un bar, ni dans une taule. Il rêve de me voir arpenter sous les étoiles et ne fait donc aucune objection à ce que je continue la marche à la Madeleine pourvu que j'en assure cinquante par jour.

« Cinquante, Maloup, on les trouvera toujours!

— J'te fais confiance. »

Nous caressons une dernière fois du regard la façade du 119 en nous attardant un peu sur les fenêtres du premier étage. Pour nous, l'aventure change de rue.

Changement de rue, changement d'humeur. Gégé, habile, décide de me faire prendre un bol d'air. A travers la vitre embuée, je regarde la campagne mourante. Les fumées bleues s'effilochent à hauteur des genévriers, des pelotes de ronces soulevées par le vent roulent dans la pierraille. Des piquets de bois mort se tendent vers le ciel sali. Des vaches rousses labourent avec leurs cornes la terre gelée. Une masse bleu marine obscurcit la vallée.

Les chardons frissonnent dans la noirceur d'une nuit sans lune. *Nuit de Chine, nuit câline!* Je ne t'aime plus Gérard, je crois que je ne t'ai jamais aimé. Allons mes amours de pacotille, laissons-nous dériver jusqu'à cette auberge de verdure. Goûtons cette table offerte et dormons à l'abri des poutrelles! Demain, il fera jour...

Novembre passe, vient décembre. Nous n'avons pas été emballées une seule fois sur le Neuvième. Le gérant de l'hôtel de la rue de Castellane, qui nous connaît maintenant, nous permet de monter aussi souvent que l'occasion se présente. Les affaires reprennent. Selon une expression chère à Gérard « tout baigne dans le beurre ». J'ouvre un autre compte en banque à l'insu de Gérard, cours y déposer tout ce qui dépasse cinquante, et le courrier est adressé chez Maloup. J'ai la sensation de marcher sur le chemin de ma liberté. La bonne blague que je suis en train de préparer à mon homme me stimule magnifiquement! Bien au chaud à la terrasse du *Madeleine-Tronchet,* je tire des plans sur la comète :

« Tu vas voir Maloup, c'est le premier million qui compte, après c'est facile! »

Elle m'écoute, sceptique, en buvant son porto.

« A plus tard. Je suis sur un coup! »

Je chemine à pas menus en direction de l'hôtel suivi de mon « client ». Oh stupeur! Ces messieurs de la Mondaine m'ont précédée. Si certains de leurs visages me sont familiers, le mien ne leur est pas inconnu!

Je ralentis. Surpris, l'homme s'arrête à ma hauteur.

« Que se passe-t-il?

— Rien. Donne-moi le bras et parle-moi, dis n'importe quoi. Fais-le, je t'en supplie, sinon ils vont m'emballer et je ne veux pas passer ma nuit au poste.

— Prends le bras de tonton Jacques.

— Merci. Moi c'est Sophie. »

En passant devant l'hôtel, je constate qu'ils ont mis le paquet. J'enfouis mon visage au creux de l'épaule de l'homme, en pensant avec regret aux petites chambres tranquilles de la rue de Castellane : C'est rapé. Quand je relève la tête, j'aperçois Maloup qui débouche de la rue de l'Arcade, suivie d'un adolescent boutonneux qui se dandine.

« C'est mon amie, il faut que je la prévienne.

— Laisse-moi faire, va en avant et attends-moi au premier café.

— D'accord. Je vous attends au *Madeleine-Tronchet* dans la salle. »

Quelques minutes plus tard, nous sommes tous les trois attablés devant un demi. Jacques ne perd pas une de nos paroles.

« Vous êtes toujours toutes les deux, vous faites l'amour ensemble?

— Bien sûr!

— J'ai une garçonnière rue Jacob, ça vous tente de m'y accompagner?

— Preux chevalier qui nous a sauvées du danger, tes désirs sont pour nous des ordres.

— Eh bien, levons l'ancre mes belles, le vent claque dans la voilure! »

La garçonnière de la rue Jacob est un modeste huit-pièces où objets d'art et tableaux de maîtres s'entassent dans un fouillis harmonieux. J'ai envie de poser mes doigts partout.

« Allons nous enivrer mes belles! En dehors de la débauche, il n'y a rien de sain. »

Intéressant le Monsieur... Aussi longtemps que les hommes tiendront ce langage, les jules ne manqueront pas de pain! Allons-y Maloup, c'est de bonne guerre, soyons bonnes joueuses.

Jacques ouvre une porte, nous poussons un cri d'admiration.

« Un vrai bistrot 1900! C'est plutôt chouette chez toi.

— Toi, on peut dire que t'es à l'abri des courants d'air en fin de mois. »

Il sourit en remplissant trois verres de porto. Nous trinquons en souvenir de Maria, assistons éblouies à un véritable tour de magie. Jacques passe derrière le comptoir, actionne la manette de la caisse enregistreuse, un petit tiroir en sort, des billets doux à nos doigts glissent sur le marbre. Cent sacs au total, la récompense des mauvais jours. Nous remercions à mi-voix. Ce n'est pas sa générosité qui m'intimide, j'en ai connu d'autres. C'est la manière avec laquelle il a accompli ce geste. Il excite ma curiosité, et tandis que nous nous dirigeons vers la chambre, je lui pose ma question :

« Quelle est ta profession?

— Psychiatre, ma chère Sophie.

— Ça me plaît. »

Au centre de la chambre entièrement tendue de noir, un énorme lit rond pour tout mobilier. Jacques tire de sous l'oreiller un petit costume marin qu'il me tend en disant :

« Passe dans la salle de bain pour t'habiller. Tu n'en sortiras que lorsque je t'appellerai. »

J'obéis. Quand, à son signal, j'entre dans la chambre, Maloup est assise par terre, les jambes écartées, et joue aux dominos. Elle porte une jupe plissée bleu marine, un corsage blanc, des chaussettes blanches, un slip Petit Bateau. Au milieu du lit, allongé sur le dos, Jacques fume, ignorant notre présence.

« Dis, p'tite fille, tu veux bien faire une partie avec moi?

— A condition que tu ne triches pas!

— Je te le promets. »

Pendant plus d'un quart d'heure, nous manœuvrons les rectangles blancs sans ciller. Combien de filles la chambre noire a-t-elle vu défiler? Qu'ont bien pu imaginer les copines pour cet homme qui fume cigarette sur cigarette sans nous accorder, semble-t-il, le moindre regard! J'ai envie d'un autre porto, d'une gitane, mais je sais que, si je lui demande, je vais rompre le charme. Maloup tire sur ses chaussettes. Jacques ne bouge toujours pas. Il faut bousculer l'atmosphère, créer une situation où ses exigences seront satisfaites, sans qu'il ait lui-même à intervenir. Monde superbe et dépravé! Qu'inventer?

« Continuez à vous amuser, ne bougez pas, je reviens. »

Nous voilà seules dans la chambre noire. Hélas, les cigarettes sont dans la salle de bain, et puis il est interdit aux enfants de fumer! Maloup fait tourner son doigt sur sa tempe... Bien sûr Maloup, notre sauveteur est légèrement braque, pourquoi pas? Chut! il va revenir d'une minute à l'autre, ne nous sabordons pas... La porte s'ouvre, nous feignons d'être absorbées par le jeu, étouffons nos rires. Notre gouvernante n'a pas l'air de plaisanter. Sa robe noire, son tablier blanc et son martinet témoignent de sa rigueur. Sa voix est toute changée!

« Ah! je vous surprends encore une fois. Au coin immédiatement.

— Nous n'allons pas être privées de dessert, Madame?

— Taisez-vous Gaëtan, baissez vos pantalons et vous, Mademoiselle Lise, retroussez vos jupes. »

Ça claque sec, un peu trop à mon goût. Les fesses en feu, j'implore notre gouvernante de cesser en promettant de ne plus recommencer. Sur sa demande, nous nous agenouillons à ses pieds. Il relève sa robe, nous ordonne de tendre nos mains ouvertes et de ne pas baisser les yeux. Il se masturbe allègrement et nous recevons à tour de rôle sa semence chaude au creux des paumes...

Quand nous nous retrouvons tous les trois au bar devant un verre de porto, Jacques a repris sa place d'homme.

« Pourquoi tu as préféré ça plutôt que de nous regarder faire l'amour toutes les deux?

— Simplement parce que vous m'auriez fait du cinéma. Vous vous êtes amusées, non? Je me trompe, Sophie?

— T'as raison.

— Je vous donne ma carte. Si ça vous amuse encore, passez-moi un coup de fil le mercredi entre huit et douze heures. »

Nous abandonnons Jacques à ses fantasmes, promettant d'appeler.

L'hôtel de la rue de Castellane est bel et bien tombé. Je dois parfois courir jusqu'aux abords de cette vespasienne géante qu'est la gare Saint-Lazare pour chercher une chambre et me l'entendre refuser. Il m'arrive souvent de me retourner et de ne plus voir personne derrière moi. Même Maloup me lâche en chemin : elle parle de nouveau de travailler dans un bar. Mon compte en banque stagne, Gégé renaude, il fait froid, c'est la débâcle.

Quand Maloup me quitte vers six heures, j'arpente seule les territoires réservés. Je pousse jusqu'à la rue de Provence, la rue de Mogador, en rasant les murs sous le regard feroce des habituées. Les grands magasins crachent leur matériel humain par saccades. Des giclées de chair inondent les trottoirs, m'absorbent, me noient. Et je traîne en regrettant les feux de cheminées de la rue de la Faisanderie. La rue de la Faisanderie! Un rêve avorté, une faillite complète. Un instant, je songe au *Saint-Louis.* Je sais qu'il a rouvert, que tout marche comme avant, comme au temps du tapin tranquille! Mais non, il faut réagir, ne pas faire marche arrière.

Je propose à Maloup de prospecter le périmètre de l'Etoile. Nous prenons des cours de conduite avec la certitude d'avoir notre permis trois semaines plus tard. Des amis de Gégé ont un inspecteur des Mines dans la poche! Maloup retrouve son sourire, je prends la balle au bond et en profite pour l'entraîner sur les Champs où nous décidons de faire nos premiers pas.

« Il vaut mieux se séparer, on se fera moins frimer. Point de chute : *le Deauville,* rancard à six heures et demie.

— Donnons-nous une demi-heure de battement. Si je ne suis pas là à sept heures c'est qu'il y a du pétard! »

J'acquiesce en me touchant le front et nous nous séparons devant le Passage du Lido. Maloup s'y engouffre, je la suis du regard un moment, puis me dirige sans grande conviction vers la rue du Colisée. J'ai horreur de la marche, de l'ambiguïté qu'elle crée dans l'esprit des mecs qui ne demandent pas mieux que de me confondre avec une vendeuse qui arrondit ses fins de mois, avec une sténo en chômage, un mannequin qui rêve de sa photo en couverture, une bourgeoise en quête d'émotions fortes. Les mecs reniflent la marcheuse, la michetonneuse, la proie idéale, celle qu'on entraîne sans trop d'efforts dans d'obscures garçonnières ou dans des hôtels du Seizième, parfois même jusqu'aux résidences secondaires. A moins qu'ils ne se contentent d'un avantage bucal sur le siège arrière de la voiture dans l'ombre d'un bois! Quoi qu'il en soit, il faut voir comment ils se défilent au moment de passer la monnaie! Impitoyables, ils savent l'être avec une fille qui n'affiche pas ouvertement ce qu'elle fait.

C'est ça la marche, mais c'est surtout pour moi le regard des autres, de tous les autres pour qui je deviens transparente. Je n'ose jamais passer plus de deux fois devant la même terrasse. Il me semble que ce que je fais devient alors évident, que le regard le moins exercé me repère, me traite d'ordure. Ah! qu'on me parle de ces filles aux seins rebondis, à la jambe galbée, plantées fièrement, hiver comme été, au coin des rues et qui soutiennent les regards les plus désapprobateurs. A celles-là, il n'arrivera rien de mauvais, sur celles-là les boniments des profiteurs seront sans effets, elles ne se laisseront pas entraîner par des promesses mensongères. Au contraire, ce sont celles-là qui entraînent les hommes et, pour elles, chacun d'entre eux devient une victime docile, heureuse de l'être.

Ce n'est pas avec Maloup en tout cas que j'arriverai à cette promotion! « Promotion! Tu veux rire, Sophie, ou quoi? Situation dégradante au maximum dont tu ne te relèveras jamais et ne compte pas sur moi pour te suivre. Ah! ça non. Décidément il y a des fois où je ne te comprends plus du tout. » Voilà ce que dira Maloup, si je lui parle de faire la rue et elle éclatera en sanglots, et je la consolerai en lui expliquant que j'ai dit ça pour rire, histoire de voir sa réaction. Et pourtant à la fin, il faudra bien en arriver là! Si j'avais France à mes côtés, comme tout redeviendrait facile! A nous deux, nous prendrions le haut du pavé, nous achèterions une rue. Mais pourquoi penser à elle? Partir à sa recherche dans une ville comme Paris me paraît peine perdue. Mais la rue, quand j'y pense, c'est de la folie, c'est la déchéance, la déroute totale!

Oh Dieu du ciel! si je ne vois pas clair dans ma vie, j'aperçois des hommes à perte de vue qui brandissent leur folie. La file est si longue, jamais je ne parviendrai au bout. Leur démence m'aiguillonne, ils me talonnent, ils chargent. Christ, je meurs debout dans la lumière d'obscures ruelles et pas un ne me tend la main. Se peut-il qu'ils me condamnent à errer toute ma vie dans ces quartiers interdits où l'aube monte des égouts. Le pauvre répit qu'ils me consentent ne sert qu'à regonfler mon corsage, à faire saillir mes hanches auxquelles ils s'agrippent. Veulent-ils les user, les rendre infécondes? Souhaitent-ils, comme ce toubib, faire de moi une latrine, leur plaît-il de me voir les joues gonflées d'urine? Ou méconnaissent-ils leur folie comme ce mécano aux mains poisseuses qui ne jouit qu'en imprimant ses doigts gras sur mon cou? Qui sont-ils, ces êtres sans visage auxquels la vie me livre? Ce marlou aux mains glissantes qui m'aide à monter sur l'armoire et s'enfuit avec mon fric et mes nippes, pendant que je clame cocorico? Ce frileux vieillard qui s'enfouit tout habillé dans des draps en me suppliant de lui chanter *Le Temps des cerises*? Et ce jeune âne qui se torture le sexe parce qu'il avait espéré autre chose? Ce monsieur-tout-le-monde qui sort du bordel comme du restaurant le ventre plein de sauce, la conscience bien nette, la réplique à la boutonnière! Qui êtes-vous? Qui suis-je?

Ohé! mes hommes, plutôt que de tendre vos verges, tendez-moi vos mains, ouvrez grands vos yeux. Vous êtes mon miroir, je suis prête à lécher vos plaies, à combler vos manques, à satisfaire vos vices. Il n'y a pas encore de place dans ma tête pour la haine, mais mon ventre est gonflé de vos injures et le moindre vaisseau y charrie vos insultes. Mais, hâtez-vous, je vous en supplie, faites vite. Regardez-moi, je suis funambule sur le fil tendu du mépris, ne me laissez pas basculer dans l'indifférence. Rassemblez vos mains qui savent être douces. Tendez-les en un filet d'amour, qu'au moins si je chute ce ne soit pas pour rien!

« On peut passer un moment avec toi? »

Prends garde Sophie, ils n'ont pas lâché prise, ils montent de nouveau à l'assaut. Préviens l'embuscade, c'est peut-être un lardu, un profiteur. Dilate tes naseaux, ne laisse pas courir ton intuition à brides abattues. Pèse-le, jauge-le, fais-le parler, laisse-lui entrevoir des possibilités avec tes yeux, retiens ta langue! Oui, je sais, il a l'air d'un micheton et si tu ne dis rien, tu vas perdre l'occasion de dérouiller! Mais puisque j'te dis que je ne le sens pas. Allez! un coup parti, adieu prudence.

« C'est quinze mille. »

Ecoute Sophie, puisque t'as les pieds dedans, sois pas regardante.

« Fais pas la lippe, t'as le droit à deux coups. »

Au diable les bonnes résolutions, au diable les copines! Oui, je casse les prix, rongez-vous donc les ongles, on se retrouvera toutes au ciel, l'important est que je ne sois pas tombée sur un flic.

Nous grimpons rue du Colisée, dans un hôtel d'apparence convenable. Le mec me tend mes quinze sacs. Et la plaisanterie dure trois quarts d'heure. Monsieur a des difficultés à dresser sa virilité deux fois de suite. Pourtant je fais de mon mieux, alliant la bouche aux doigts, le geste à la parole. Enfin, il jouit seul, l'air grognon, se passant de mes services.

« On voit bien que tu es une débutante, j'aurais mieux fait d'aller voir Josy. Elle est peut-être fanée, mais au moins elle manque pas de pratique. Tu ferais mieux de reprendre ton boulot. Pourquoi tu fais ça d'abord?

— Ecoute, j'suis pas au confessionnal, ta mentalité de cureton, tu te la gardes. Et puis t'es qu'un aliboron!

— Dis-donc, si tu m'insultes, fais attention à toi, j'aime pas beaucoup ça, surtout d'une fille comme toi.

— Ne te fâche pas. En rentrant chez toi, prends un dictionnaire et tu verras qu'un aliboron est un oiseau de l'Arctique, de la famille des pingouins. »

Quel cauchemar, en se réveillant chaque matin, de trouver une tête pareille sur le traversin. Et dire que la profession est tellement contestée! A faire jouir des tromblons pareils, nous devrions être déclarées d'intérêt public, comme l'eau minérale!

Pour passer devant le bureau, Porte à Faux marque un point d'honneur à ce que je lui prenne le bras. Soudain je m'agrippe, le cœur barbouillé de fièvre :

« Les trois mecs dans le hall, c'est des poulets! Je m'appelle Marie Mage, je suis ta petite amie, tu ne m'as pas payée. Je te revaudrai ça!

— Quand? »

Le monstre... Mais déjà les poulets s'avancent, exhibition de badges! On me sépare de mon amant. Je tends ma carte d'identité au flic qui demande : « Alors comme ça, monsieur est votre ami? » J'ai honte de répondre oui. J'essaie d'intercepter le regard de Porte à Faux! Peine perdue, il fixe obstinément la pointe de ses pompes mal cirées... Le voilà qui s'affale, le lâche! J'imagine la salade qu'il aimerait raconter aux poulets : « Vous savez, moi, M. le Représentant de la Force publique, j'y suis pour rien! C'est elle qui m'a accroché dans la rue. J'étais loin de penser à ça, je regardais les vitrines quand elle a glissé sa main dans ma braguette; j'ai eu beau me débattre, elle m'a traîné jusqu'ici en me jurant de me faire un prix! La chair est faible, vous qui êtes un homme, vous pouvez comprendre! Rendez-moi mes papiers, je suis marié, moi, monsieur, et j'aime l'ordre comme vous! »

A quoi bon discuter! Je suis les flics sans regimber. La 404 est là. Déjà le monde me regarde et je ne le vois plus. Adieu Maloup. L'apéro au *Deauville*, ce sera pour une autre fois. Je vais faire connaissance avec le poste du Huitième. J'espère ne pas t'y retrouver, j'ai oublié le jeu de cartes et la nuit risque d'être longue.

La cage de verre de l'avenue de Selves où je pénètre après les présentations d'usage ressemble à un aquarium où je suis seule, où j'étouffe. Aux alentours de minuit, un curieux poisson vient égayer ma solitude. Il a réussi à soustraire à la fouille un litre de bachaga, dix degrés cinq, planqué sous l'une de ses branchies.

« A la tienne gosse, un coup de poison? »

J'hésite à essuyer le goulot. Ses petits yeux gris animés d'un regard pénétrant ne me lâchent pas. Quel monde entre ce regard-là et celui de Porte à Faux. A la guerre comme à la guerre!

« A la tienne, grand poisson de la Mer Rouge. »

Le bachaga me réchauffe les entrailles, nous trinquons silencieusement à l'ombre des képis.

Cataloguée et fichée par la Mondaine sur le Neuvième, maintenant fichée par les Mœurs du Huitième, je ne peux plus tromper personne, à part moi! Il est grand temps que je m'accepte! Cependant je ne m'y résous pas. M'accepter c'est capituler, je refuse. Il est trop tôt pour mourir et c'est le soleil au cœur que je continue d'arpenter les Champs et les environs en entraînant Maloup dans ma foulée.

Intrépides, nous nous aventurons une nuit rue de Presbourg. Oh! Nous ne demandons pas grand-chose, deux ou trois mètres, un coin de lune. Nous sommes prêtes à fournir des certificats témoignant de notre intégrité, à amener des témoins s'il le faut. Nous allons même jusqu'à offrir à boire. J't'en fous : elles ne nous laissent même pas terminer, les garces, elles nous assomment d'injures et nous rossent joliment. Et, comble d'ignominie, une de ces vipères nous envoie les condés!

Les oreilles ébranlées par l'aboiement d'une sirène bien connue, on trace jusqu'au drugstore où on s'affale sur les sièges froids en commandant deux doubles whiskies surglacés.

« Les putes, elles nous ont collé la mouise!

— On va se retaper en allant becter au *Jour et Nuit*. Après, on les tuera.

— Non, on ira au cinéma.

— Après on y retourne, j'me sens frustrée. On s'y tient depuis trois heures de l'après-midi, on a nos sacs pleins de vide et par-dessus le marché, on se fait défoncer par des frangines à flic!

— Si on y retourne, on va se faire emballer.

— Toi, t'es encore là-bas! Quand je parle d'y retourner, c'est aux mecs que j'pense. T'inquiète pas, à elles j'leur prépare une surprise qui n'est pas de saison! J'ai le temps, elles sont photographiées. »

Nous remontons les Champs en lambinant. Le moral n'y est pas, l'ombre du drapeau noir flotte sur la marmite. Nous nous décidons à capituler lorsqu'une TR-4 stoppe net à hauteur du feu de la rue Pierre-Charron. Un garçon à peine sorti de l'enfance baisse la vitre, le conducteur lui, a encore du lait au coin des lèvres. Croyant à une méprise, nous nous dérobons, le rose aux joues.

« Eh! les nanas, pour une partouse, combien vous prenez? On blague pas, approchez. »

En me penchant, je découvre un troisième nourrisson recroquevillé sur la banquette arrière.

« D'habitude on prend vingt et vingt mais si vous êtes trois... Oh, ça fait rien, on vous fait le tarif étudiant.

— O.K. Montez!

— J'espère que vous avez un endroit, parce qu'aucun hôtel ne nous recevra à cinq.

— T'en fais pas, on a une piaule à la Bastille. Montez! »

La Bastille c'est loin, les garçons sont jeunes. Je balance un S.O.S. à Maloup. Ses yeux malicieux me répondent : les garçons sont jeunes, la Bastille à deux pas de chez moi, on n'a pas fait un franc, c'est l'occasion rêvée, après nous dormirons ensemble.

Nos deux nourrissons se disent frères, le troisième écrasé contre la portière n'en bâille pas une. La radio fonctionne à bloc, la fumée des cigarettes gonfle le toit, une migraine sournoise me vrille les tempes. Tout compte fait, nous aurions mieux fait d'aller nous coucher, cela aurait été plus raisonnable. « Marie Mage, vous me copierez cent fois à tous les temps : être raisonnable. »

Je ne veux pas être raisonnable, je ne serai jamais raisonnable. Je déteste les gens raisonnables : Ils sont laids, froids et méchants! Parfaitement, madame Duplantin. Vous pouvez me tremper la tête dans l'encrier, m'enfoncer des plumes sous les ongles, me décoller les joues : tant que j'aurai de la voix je crierai « Vive les fous! »

« Maloup, crie Vive les fous!

— Vive les sous! »

Nous nous garons dans une rue vide... Le petit muet sort un paquet sous le siège et retrouve sa voix.

« Là-dedans y a les bijoux d'ma vieille, ça vous va d'être casquées avec? »

Silence... Mon genou grince contre celui de Maloup.

« On ne marche pas dans ce genre de combine, on ne veut pas d'embrouille.

— On préfère du liquide!

— Vous excitez pas, y a pas d'sang là-dedans. »

Nous sortons de la voiture. Je ne quitte pas des yeux le garçon que les deux frères appellent Roby et qui a glissé sous sa veste le sac de bijoux, si bijoux il y a. J'ai la ferme intention de m'en emparer. Ce projet me distrait, j'oublie un instant la tournure insolite de la situation.

Maloup marche devant encadrée des deux frères. Je tente d'allumer Roby; rien à faire, il n'accroche pas. Nous devons avoir le même âge, et mes arguments d'habitude si convaincants sont plus légers qu'un sac de plumes.

Enfin, nous pénétrons dans un hôtel de très moyenne catégorie. Dans le hall, le veilleur de nuit discute avec une pèlerine. La présence du flic me rassure. Roby entoure mes épaules, l'un des deux frères prend Maloup par la taille, tandis que l'autre décroche deux clefs du tableau. Nous montons jusqu'au deuxième étage.

« J'vous laisse tous les quatre, j'ai pas envie de tringler. »

Je reçois cette phrase de Roby avec soulagement. La situation retrouve un juste équilibre. Tant pis pour les bijoux. Maloup sourit.

« Chacun pour soi, je reste avec la rouquine.

— J'prends la blonde. Tu viens! »

La porte se referme sur Maloup et son compagnon. Et nous?

« On y va. Roby, tu viens mater?

— Après, peut-être. »

Nous laissons Roby et les bijoux dans le couloir. Dans la chambre, plusieurs valises éparses traînent, à demi bouclées.

« Vous êtes de passage à Paris?

— Si tu veux... Qu'est-ce que t'attends pour te dessaper? »

J'allais dire « Et le petit cadeau », mais cette formule toute faite pour le micheton-type ne me semble pas convenir au ton de la conversation.

« Tu payes d'abord.

— En chèque, j'ai pas de liquide. »

Ne brusque rien, Sophie, fais du léger. T'es tombée sur un nourrisson drôlement avancé.

« En chèque ça va. T'as une carte d'identité? Excuse-moi d'être méfiante, mais j'ai déjà été marron. »

Idris sort un chèque et une carte d'identité qui, sans l'aide du scotch, tomberait en lambeaux. Cela n'est pas fait pour me mettre en confiance. Je le regarde rédiger son BPF de quatre cents francs en retenant ma respiration.

« Je paye pour toi et ta copine, ça va?

— Fais voir ta carte d'identité, s'il te plaît? »

Je relève mentalement le nom de famille ainsi que l'adresse et inscris le numéro de la carte d'identité au dos du chèque, persuadée à quatre-vingt-quinze pour cent que c'est un coup dans l'eau. J'y mets néanmoins des formes, ayant hâte d'en finir, pressentant un vague danger. Je plie ma monnaie que je glisse entre deux pages de mon passeport et me déshabille rapidement.

Idris fait l'amour comme un garçon de vingt ans, sans vice ni raffinement. Ce qui lui plaît, c'est la levrette. Docile, je cambre les reins. Idris me prend comme un bélier, ses coups de boutoir effacent mes craintes. Voilà un bambin qui avait tout simplement besoin de faire l'amour, me dis-je, rassurée, tandis qu'il me gratifie d'un violent « Toi t'es bonne », qui m'inonde le ventre.

Maintenant il s'arrache de moi. Je passe ma main sur sa nuque brune avant de courir au cabinet de toilette. Même si c'est pour rien, même si tu me fais marron, à chacun sa défense. Au moins tu n'auras pas été emmerdant. Il faut être philosophe au tapin comme ailleurs.

J'ai pris l'habitude de ne jamais m'installer sur le bidet le nez au mur, mais toujours face à l'ennemi, selon le conseil des anciennes, comme Brigitte du *Saint-Louis,* qui nous rebâchait les coups de Trafalgar auxquels elle avait ainsi échappé. Je n'ai jamais depuis, malgré les sarcasmes, failli à cette devise. Face à l'ennemi... j'y suis. Idris est devant moi, une cigarette coincée entre ses lèvres décolorées. Sûr qu'il fait un effort, ou je me trompe fort. La savonnette glisse de mes doigts, je reçois un uppercut au menton qui me fait virer l'esprit, tandis qu'un contact inconnu me glace la gorge.

« Si tu bouges, si tu parles, je te coupe le cou. »

Je gamberge à vive allure, ma lèvre sous la menace tranchante du rasoir droit, jusqu'à mon sac... Et Maloup?... Pas le temps de penser à elle... La lame acérée me dicte mes gestes, l'affreux commence par récupérer son BPF, en me crachant à la bouche...

« C'est bon les cartes d'identité, connasse! »

N'osant pas m'essuyer, je laisse traîner ma langue sur ma lèvre inférieure, où sang et salive se mêlent. Je regarde l'affreux éventrer habilement mon sac d'une main et de l'autre pénétrer sans trouble mon maxillaire. J'en suis à regretter de ne pas avoir davantage sur moi.

« On s'est pas trompé, vous êtes vraiment des cavettes. Douze sacs! »

Je salive.

« Si tu remues, je te taille le portrait. Tu nous prenais pour des naves, toi et ta copine. Figure-toi qu'on est monté à vingt-cinq de Marseille pour mettre au pas des enculées comme toi et l'autre. C'est une bordille de votre genre qui vient d'envoyer un de nos amis au dur pour vingt piges. Tu connais Michou! »

Je fais non de la tête, laissant couler mes larmes et je reprends courage devant une telle méprise :

« Tu es dans l'erreur, je t'assure. On n'a rien à voir avec tout ça et puisqu'on parle la même langue, tu as à faire à deux femmes mariées. »

Je répète mentalement le nom relevé sur la carte d'identité. Soudain la porte s'ouvre et Roby pénètre dans la chambre, armé d'un calibre digne des plus glorieux westerns qu'il s'empresse de me planter à hauteur du foie. Je me sens toute petite et regrette de ne pas être un mec.

« L'autre salope n'avait même pas cinq sacs, elle est attachée au radiateur. C'est pas une affaire, on l'a tronchée à tour de rôle, un vrai bout de mou. Qu'est-ce qu'on fait, on redescend?

— Va chercher la flasquade, et pas de pétard en passant devant le vieux. Compris? »

Voilà Maloup, le nez comme un lumignon. Je hausse les épaules en signe d'impuissance, en me demandant si finalement nous n'aurions pas des têtes à claques toutes les deux... Il y a peut-être quelque chose en nous qui attire les coups? Nous passons devant le veilleur de nuit qui roupille sur son registre. Maloup planque son nez dans son col de lapin. Dehors, malgré la nuit et mon trac, je reprends du poil de la bête et fais face aux trois garçons. Faut dire que je l'ai drôlement à la gorge.

« J'ai dit à votre ami que nous étions mariées toutes les deux et bien mariées. Vous avez touché là où il ne fallait pas, alors... »

Les affreux m'écoutent. Aurais-je visé juste?

« Si vous êtes mariées, on est prêt à rencontrer les hommes, à parler.

— Vous connaissez chez Baro, le gitan, rue Descombes?

— On connaît qu'ça!

— Soyez-y à deux heures. Au cas où vous oublierez, ça mettra peut-être du temps, mais on vous retrouvera... J'ai ton nom, le numéro de ta bagnole.

— Ça va, on y sera. Maintenant, cassez-vous. Mais si on apprend que vous venez de nous monter un bateau, on vous rechopera aussi vite. »

Chevilles ailées, nous volons dans un ciel plombé, sans but, le cœur gros, le bec plein de sang jusqu'à ce qu'ivres de haine et de dégoût, on butte dans la lumière blafarde d'un réverbère.

« Où on est?

— Boulevard Beaumarchais.

— Qu'est-ce qu'on fait?

— On trouve Gégé. Faut pas se berlurer, ils ne seront pas à deux heures chez Baro. T'as un crayon, écris ça et ne le perds pas : 3547 VM 75.

Fouiller la nuit pour y trouver mon homme; mais par où commencer? Eh! Gégé, souffle-moi, j'ai un pressant besoin de toi, il me faut tes mains pour aplanir les bosses de la nuit, tes mains pour me venger! Ne me déçois pas une fois de plus, sois chez Carlos.

Gérard n'est pas au *Baudet,* mais j'y trouve le Niçois et d'autres garçons occupés à se rincer la glotte au champagne, avec des disquaires, des vestiaires, des twisteuses en quête de promotion. Nous les femmes, les vraies, les petites ouvrières appliquées, on fait irruption dans leur gadoue, la bouche éclatée, les yeux en bouquet de violettes. On les met soudain en face de leur responsabilité d'hommes. Carlos s'arrache à l'étreinte d'une nymphette au regard averti. La loi de la jungle reprend ses droits.

« Madame Gérard, ne restez pas debout, asseyez-vous avec votre amie. »

Les minettes sont répudiées, on les envoie se rafraîchir au bar.

« Tenez, prenez une coupe. Qu'est-ce qui vous arrive, petites? »

Maloup éclate en sanglots, je serre les dents, j'ai ma dignité à sauvegarder.

« Une sale embrouille... »

Je conte notre mésaventure à l'oreille attentive des hommes. Aussitôt, le téléphone arabe grelotte : au bout d'une heure de délibération, de coups de fil, de déplacements en voiture, l'expédition punitive est sur le pied de guerre. Mais où se cache donc Gégé? Je pose la question au Niçois qui répond évasivement.

« Je sais qu'il avait à faire cette nuit. Ne vous inquiétez pas, madame, nous sommes-là, c'est comme si votre mari y était. »

Gérard mon souteneur, tu ne seras donc jamais là pour me soutenir, quelle dérision!

Deux hommes que je n'ai encore jamais vus ici font leur entrée. « C'est Raoul, murmure Maloup, un ancien associé de mon mari, l'autre, c'est son frère. T'as entendu parler des frères B... C'est eux qui m'ont placée à Grasse.

— Des macs! Essuie tes yeux, qu'on ressemble à des femmes. »

Les frères B..., deux camionneurs déguisés en hommes du monde, bisent copieusement le Niçois avant de nous entourer de leurs bras protecteurs... Allez-y, les durs à vous lever le matin, c'est le moment ou jamais de nous prouver que vous avez un hochet sous le burnous!

A son tour, Maloup donne sa version des faits, je l'aide à se souvenir de certains détails pas faits pour alléger le sort des affreux, si les hommes réussissent à les alpaguer.

Minuit trente. On nous installe dans un taxi en direction de la place de l'Europe. Je rêve de voyages, de vengeances sanglantes! Nous sommes attendues aux *Trois Canards*, au cœur du mitan! Quand Gégé en parle, il bave. Réjouis-toi Maloup, nous avons rancard avec l'élite, avec le *jet set* de la pègre : dans ce bistrot d'apparence anonyme, les trancheurs de cause tiennent leur Q.G., à ce que l'on dit. Une embrouille entre hommes, un manque, une affaire qui foire sans raisons, un mec à flinguer, une frangine à mettre à l'amende, un taulier ou une taulière à racketter, tout passe par les *Trois Canards*; rien n'échappe à la suprématie des juges de paix. L'équipe des *Trois Canards* est uniquement composée de Marseillais et de Corses. Rares sont les Parisiens acceptés, on les aime bien, mais on ne les prend pas très au sérieux. Ce n'est certainement pas Gégé qui va faire reluire l'oriflamme. Tu ne dis rien, tu n'es pas fière, ma louve, de faire partie de cette tribu d'outlaws? Mon Dieu, mais tu pleures encore!

« Qu'est-ce qu'il fait, Sophie, ils l'ont cherché partout. Je me demande quelle utilité il a dans ta vie sinon de te prendre tes sous? Où est-il?

— Arrête Maloup, qu'est-ce que vous voulez tous? Que je me

crève, tu vois pas que je suis à bout, que j'en peux plus? On s'arrête là, on marchera à pieds... »

Les Trois Canards, à l'inverse du *Baudet,* n'a rien d'un lieu d'amusement. Ici, la porte à peine poussée, on sent la vieille école. Ici, pas de jeunes loups à quelques exceptions près, rien que des vieux renards, pas de minettes aux yeux tamisés, des gâtées aux regards éteints. Les gâtées, ce sont les légitimes, d'anciennes gamines pour qui d'autres ont pris la relève après quinze ou vingt ans de bons et loyaux services. Les gâtées, ce sont encore les privilégiées des asperges, privilégiées jusqu'où? Jusqu'à quand? Elles ont toutes à leur actif au minimum cinq ans d'assistance, cinq ans de lettres, de colis, de mandats, de dimanches derrière les barreaux, du bon côté, cinq ans ou plus de solitude, d'angoisses, d'espoirs avortés. Usées qu'elles sont les gâtées, bonnes à la casse et, pourtant, en cas de malheur, qui, mieux qu'elles, assureraient la survie de l'homme. Ils le savent les julots, et les voilà partis à les choyer, à leur donner un semblant d'indépendance, une part de responsabilité. Les responsabilités, elles croulent dessous, depuis le jour où elles ont fait l'erreur d'accepter un verre, de partager une nuit. Joli paradoxe en vérité, les gâtées ont le droit, aujourd'hui, en récompense de leurs efforts assidus, de suivre, l'œil bas, une partie de cartes, d'entendre rabâcher pour la énième fois des exploits qui leur font à peine déplisser les paupières, de bâiller en silence, de caresser un caniche frisé en regrettant le môme qu'elles auraient pu mettre au monde. Les voilà, les gâtées... Et moi je m'avance vers elles, roulant des hanches, avec mon capital-jeunesse qui pointe sous mon chandail. Maloup me suit, confirmant mon arrogance. On pète le feu malgré les apparences, malgré que l'on n'ait pas le poignet cerclé d'une montre au boîtier parsemé de diam, malgré nos doigts nus. On n'a pas l'âge de la moyenne des femmes à nous deux et ça, c'est jouissif, voilà ce qui me fait dire : « Moi, une gâtée, jamais, plutôt m'en filer une dans la tête... »

Clouées sur le pas de la porte, nous observons le monde figé dans ses habitudes. Sommes-nous vraiment attendues? J'en doute, à moins que ces gens-là ne manquent d'enthousiasme! Maloup me secoue.

« Sophie, j'ai perdu une boucle d'oreille, je crois que c'est en sortant du taxi. »

Embarrassées, nous tournons le dos à l'élite, nous repoussons la porte en tâtonnant. Sur le trottoir rien ne brille, sauf l'enseigne lumineuse du *Tilbury*, un club de jeunes où une bande braillarde se bouscule pour entrer. Maloup se lamente en fouillant le caniveau. Soudain, elle disparaît, s'accroupit derrière une voiture, fouille dans son sac, répète à mi-voix « 3547 VM 75 ». Ce n'est pas un mirage, le numéro de la plaque minéralogique danse devant mes yeux comme un feu de Bengale.

« De deux choses l'une, ou je suis cocue ou on a la baraka! Bouge pas d'là, je vais chercher du renfort. »

J'avance d'un pas ferme jusqu'à la table de jeu où dix paires d'yeux me braquent... Au même instant, Carlos épaulé de ses lieutenants pousse la porte. Les justiciers m'entourent. Pas besoin de longs discours pour les mettre au parfum! En deux temps, trois mouvements, les hommes se retrouvent armés de barres de fer, Maloup et moi, assises dans le coin des gâtées. Les anciennes émoustillées par nos récits retrouvent leur jeunesse, font sauter le bouchon en notre honneur.

« Et votre mari, il est en déplacement? questionne une gâtée.

— Si on veut. Il avait à faire cette nuit. »

Mais où se cache donc Gégé, quelle figure...

« Et le vôtre, il n'est pas là non plus?

— Il est en prison.

— Pauvres petites, elles ont bien morflé. Ne vous en faites pas, je crois que les enculés vont se faire réchauffer les oreilles. »

Et, puisque ces femmes-là ont bénéficié comme nous d'une jeunesse mouvementée, en voici une qui place un souvenir :

« Moi, la plus belle embrouille de ma vie, c'est pas avec des lascars que je l'ai eue, c'est avec des frangines de la rue Godot. J'arrivais toute neuve de Marseille! »

Grincement de genoux avec Maloup. On ne peut pas blairer les Marseillaises, grandes gueules, menteuses, bagarreuses comme c'est pas permis. Chaque fois qu'il y en a une dans une taule, elle file la zizanie. En résumé, toutes des gueules d'empeigne.

« Je vous parle de ça il y a quinze ans!; »

En vieille coquette, la gâtée se caresse la nuque, redresse son chignon, passe sa langue sur ses lèvres. Nous l'écoutons, Maloup et moi, en guettant les rumeurs extérieures

« A quatre heures du matin, j'avais fait une comptée pas possible! Je pouvais plus fermer mon sac. Elles avaient les glandes, les autres. Vous savez ce qu'elles ont fait? Elles m'ont chopée à cinq sous une porte cochère pour me voler mes francs! Trois piges plus tard, quand le mien est sorti, elles avaient tout oublié, moi pas! Alors, une nuit, il y est allé, mon homme, avec le fouet, et il fallait voir comment il les a fait valser! Personne n'est jamais venu réclamer la monnaie et, pendant huit jours, j'ai eu la rue à moi toute seule! »

Quelle nana, quel mec! Voilà qui est parlé comme du monde, voilà ce qui s'appelle avoir le feu sacré, n'aurais-je pas la vocation, me serais-je à ce point fourvoyée? O Gégé, pauvre toi, pauvre moi, pauvres nous ensemble? J'envisage mal de te donner un jour ce rôle de redresseur de torts! Je ne t'imagine pas en chevalier de l'Apocalypse, cravache à la main, faisant valser les putes de la Madeleine. Cette nuit, à ton insu, tu avais l'occasion de prouver ta virilité, mais tu te défausses une fois de plus.

Dehors gronde déjà le canon, la milice des briseurs de rêve est en marche. Les cris et les coups de barre de fer rebondissent sur la carrosserie, le clairon sonne. Que fais-tu?... Je rejette cette vision de toi essuyant les verres au *Tartare* à Montparnasse, regardant la belle Dominique, ta barmaid favorite, dans les yeux. Ça va faire six mois que tu la courtises, que mes comptées partent en pourliches, et malgré tout, tu ne parviens pas à la faire sauter de l'autre côté du comptoir. Cent quatre-vingts nuits que j'endure ton absence depuis ce soir où j'ai fait mon petit scandale lorsque je t'ai surpris le torchon à la main. Cent quatre-vingts nuits de gamberge, mais tu ne sais pas compter, c'est bien connu, fais gaffe, t'es en train de gaspiller sérieusement ton capital.

Ah! comme ils sont beaux les hommes, débraillés jusqu'au ventre, avec la sueur chaude du combat qui leur colle à la peau! Pourtant c'est l'œil bas, bouffies d'indifférence que les gâtées les regardent déposer les armes et se lisser les tempes. Les joues gonflées de champe, ils ne daignent pas nous accorder un regard, toutefois ils parlent suffisamment haut pour nous permettre de revivre leurs exploits. J'en conclus avec amertume, d'après les premières paroles échangées, que les affreux s'en tirent bien, à part quelques coups de barre de fer soigneusement appliqués sur l'épine dorsale.

« T'as vu les fumiers, ils sautaient comme des cabris entre les voitures.

— Ils sautaient, ils volaient, des vraies anguilles. »

J'imagine des anguilles volantes.

« Pas moyen de les choper, tu en frappais un, ils se multipliaient. »

J'imagine les Chinois.

« Y en a un qui a morflé à la tête, il est tombé comme une masse en criant pitié, deux de ses potes sont venus le relever, j'allais frapper quand cinq me sont tombés sur le rab. »

J'imagine les Indiens.

« De toute manière ils sont faits, maintenant qu'on a réquisitionné la bagnole. Avec la revente, on aura de quoi dédommager les garçons. »

Je bois un coup pour calmer ma douleur, face à tant d'ironie. Maloup, reprise de cafard, pleure dans son verre en baladant sa main sur son lobe.

« T'as entendu ce qu'a dit le taulier du club? C'est des jeunes du Sentier, ça va être une vraie partie de plaisir de les rechoper.

— Ces mômes-là vont sentir la fumée et la première chose qu'ils vont faire, c'est de contacter Daniel les Yeux Pourris qui va téléphoner aussitôt au *Baudet*. T'es de mon avis Carlos?

— A moins qu'ils ne veuillent une bonne guerre, c'est ce qu'ils ont de mieux à faire. »

Je songe aux tribus d'Afrique, aux tam-tams, je rêve aux affreux bouillonnant dans la marmite de Carlos Grand-Chef, je rêve de Daniel les Yeux Pourris, chef d'une tribu adverse. Je les imagine tous deux entourés de leurs guerriers, négociant le sort des affreux à l'ombre des larges feuilles des baobabs, pendant que mon homme, grand chasseur, battrait les sentiers détournés en quête de gibier. Maloup et moi, à l'abri de notre case, nous taperions le carton. Maloup serait heureuse, elle aurait des boucles jusque dans les trous de nez!

« Madame Gérard, on va vous appeler un taxi. Rentrez tranquillement chez vous. Je verrai votre mari cette nuit, ne vous tracassez pas. »

On salue les gâtées qui sont retombées dans leur mutisme, on salue les trancheurs de causes en remerciant du bout des lèvres, en baissant les yeux.

Juste en sortant, sur le trottoir, je heurte un homme que je reconnais aussitôt : ces yeux de serpent, ces lèvres mangées par la bouche, ce crâne dépoli, c'est bien lui, Jean-Jean le Cobra, le mari de France, toujours aussi fuyant. Que ça lui plaise ou non, j'envoie d'un ton léger :

« Et France que devient-elle? »

Il bégaie, de ses lèvres pincées s'échappent les mots magiques :

« Elle travaille au *Boogie.* »

Nous roulons sans paroles jusqu'à la rue d'Aboukir. Chez Maloup, il fait froid, on se réchauffe au lit, en buvant du whisky.

« Parle-moi de France. Comment elle est?

— Je t'ai déjà tout dit. Tu vas bientôt la connaître.

— Tu crois qu'on va s'entendre?

— J'espère! Maintenant il faut dormir, je suis claquée. »

En vérité, je n'ai guère envie de parler. Je rêve du *Boogie,* au chaud, à l'abri des embrouilles, des mauvais coups. J'imagine France et moi, toutes vêtues de noir, reines du cabaret, légères, aériennes, pareilles à des ombres, frôlant les hommes de nos mains câlines, les éclaboussant de sourires, les caressant de nos parfums, trinquant avec des gestes exquis, lapant le meilleur champagne de Paris, à petits coups de langue prometteurs!

Les gambettes gainées de soie, vautrée sur les divans des palaces, les reins croulant sous les dollars, adulée! Voilà comment j'envisage mon proche avenir si France me fait entrer avec elle au *Boogie.*

Des coups violemment frappés dans la porte nous réveillent. Midi! C'est Gégé, les mains enfoncées dans les poches du pardessus, la face en balai-brosse, l'œil rétréci, le blaire en feu de détresse.

« Ma gueule, ma petite gueule, j'suis au courant de tout. »

Emporté par son élan, il m'embrasse et son haleine de cow-boy me fait frémir.

« Toi, t'as pas dormi!

— Maloup, vous me feriez pas un p'tit café? Comment veux-tu que j'dorme! Depuis que j'ai appris, j'suis comme un fou.

— T'étais pas comme un fou, hier soir. On t'a cherché dans tout Paris, sauf au *Tartare*! J'suppose que tes amis ont la consigne de ne pas te déranger en plein boulot. »

Derrière le dos de Gérard, la main de Maloup bat crescendo.

« Dis donc, j'suis pas venu ici pour qu'on me casse les couilles. Quand j'te dis que j'ai pas fermé l'œil de la nuit! J'ai fait Paris-Bruxelles, avec le brouillard et la flotte pendant tout le trajet, pour passer un lascar plus dangereux que de dynamite!

— Tu fais le chauffeur maintenant? »

Et s'il disait la vérité après tout? Il ressemble à Gérard-chien, il fait pitié. Je passe ma main sur sa nuque.

« Allez, j'arrête, fais plus la gueule, donne-nous plutôt des nouvelles.

— T'es vraiment une tête de vache quand tu veux. J'ai parlé avec Carlos. Les petits enculés de lascars qui vous ont emmenées en galère sont pieds-noirs, ils fréquentent le Sentier. Quand ils ont fait surface, quand ils se sont aperçus de leurs constées, ils ont immédiatement pris contact avec le vieux Daniel les Yeux Pourris, et Roger B., que votre mari connaît très bien. Il a passé six mois dans la même cellotte que Bébert au début de sa peine à Fresnes. Bref, on a rendez-vous dans une heure au bar de Daniel, à la République. Les p'tits pédés seront là, s'il s'agit réellement d'une erreur.

— Une erreur! quel rire. Ils savaient très bien ce qu'ils faisaient. Ils nous ont monté un bateau de toutes pièces. Ils mériteraient de s'faire flinguer! Discuter, toujours discuter!

— Tu me laisses finir, oui? On va au rancard, on voit. On voit surtout c'qu'ils possèdent, à part leur tire pourrie qui est déjà confisquée. D'après les premiers tuyaux, paraît qu'ils sont un peu julots sur les bords et que leurs femmes se défendraient vers Saint-Lazare.

— Quartier pourri.

— On s'en fout, c'qui compte c'est qu'ils aient des frangines.

Frangines égalent monnaie! Il ne nous reste qu'à les filer à l'amende. Voilà, c'est clair pour toi, la mère du renaud?

— L'oseille, je m'en fous, ce que je veux c'est qu'on leur fasse mal.

— T'inquiète pas pour ça, ils n'ont pas affaire à des anges. »

Le visage de Gégé s'éclaire, je crois qu'il est fier.

« On n'attend plus que vous Mesdames, sautez dans vos fringues. »

Au bout d'un quart d'heure la bonne humeur règne, Gégé se sert un pastis en fredonnant. Maloup siffle comme un pinson. Je rêve aux nuits bleutées du *Boogie,* aux riches Américains.

A une heure, nous roulons direction République. A une heure vingt, nous poussons la porte d'un bistrot genre bougnat. Y a un plat du jour affiché à quinze francs, y a des mecs en bleus de chauffe qui terminent leur repas, des bonnes femmes en blouse qui prennent le café, deux Arabes qui jouent aux dés, une chienne avachie sous une table, une poivrote qui lèche son ballon en enfonçant son peigne dans sa tempe. Y a un tango dans le juke-box, le téléphone qui grelotte, un homme d'une cinquantaine d'années aux yeux éteints qui répond, qui dit : « D'accord, d'accord, dans un quart d'heure c'est bon, y a plus personne. » Y a le même homme qui raccroche, qui sort de son comptoir, qui bâcle l'addition des ouvriers sur un coin de papier gras, y a les cartonneuses aux blouses multicolores qui se brûlent la langue, les Arabes qui se voient confisquer la piste du 421, la chienne qui se mange un coup de pied dans le ventre, la poivrote un autre dans le cul, elle pousse même un cri. Le tango se finit.

Grincement de rideaux. Du noir, les néons. Y a Maloup, Gégé et moi, en pleine lumière face à l'homme aux yeux éteints.

« Pastis et porto pour les femmes! »

Sans vouloir vous vexer, je préférerais une tasse de thé, mais puisque vous avez oublié de nous demander notre avis, rinçons-nous simplement les dents au Sandeman! Maloup rit en défroissant ses paupières. Les hommes ne vont pas tarder à se pointer. Je me sens superbe tout à coup! Quoi? pour moi on ferme un rade en plein midi, pour moi on déplace les caïds, pour moi Gégé se fait du mouron, pour moi des affreux, des petits julots de barrière vont se faire filer à l'amende. Quel panard je me prends, j'ai envie de sang.

Carlos entre par une porte dérobée, suivi de ses lieutenants dont Jean-Jean le Cobra. Arrivent les frères B., suivis des affreux et de leurs avocats, tous rasés de près, même les affreux qui semblent avoir la migraine. Gérard a l'air d'une bête. Tel que je le connais, rien n'a été laissé au hasard dans sa façon de se présenter.

On demande aux affreux ce qu'ils veulent boire : « Pastis », qu'ils répondent les yeux dans les poches. « Une bouteille d'Evian suffira », répond Gégé, en déclenchant les hostilités. C'est parti et tout le monde prend la parole en même temps. Grande discussion arrosée au pastis, si bien qu'au bout d'une demi-heure de délibérations, tout le monde tombe d'accord, y compris les avocats de la défense des jeunes trous du cul à rallonge à qui je trouve une belle audace de s'être aventurés à ce point pour une cause perdue... La sentence tombe net sur le comptoir.

« Une descente à la cave les aidera à retrouver la mémoire. »

Bravo Gégé, bien parlé! Faut dire qu'ils ne manquent pas d'air les rigolos, ils nient tout en bloc. Ils n'ont jamais vu ni Maloup ni moi, ils se sont fait attaquer sans comprendre en sortant d'un club la nuit dernière, ont fait appel au vieux Daniel par mesure de prudence, pour prévenir une guerre éventuelle dont ils ne comprennent pas le motif! Costauds, les gamins, c'est pas l'estomac qui leur manque! Maloup et moi on a pas droit à la parole. Je commence à me demander pourquoi nous sommes là.

« On descend? »

Le Niçois, suivi du Cobra, ouvre la marche. Mouvement de rébellion de la part des affreux qui ne me font pas encore pitié, mais je sens que cela ne va plus tarder! On les ramène à la raison en leur braquant les calibres dans les côtes.

« Tranquilles, un pied devant l'autre, pas de faux pas, roulez jeunesse. »

« Contre le mur tous les trois. Lequel qui a frappé ma femme? »

Pas de réponse.

« Lequel qui t'a frappée?

— Le grand brun.

— Approche pédé, bouge.

— C'est pas vrai monsieur, j'ai rien fait, je jure.

— Tenez-le moi. »

Coup de crosse sur les coudes pliés, coup de crosse sur les genoux tendus. Hurlements, craquements, mon affreux tombe comme un pantin.

« Lequel qui a frappé Madame?

— Ils ont frappé chacun à leur tour.

— Attachez-les ensemble, on va les faire danser un peu! »

Les frères B. s'arment chacun d'une barre de fer.

« Dansez mes canards! »

Les affreux, ficelés comme des ballots, perdent l'équilibre sous les coups.

« Assez, assez, on fera c'que vous voudrez, ne cognez plus, on demande pardon.

— Non monsieur, pas la tête, je vous en prie! On m'a mis des points de suture à l'hosto cette nuit, non, non!

— T'y retourneras, si tu sors d'ici.

— Maintenant, vous allez vous tenir debout, vous redresser comme des hommes, on va parler un peu.

— Daniel, t'irais pas chercher trois pastis? Doivent avoir la gorge sèche, ces garçons, à force de parler. »

Les affreux, collés au mur, n'en croient pas leurs oreilles. Encouragés par ce geste généreux, ils commencent leur récit.

« On s'est trompé d'femmes, c'est pas d'notre faute!

— C'est vrai quoi, c'est la scoumoune, mais elles ressemblaient à deux filles qui tapinent sur les Champs et qui ont balancé un de nos amis.

— C'est vrai m'sieur! Parole qu'on vous raconte pas d'salades.

— Parle pas d'parole, salopard! Buvez un coup! »

Les verres éclatent contre les dents des affreux, le sang gicle. Maloup se cache les yeux. Hébétés, les yeux exorbités, ils se recroquevillent entre les casiers à bouteilles tendus de toiles d'araignées. J'ai envie d'être ailleurs, loin de cette cave qui pue la mort, dans un de ces pays de soleil où c'est l'heure de la sieste. Mais je suis là avec Maloup, debout, droite, parmi les hommes. Dans les yeux de Gérard, brille une lueur sadique, il éponge sa main entaillée avec son mouchoir. A l'écart, le Niçois et le Cobra font de même en parlant affaires, Daniel les Yeux Pourris renie la nouvelle génération en bloc.

« On devrait leur filer des jupes et les envoyer éponger au Bois. C'est tout ce qu'ils sont bons à faire.

— Tu viens de me donner une idée. Arrêtez de vous tenir comme des gonzesses, on va vous laisser partir. Avant, vous allez vous débarrasser de la joncaille. Comme vous avez les paluches endolories, ma femme et son amie vont vous aider. »

Gégé me tend son mouchoir.

« Mets tout là-dedans. »

Ce détroussage public me répugne malgré le souvenir de la nuit précédente. Trois montres, deux chaînes, huit médailles dont une de la Vierge! Triste butin.

« A la casse, ça paiera le dérangement, attrape, Carlos! Maintenant vous allez nous faire un zizir avant de nous quitter, le dernier! A poil rapidement tous les trois! »

Mouvement d'effroi chez les affreux. Maloup me regarde, ses yeux ressemblent aux fleurs de muraille des pays enchantés... Je ne sais pas Maloup, j'ignore ce que Gérard a encore inventé, mais si on s'en sort, je te construirai une maison de coquillages au bord de la Mer Rouge, je te le promets.

« Tu nous offres un peu de spectacle, Gérard! »

Le Niçois et le Cobra se rapprochent en se frottant les mains.

« Alors à poil!

— Le slip!

— Un petit coup de barre de fer peut-être?

— Toi le grand, qui magne bien le rasoir, à genoux. Suce ton frangin. Quand il aura envoyé sa semoule, tu suceras ton pote. Tu te feras éponger le dernier.

— M'sieur, j'vous en prie, j'paierai n'importe quoi! J'trouverai d'la fraîche, j'vous donne ma femme, mais ça j'peux pas!

— De l'oseille, on en a à croquer, frime. Ta gonzesse, c'est une bonne bordille pour être avec un mec comme toi. On n'en veut pas, même si elle est disposée à faire le voyage à Dakar.

— C'qui nous intéresse petit, c'est que tu suces ton frangin et ton pote, t'as pas compris! Magne-toi le train, j'ai les mains qui démangent. Suce, suce on t'dit!

— Voilà, tu vois, c'est pas la mer à boire, allez, pompe bien, tu vas réussir à le faire triquer.

— Et toi connard, tâche de bander. Bande ou on t'assaisonne. Imagine-toi que tu te fais faire une turlute par une frangine à qui tu vas faucher le casino après lui avoir mis des coups sur la tête.

— Toi, l'trépané en puissance, branle-toi.

— Voilà, c'est gentil tout ça, ça vous rappelle le patronage! C'est beau d'être jeune, hein!

— Ça va, passe à ton pote, il a la pine comme un gourdin. Quand j'pense qu'il a fallu qu'on intervienne pour vous faire découvrir tout ça! Hein! Si vous aviez fait ça hier soir, vous n'auriez peut-être pas esquinté les deux femmes qui sont là!

— Nom de Dieu! ça vient salaud, vas-y, plus vite, allez, engorge! Oh! la la! Prends Idris, prends.

— C'est pas beau ça? Ça butine comme de vraies p'tites abeilles! »

Mon affreux s'écroule en pleurant au pied de son frère.

« Gérard, j'voudrais rentrer!

— Sauvez-vous toutes les deux. On va rester entre hommes. »

Nous nous laissons glisser sur le trottoir verglacé. Dans moins de deux heures la nuit sera là, tout sera à recommencer. Il faudra se recoiffer, se fabriquer un sourire, tromper Maloup en lui disant que tout finit bien, que nous sommes veinardes, boire pour affronter les hommes et leurs pièges, boire encore pour oublier la cave, les affreux et leurs bouches ensanglantées, emprisonnées dans les toiles d'araignées, boire jusqu'à tomber de dégoût l'une contre l'autre.

« Qu'est-ce qu'on fait Sophie?

— Moi, j'vais voir ma mère, y a longtemps que j'l'ai pas emmenée au restaurant, m'attends pas, j'dormirai chez elle. »

La maison de coquillages est mangée par la vague. Cette fois, c'est décidé : Maloup ne reviendra pas sur sa décision, la semaine prochaine elle retourne à *la Bohème*!

« Alors c'est définitif, tu casses le bail pour de bon?

— Oui, j'en ai marre de traîner la rue, marre de prendre des coups. Toi, de toute façon, tu ne penses qu'à travailler au *Boogie* avec ton amie France.

— C'est pas l'heure des scènes de ménage et à choisir, je préfère rester avec toi, si tu veux savoir. Donne-moi quarante-huit heures, tu resteras à la maison à te reposer. J'te jure que je vais nous dégoter une place. Après, tu fais comme tu veux.

— C'est la dernière, Sophie, la dernière fois! »

Une semaine passe. Maloup vit au ralenti. Elle ne se lève plus, se nourrit de café au lait et de tartines. Quand je rentre, aux environs de minuit, après avoir traîné, après quelques passes à la sauvette, elle ne me pose aucune question. Elle attend simplement que je sois près d'elle pour s'endormir. J'écris de nouveau les lettres à Bébert qu'elle recopie, indifférente. On dirait que la vie file doucement de son corps et qu'elle ne souhaite rien d'autre. Elle pleure en répétant qu'il est inutile que je m'acharne à m'occuper d'elle, qu'elle ne comprend pas ce monde. Je lui propose de voir un médecin, elle refuse. Je crie : « Tu n'as pas le droit de te détruire, la vie n'est drôle pour personne, tu dois l'affronter au lieu de prendre des détours. Si tu continues, je vais finir par penser que tu n'es qu'une lâche. » Oh! pardon, Loup! ce n'est pas ce que je voulais dire. Je t'en prie, ne me regarde pas comme ça, repose ta tête sur l'oreiller, je vais te servir un whisky. Ne montre pas la porte du doigt, Maloup, j'suis tellement paumée, moi aussi. Alors tu me chasses?...

Rue Auguste-Chabrière, je vis prisonnière d'un gros réveil où le temps passe mal, où la trotteuse m'égratigne à chaque battement de cils. Le téléphone sonne mais la voix de Maloup n'est pas au rendez-vous. Noël est proche et Gérard, qui me trouve mauvaise mine, m'offre un mois de montagne pour me refaire une santé, un mois à Chambéry. Chambéry, une taule planquée entre les sapins et les avalanches, où les travailleurs émigrés viennent dépenser leurs payes et leur trop-plein de tendresse. Chambéry d'où Muriel du *Saint-Louis,* pourtant robuste et travailleuse, revenait brisée. J'aimerais me débattre, mais tous mes membres sont endoloris, ma tête pleine de brouillard comme à la veille d'une mauvaise grippe et Gégé se montre un bon infirmier. C'est vrai que c'est son premier métier! Il faut le voir m'appliquer les cataplasmes, l'entendre me passer de la pommade sur la corde sensible!

« Maintenant qu'la petite salope de Dominique est bonne, j'vais avoir besoin de toi et j'suis sûr qu'ensemble on va former une équipe du tonnerre. Seulement, faut pas qu'tu mettes les bâtons dans les roues si j'découche de temps en temps. Faut qu'je la drive, que j'l'installe dans ses meubles. C'est une pauvre môme qu'a toujours vécu en hôtel. Un p'tit chez-soi va lui donner du cœur au ventre, tu m'suis? Et puis, j'sais bien qu't'es au-dessus de ça! Pour la faire démarrer, j'lui ai trouvé une placarde aux *Bermudes,* avenue de Friedland. Le moindre mec laisse trente sacs! Faut la soigner. On n'attrape pas les mouches avec du vinaigre! Et toi, si t'y mets de la bonne volonté, t'es retirée dans un an. J'te fais confiance, faut pas qu'la petite nous pète dans les doigts. Maintenant tu piges pourquoi ç'a m'arrange que tu partes un mois et puis, tu sais bien qu'malgré ta tête de vache c'est pour toi qu'je bande! »

Oh! Si je pige Gégé! Ton sens des affaires se développe, tu prends de l'envergure. Odette, Dominique, moi. Gaffe mec, tu triples les risques. Trois compteurs à relever maintenant, t'as une drôle de santé et moi je suis malade. L'agressivité me déserte et pourtant comme j'aimerais te jouer la fille de l'air sur l'accordéon du souvenir. Je suis prête à faire la route à l'envers, à me retrouver debout, nue, pétrifiée, face à l'inceste, avec mes soquettes blanches et mon livre d'histoire sous le bras, plutôt que de t'avoir rencontré. Non, je ne souffre pas. Non, je ne suis pas jalouse. Non je n'irai pas rue d'Aboukir, pas plus qu'au *Boogie*, demander l'aumône à France. Je suis trop laide, trop vide, trop malade. Je suis contagieuse et je n'ai pas le droit de contaminer ceux que j'aime. Mais les autres? Oui, les autres. Pourquoi ne pas les faire profiter de ma lèpre en attendant que le temps passe et m'engloutisse.

Au carrefour des mélancolies, un homme stoppe son char. Emmène-moi Monsieur l'Ame en Peine. Qu'importe le prix, envoie la rengaine. Mes seins sont de doux buvards roses, tout prêts éponger ta vie. Parle, mais ne me dis pas ton nom et ne n demande pas le mien, cette nuit j'ai paumé mon identité. Garc tes lunettes et ton chapeau. Prends-moi, absent de tout souc. comme on viole une fille de joie. Ah bien! tu ne veux rien me dire: Tu as peur de me voir sourire? Mais non, je ne me moquerai pas, dis-moi.

« J'aimais une fille en Italie pendant la guerre. Ses parents étaient hostiles à notre union, on se rencontrait en cachette dans une vieille ferme abandonnée de la banlieue de Florence. Un matin, pendant qu'on faisait l'amour, il y a eu un bombardement... Elle est morte, la tête broyée sous les gravats. Depuis, je peux plus faire l'amour sous un toit, tu comprends? Le prix, j'm'en fous, c'que je veux, c'est te baiser sur un chantier!

— Des ruines?

— Elle était encore plus belle! »

Eh bien, roulez, Monsieur l'Ame en Peine, ça vous en coûtera cinquante.

« Attends! Elle fumait en faisant l'amour, je descends t'acheter des cigarettes. »

Monde d'aliénés! Tout ça pour quelques fafiots... Monsieur l'Ame en Peine pousse ses chevaux à tout berzingue dans l'avenue du soupçon, enfile l'avenue de nulle part.

« Mais vous êtes fou de rouler si vite, arrêtez ou j'me jette par la portière!

— J'te donne le double, le double, tu lui ressembles trop, j'te laisserai pas partir, j't'emmène à Florence. »

Une autoroute sous la pluie ressemble à une autre autoroute. Les maisons basses aux tuiles roses, les pins parasols, les trattorias défilent à cent quarante à l'heure. Une lumière dans le lointain, Oh! miracle, un contrôle de motards. Pas de lauriers blancs ni de bougainvillées sur ma tombe, mais de simples bleuets puisque je n'irai pas mourir en Italie.

Monsieur l'Ame en Peine tend ses papiers en souriant. Alors quoi, Sophie, te dégonfle pas, c'est maintenant ou jamais. Dis-leur que tu es une pute. Raconte ton histoire. Tu fouilles dans ton sac, tu voudrais bien qu'ils te demandent tes papiers à toi aussi, ça te donnerait le courage d'entreprendre le dialogue ou même d'espérer qu'ils se souviendront de ton nom, qu'ils pourront identifier ton cadavre, ton assassin, et te venger! Car il va t'étrangler ce mec! Regarde-le bien! Il va t'étrangler! Tu ne trouves pas qu'il a la même expression malade que cet Allemand qui a trucidé trois filles à Pigalle, il y a deux ans? Souviens-toi du visage de l'autre. Les coupures de journaux épinglées dans la chambre 19, au *Saint-Louis.* Tu te souviens de la panique des copines, de la tienne. Vous alliez jusqu'à refuser tous les Boches qui se présentaient! Le trac de finir comme vos collègues, celles de la rue André-Antoine que tu connaissais. Ginoux, tu vois Ginoux? Toi, de toute façon, dès le début, t'avais qu'une hantise : l'étranglement et la syphilis. Dès qu'un homme passe le doigt sur ton cou, toi, si douce et si conciliante, tu deviens hystérique, t'es prête à le jeter de la chambre comme un malpropre. T'as peur de mourir étranglée. T'en rêves et tu te réveilles trempée de sueur au milieu de la nuit.

Mais dis-leur donc ce que tu fais, dis-leur : j'ai suivi cet homme, je suis une prostituée, ravagée d'angoisse et j'ai peur qu'il me tue! Parle ou tu vas mourir par les mains froides d'un fou. Si tout va bien, tu auras droit à deux lignes dans un journal du soir. Parle, le temps presse, déjà l'Ame en Peine range ses papiers, les motards saluent d'un sourire, toujours sourire... Tant pis, j'me balance dans le premier virage. Pas de virage, la route droite, plate. Au loin, là-bas, une masse sombre, menaçante comme la montagne, une allée forestière où l'Ame en Peine s'engage sans hésiter. Coup de volant à droite, à gauche, première, marche arrière. Autour de moi la nuit, j'y fonce, la tête la première, m'y cogne. L'homme m'alpague par les épaules... Je meurs.

« Où cours-tu? Viens t'asseoir près de moi dans la voiture. »

Ne pas se débattre, voir plus loin, penser, ne pas mourir.

« Tu trembles, tu as peur? »

Gamberge vite, Sophie, et dans le bon sens, si tu veux revoir ta famille. T'as affaire à un sadique, plus tu as peur, plus ses mains le démangent, sois *cool,* c'est ton salut!

« J'ai froid, c'est pas un temps à se promener dans les bois.

— Installe-toi au volant, mets-toi toute nue sous ton manteau, je t'allume le chauffage... Voilà, bouge pas, je prends quelque chose dans le coffre... »

Une clef anglaise, une cordelette, un couteau de cuisine? Papa, maman, les petits, Maloup, c'est donc fini? Je ne vous reverrai plus? Il y avait encore tellement de choses à voir, à faire, à comprendre, du temps pour se connaître, s'améliorer. Quoi? Mourir à vingt-trois ans, moi qui rêve de vivre jusqu'à quatre-vingt-quinze, un cigare et une tartine de miel entre les dents, dans une maison biscornue, pleine de courants d'air, un nid de mésanges bleues dans le chignon, une nichée de chats sur les épaules, un bâtard roux à mes pieds, et tous les mioches des alentours éventrant mes placards. Ma vie, quelle boulette...

« J'ai ce qu'il nous faut, tu vas me faire la lecture, je te tiendrai la lampe. Attends, je te trouve la page et je me défais un peu. Voilà, tu commences là. »

Mes doigts tremblent en tournant les pages trempées de sang, couvertes d'ordures, pendant que j'ânonne du bout des lèvres d'infâmes supplices.

« Tu as la voix qui tremble.

— J'ai froid. Tu ne veux pas que je te touche un peu, ça m'excite de lire.

— Si tu es excitée, tu vas être contente. Tout à l'heure, quand je suis allé t'acheter des cigarettes, j'ai aussi téléphoné à des amis. On est des habitués du coin, ils connaissent bien la route. Dans dix minutes à peine ils seront là, trois nègres pour t'enculer!

Trois nègres! Les obus, les flammes, l'alerte, les bombardements, l'Italie! Jouis, jouis encore, donne tout à ton Anna! Profite de l'émotion, Sophie! Sauve-toi, cours, cours vite, le temps qu'il récupère, tu seras loin. Mets de l'espace entre lui et toi, oublie tes fringues, pense plus à ton sac, trace, la route ne doit pas être loin, allonge la jambe, chante « Ma poule n'a plus que vingt-neuf poussins, elle en a eu trente, allongeons la jambe, allongeons la jambe car la route est longue ». *So long* Monsieur l'Ame en Peine, je trace, coudes au corps, au-devant de la vie. Le ventre tendu sous la lune, je fais de grands signes de croix avec mes bras. Oh! merci mon Dieu, de passer à ce moment là sur l'autoroute, et pardonne-moi de ne pas dire merci mais j'ai une hostie en travers de la gorge qui me fait mal, qui me bloque les mâchoires et m'empêche de parler.

Quand on fraye avec le Diable et le Bon Dieu dans la même nuit, on a besoin de se replonger dans la réalité si on ne veut pas boire la tasse. Ma libido qui a les pieds sur terre me tire par la manche jusqu'à ce salon de coiffure de la rue Saint-Honoré où, durant quelques heures, je joue les femmes du monde en m'envoyant des thés citron. La nuque cassée sur le lave-tête, j'attrape au vol des bribes de conversations entre deux bourgeoises. Vassilia, tout en me massant les tempes, me dévoile les intrigues de la *hight society.*

« Tu vois la nana blonde à côté, c'est une poule de luxe. Elle travaille chez une cliente qui a un hôtel particulier super select dans le Seizième, style Madame Claude, avec un petit château à cent cinquante bornes de Paris où elle organise des week-ends à deux cents sacs! En plein ce qu'il te faudrait. Faut pas te gaspiller ma petite rate, t'es faite pour connaître du beau monde. »

Oh! parle encore ami précieux, souffle-moi entre deux shampooings le numéro de téléphone de cette maison de tolérance. Dis-moi qui est cette dame. Qu'elle soit lesbienne ne me tourmente pas, je sais nager. Avec le temps, elle se découragera! Bien sûr, je ne parlerai pas de maquereau, quel vilain mot d'ailleurs, et je me garderai bien de l'affranchir que je suis en transit entre Chambéry et le trottoir!

Je sais, je ne suis pas tout à fait conforme aux critères exigés, j'ai la cuisse plutôt ronde et vingt centimètres me séparent du mètre soixante-quinze. J'envie ton optimisme, Vassilia. Crois-tu que l'on va m'admettre parmi ces déesses? Ne crains-tu pas que l'on me claque au nez la porte dorée de la rue Paul-Valréy? Après tout, tu as raison, cette Madame Billy n'est qu'une taulière, une maquerelle comme une autre malgré ses quatre étoiles. Merci, ami précieux. L'air de Chambéry est sûrement plus sain mais, à choisir, je préfère celui du seizième arrondissement!

Quel dommage que nous ne soyons pas au printemps! En me glissant dans ma robe de soie beige, j'aurais eu une chance de séduire Madame Billy tandis qu'avec ma peau de castor j'ai l'air d'une maraîchère. Il y a bien dans la cave des fourrures défendues mais Gérard a été formel : « T'amuse pas à toucher à ça, ça saute comme de la dynamite. Des coups de carabine ont été tirés. J'y étais. » Il va trop au ciné Gégé, ça lui monte au cigare et puis il finit par se couper, par me bonnir entre deux whiskies que des garçons lui ont confié la came en attendant que ce soit moins chaud pour la fourguer!

Moins chaud, moins chaud! Question de point de vue. Fait froid dehors et puis quel perdreau, aussi zélé soit-il, se paierait la gaufre de m'arrêter dans la rue pour me demander la facture? Milles excuses, Messieurs les casseurs, mais j'ai besoin d'être parée! Vous ne voudriez pas qu'on me confonde avec une vulgaire fille des rues, moi, Sophie, la femme de Gérard à l'américaine?

C'est une femme aux allures de garçonne, frôlant sans grâce la quarantaine, qui m'ouvre les portes du désordre doré de la rue Paul-Valéry. La moquette, les tentures, les tapis, les fenêtres croisées, les coins d'ombre étouffent mes pas, masquent les bruits de mon cœur. J'engloutis mes soupirs et suis la garçonne en faisant le tour du donjon.

La grosse Billy est là, avachie dans l'angle d'un canapé, telle que je l'imaginais : blonde, bouffie comme il se doit, la cinquantaine tassée, l'ongle agressif, l'œil critique, la bouche amère. La garçonne m'abandonne debout face à mon juge, se pelotonne contre sa maîtresse. Ses griffes rétractiles agacent les mailles de ses bas, emprisonnent la cheville, remontent en boule jusqu'au grand adducteur qu'elles caressent en miaulant. Ses grands yeux d'abyssin font jouer leurs facettes tandis que sa maîtresse lascive lui caresse la gorge, fait tinter les grelots sur son cou. Mais quand donc finiront ces chatteries?

Pardon Vierge Marie, j'ai péché par omission, je ne pige rien aux femmes, je ne connais que la queue brute des mâles, j'ai peur! Vont-elles me violenter au milieu des coussins, m'écarteler sur les tapis persans? Déjà je sens leurs langues forcer mes lèvres, leurs dents déchirer mes lobes, leurs genoux briser mes côtes, leurs cuisses broyer mes vertèbres! *Help me,* y a maldonne, je suis venue ici pour chercher de l'embauche, rien d'autre! Arrête de t'inventer des histoires Sophie chabraque, ces deux femmes ne t'impressionnent pas et, si l'une ou l'autre avait l'audace de te toucher, tu leur éclaterais dans les pattes comme une grenade dégoupillée et tu tracerais, ne laissant derrière toi que des débris de verre et un grand éclat de rire mouillé de larmes! Allons, ouvre tes mains, laisse-les tranquillement glisser, caresse ta peau de bête... Dresse l'oreille, voilà que l'on t'accuse d'être petite. Alors là, ma vieille, faudra faire avec les moyens du bord. Premièrement j'y peux rien, maman Dédée m'a mise au monde comme ça et, dans l'ensemble, je m'en suis plutôt bien sortie. Secondo, j'ai horreur des échasses, alors envoie la sentence. J'ai un truc sur le dos qui commence à me peser lourd au fur et à mesure que le temps passe!

« Faites-moi voir vos mains. »

J'avance mes jolies mains aux ongles transparents et carrés, fraîchement manucurés.

« Vous avez un bien joli manteau. »

Je souris en reprenant mes doigts. J'en était sûre, ça n'a pas manqué, ce genre d'artifice impressionne à tous les coups les grognasse de cet acabit. Vous savez madame, il ne m'a pas coûté cher. Je pourrais vous en fourguer une bonne douzaine de la même provenance pour un prix ridicule. « Comment sont vos seins? »

Alors là, ma grosse, tu pouvais pas mieux tomber, j'ai une paire de noubards en marbre rose, de quoi inspirer copieusement Maillol. La garçonne se fait de plus en plus chatte.

« Eh bien! faites-nous voir! »

Allons Sophie, un beau geste, à poil! Tu auras au moins la satisfaction de les faire rêver. Je baisse ma robe jusqu'à mi-corps et mes tétons délestés du soutien-gorge jaillissent comme un feu d'artifice en plein midi! Ah! ça vous coupe le souffle! Vous n'en avez jamais vu des comme ça! Pardonnez-moi de vous sevrer, mais je remballe. Les lolos dans la panthère de Somalie, ça court pas les rues, et puis ils font partie de mon héritage, j'voudrais pas qu'ils prennent froid! Oh! et puis assez de simagrées. Si je ne fais pas l'affaire, qu'on me le dise... Non, madame, désolée, mais je n'ai pas de studio avec téléphone, pas de photos de moi nue. Comme vous êtes bonne, cependant, de m'affranchir que certains de vos clients aiment les petites femmes. Encore un peu et j'allais me considérer comme infirme. J'enquille oui ou non? Nous ne sommes pas à la foire!

« Qu'est-ce que tu en penses Véra? Si on l'installait quelques jours dans la cuisine, le temps qu'elle trouve un studio. Soyez là demain à deux heures, vous me plaisez. »

Je ne peux pas en dire autant, je n'aime pas votre genre, vos manières mielleuses, votre main moite qui transpire l'hypocrisie. Et puis, vous en avez de bonnes, vous! Avec quel argent croyez-vous que je vais me prendre un studio? J'ai un homme, moi, madame, un homme qui compte sur moi, qui a les paluches à la retourne, qui a trois femmes sur le grappin. Deux studios dans la même semaine, c'est beaucoup pour un homme seul! Je pourrais emprunter à Maloup, mais nous sommes en froid elle et moi, et pas question de rembiner mon coup en la faisant rentrer chez vous avec ses tétines de mère de famille. Oh! misère noire, j'ai le sentiment qu'ici, parmi vos lambris et vos consoles de bois précieux, je vais me prostituer plus qu'ailleurs!

Sur le chemin de chez Maloup la nuit est tombée. Qu'as-tu fait Loup durant ces jours de silence? Moi j'ai pleuré, j'ai ri, j'ai beaucoup bu et si peu dormi. Un jour, c'est toi qui me claqueras entre les doigts, toi qui partiras sans laisser d'adresse, au bras d'un falot, malgré tes promesses, et je jalouserai ses lèvres molles, ses mains rougeaudes qui te feront rire en dehors de moi! N'abandonne pas Bébert, Loup, reste avec moi. Ce soir, pour regagner ton cœur, je t'offre des guitares et de la sangria. Pique une rose dans tes cheveux, Maloup, il y a si longtemps que nous ne sommes pas allées à *la Venta.* Et ce soir j'ai besoin de courage, besoin de vin sucré pour t'annoncer la nouvelle. Oui, Maloup, nous allons vivre une éclipse, buvons jusqu'à plus soif, buvons jusqu'à tomber, buvons au souvenir de cet homme qui s'est pendu hier dans la division de Bébert, buvons au chagrin de sa mère, trinquons à la santé de tous les malvenus!

En route pour le grand vertige, cette nuit on se paie la Voie lactée. Lève bien ton bras, Maloup, tends bien ta main, tu y es! Choque ton verre contre ton étoile, à la santé de ma bonne étoile et à celle de toutes les étoiles filantes des carrefours qui perdent leur éclat en longues insomnies. Accroche-toi, serre bien mes doigts, regarde l'astre de feu basculer dans ses voiles, s'enfoncer sagement dans le lit de la nuit.

Viens Maloup, traînons notre fardeau le cœur léger, le bonheur se cache quelque part au coin d'une rue, la rue de l'Irréalité... Allons à sa rencontre. Là-haut, dans la tourmente du ciel de Paris, les étoiles me font signe. Adieu ma Louve, il faut que je sois fraîche demain. C'était beau la randonnée sur Vega mais sous mes pieds le trottoir colle.

Demain, à quoi peut ressembler demain quand on lâche son amie la tête basse au pied d'un escalier? A quoi ressemble aujourd'hui quand la grisaille colle aux carreaux comme de la glue? A deux heures, je pénètre à la suite d'une revenante dans la grande cuisine triste de la rue Paul-Valéry. Une jolie fille figée lâche son ouvrage de broderie, la pointe de son crochet me crève les yeux. J'étouffe, j'ai envie de crier, de fuir ces murs gras d'humidité. Je me mords les lèvres pour ne pas pleurer. Qu'est-ce que tu fais là, Sophie? Qu'est-ce que tu fous dans cette tanière d'hypocrisie, toi qui as fait les beaux soirs du *Saint-Louis,* de *la Bohème,* de *l'Hacienda,* toi qui te permettais de faire attendre les hommes au bar, de les frôler en leur susurrant à l'oreille : « Attends-moi chéri, je ne serai pas longue », et ils te regardaient monter avec un autre, l'œil tendre, en attendant fidèlement leur tour. Combien d'heures vas-tu rester là, à ton tour, en face de cette momie sophistiquée? Oh mes hommes, mes hommes d'avant, mes fidèles et tous les autres, venez à moi. On m'enferme.

Ça y est, me voici claquemurée, empêtrée de mon corps, debout, face à l'autre qui s'active en silence. Au creux de quel lit a-t-elle égaré son sourire? Parle momie, cesse de faire la fière, nous sommes prisonnières du même cordeau.

La voix tourne comme un disque usé, m'égratigne les tympans. Que dit-elle? J'entends bien ou je rêve? Ici les hommes ne sont pas considérés comme des clients mais comme des amis! Ici on admet de bonne grâce que, sur trois cents francs, la taulière en empoche dix-neuf! Comble d'ironie, on la trouve aimable, on la loue! Où est la belle solidarité d'antan qui faisait que, malgré nos querelles personnelles, toutes les filles tombaient d'accord dès qu'il s'agissait de taper sur le dos de nos exploitants. Mauvaise maison, très mauvaise maison. Si j'annonçais à cette fille-là que je suis maquée, que je fraye avec la crème du milieu, elle foncerait sans hésiter au poste de police le plus proche.

Dans que monde suis-je tombée? Cette absence de droiture me colle des frissons et quel homme peut gaspiller son énergie à retrousser une telle momie? Encore un marle sans doute. Parce qu'à moi, il ne faut pas me la faire, je suis sur jambes depuis l'âge de dix mois. La romance, je l'ai abandonnée avec mes langes. Jette ton masque Kéops, je t'ai reconnue, toi aussi t'es attelée à un vide-gousset aux mains glissantes. Pute manquée, mais pute néanmoins! N'oublie pas ma jolie que, quand tu lâches ton crochet, c'est pour te faire baiser au même titre que moi. Et si le mot client t'écorche la bouche, trouve le courage de virer de bord, vas gratter comme les autres! Moi, tu vois, je m'appelle Sophie, la petite Sophie, celle qui fait du bien aux hommes et qui n'a pas le trac de le dire! Malheureusement, tant qu'il y aura des nénettes comme toi, il y aura des arsouilles qui se goinfreront sur notre dos. Maintenant, mets-la en sourdine Miss Kéops, pour moi, t'es de la chair à phallo.

Il est quatre heures moins deux à l'horloge électrique... Moins une... quatre heures pile. La momie brode en silence. Je joue avec mes doigts en rêvant de l'amour idéal. La revenante entrebâille la porte, Kéops s'agite. Dépliée, elle fait son mètre soixante-douze. Elle a les cannes tristes comme un jour sans pain. Eh bien, bon appétit, vous le Monsieur que je ne connais pas. Après tout, avec sa bonne tête d'hypo, peut-être qu'elle fait des trucs que je n'oserais pas faire. Ma mère m'a toujours dit : « Méfie-toi de l'eau qui dort. »

A boire, à boire, j'ai la gorge sèche. J'avance fébrile jusqu'à l'abreuvoir, la vodka me brûle la gorge. Encore une rasade et je rejoins les communs où je reprends mon jeu de doigts. A un endroit, la toile cirée s'effiloche, je tire un fil et puis deux, trois et quatre, je les noue ensemble, oh! merveille, je retrouve l'enfance : le bol, la Tour Eiffel, le parachute, le petit train, la barrière... La revenante me surprend, je cache mes mains entre mes cuisses. De sa voix sèche, elle m'ordonne de la suivre, je ferme les yeux un instant, essaie d'imaginer mon client...

L'homme qui se dandine dans le vestibule a le regard glouton. L'escalier qui monte aux chambres me rappelle les tapis roulants, mes pieds glissent en douceur sur la moquette. Je m'oblige à ne pas toucher la rampe, à monter bras ballants, à ne penser à rien. De la chambre calfeutrée s'exhalent des senteurs de violettes, du haut de leurs cadres, galants et galantes me lancent des œillades. Au plafond, les amours de plâtre renoncent à battre de l'aile. A la tête du lit, fiché dans le velours, un bouton de sonnette. Etrange... Recevrait-on quelque forcené dans ce lieu d'élection? Quel silence soudain, suis-je la seule victime? Mais que sont devenues les cloisons de carton du *Macao,* les fous rires des filles, nos accouplements hybrides que nous démêlions en blaguant autour d'une piste de yam? Une fois de plus, hier a foutu le camp.

Mon partenaire n'est pas de première jeunesse, il frise la soixantaine, allons, soyons bonne, disons qu'il est né en douze, qu'il ne me fera pas de mal.

« Mademoiselle Sophie, Etienne est vieux et heureux de l'être, c'est maintenant qu'il peut jouir des joies que vous lui donnez. vous et vos petites camarades. J'ai une bonne retraite, j'en profite. Et vous ma jolie, que faites-vous dans la vie? »

Merde! Je n'avais pas pensé à parer à cette éventualité.

« Je suis étalagiste, j'étale!

— Oh quelle coquine! »

Mon sexagénaire se dandine en se frottant le menton, ses petits yeux sans couleur pétillent de malice tandis qu'il relève ma jupe avec le bout de sa canne. Il y a une règle élémentaire ici, ne pas brusquer le client sous peine de licenciement. Je ne vous bousculerai pas Etienne, je vous trouve attendrissant, vous m'amusez.

« Allons Mademoiselle Sophie, mettons-nous toute nue mais pas trop vite. A mon âge, on a besoin d'une certaine mise en scène, de se réchauffer un peu. Je ne voudrais pas vous faire subir un affront. Une si jolie poupée! Oh! mais que me montrez-vous là, Sophie, que c'est inconvenant!

— C'est Mistigri, Etienne. Je ne sors jamais faire mes courses sans lui.

— A-t-on le droit de le caresser?

— Attention, c'est un chat sauvage, il n'aime que les hommes nus.

— Alors, je me défais. Je ne veux pas contrarier un si beau chat. »

Etienne appartient vraiment à la génération des poilus. Rien ne manque, en partant de l'épingle à cravate, du gilet à petits boutons, de la montre de gousset, en passant par les bretelles, le caleçon long et les supports-chaussettes. Il sourit, il trépigne en s'emmêlant les pieds dans les jambes de son caleçon, il sourit toujours tandis que je découvre avec répulsion sa peau qui ressemble à celle d'un reptile, une sorte d'écaille sèche qui grimple du mollet jusqu'au ventre. J'ai envie de questionner. Il me devance.

« Rassure-toi, ma petite fille. Je ne suis pas malade. Je ne t'obligerai pas à toucher si cela te déplaît. »

Tant de délicatesse m'émeut. J'aimerais qu'il m'explique, qu'il me parle de son mal. Mais, en face de ce regard en détresse, je capitule, pas très adroitement, j'en conviens.

« Tu sais, ça ne me dégoûte pas du tout. »

Etienne semble satisfait de ma réponse. Moi, pour me persuader, je laisse glisser ma main dans sa cuisse rugueuse.

« Installez-vous au milieu du lit. Voilà, écartez davantage vos jolies cuisses, caressez votre coquillage et racontez à Etienne la première fois que vous avez vu une queue. »

C'était celle de ma chienne Mirette et depuis je n'en ai jamais vu d'aussi douce. Après j'ai pris une brosse à dents pour tenter de crever l'abcès et puis j'ai atterri sous la passerelle dans les mains d'un voyou que la fauche avait rendues douces. Je portais une culotte de ma mère en dentelle noire. Il a écarté d'une main le slip trop grand pour moi et de l'autre il a ouvert sa braguette... Il m'a eue debout, le long de la voie, sans un sanglot, sans un soupir. Après je l'ai fait avec un marteau, un marteau pour ouvrir la tête de celui que j'aimais, pour regarder dedans, pour comprendre pourquoi il m'avait fait si mal.

La gorge sèche, j'invente pour Etienne un second dépucelage. Pour m'encourager, il m'offre une pétillante. A la tienne Etienne, trinquons en souvenir du temps où je faisais les reins cassés sur les rambardes. Le champagne me stimule, nous terminons notre séance par l'histoire d'une fillette à demi violée par le garde-chasse.

« Mademoiselle Sophie, comme tout ce que vous venez de me raconter là est inconvenant... »

Maintenant, assise au bord du lit, je termine ma coupe et regarde Etienne rentrer dans sa peau de petit retraité tranquille, attacher soigneusement ses bretelles avec des épingles de nourrice, remonter ses supports-chaussettes, camoufler son infirmité avec son caleçon de coton blanc. Je lui adresse un mot gentil qu'il entend à peine. Pour lui, la comédie est terminée. Elle a pris fin après l'éjaculation. Il me salue avec un petit sourire coincé parce qu'il est poli, appuie sur le bouton placé à la tête du lit.

« Pourquoi sonnes-tu?

« Pour savoir si la voie est libre, voyons! Il est toujours fâcheux de croiser quelqu'un dans ce genre d'établissement. »

Monde électrifié! Ici, la sonnette ne sert pas aux filles mais aux clients. On frappe trois petit coups discrets à la porte, la revenante apparaît sur le seuil, invite Peau de Serpent à la suivre tandis que je rejoins, aux cuisines, la momie qui brode toujours. Je reprends mon jeu de doigts jusqu'à ce que Vera fasse brutalement irruption dans la pièce.

« C'est l'heure, vous pouvez partir. »

A huit heures, je me retrouve le nez en l'air sur le trottoir de la rue Paul-Valéry, en me demandant pourquoi diable on ne m'a pas remis mes onze mille francs et pourquoi je n'ai pas eu le courage de les réclamer alors que je me suis respirée Peau de

Serpent pendant une heure et demie. Ne cherche pas trop loin Sophie, on veut simplement être sûr que tu seras là demain à deux heures. T'as pigé, ma jolie? Tu l'avais belle de critiquer les Sandrine, les Fabienne. Avoue aujourd'hui qu'elles valaient cent fois mieux que les mijorées auxquelles tu te frottes en travaillant chez Billy. Et si tu as besoin de te retremper dans ton milieu, de prendre un bain de mentalité, pourquoi n'irais-tu pas dîner au *Baudet*?

Indifférente, fatiguée ou désarçonnée face à l'inconnu? Voilà deux semaines que je coule des jours, planquée dans la cuisine de Madame Billy. A la première momie a succédé une seconde, une girafe blonde, encombrée de breloques en or et de problèmes graves. Celle-là, il ne faudrait pas la prendre pour une putain : elle ne fréquente pas la maison pour améliorer l'ordinaire, mais pour s'envoyer en l'air. Et pendant que ses deux chérubins en pension à Neuilly bavent sur la grammaire et la règle de trois, maman prend son pied par derrière. Par devant, c'est réservé à Papa, papa qui sillonne les routes de France peinard dans sa Citro à sièges basculants, papa qui lâche sa gourme à Lyon, à Lille et à Grenoble, sans l'ombre d'un remords, mais qui veut tout ignorer du *hobby* favori de sa moitié! De tels propos me déchirent les entrailles et miss Nympho me fait de la peine avec ses tics, son inquiétude latente. Elle guette la porte, se mange les doigts, se repoudre au moindre bruit, se tâte les seins, vérifie si ses chaînes et ses bracelets sont là, met la main dans sa culotte...

Curieux endroit en vérité, où tout se passe en catimini avec le maximum d'hypocrisie. Ici on planque ses vices, ses espoirs, sa peur. Tout tourne autour de la frivolité, on fait semblant d'être heureuse parce qu'on est bien lingée, coiffée par schprounzir, parce qu'on porte un sac et des pompes signés, parce qu'on dégueule le croco dans le moindre accessoire, parce qu'on se fait baiser dans des draps parfumés à la violette, parce que les clients, ces salauds à qui on a permis de satisfaire certaines exigences sous prétexte qu'ils ont le morling bien garni et un blase à charnières, font semblant de croire qu'ils sautent des filles honnêtes. Mais ici comme ailleurs, ce ne sont que de pauvres ribaudes qui s'enroulent dans les tentures de l'entrée et camouflent leurs beaux visages à la moindre approche!

Petite joie, Etienne est revenu et pour l'occasion je me suis inventé un sixième dépucelage. Véra me règle maintenant mon dû chaque soir. Hélas! mon compte en banque ne remonte guère, mais Gégé s'en accommode provisoirement avec bonne humeur grâce aux rentrées de Dominique qui a l'air de bien démarrer. Dans l'ensemble, la moisson sera bonne pour lui. Odette est sur le point d'être vendue, l'acheteur corse n'attend que le retour de sa femme, en maison à Fédala, pour conclure le marché. Pourtant, il n'oublie pas la promesse du *Boogie.* Mais quelque chose a changé, il ne me regarde plus comme avant, il n'a plus, même saoul, ses épanchements qui parvenaient à m'attendrir. Dominique a l'air de l'avoir joliment entortillé. Il vient de commander quatre costumes à son tailleur, parle de se raser la moustache, laisse pousser ses cheveux. Il m'a aussi donné congé pour les fêtes de fin d'année qu'il passe avec elle à Megève. Je les soupçonne de s'aimer et de venir s'ébattre, certains après-midis frileux, jusque dans mon lit.

Pourtant, c'est toujours moi qui m'occupe du linge de notre mari, du courrier, des factures, moi qui paie la femme de ménage et qui lisse nos draps. Curieux couple en vérité que Gérard et moi pour ceux qui se lèvent tôt! Refais donc ta vie avec elle, Gégé. Laisse-moi tirer mon épingle du jeu. A elle la vie douce, à moi l'indépendance. Pour commencer, ce soir, je visite un studio rue Balzac. Après, j'irai l'arroser avec Maloup à *la Venta,* et quand elle rejoindra *la Bohème,* j'irai faire un extra boulevard des Capucines!

Quelle sera ma vie au printemps? Je me le demande bien. Il est trois heures trente à l'horloge de la cuisine de Mme Billy et mon porte-monnaie commence à gémir. Par chance, voici Véra qui me fait signe. Je la suis à petits pas. Sa haute silhouette de garçonne, ses larges épaules m'effacent complètement. Oh! si seulement je pouvais rencontrer quelqu'un de gai!

« Voici Sophie, la miniature de notre collection, monsieur Steve! »

Je souris en m'inclinant devant les un mètre quatre-vingt-dix qui s'inclinent à leur tour pour me baiser la main. Tu me plais, Stève, j'ai envie de rire et de jouer avec toi.

« Allons Véra, montrez-nous cette chambre de rêve et ouvrez la bouteille.

— Doucement, ici on parle doucement.

— Mais nous ne sommes pas dans une église, *darling,* nous sommes à Paris!

— Chut! Paris est une grande église pleine de damnés, Mme Billy est le Bon Dieu et Véra le Saint-Esprit. Ne ris pas, c'est vrai.

— Allons boire à l'enfer, *darling*! »

Dans l'escalier, nous croisons un vieil homme courbé sur sa canne. Stève lui propose de prendre une coupe. Véra fait la grimace. La douairière surgit derrière un rideau en ajustant son col blanc.

« Suivez-moi s'il vous plaît, déclare-t-elle de sa voix sèche. »

La porte claque...

« Oh! Je crois que tu les as choquées, mais cela n'a pas d'importance.

— Rien n'est important. Prends ça et rends-moi heureux quelques heures. Ma femme s'est suicidée avec mes deux enfants la semaine dernière, dans notre maison de State Island. Elle était plus petite que toi. »

Je considère le billet vert que Steve dépose sur la table. Je n'en ai jamais vu. Je fais un calcul rapide en détournant les yeux du billet de mille dollars. C'est bien mille dollars, je ne me trompe pas, cela équivaut à cinq cent mille francs.

« Buvons, *darling,* à la santé de l'Eglise.

— A celle du pape.

— A Billy-Dieu.

— A l'ange Gabriel.

— A Véra Saint-Esprit.

— A Judas.

— A la pêche miraculeuse.

— A la multiplication des pains.

— A Marie-Madeleine!

— Mon Dieu, pardonnez-leur, car ils ne savent pas ce qu'ils font.

— Pardonnez-nous nos offenses, comme nous pardonnons à ceux qui nous ont offensé. Ainsi soit-il!

— Sophie, je ne peux pas bander.

— Ça ne fait rien. Tu n'as pas froid? Tu ne veux pas te mettre sous les draps?

— Je veux du champagne! »

Je sonne et c'est Véra en personne qui monte la bouteille. Son sourire s'aiguise tandis qu'elle la débouche. Maladroite que je suis, j'ai oublié de faire disparaître le billet vert! Les yeux de la garçonne s'accrochent à mes seins, traînent sur mon ventre, retournent au billet.

« Elle est charmante n'est-ce pas? Sophie, vous devriez venir passer un week-end à la campagne, je suis sûre que Mme Billy apprécierait votre présence.

— Non, je la garde, elle est à moi, sortez! »

Je lutte contre une morte et deux fantômes joufflus jusqu'à sept heures du soir et finis par m'écrouler.

« Laisse-moi sortir d'ici, j'en peux plus, j'étouffe.

— Je te garde ce soir. On dîne ensemble. Après je te passerai des films de Disney. Je suis sûr que tu aimes ça. »

C'est vrai, j'aime les dessins animés, Steve, mais tu m'oppresses, toi et tes trois macchabées, tu me donnes envie de me flinguer malgré tes mille dollars; tu remets tout en question une fois de plus, tu pues les cadavres, Steve, tu pues la vérité... à moins que tu ne planques ton impuissance dans un caveau de famille imaginaire?

Véra m'attend dans la cuisine, armée d'une feuille et d'un stylo.

« Un peu exubérant, mais gentil n'est-ce pas? Donc, de trois heures trente à huit heures, cela nous fait neuf demi-heures. »

Le stylo court sur le papier. Si je l'étrangle, serai-je acquittée?

« Vous devez à la maison cent soixante et onze mille francs. »

Si je l'étrangle, serai-je acquittée? Prends garde Véra, moi aussi j'ai des griffes et du monde derrière moi. Inutile d'insister, tu n'auras pas un rond, pas un petit sou, pas le moindre kopeck... Adieu Paul-Valéry!

Assez étrange de se baguenauder en Rolls, j'ai le nez qui arrive juste à hauteur de la vitre. Quand je pense que cette vieille gouine voulait me faire une ponction de cent soixante et onze mille francs! Ce monde-là ignore la droiture! Steve joue avec mes cheveux. Quel drôle de type! Grâce à lui, si le studio me convient, je peux le prendre tout de suite sans emprunter à Maloup. Il tient à monter avec moi et, de toute façon, ce n'est pas le genre d'homme à qui on dit non. Bel immeuble en pierre de taille! Allons-y. Elle a une bonne tête ma pipelette, elle sourit en fouillant dans les poches de son tablier à fleurs à la recherche des clefs. Le studio est petit mais charmant, meublé avec un mélange de faux Louis XV et d'Empire. Les fenêtres qui donnent sur la rue sont tendues de rideaux de velours bleu assortis au dessus-de-lit. La mini-cuisine et la salle de bain laissent un peu à désirer : la peinture vert pâle qui couvre les murs s'écaille et la baignoire est légèrement antique. Mais dans l'ensemble, j'avoue que je suis séduite. Steve me tire par la main.

« Venez voir *Sophie darling*. Vous avez Paris à vos pieds. »

— C'est bien beau tout ça mais le loyer est de combien?

— Il s'élève à neuf cents francs par mois. La propriétaire réclame une caution de trois mois pour le mobilier plus un mois de loyer d'avance. Ma commission est de quatre cent cinquante francs. »

La pipelette me débite tout cela sans reprendre son souffle et j'ai le vertige...

« Sophie, regarde-moi. Je te propose quelque chose. J'ai encore dix jours à passer à Paris. Je ne veux pas les vivre seul. Tu restes avec moi jusqu'à la fin. Tu m'accompagnes à l'aéroport. Mon chauffeur te reconduira. En échange, je t'offre le studio avec un mois de loyer en plus. »

Steve-Loyer, j'ai envie de t'embrasser! La concierge discrète détourne les yeux. Steve me soulève. C'est un curieux baiser que nous échangeons. J'éprouve toujours un certain dégoût à embrasser sur la bouche un homme que je n'aime pas. Steve ne me plaît pas particulièrement, mais il ne me déplaît pas non plus. Il m'est indifférent comme les autres. Enfin, il a la bouche propre et je mets de la passion dans ce baiser. Je le sens surpris et heureux. Quel autre moyen avais-je de le remercier? Il vient de me faire cadeau d'une brique en quelques heures. Il doit être riche à craquer et pourtant, en ce moment, il est plus pauvre que moi.

Je préfère de loin l'homme qui me donne cinquante ou cent francs, qui tire son coup tranquille et qui s'en va. Celui-là en principe ne parle pas. Il n'en a pas le temps. Il vient voir les putes comme il s'achète un gadget. Avec lui, je reste une fille, je fais mon boulot, je lui en donne pour son argent. Si une certaine sympathie entre en jeu, c'est moi qui la crée. Si je me laisse attendrir, c'est mon affaire. Si je prends le temps de bavarder, de boire un verre, de fumer une cigarette, c'est moi seule qui le décide, l'homme n'a rien d'autre à faire qu'à subir. Mais avec des Steve et des Maurice, des Herbert et des Paul, je manque de moyens. Ceux-là remettent tout en question. Ils arrivent à me troubler avec leurs problèmes. Ils ne me considèrent plus comme une pute, mais comme une femme. Ils ne se servent plus de moi, ils ont besoin de moi. Ils m'émeuvent et je regrette de ne pas les aimer mieux. Et pourtant je les aime avec mes pauvres moyens. Faut pas avoir le cœur trop tendre, faut éviter de penser quand on fait la pute. Ce sont là deux choses incompatibles avec le métier.

Ce soir-là, nous dînons aux chandelles au milieu d'un extraordinaire jardin d'hiver. Dans la demi-clarté qui tombe de la verrière, Stève devient beau et drôle et je ris de bon cœur. Stève, j'aimerais t'aimer, aimer tous les hommes que j'aime, avoir dix vies, une pour chacun, vingt, cent, mille vies. Toi, tu souris parce que, du haut de ta Rolls et de tes dollars, tu t'imagines sans doute que tous les hommes te ressemblent, qu'ils me prennent sans brutalité, qu'ils m'appellent *darling Sophie* en me baisant les doigts, qu'ils m'étreignent dans de la soie et qu'ils ont les ongles bien propres. Pardon, je recommence à gamberger, ouvre une autre bouteille et passe-moi tes films de Disney en attendant demain.

Il est midi déjà. A mon chevet, il y a un plateau avec du thé et des croissants aux amandes et un mot de Steve : « A ce soir, *darling.* Ne vous sauvez pas, je sais où vous retrouver. » Je m'étire, j'ai mal à la tête. Dire qu'il faut se lever, sortir, passer à la banque, aller à la recherche de Gégé pour lui remettre, en mains propres, mes dix jours de tranquillité. Ce qu'il y a de chouette avec lui c'est que l'oseille le rend muet : il ne dialogue plus, il compte! Mais voilà qu'on sonne à la grille du parc! Je me précipite, n'ayant pas l'habitude que l'on ouvre pour moi. Je devance le majordome ébahi et reçois avec bonheur une énorme brassée de jasmin. Monde à l'envers! Si je savais où trouver Steve j'irais me jeter dans ses bras plutôt que d'aller filer ma comptée à Gégé.

« Rêvasser, ça nourrit pas », c'est mon père qui me disait ça quand il me surprenait penchée à la fenêtre de la cuisine, les pieds dans les casseroles, le menton entre les mains, à regarder le morceau de ciel qui se balançait au-dessus de la deuxième cour. « Allez, remue-toi un peu le fion. Reste pas là comme mes couilles entre mes cuisses. Saute, nom de Dieu. Faut sauter dans la vie, faut s'bouger, sinon on n'arrive à que dalle. » Je me détournais lentement en soupirant et je pensais qu'il ne me comprenait pas, qu'il n'avait jamais rien compris, ni à moi ni à mes frères et sœurs. Aujourd'hui, je suis tentée de penser qu'il avait raison. J'ai suivi ses conseils, je bouge.

Steve a repris l'avion pour l'Amérique, il y a deux jours. Il a tenu ses promesses. Dans la Rolls qui me ramenait vers la ville, j'ai senti comme un vide énorme. Bien sûr, je n'aimais pas Steve. Pourtant ces dix jours passés près de lui, ses brassées de jasmin, ses jeux, ses confidences, son respect et sa délicatesse, son argent qu'il dépensait sans compter m'apaisaient. Il est parti après avoir déposé sur mes lèvres un chaste baiser « *Good luck, darling Sophie* ».

Il n'est plus là et depuis deux jours je vis en vase clos dans mon studio, faisant du ménage, cuisinant, écoutant la radio, rêvant en somme, mais comme disait le père, rêvasser ne nourrit pas. Alors, ce soir, je repars en guerre. Cap sur le *Boogie.* Après un après-midi relax chez le coiffeur, une choucroute arrosée de Gewurzt chez *Lipp* et un petit cinéma pour aider l'heure à mieux tourner, je suis dans les temps. Il est vingt-deux heures quand j'enfile le couloir qui mène au cabaret, couloir tapissé de photos de strip-teaseuses, de jongleurs, d'illusionnistes, de célébrités.

C'est donc ça, *le Boogie.* L'ironie du sort veut que j'y sois déjà venue. J'avais dix-neuf ans et mon fiancé m'y avait donné rendez-vous un dimanche après-midi. On y dansait à l'époque. Je me souviens de la panique que j'avais éprouvée en me retrouvant au milieu d'une horde de minettes maquillées, coiffées, habillées à la dernière mode, qui twistaient allègrement, les jambes gainées de blanc. J'étais là, avec ma jupe de popeline jaune qui dépassait de mon duffle-coat. Je n'avais pas eu le courage d'affronter toute cette gaîté et je m'étais enfuie en pleurant, en pensant aux bals de la place du 11-Novembre, à ceux de la mairie. Les clubs, je laissais ça aux autres. Ce dimanche-là, j'avais marché jusqu'au musée du Louvre et l'après-midi avait passé comme par enchantement. J'étais ressortie du musée les yeux remplis de merveilleuses couleurs, me répétant à chaque pas le nom des peintres qui avaient le plus frappé mon imagination. J'avais décidé alors de faire des économies pour m'acheter un livre qui parlerait de Van Gogh, ou de le voler. J'étais très fière de moi et j'aimais un peu moins mon fiancé.

Bizarre de revenir dans cet endroit, mais quel fade si France se souvient de moi, car ce n'est plus avec un fiancé que j'aurai rendez-vous mais avec dix, cent, mille. Attention, les hommes, la p'tite Sophie arrive! Tamisez les lumières, faites pleurer le trombone, desserrez vos cravates, retirez vos vestons, gardez une mains sur le morling, l'autre sur la bouteille. Cessez de baver. Retenez votre souffle. La voici, c'est elle. Applaudissez-là très fort. Elle débute une fois de plus, elle a besoin de tous les encouragements. Vous, les filles, cessez de chuchoter en vous poussant du coude. Tapez dans vos mains, elle a fait ses preuves. Déridez-vous, vous devenez laides. Soyez patientes, attendez qu'elle soit en place et vous pourrez alors la blesser à loisir, vous laisser aller à toutes vos jalousies mesquines. Laissez-lui le temps de vous répondre, ce soir soyez bonnes joueuses.

« Bonsoir, je cherche une fille qui s'appelle France. »

Surtout ne répondez pas toutes à la fois. Seigneur, pourvu que ma petite camarade la Zone n'ait pas eu l'idée de changer de nom maintenant qu'elle bosse dans un endroit sélect. Chœur des demi-mondaines : « On connaît pas. » Les garces! Perchées sur leurs tabourets, elles dominent la situation. Elles sont sur leur terrain. Je me sens toute petite, comme ce fameux dimanche, mais aujourd'hui j'ai les armes pour lutter. Ce qu'elles ignorent, bien sûr, et ce que je garderai de leur révéler, c'est que France, surnommée la Zone, est née à Pantin, qu'elle est mariée à Jean-Jean le Cobra, un Corse, et qu'elle a débuté à seize ans au *Saint-Louis* à Pigalle, avec des fafs bidons. Je pourrais ajouter aussi que c'est une fille « comme ça », qui doit drôlement s'emmerder au milieu d'une bande de momies de cette espèce. Mais je me tais car je mettrais ma main au feu que la plupart d'entre elles sont mariées avec des tromblons. J'irai même plus loin, je suis sûre que, dans le lot, il y en a bien une ou deux maquées par des lardus. Alors il vaut mieux, dans ces conditions, passer pour une truffe et ne pas faire de tort à Franzie.

Chœur des demi-mondaines face à mon insistance : « C'est peut-être la Linda qu'elle cherche. Alors, elle peut toujours attendre, elle a été prise en arrivant, comme d'habitude. On se demande vraiment ce qu'elle fait aux hommes celle-là! » Cessez vos médisances, pour moi tout est clair : France et Linda sont la Zone.

« Salut, je suis l'amie de Linda. »

Une fille, qui jusque-là s'est tue, m'adresse la parole en souriant.

« Elle a été occupée en arrivant, il y a une chance qu'elle revienne, mais le mieux, si tu veux la voir, c'est que tu l'attendes au bar d'à côté. Tu te places à la terrasse vitrée et tu frimes. Si c'est bien elle que tu cherches, elle ne devrait plus tarder. Tu es bien une amie? »

Je réponds oui de la tête. Betty a prononcé tout ça très vite à voix basse.

« France a des embrouilles? Enfin, Linda?...

— Pas spécialement. Mais les filles d'ici sont tellement pourries. Comment c'est ton nom, au fait?

— Sophie. Si je ne la vois pas, dis-lui que Sophie est passée. Elle boit le pastis, Linda?

— Bien sûr, on s'en fait trois ou quatre tous les soirs, à côté, avant d'attaquer.

— C'est elle! Salut et bonne nuit. »

Et c'est bien elle qui m'arrive après une bonne demi-heure d'attente et deux whiskies. Elle avance le front haut, l'œil fripon, prête à relever le moindre défi, toujours aussi voyouse. Non contente de travailler dans un cabaret, elle drague aux alentours, la réplique aux lèvres au cas où elle tomberait sur un condé. Elle allume, elle éteint, sûre d'elle, toujours aussi jolie, davantage encore peut-être. Encore quelques pas, elle est là. Je frappe, je crie presque : « France! » Elle s'arrête, marque sa surprise d'un léger signe de tête. Je suis dehors.

« Franzie!

— Vieille branche qu'est-ce que tu fous là?

— Je t'attendais!

— Restons pas là, c'est chaud. Viens, on va s'en jeter un. »

On s'installe au fond du café, à une table de coin. France porte toujours le même parfum, elle est toujours aussi peu enthousiaste. Rien ne semble l'étonner. Elle parle, elle me regarde comme si nous nous étions quittées la veille et j'en éprouve une certaine tristesse, mais à quoi m'attendais-je donc? A ce qu'elle me saute au cou, les yeux brillants? Avais-je oublié qu'elle m'avait dit, un soir, en regardant les filles du *Saint-Louis* s'embrasser : « Regarde-les, mais tu les as vues en train de se lécher la poire alors qu'elles se traînent dans la boue à la première occasion. » France et moi, nous ne nous embrassons jamais. Je n'aime pas non plus les effusions et pourtant, ce soir, j'aimerais qu'elle laisse de côté rien qu'un instant un peu de sa froideur habituelle, qu'elle comprenne que j'ai besoin d'elle, qu'elle me fasse sentir d'un geste, d'un regard, d'une parole, qu'elle me considère toujours comme son amie. Je dis pour cacher mon trouble, tandis que nous trinquons :

« Ça fait un sacré bail!

— Tu parles! La dernière fois, c'était à Saint-Lazare. T'es toujours là-haut?

— Y a belle lurette que j'ai quitté. Franzie, je suis à la rue. Le mien s'est levé une poneytte belle comme le jour, il veut se débarrasser de moi, m'envoyer en casbah à Chambéry. Si dans les huit jours j'trouve rien, j'suis refaite!

« T'iras pas à Chambéry, ce soir j'te fais enquiller avec moi au *Boogie.* T'casse pas le bonnet, l'taulier bande pour moi mais j'te préviens, il marche avec les perdreaux et les gonzesses sont mal marida. La seule qui soit bien, c'est Betty ma pote, elle est mariée avec un « pays » du mien!

— C'est elle qui m'a dit de t'attendre ici! Le reste, je m'en fous à partir du moment où je sais où je mets les pieds! Et au point de vue boulot, comment ça marche?

— On monte à trente. Une fois dans la chambre, tu te démerdes, j'te fais confiance. Pour sortir, il faut faire trois bouteilles, tu touches quatre sur chaque. Si le mec veut pas consommer, tu t'arranges pour lui faire une branlette sous la table, et tu lui en prends une quinzaine ou en tout cas dix, mais fais gaffe de pas te faire piquer. Les loufiats jactent tout au père Claude. Y a des filles qui sucent, moi je suis contre.

— Elles chient pas la honte.

— Faut s'étonner de rien. Y en a qui poussent le vice jusqu'à se faire sauter sur les banquettes et puis faut les entendre : elles disent que les filles maquées, on devrait les filer aux fours crématoires avec leurs jules. Tu vois le genre. Alors, je te préviens, tu fais du léger, t'écrases. Si tu te castagnes, t'es lourdée.

— Bonne maison. Et où on monte?

— En principe, les mecs ont un hôtel. La clientèle est surtout étrangère et vu qu'on monte qu'une fois par nuit, les concierges nous font pas de problèmes. Sinon tu ramènes chez toi. Tu files ton téléphone aux mecs, ce qui te permet de t'en écraser quelques-uns l'après-midi. Enfin tu vois, c'est comme ça que je travaille et, dans l'ensemble, je m'en sors très bien. Il m'arrive aussi en sortant d'un hôtel de renifler un peu et de tomber sur un coup. C'est tout. Arrange-toi pour être toujours sapée et coiffée impeccable, le moins tapin possible.

— Où habites-tu maintenant?

— Rue Balzac, au 3.

— C'est pas vrai? C'est là que je viens de prendre un studio.

— Là aussi, fais gaffe, l'immeuble n'est habité que par des putes. N'amène jamais ton pépère, gaffe au téléphone et à la filoche!

— Si ça marche, tu me tires une drôle d'épine du pied... »

Dans la rue, malgré la courte distance qui nous sépare du *Boogie,* France a les yeux partout. Est-ce l'inquiétude, l'espoir de faire un autre client? Je n'en sais rien.

« J'ai eu des nouvelles du Mu Mu et de Kim, elles travaillent rue de la Reynie, paraît qu'elles se goinfrent!

— J'pourrai jamais travailler aux Halles!

— Moi, c'est le mien qui ne voudrait pas. Il a changé, tu sais. Pour Noël, il m'offre une marquise en diamants. Dans six mois, il ouvre un cabaret en Corse, c'est moi qui vais le tenir! Je le mérite non? Ça va faire cinq ans que je travaille. »

Oh! France comme tu me fais mal!

« Sa mère m'adore, tu verrais comment je suis reçue là-bas!

— J'ai le trac, pourvu que ça marche. »

Ça marche : en moins d'un quart d'heure, je suis enrôlée dans la troupe des suceuses du *Boogie.* France se félicite en me tapant dans le dos, tandis que Crâne d'Obus, son amoureux transi, me serre chaleureusement la main en me disant à demain.

En sortant, je téléphone à Maloup à *la Bohème* pour lui annoncer la bonne nouvelle. Maloup m'écoute et m'apprend qu'un certain Daniel passe régulièrement ses nuits à *la Bohème* depuis une semaine dans l'espoir d'avoir de mes nouvelles. Le Daniel en question est un provincial que j'ai connu là-bas, un homme de cinquante ans environ avec un visage tellement bon que, lorsque je l'ai vu entrer avec un air perdu, j'ai quitté le client avec lequel j'étais en train de boire le whisky d'après l'amour pour aller à sa rencontre. Je l'ai guidé jusqu'à la table du fond près de la piste de danse, et quand je lui ai fait remarquer qu'il semblait perdu, il m'a avoué que c'était son premier voyage à Paris : il s'était fait déposer à Pigalle parce que tous les copains de Metz en parlaient; et l'homme en livrée devant la porte de *la Bohème* l'avait accroché par la manche en lui disant qu'il trouverait ici la meilleure cuisine espagnole de Paris avec guitaristes, danseuses, etc. Comme il n'avait pas dîné et qu'il éprouvait une certaine nostalgie de l'Espagne où il avait passé des vacances trois ans auparavant, il était entré, confiant, et tandis que je jouais malicieusement avec sa moustache en le taquinant, il répétait d'une voix où tremblait l'émotion : « Je ne savais pas. Je ne suis pas rentré pour ça. Je vais partir. Je n'ai jamais trompé ma femme en dix-sept ans de mariage. »

Le cas m'intrigua et plus Daniel se défendait plus je jouais avec sa moustache et plus je découvrais mes cuisses en le traitant d'oiseau rare. Pourtant, il ne se détendait pas. Il demeurait les mains crispées sur ses genoux, le dos droit, loin de la banquette et ses yeux allaient de l'une à l'autre et revenaient à moi. Alors j'ai dit : « Tu m'préfères peut-être une de mes amies? » Et il a presque crié : « Oh non! c'est toi que je veux! » Il a troqué son verre d'orangina contre une demie champagne et au bout d'une heure nous attaquions le Dom Pérignon. A onze heures, Daniel s'agrippait à mes épaules comme un gosse en me demandant de le rendre heureux. Il hoquetait entre mes seins :

« Ma femme me bat, elle me trompe avec mon beau-frère, c'est une mégère. Figure-toi que j'ai la possibilité d'être muté dans la région parisienne. C'est ma seule ambition. J'ai fait ma demande il y a six ans et je viens d'obtenir ma mutation. Eh bien, tu sais ce qu'elle a fait? Elle l'a déchirée, elle ne veut pas le quitter. Et ma pauvre sœur qui ne voit rien. »

J'épongeais ses larmes avec mon corsage, en caressant amicalement sa nuque grise.

« Mais maintenant que je t'ai rencontrée, tout va changer. Je vais dès demain au ministère signer ma mutation. Je ne prendrai pas beaucoup de place tu sais, pourvu qu'on passe de temps en temps une soirée ensemble. Je te récompenserai bien. C'est toujours ça qu'elle aura de moins pour acheter ses saletés de sucreries qu'elle se fait expédier, ses nougats de Montélimar, ses pruneaux d'Agen, ses pralines de je ne sais où. Là-bas, chez moi, on l'appelle la coche. Elle est aussi grosse que méchante. Mais tout va changer. Elle verra que je ne suis pas le raté qu'elle dit. »

Il n'y avait rien de moins sûr que de prendre un sou à cet homme-là, je perdais sans doute mon temps, mais la nuit était calme, c'était un samedi, mes fidèles étaient en week-end et plutôt que d'entendre les bêtises des filles, je préférais écouter les peines de Daniel. Vers deux heures, je l'ai traîné chancelant jusqu'au *Macao.* Il appelait mes seins des fruits en déposant l'enveloppe qui contenait sa paye d'un mois sur le lavabo. Je me sentais moche. J'avais envie de lui dire : « Va-t'en, tire-toi, tu me fais mal avec tes cent trente sacs gagnés au guichet de poste. J'suis pas mieux que ta femme qui se bourre de gâteaux. Moi, j'en veux qu'à ton oseille. J'te donnerai jamais rien en échange. T'es pas assez riche pour que je te sacrifie une soirée. T'es trop bon. Fous le camp. Déguerpis. Largue jusqu'à Metz, mieux vaut supporter une grosse goinfre que de souffrir du cœur. »

Mais je n'ai rien dit. J'ai caressé le sexe bandé de Daniel en le savonnant, en lorgnant l'enveloppe dont j'avais eu le temps de vérifier le contenu pendant qu'il se déshabillait. Treize billets de dix sacs tout neufs, soigneusement épinglés, qui sentaient bon. On a fait l'amour à la papa, lui dessus, moi dessous et comme il me disait qu'il avait retrouvé ses vingt ans, on a remis ça, lui dessous, moi dessus.

Nous sommes redescendus ensuite au bar. Il tenait à m'offrir un dernier verre, il était heureux. A ce moment-là, Simon est entré avec un Libanais, Josépha s'est approchée de moi et m'a dit à l'oreille : « Sophie, c'est pour vous. » J'ai abandonné Daniel en l'embrassant sur la joue, on n'avait même pas entamé la demie. Quand je suis redescendue, il n'était plus là. Le matin, en sortant à cinq heures et demie, je l'ai aperçu à la bouche de métro, place Pigalle. Il semblait malade. J'ai dit : « Mais qu'est-ce que tu fais encore là? » Il a répondu d'une voix craintive : « J'ai plus un sou. Pas de quoi m'acheter un ticket. » Je l'ai entraîné dans une brasserie proche. On a bu du café, mangé des croissants. Je lui ai glissé dix sacs dans la poche, l'ai accompagné jusqu'au métro. Il a dit : « N'oublie pas, je serai muté, je reviendrai. » On s'est dit au revoir. Il a sûrement été muté, il est revenu. Un brave homme que j'aimerais revoir.

Comme la nuit est douce tout à coup! Comme il fait bon marcher sous la neige! L'appartement est vide, sur mon oreiller il y a un mot : « Ma petite gueule, je monte huit jours à Bruxelles pour affaires urgentes. Passe jeter un œil aux *Tropiques* pendant mon absence. Sois à la hauteur. C'est toi la meilleure Grisou. » Ainsi, c'est Gégé qui me pousse à connaître ma petite sœur, il fait de moi son messager, la complice de son mensonge. Oh! que l'intervalle est cruel entre ces quelques lignes et ma rencontre avec Dominique. Comme il ferait bon dormir... Dominique, il t'appelle Domino quand il me parle de toi et il me parle souvent de toi. Il n'a guère de pudeur, crois-moi. Je connais tes plats préférés, je sais que tu bois des gin-fizz, que tu as deux grains de beauté au sein droit, que ton ventre est tendu comme un ballon, que tu aimes faire l'amour sur le côté et que tu chausses du trente-huit! Je sais aussi que tu es amoureuse et que tu veux un enfant de lui. Il ne m'épargne rien, tu vois! Si seulement tu l'aimais un peu moins, je te raconterais comment il m'a eue à vingt ans. Je te dirai le petit hôtel de Montparnasse où j'y ai cru, en pensant que grâce à lui c'était fini, que jamais plus la misère ne pointerait sa sale trogne à ma porte. Et pourtant je ne l'ai jamais autant vue depuis trois ans : tu vois comme on se trompe. Bien sûr, c'est pas la même. L'autre, avec ses rigueurs et ses crampes d'estomac, avait quelque chose de bohême, une espèce de gaîté que même les coups n'arrivaient pas à démolir, tandis que celle-là est tragique avec ses promesses de bonheur qui n'aboutissent jamais. Ça ne servirait à rien que je te raconte tout cela puisque tu l'aimes. Alors garde les yeux bien fermés, la *Comedia del Arte* va commencer...

Mon Dieu, j'avais oublié qu'elle était si jolie. Embrassons-nous Domino. J'apporte des nouvelles du guerrier. Notre homme, à l'heure qu'il est, doit boire à notre santé dans un bar bruxellois. Eh bien! parle Domino, envoie la musiquette, j'écoute. Voyons un peu de quel instrument il te joue, j'te donne le la!

« C'est vrai, Gérard est un gentil garçon, et je peux vous dire que quand il parle de vous, il a tout dit!

— Quand il m'a connue, je sais que ça gazait plus pour lui. Moi, je vais lui faire un petit cet été, il est content. A l'automne, on va acheter une fermette en Normandie pour que j'ai une grossesse tranquille.

— Je vous offre un autre gin, ça me fait plaisir de vous connaître.

— Vous êtes gentille, les filles d'ici sont tellement pimbêches. Vous devez savoir qu'il a une autre nénette? De toute façon, j'm'en fous, elle a l'air tellement bête, la pauvre fille. »

Reprend ton souffle Domino, bois un coup, tu m'instruis sérieusement. Ainsi le gredin t'a présenté Odette! Diablesse, tu me fais tomber du haut de l'échelle.

« Figurez-vous qu'un jour il nous a emmenées déjeuner à la campagne. Il m'avait mise au courant avant, bien sûr! Si vous aviez vu comment elle était habillée, un vrai carnaval! On a quand même bien ri à table avec Gérard. Il disait que j'étais sa cousine, et l'autre qui gobait tout! Nous, on se faisait du genou sous la table. Je sais pas ce que vous allez penser, mais après on est allé faire l'amour chez lui tous les trois. Evidemment il ne s'occupait que de moi, alors ça c'est terminé en bagarre. Quelle volée elle s'est prise! Paraît qu'elle n'a pas pu aller bosser pendant trois jours. Marcellin était furax!

— Marcellin?

— Je l'appelle comme ça pour le taquiner, c'est son vrai prénom, Si, si, demandez-lui un jour sa carte d'identité, vous verrez!

Sacré Gégé, va! T'es vraiment abject, tu lui as même fait voir tes fafs. Décidément, y a un Bon Dieu pour les crapules. Si un matin tu te retrouves pas aux galères, je me fais greffer une paire de baloches. Et elle qui gobe tout comme du pain béni. La ferme en Normandie c'était moi, le mouflet c'était moi, sa femme stérile, il a oublié de te bonnir qu'elle avait fait neuf fausses-couches. Marcellin, c'est le prénom de son pauvre père qu'il a laissé crever tout seul dans une baraque insalubre du Berry, sans eau, ni feu. Odette, sa femme, tu parles! Odette, une pauvre frangine que j'ai eu le malheur de lui mettre entre les mains et qui aligne aujourd'hui les bougnouls du côté de Barbès. Il est sur le point de la vendre et il voudrait que je prenne la relève. Ça, jamais! Plutôt crever. Mais toi, cocotte, te berlure pas. Ton tour viendra. T'en rabattras Domino comme j'en ai rabattu, parole de moi. Si tu bandes aujourd'hui pour lui, tu vas le becter jusqu'au trognon, mais sans moi. Maintenant arrête tes salades. J'ai envie de me trisser, d'aller au refil, de défoncer ta jolie petite tête.

« Enfin, il m'a dit qu'il allait la jeter.

— Je vous le souhaite, je ne suis pas partageuse non plus.
— Vous reviendrez? »

Compte dessus et bois de l'eau, ma cocotte. Mieux vaut tout ignorer que d'entendre ces saloperies. Décidément Gégé, c'est le joyeux mac. Je ne sais pas encore quand, ni comment, mais je vais lui préparer un coup de Trafalgar dont il se souviendra longtemps.

En travaillant au *Boogie,* je deviens une habituée des quatre étoiles et des maisons de partouse. Mon premier client ne m'est pas inconnu. C'est un monsieur de belle apparence que je suis au *Prince de Galles.* Hélas, la porte fermée, je déchante : « Ne te déshabille pas, m'ordonne-t-il. Accroupis-toi, forme un cercle avec tes bras, renverse la tête. » Il ouvre sa braguette, j'ai à peine le temps de m'écarter que déjà monsieur arrose la moquette en faisant tourner son sexe dans tous les sens en brâmant : « T'es mon pissoir, obéis-moi, je t'ai payée pour ça! » Tu m'as payé pour rien, vieux vicelard, et si je ne craignais pas que cela te fasse jouir, je te cracherais à la bouche! Adieu Monsieur..., vous pouvez me poursuivre dans les couloirs ouatés en m'accusant de vous avoir volé; j'ai ma conscience pour moi!

Dans la pénombre du *Boogie,* je m'étiole et les hommes me trouvent mauvaise mine. Je reste trois jours sans dérouiller. Pour faire passer le temps, j'écluse en regardant distraitement les attractions stupides réservées aux touristes. France me dédaigne affectueusement et adopte à mon égard des airs protecteurs, pauvre moi qui ait la disgrâce d'avoir une « petite sœur ». Elle s'afflige en chœur avec Betty, et je décide d'espacer nos rencontres en dehors des heures de travail. J'ai la nette impression que ses futurs diamants lui montent au cigare.

Pourtant, à l'aube de la quatrième nuit, c'est elle qui me branche sur deux Sud-Américains qui ont une suite au *Plaza Athénée,* et tandis que nos deux hidalgos échangent de folles caresses, nous leur faisons tranquillement les vagues. Les dollars abondent, c'est l'Amérique! A trois heures, la fête bat son plein. Un loufiat, poussant devant lui une table croulant sous les victuailles, fait son entrée. Champagne et caviar à discrétion! On tartine, on écluse... On reprend notre frénétique partie de jambes en l'air. Lorsque nous quittons le *Plaza,* le portier nous remercie d'avoir si gracieusement diverti le personnel de l'hôtel!

« Ces demoiselles avaient décroché le téléphone, dans leurs ébats, ajoute-t-il avec un petit sourire entendu!

— J'oserai jamais remettre les pieds là-dedans.

— Qu'est-ce que t'en as à foutre? Allons plutôt faire nos comptes. »

France m'entraîne au tabac de l'*Alma.* Installées au fond de la salle pratiquement déserte à cette heure-là, à l'abri des regards indiscrets, nous étalons les dollars sur la banquette, un coup de maître : deux cents loyalement gagnés pour chacune, plus la fauche qui nous laisse un bénéfice net de cinq cent vingt-cinq à partager en deux.

« Quel pied!

— Tu l'as dit gouffi, tu crois pas qu'ils iront au pétard?

— Penses-tu! Ils étaient bourrés comme des coings.

— Tu vois, ce soir, je me sens tellement en forme que si je savais où habite ma p'tite sœur, on irait lui caresser les oreilles.

— Oublie ça, Sophie, ça te retomberait sur les endos. »

Les images mirifiques du *Boogie* que je projetais dans le dos de Maloup avant de m'endormir se ternissent. Ma robe de mousseline n'est plus qu'un uniforme et les parfums sucrés sont altérés par l'odeur du tabac. Le champagne a un arrière-goût de ciguë... et le petit Juif qui me tend la main en caressant mes jambes d'un regard flou ne me plaît guère.

Pourtant quelque part dans l'ombre, l'œil de Crâne d'Obus m'observe. Je saute de mon perchoir en souriant et suis mon lutin dans la partie la moins éclairée de la salle où il me présente sa dame, une dame qui croule sous la joncaille, une dame aux yeux brillants, aux lèvres luisantes. Sa main grasse étreint la mienne, je renifle aussitôt la partouse. Les trois bouteilles réglementaires une fois consommées, Lizbeth tangue amoureusement entre l'épaule de Gunther et la mienne en me susurrant leur penchant réciproque pour le coït en groupe. Gunther soutient sa dame qui semble avoir des difficultés à gravir les marches du *Boogie.* J'ai un contrat de six cents francs dans la poche. Installée à l'arrière de la Rover, j'attends que mon lutin me renseigne sur notre lieu de destination...

« Vous connaissez *les Marronniers?*

— Je n'y suis jamais allée.

— C'est l'endroit que Beth préfère, on y prend du bon temps, vous verrez! »

Je verrai quoi? Les rares fois où je suis allée en partouse rue Boursault, je n'ai rien vu d'extraordinaire : mes camarades, assises au bord des lits, fumaient et causaient, faisaient leurs comptes et distribuaient des claques, aussi à l'aise toutes nues qu'habillées. Mais n'ayez crainte, Monsieur Gunther, vous ne serez pas abusé, vous reconnaîtrez la bourgeoise : celle-là, dégagée pour un temps de ses inhibitions hypocrites, tend largement ses cuisses ouvertes vers le plafond, exécute des moulinets, des ciseaux magistraux, des plaquages sournois. Attention, prenez garde aux coups bas, la goulue happe tout au passage, sans différence de sexe! Sachez vous préserver, à moins que vous ne veniez là pour en sortir tout abîmé. Il ne faut pas vous emporter, il faut maîtriser vos désirs. Il importe de rester calme même quand le bas-ventre démange. Gardez vos yeux lucides et vous apercevrez toute une flore sournoise nichée dans les nids d'abeille des serviettes et jusque dans la mousse des savonnettes. Regardez bien les draps, chaque pli est une fuite, une ride, un chagrin, un dégoût. Pourtant j'avoue que ces lieux de débauche ont toujours aiguisé ma curiosité, j'aimerais y aller en spectatrice, y avoir ma loge, suivre à l'abri de mes lorgnettes cet extravagant dégel.

Gunther me glisse discrètement une liasse de billets douce à mes doigts. Nous avons convenu du prix au bar. Apparemment Lizbeth n'a rien vu. Quel jeu joue-t-elle? Aucun. Tout semble lui être dû. On entre dans un cabaret, on met le doigt sur une fille qui a l'air de s'ennuyer, on lui offre à boire, le tour est joué. Elle vous appartient pour la nuit, vous l'avez tirée de la fange pour quelques heures. Elle doit vous prouver sa reconnaissance en vous parlant de Mytilène et de Lesbos avec des accents graves.

Pauvre Lizbeth qui remonte sa robe d'une main pour gravir les marches du perron et appuie d'un doigt impatient sur la sonnette qui va lui ouvrir les portes d'une débauche organisée. Elle peut toujours exercer son sourire auprès de l'hôtesse, c'est peine perdue : ici on ne reconnaît pas les habitués, on dissimule.

Nous voici plongés en pleine luxure avec nos rafraîchissements à la main. Un peloton se démène en soufflant sur un large lit. Dans un coin, deux hommes rétrogradent paisiblement vers l'enfance en jouant au yoyo avec leur sexe, une femme fume en se masturbant, une autre assise par terre divague en léchant son verre. La lumière crue qui tombe du plafond creuse la moindre ride, il fait lourd. De la pièce voisine, fusent des rires, des plaintes, des frémissements, des bruits de verres, des chuintements, des cris.

Une soubrette à œillères nous guide jusqu'au vestiaire. Sur les tringles s'entassent des vêtements suspendus à la hâte. Là encore on batifole, on fourgonne, on se cherche! Assise sur une table encombrée de verres vides, une femme pleure, son rimel dégouline jusqu'à la pointe brune de ses seins. Elle parle seule : « Je n'oserai plus regarder mon mari en face ni embrasser mes fils, je suis déshonorée. » La voix chavirée de Lizbeth lui fait écho. « Elle a trop bu, la pauvre enfant. Gunther chéri, console-la pendant que nous nous déshabillons. »

J'observe le manège de Gunther, ses mains qui entourent les hanches molles de la femme, sa bouche gueularde qui se plaque sur les épaules affaissées, et qui descend en suivant le tracé du rimel jusqu'à la pointe retendue, ses doigts qui fourragent entre les cuisses qui ne demandent qu'à s'ouvrir, qui s'ouvrent en laissant échapper une plainte hystérique. « Armand, je veux Armand! Oh! ça y est, je repars, c'est beau. » Gunther, à genoux, affublé de son costume de pingouin et de sa cravate qu'il rabat dans son dos à chaque sursaut, la tête enserrée entre les cuisses de la mangeuse d'hommes, est grotesque.

Lizbeth s'aggrippe à mon sein, elle tète comme aux premières heures de l'enfance. Je pense à la Normandie, aux mains rudes de ma nourrice sur les pis consistants des robustes laitières. Je pense au sable blanc, aux moules, aux coques, aux dunes mouvantes, à Cabourg, à la Dive boueuse, à mes premières brasses, aux mains de mes cousins qui m'étreignaient le ventre et le menton... Armand surgit, trouble mes rêveries. Lizbeth lâche mon sein qui roule sur le plancher, Armand l'écrase sans s'excuser, je me mords les lèvres. Je fixe, hagarde, les gestes du centaure. Lizbeth hurle dans mon cou, se déchaîne, se soulève, crache sa lubricité d'une voix souterraine. Faites, chère madame, je vous en laisse la prérogative. La chose est loin de m'émouvoir. Jésus, toi qui vois tout du haut de ta Croix, dis-moi, le cul mènerait-il le monde? Gunther valse au milieu des vêtements épars sans rien perdre de sa superbe érection. Armand empoigne la pleureuse qu'il place d'un coup de main à califourchon sur la table. Lizbeth, mise en appétit par le coup de rein du centaure, propose de passer dans l'autre pièce en attendant son tour. Oh! déception, mes sœurs de passage ont réquisitionné l'endroit. Le lit s'est transformé en un vaste tapis vert. Les gamines jouent au gin-rami en s'envoyant des Pimm's! Je les salue d'un clin d'œil, ici les présentations sont dérisoires.

« Si tu te fais tartir, viens avec nous. Pas la peine d'aller à côté, aujourd'hui ce sont les tantes qu'ont la vedette! »

Justement, j'irais bien y faire un tour, là au moins je serai épargnée, mais Lizbeth m'entoure la taille et nous regagnons le vestiaire. La pleureuse couchée par terre disparaît sous le corps du centaure qu'un vieillard hargneux chevauche en lui assénant des coups de pipe sur la tête. Gunther se jette dans la mêlée. Un jeune éphèbe entraîne son Pygmalion dans une folle farandole. Lizbeth tend sa main, m'entraîne, une ronde se forme. La chambre se met à tanguer, à chanter : *Dansons la capucine, y a pas de pain chez nous, y en a chez la voisine, mais ça n'est pas pour nous!* Le monde s'affale, se fissure. Je m'écarte, allume une cigarette. Comme il serait doux de tout faire sauter. Une main inconnue me caresse la croupe, je la brûle en m'excusant, rampe jusqu'à la rangée de godasses où sont planqués mes six cents francs, étreins mon sac. Il serait facile de partir inaperçue. Il suffirait de passer avec mes vêtements dans la salle de bain et d'en sortir sur la pointe des pieds. Ils sont tous bien trop occupés pour faire attention à moi. Je décroche le cintre qui soutient mes vêtements, mais Lizbeth lance un cri tellement aigu que je lâche tout. « Sophie, viens avec nous, ma jolie petite putain. » Misérable salope! C'est à l'instant où je veux fuir que tu me siffles. Je suis le cortège mené par le centaure qui porte Lizbeth empalée sur son sexe.

Elle a la tête renversée, sa bouche béante, remplie d'or, bâille comme celle d'une carpe hors de l'eau. Ses yeux sont fermés, ses narines dilatées, ses bras graisseux pendent dans un mouvement d'abandon total. Derrière eux, la pleureuse pantelante est portée à bout de bras par quatre hommes, comme pour un sacrifice divin. A ma droite, le petit vieillard hargneux se masturbe au rythme d'une longue quinte de toux. A ma gauche, la main moite de Gunther serre mon poignet, une sueur aigre lui dégouline sur tout le corps. Derrière nous, un couple de Belges se gargarisent de sottises, à deux reprises le sexe de l'homme heurte mes reins, tandis que sa partenaire ricane. J'ai l'impression de participer à un cortège de damnés. Comment, à cause de qui, de quoi, devient-on dépravé à ce point? Je pense aux six billets de cent francs. Ils me font l'effet d'une compresse tiède sur un phlegmon. Quand Armand épuisé lâche Lizbeth sur le lit comme un sac, Gunther me précipite entre les cuisses ridées de sa femme. Il fait pression sur ma nuque en lâchant toutes sortes d'obscénités. Je reçois une odeur âcre de vieille urine et de parfum sucré tandis que mes lèvres effleurent le pubis dégarni de la Juive qui entoure mon cou de ses cuisses molles. Mon front sous l'assaut se plaque sur son ventre flasque, mes yeux fouillent une vieille cicatrice, je laisse couler des larmes. Le dégoût se mêle au dépit. J'œuvre en pleurant tandis que Gunther, pauvre impuissant, ballade une chiffe molle sur mes fesses. Assez! Gardez vos gros sous et vos usines de caoutchouc, laissez-moi filer, c'est trop cher payé...

Quand je quitte seule *les Marronniers,* laissant les damnés à leurs délices visqueux, il est trois heures du matin. Je marche dans les rues vides, complètement asphyxiées, mes bras caressent les plis de ma robe par la doublure crevée des poches de mon manteau. Oh! partir, partir sans passeport, sans autorisation signée, sans demander l'avis de quiconque. Cabourg, attends-moi, j'arrive, je veux revoir tes dunes mouvantes peuplées de poux de mer translucides, l'eau grise à marée basse, les couteaux nacrés qui crissent sous mes pieds, les morceaux de bois mort qui émergent du sable froid comme autant d'appels au secours, la promenade déserte qui s'étire sous la pluie, la salle de jeux des Floralies, le premier baiser échangé à travers sa vitre embrumée, plus loin, la Dive boueuse qui traîne au travers des jardins, les ajoncs, les vaches enlisées, l'odeur des pommes, le goût du cidre et des cerises sauvages.

L'espoir de ce prochain voyage me permet de tenir trois semaines de plus dans l'ambiance enfumée du *Boogie.* Une fois encore le champagne, les filles et Gérard me sortent par les yeux. Je suis lasse de faire des chassés-croisés du *Crillon* au *Georges V,* du *Ritz* au *Claridge,* du *Prince de Galles* au *Plaza.* Le seul avantage que j'en tire est d'oublier les heures lancinantes que je passais il n'y a pas si longtemps au poste! Petite joie, je revois Daniel chez moi une fois par semaine. Le cher homme a été muté à Epinay-sur-Seine. Hélas, depuis qu'ils sont banlieusards, sa moitié s'est remise au régime et Daniel regrette le temps des nougats : « Elle n'est plus à prendre avec des pincettes », gémit-il entre mes oreillers, et j'éponge ses larmes comme dans le passé.

Hier, France et Betty m'ont dit au revoir, elles partent ensemble huit jours à Courchevel se faire bronzer. Même leur amitié est un leurre puisqu'elle leur est imposée. N'empêche que j'ai un drôle de blues. Malgré mes fermes résolutions de ne plus partouser, j'ai encore suivi Lizbeth et Gunther rue Le Chatelier. Oh! c'est un peu mieux qu'aux *Marronniers,* les chambres sont réparties sur deux étages, mais cette pauvre Lizbeth était tellement ivre qu'elle a déboulé tout l'escalier. Nous formons à présent une sorte de triangle plus ou moins complice. Je suis souvent leur invitée à déjeuner. Pour l'occasion, je deviens leur nièce et découvre avec appétit les restaurants sélects du Paris d'en-haut! Je ris de leurs fariboles en leur rappelant gentiment que nous nous sommes rencontrés dans un cabaret et séparés sur un plumard.

Lizbeth avec qui je déjeune seule me confesse entre deux vins : « Voyez-vous ma petite chérie, si je me prête à ce petit jeu, c'est pour lui plaire, le garder. Vous vous êtes bien rendue compte qu'il est impuissant, il a trop longtemps pratiqué l'onanisme dans les camps. La captivité est une triste réalité et ces soirées me répugnent. » J'écoute à demi-attendrie, la liqueur de framboise me chauffe les tempes. Mensonge! Qui croyez-vous berner Madame? Cette nuit-là, vous ne trichiez pas. Cette sombre avidité dans votre regard, ces paroles obscènes, cette dextérité dans vos gestes, ce goût âcre dans ma bouche, souvenez-vous. Vous ne trichiez pas et je vous préfère, croyez-moi, dans la peau d'une salope consciente, que dans celle d'une victime éplorée. Adieu Lizbeth, je ne te demande pas de te découvrir davantage, j'avais même fini par te trouver sympathique. Ne te dérange pas pour moi, finis ton verre, j'ai l'habitude de marcher seule.

Je vais rejoindre Gégé dont le cas semble s'aggraver, Gégé, mon homme de paille, mon épouvantail à bonheur, qui en prévision des fêtes qu'il passe à Mégève avec Domino, s'est fait confectionner une panoplie de skieur professionnel : anoraks superbement matelassés, d'une couleur différente pour chaque jour de la semaine, passant du vermillon au citron, du vert pomme au turquoise, avec des pantalons fuseaux assortis, sans oublier les moufles, bonnets et cache-nez que la brave Arménienne, la femme du tailleur, lui a consciencieusement tricotés à la main. Je crois que s'il avait un pote cordonnier, Gégé aurait poussé le bouchon jusqu'à se faire fabriquer des pompes assorties, sur mesure.

Je suis bien attelée avec un bon à nibe, un cravateur qui va de mal en pis, de tours de passe-passe en grasses supercheries, un pauvre type qui m'embringue, nuit après nuit, sur les chemins tourbeux de sa propre déroute. Encore une fois, je croise en plein brouillard les rivages escarpés de ma déprime, j'avance à tâtons, les mains en avant, j'ai perdu ma boussole, on me l'a volée. Il pleut à verse, les baleines acérées des parapluies du monde entier me transpercent le cœur, j'écarte les gouttes, je tends mes lèvres au ciel et j'avance, saoulée, brisée, impatiente de me retrouver dans la tiédeur du logement de la rue d'Aboukir.

Etendu près du poêle, l'enfant dort à poings fermés. Maloup sourit en ouvrant les paquets, c'est la fête! Nos tauliers respectifs nous ont accordé, à contre-cœur, quatre jours de congé.

« Sophie, tu as fait des folies. Pourvu qu'on lui donne tout!

— Du moment qu'on ne dépasse pas les cinq kilos... S'il en a de trop, il fera gameller ceux qui ne reçoivent pas de colis!

— C'est vrai, y a jamais rien de trop pour ceux qui sont enfermés. »

A une heure du matin, nous terminons d'emballer le faisan désossé dans un papier d'argent. Tu es bien sûre Maloup d'avoir retiré tous les os? Tu sais qu'ils sont interdits en prison! Imagine toutes choses que l'on peut faire avec un os : un cure-dent, un cure-oreille, une lime à ongles! On peut se faire du bien en somme, se nettoyer, à moins que l'on ne décide simplement de se crever les yeux! De toute façon, l'os devient, en galère, une arme prohibée. Prohibées aussi les malheureuses larmes de champagne que tu glisses dans le caviar, prohibés l'alcool, les emballages de verre. Instruments de suicide, armes de la rébellion tout ça! Prohibées les femmes comme toi, qui crèvent de tendresse derrière les barreaux, prohibés les dimanches qui n'en finissent pas, l'odeur du crème, des croissants chauds. Prohibé le geste d'amour qui nous fait tendre les bras à la recherche d'une épaule. Prohibé l'espoir, prohibée la vie!

« Mettons à genoux et prions. P'tit Bon Dieu, faites qu'un maton aux pognes salaces fourre pas son tarb' vicieux là-dedans, qu'il n'absorbe pas les quelques bulles que je viens d'y mettre, qu'il n'éventre pas le faisan de ses doigts fourbes, que mon colis d'amour ne parvienne pas en charpie à mon mari.

— Oh! Sophie, encore un Noël.

— Oui Maloup, et demain nous partons. »

En rentrant de Cabourg, je trouve une enveloppe glissée sous ma porte et reconnais l'écriture de France. Je me sers un whisky avant de l'ouvrir.

« Vieille branche, désolée pour toi, t'es virée. On t'avait accordé quatre jours et non dix. Je ne peux vraiment rien faire, pourtant, crois-moi, on a tout essayé avec Betty. Quant à *Chose,* il est dans une rage folle. Il te cherche partout. Il m'a appelé plusieurs fois de Megève et de Paris où il est remonté en catastrophe, il croit que tu as valisé. Si tu veux un conseil, joins-le dès que tu rentres. Je crois que tu lui as gâché ses sports d'hiver. Il a parlé avec le mien, garde-ça pour toi et déchire mon mot aussitôt lu. Au printemps, nous prenons ensemble la route de Dakar. Après tout, changer d'air ne nous fera pas de mal. Betty viendra nous rejoindre au début de l'été. Si tu connais une fille bien qui soit partante, dis-le au tien. Il faut en profiter, car d'ici peu les places vont devenir chères. C'est un Corse, un ami du mien, qui vient d'ouvrir ça, un truc super chic, un complexe restaurant, cabaret, piscine. Tu te rappelles Martine d'Avignon qui a travaillé à un moment au *Saint-Louis*? Son mari avait pris vingt piges sur un braquage. Elle est déjà là-bas avec le mien. On lui a téléphoné il y a deux jours. Elle dit que c'est formidable, qu'il y a de l'oseille gros « comme ça » à prendre, que nous n'avons pas à nous inquiéter. La clientèle est triée sur le volet. Les seuls Noirs qui viennent sont tous des gros bonnets avec le cœur sur la main. Deux filles comme nous, ça va faire un malheur! Pour ma part j'ai déjà accepté. Le mien vivra là-bas six mois de l'année, le tien pareil! On pourra se faire bronzer, se baigner. Sophie, je t'embrasse, te souhaite de trouver quelque chose. En attendant, si t'as un pépin, j'habite deux étages en-dessous. France. »

Enfin des nouvelles qui font chaud au cœur. Bravo France! Je vois que tu as bien appris ta leçon, qu'on t'a bien bourré le mou. Tu n'as rien perdu de ton excès de bonne mentalité. Vive le mac qui sait si bien la cultiver. Mais cette fois, sans moi, ma vieille. Tu t'embarqueras seule sur cette galère.

Eh Sophie! qu'est-ce que tu fais là, assise au bord du lit, la tête entre les mains? Je pense à Marie, aux dimanches matins où, à l'abri de mes frères, j'écoutais le radio-crochet. Je pense au long exil, au point de non retour, à tout ce qu'on a voulu me faire avaler. Je pense aux Duraton, cette famille exemplaire qui, chaque soir, à huit heures, s'installait à notre table et bavait dans nos assiettes vides. Pas de sang chez les Duraton, jamais de coups ni d'injures, pas l'ombre d'un inceste! Rien que des grosses plaisanteries nourrissantes. Ah! je me les rappelle, pétants de santé, bien planqués dans un intérieur propret. Chez eux, pas la moindre punaise, pas le moindre bacille de Koch dissimulé entre les lattes du plancher ciré, pas de crasse, pas de vices, pas d'adultère, rien en somme qui puisse engendrer la misère! Quand Madame Mère écartait les cuisses, c'était pour feuilleter son missel. Quand Monsieur se débraguettait, c'était pour lire son journal. Monsieur avait la vue basse, le sang pauvre, pas de quoi engendrer de la graine de catin. Le dimanche matin, toute la sainte famille pointait à la cérémonie de huit heures et demie. Mlle Ginette Duraton qui avait les genoux cagneux, faisait des trous dans son prie-Dieu en rêvant au péché mortel. Son frère Georges qui avait de l'acné, profitait de ce que les fidèles avaient le nez baissé pour presser le sien. Madame, à la veille de la ménopause, regardait attendrie M. le Curé balancer l'encensoir. Papa, en tripotant les grains charnus de son chapelet, rêvait au clitoris de la voisine du dessus! Je pouvais pas blairer les Duraton, j'ai toujours eu horreur du chiqué et chaque soir, à huit heures, aux premiers crépitements de la T.S.F., je descendais vider la poubelle.

Derrière les bancs près du terrain vague, j'offrais mes seins durs aux mains douces des garçons! Effacer les Duraton du tableau des souvenirs, ne pas effacer l'empreinte des doigts des garçons sur mes seins. Remercier ma mère de s'être fait culbuter par les Amerlocs sur les talus de Rambouillet pour remplacer sur nos tartines le saindoux par du beurre. Remercier mon père d'avoir été de la patte, remercier ma sœur de ne pas être un cul-béni, mais un cul majuscule! Remercier mes frères de ne pas avoir de boutons sur le nez mais la barbe douce. Remercier M. le Maire de la commune de Malakoff de nous avoir donné ce petit deux-pièces au sixième où l'on étouffait bien souvent, mais où il n'y avait pas l'espace pour cultiver l'hypocrisie!

Gommer Gérard de ma gamberge et les pattes sales des michetons. Rayer Dakar de la carte du monde, me lever, me tenir debout face à la glace, dire adieu à mes seins, à mon ventre, à mon père, à ma mère, à mes frères et sœurs, à France et à Maloup! Marcher les yeux clos jusqu'à la cuisine, ouvrir sans trembler le robinet du gaz, glisser le tuyau entre mes lèvres. Du cran, Marie-Sophie, cette asphyxie-là vaut bien l'autre.

QUATRIÈME PARTIE

Il existe de ces rues à réputation obscure, où l'on éprouve toujours une certaine répugnance à poser le pied, soit par excès de puritanisme, soit par manque de curiosité ou encore par absence d'imagination, à moins que ce ne soit tout simplement par crainte! Admettons que le carré dessiné par les Halles centrales, en passant par la rue Pierre-Lescot, la rue Berger, le square des Innocents, la rue de la Cossonnerie et la rue des Prêcheurs, crevée sur la droite par la rue Saint-Denis, n'a rien d'engageant à première vue... A moins que ce ne soit précisément dans cet obscur périmètre que l'on ait décidé de venir chercher sa becquée! Dès cet instant, la vision change. Les Halles, au lieu d'être hostiles, se montrent accueillantes! Elles deviennent un vaste port marchand où chacun accomplit sa besogne dans la lueur brumeuse des réverbères. On y rencontre des forts aux allures de marins, des marins aux allures de forts, des filles qui tanguent, des diables de tout acabit, des chardons dorés frayant avec des chrysanthèmes au bord d'une vespasienne, des fillettes qui ressemblent à leurs mères, les coudes dans la laitue, des cageots prisonniers, des caisses ouvertes, des pavés luisants, des verrières suspendues, des touristes hilares plongeant dans la gratinée, des fines de claire, des coudes levés, des Saint-Raphaël-Quinquina, des bouchers sous le néon, des bouchers maculés de sang, la casquette à la retourne, qui ressemblent aux grands patrons, face aux têtes de veaux sous anesthésie, la langue bloquée entre les dents. Les Halles, c'est l'insolite à la portée de tous et de chacun, mais surtout de celui qui sait regarder.

On y croise un arrivage de belons, Robert Vattier, une bouche bée devant un pied de cochon, des bottes d'oignons, une fille en larmes, Saint-Eustache et ses orgues, un grand bal de nuit, des milliers de têtes d'ail la queue au ciel, des individus lippus aux pas incertains, un chien qui fume, trois chats crevés, des arches et des ardoises, des cabrouets et des fourrières, des poids légers, des bombardiers, des jaloux imaginaires, des grands guignols, une constellation de B.O.F., des pieds levés, des épaules lourdes, un œil fouinard, une main qui tâte, une barbe de la veille, un fromage de tête, des cochons fleuris, des brochets amers, un collier de volaille, des filles en bottes, des fleurs en branches, des talons argentés, un square des Innocents, des façades léprosées, des jupes gonflées, des couloirs étriqués, un homme-balai, des archers sans roi, un nègre de la Chapelle coiffé d'un béret basque, qui ramasse des oranges de Jaffa, rousses comme la fille rousse, la fille papillon qui tourne, tourne à en étourdir le nègre, à en étourdir la pocharde qui tombe le front dans les tomates saignantes. Elle tourne la fille, elle n'arrête pas de tourner et plus elle tourne, plus son parfum se répand dans la rue, un parfum qui monte à la tête, un parfum qui saoule, qu'on touche des doigts, des lèvres. C'est l'odeur des Halles qu'elle répand, l'odeur d'une gigantesque orgie, l'odeur des primeurs qui respirent le métro, de la viande qui renifle l'égout, d'une lavette où se mêlent le goût du vin et celui de la bière, le goût du rire, du zinc et des larmes. Un parfum vrai pour ceux qui savent sentir, un parfum gratis qui fait aimer la nuit.

La nuit aux Halles a une autre couleur : elle est bleu marine. Et sur Saint-Denis River, pour peu qu'on ait une âme de voyageur, on n'a pas de mal à s'embarquer. Le prix d'un aller suffit, sans différence de classes. « Classe unique », chante la fille en tournant. Et tout tourne avec elle : la viande et le nègre avec ses oranges, Saint-Eustache et Robert Vattier, les bouchers et les écorchés, les petites filles aux laitues, Pierre Lescot et ses pieds de cochons, la pocharde et ses orgues, les archers avec les fromages de tête, les diables avec les Innocents, le métro et le grand guignol, les jaloux imaginaires avec les couloirs étriqués, la lavette et les larmes, le canon et le zinc, les touristes avec les vespasiennes, le grand bal avec le petit blanc. Ça tourne, ça vire, la rue, les bateaux, les néons, les sirènes, manège infernal qui s'affaisse au matin sur un trottoir lavé par l'arroseuse municipale. Autour du réverbère éteint, une fille, une autre, tourne. Qu'importe si les paroles de sa chanson ne sont plus tout à fait les mêmes. Le thème, lui, est fidèle. C'est l'invitation au voyage.

« Si c'est pile, tu passes devant. Face, c'est moi.

— Face!

— Vas-y, je t'attends devant le square, fais vite mais regarde bien.

— Tu me passes le cabas?

— Le v'la. C'est bon! T'as l'air d'une vraie petite ménagère.

— J'y vais. Tu crois pas qu'elles vont me sauter dessus?

— Faut tout de même pas exagérer! Si, à chaque fois qu'une bonne femme passe devant un hôtel de passe, elle se faisait casser la tête, on n'en sortirait plus. Allez, vas-y, je t'attends. Regarde bien, je ne bouge pas. »

Il est sept heures du soir. Des enfants jouent encore dans le square. Une mère attardée pousse un landau vers la rue Saint-Denis. L'eau blanche rebondit sur la pierre de la fontaine des Innocents. La nuit est tombée et il fait froid. J'aimerais savoir ce qui se passe derrière chaque fenêtre éclairée. Autour de moi tout bouge. La rue Saint-Denis frémit. En bordure du grand fleuve Sébastopol difficilement navigable à cette heure, le fanal rouge du café-tabac guide les attardés. C'est la fin du jour, l'aube d'une grande nuit bacchanale, la nuit des Halles.

Et s'il est vrai qu'ici les filles font de l'or, je préfère le faire là qu'à Dakar, même si c'est dur, même si je préférerais ne pas exister, même si... rien, puisque je n'ai plus le choix, et que j'ai reçu pour mes vingt-trois ans un billet d'avion pour l'Afrique noire. A moins de trouver un joint, c'est-à-dire, selon l'expression de Gérard, une bonne placarde, une taule solide. Terminé le provisoire, ce qu'il faut c'est du chouette, une taule où j'en mette un coup pendant trois ou quatre ans. A jouer les papillons, on perd son temps, sa jeunesse et sa santé.

Mais Gérard ne parle jamais de santé! C'est un mot qui lui est inconnu. Santé quoi? Santé qui? Où et quand? Encore faut-il savoir sentir. Moi je sens d'où vient le vent. Il est glacé et il me brise. Moi j'y tiens à ma santé. Quelquefois, lorsque je suis très fatiguée, je lui en parle. Je dis : « Au fond, je n'ai pas une grosse santé », et il répond : « Tu t'écoutes. Faut pas s'écouter. Et puis je ne suis pas responsable si tu as becqueté du mou dans ta jeunesse. » Il n'aime pas les responsabilités Gérard. Il aime l'artiche.

Pourtant, il lui arrive parfois de s'inquiéter. Il dit : « Tu fumes trop. C'est pas bon quand on a eu les éponges mitées. Manquerait plus que tu nous fasses une rechute! Qu'est-ce que je deviendrais sans toi, ma gueule? » Il est sentimental, Gégé. Quand je me plains d'avoir mal au ventre, il dit que je m'invente des maux, que c'est obsessionnel chez les gonzesses de parler de leurs ovaires. Il cause bien Gégé, rien à dire, il a du vocabulaire.

Santé? Dieu sait s'il trinque à celle des autres! Santé... égal Prospérité! C'est un homme pratique à l'humeur mercantile. Je suis attelée à un businessman, c'est simple comme bonjour! J'ai fait sa fortune à coups de reins, je la démolirai d'un coup de tête, d'un coup de hasard ou d'un coup de pot, c'est pareil.

Pas le temps d'imaginer la suite... j'aperçois Maloup auréolée de néon qui repasse devant le *Croissant d'Argent,* sa petite tête de musaraigne serrée dans un foulard de mousseline bleue, sa main crispée sur le cabas *made in China.* Elle s'avance décidée, s'arrête à la hauteur du numéro 45, se penche, fait semblant de ramasser quelque chose. Ses yeux obliquent vers la droite, font rapidement le compte des effectifs, lèchent les murs du couloir, gravissent les premières marches, retombent à hauteur du pavé. Elle a vu. Elle se redresse. Elle est là!

« Alors?

— J'aurai jamais le courage d'entrer. Y en a au moins quinze. Faut voir comment elles sont habillées. Des robes de cuir, des fouets!

Des filles à passion, il n'y a rien d'étonnant! Comment est le couloir, pas trop pourri?

— Ça a l'air d'aller. Y a une petite niche dans le fond avec une statue.

— La statue on s'en fout, ce qu'il faut c'est qu'on nous prenne. On va se faire une beauté dans le rade d'à côté et on y va! Si on est embauchées, tu fais un essai de huit jours et si ça te plaît pas, tu retournes à *la Bohème.*

— Et Bébert? Les Halles? Il va se faire toute une histoire.

— Ecoute, moi j'ai pas le choix, c'est ça ou Dakar, alors décide-toi!

— Qu'est-ce qu'on fait du cabas?

— On le laisse en dépôt au bistrot. »

La patronne, une brune aux yeux malicieux, nous accueille en souriant. Les clients et les filles l'appellent Mimi! Elle trône, superbe, derrière le comptoir de marbre. Sur le zinc, la bière mousse et ça sent bon la frite. Soudain j'ai envie de prendre la main de Maloup, de faire un pied de nez à l'Horloge du Temps qui Court, de m'asseoir à la petite table du fond, de regarder couler Saint-Denis en mangeant des huîtres, en buvant de l'entre-deux-mers. Dis Mimi, toi qui connais le quartier, tu penses qu'on a la carrure et les reins assez solides pour remonter Saint-Denis River sur le dos? Avale ton bock, Maloup, allons nous noircir la paupière, nous dessiner une bouche neuve, on nous attend au 45.

« Elles n'ont pas l'air tendre, tu vas oser rentrer?

— Pas spécialement câlines, c'est vrai? Allez, on se jette à l'eau... »

« Fernande, y a deux femmes dans le couloir qui demandent à parler avec Mme Pierre. Qu'est-ce qu'on fait, elles gênent.

— Hé bien qu'elles montent. »

T'entends Maloup, y a une fille qui descend en chantonnant. C'est peut-être pas si pénible après tout?

— Que celle qui chante s'annonce. J'attends.

— C'est Bifide, Madame Pierre.

— C'est bien Bifide, vous ferez dix minutes de rab ce soir. Ça vous apprendra à avoir la mémoire courte et ça vous permettra peut-être de faire une ou deux plastiquettes de plus, vous n'en avez pas encore foutu lourd aujourd'hui. Combien? Je vous parle, Madame.

— Neuf, Madame Pierre.

— Il va falloir que ça change. A moins de quinze, je vire! Vous entendez Mesdames, je vire!

— Oui, Madame Pierre.

— Partons Sophie, j'pourrai jamais travailler là-dedans.

— Chut, quelqu'un descend! »

Qu'est-ce que c'est que ce monstre? On dirait la fée Carabosse, sa langue doit lui servir de baguette maléfique. Ses yeux jaunes doivent être sans cesse rivés au trou de la serrure. Tu as vu Maloup, elle est hideuse la dame avec ses joues grises, ses gencives rongées par ses chicots et ses bosses violacées qui lui crèvent le crâne. Quelle drôle de chose! Je n'ai jamais vu ça et toi non plus sans doute. Et l'odeur, c'est la même que celle du couloir. Elle en est imprégnée, elle empeste. C'est elle qui nettoie les bidets, tu comprends, elle qui ramasse les préservatifs et les serviettes, qui encaisse les chambres. Elle a rêvé d'être belle... Tu sais ce qu'elle aurait fait Maloup, si elle avait été belle? T'en as aucune idée? Un jour, quand on sera plus intime avec elle, on lui posera la question.

Et toi Maloup à quoi penses-tu en ce moment? Je parie que tu penses que, dans ce bureau, il y a une porte secrète qui débouche sur un hangar tout noir où sont garés de grands camions rouges sans fenêtre et qu'on va nous y entasser avec d'autres imprudentes comme nous, via Zanzibar, Bahia-Blanca, Conakry, Dar-Es-Salam!... Colis perdus!... Oh! Comme elles sont tristes Maloup, les choses auxquelles tu penses... Il ne faut pas avoir des idées noires comme ça. Tu vois, moi par exemple, il m'arrive de me mettre au lit et de m'embarquer, à peine la lumière éteinte, dans une histoire triste, montée par moi de toutes pièces. Eh bien! tu sais comment ça se termine à chaque fois? Je pleure, je sanglote, je suis obligée de rallumer, de me servir à boire, de bouquiner et, le lendemain, je me réveille à tous les coups avec les paupières gonflées, violettes comme les bosses de la dame. Et me voilà obligée de rester un quart d'heure avec des rondelles de patates crues sur les quinquets. Les histoires tristes, c'est mauvais pour ce qu'on a, tu comprends?

Tiens! Voilà Bifide. Elle a les faux cils tout luisants et deux rigoles sur les joues. Encore une qui s'invente des histoires tristes. Et voilà son client! Un client sifflant! Tu vois, on sait déjà une chose : ici, seules les filles sont brimées. Tu as vu Carabosse, elle fait semblant de compter les bâtons sur le papier, à moins qu'elle ne les compte vraiment. Tu as remarqué que, sur le cahier, les petits bâtons correspondent à un prénom de fille. Exemple : neuf bâtons = Bifide. Si tu retournes le problème dans l'autre sens, ça donne neuf Bifide = cinquante-six petits bâtons. Si tu vas plus loin, t'arrives à cinquante-six petits bâtons à quinze francs le bâton... Mais à l'école on m'a appris à ne pas multiplier les pommes avec les poires.

« Sophie, j'suis pas tranquille, t'as entendu cette voix? Tu crois qu'on peut fumer?

— On doit juste avoir le droit de pisser quand on monte! Chut...

— Madame Délia, dénoncez-moi les femmes qui viennent de parler.

— C'est les nouvelles, Madame Pierre.

— Menteuse! Vous viendrez une demi-heure avant les autres demain matin, ce sera sept heures au lieu de sept et demie! Madame Gigi, soyez plus intelligente : qui a parlé au couloir à part les nouvelles?

— Marie-Galante et Corinne Cuir, Madame Pierre.

— Bravo Gigi, vous savez que j'aime la franchise. Vous viendrez tapiner toutes les trois dimanche! »

Je suis tellement bouleversée que j'allume ma cigarette côté filtre. S'il existe une étape entre le purgatoire et l'enfer, ce doit être ici au 45 rue Saint-Denis, au *Croissant d'Argent,* à moins que nous ne soyons déjà en enfer. On doit se ressembler à cette minute, Maloup et moi. Elle a l'air en pénitence et moi aussi; elle machouille son filtre et moi le mien. Elle lâche un petit soupir bref et profond comme un sanglot camouflé.

En bas dans le couloir, les phalanges cornées des filles racolent, craquent, pètent, éclatent contre la vitre froide de la porte. Combien? questionne une voix. Vingt pour moi, quinze pour la chambre répond une autre. Ça va, reprend la première voix. Si ça va, répond l'autre, on y va. Toute nue? quémande la voix. Quarante! répond l'autre. Allons-y clament les voix. J'entends les voix monter. Je les regarde grimper l'une contre l'autre, ouvrir et claquer la porte du 1, bientôt l'une dans l'autre, bientôt un duo...

L'escalier s'assombrit. Mme Pierre-Epervier vient de se poser sur la rampe, les membres postérieurs enroulés dans un tablier de coton vert, les ailes encombrées de journaux. Elle fixe sur nous un œil bistré qui fouille. Sa bouche se tend et se rétracte comme un ergot. Carabosse fait semblant d'essuyer la poussière du bureau. Maloup hypnotisée se brûle les doigts avec son mégot. Du 1 fusent des soupirs. En bas, les phalanges éclatent sur la vitre.

« Alors mesdames, vous vouliez me parler?

— On cherche une place. Le mari de mon amie est dedans, le mien est en cavale.

— On lui a coupé la langue à votre amie? »

Oh! qu'elle se taise! Si elle continue sur ce ton, Maloup va fondre en larmes et je vais bégayer! Dakar, les cocotiers, l'exil!

« Vous avez déjà fait la rue?

— On a travaillé partout et partout on a fait de l'argent!

— Vous semblez bien sûre de vous, Madame quoi?

— Sophie.

— Sophie, vos maris doivent avoir des amis qui ne sont ni en prison, ni en cavale. Faites-moi téléphoner dans la soirée. Vous commencerez demain matin à sept heures et demie avec l'équipe de jour et comme vous avez l'air d'être inséparables, la semaine prochaine, l'une de vous passera dans l'équipe de nuit si vous êtes encore chez moi. Ça dégourdira la langue de Madame... Madame comment?

— Maloup.

— Maloup, dans la vie il faut apprendre à s'en tirer sans avocat. Nous sommes d'accord? »

Maloup, je t'en prie, serre les dents, les poings, les paupières.

« Vous êtes d'accord aussi Sophie, bien sûr? Alors écoutez-moi bien. Ça fait douze ans que je suis taulière. Ici, c'est moi qui mate les femmes. Votre prénom ne me plaît pas. Chez moi, vous serez Fanny. C'est joli Fanny? Répondez.

— Oui, Madame.

— Je vous attends demain matin à sept heures et demie. J'ai dit la demie, pas moins vingt-cinq! Si vous êtes courageuses, vos hommes seront contents. On dit « Bonsoir Madame Pierre »!

— Bonsoir Madame Pierre. »

Mercredi 12 janvier, la sonnerie du réveil me saute à la tête. Que se passe-t-il, où suis-je? Quelle heure est-il? Déjà six heures?

Dans une heure et demie je commence au 45. Quelle angoisse. Et l'autre là, qui roupille béatement, qui cuve bras en croix, pattes écartées, les pieds hors des toiles!

Attends gredin! Maintenant que la menace de Dakar est écartée, laisse-moi le temps de refaire ma pelote, je t'attends au tournant. Ah! tu étais beau hier soir, tu étais hilare comme un qui vient de gagner le gros lot, quand je t'ai annoncé qu'il suffisait d'un coup de fil pour que je rentre aux Halles. Tu jubilais de partout à la fois. Après le coup de fil à la mère Pierre, tu es devenu lyrique, tendre, tu m'as embrassée avec ta moustache dégoulinante en susurrant que j'étais une femme en or, que je venais de te donner la plus belle preuve d'amour qu'un homme puisse espérer. Imbécile va! Tu n'as pas compris que si je reste, c'est pour mieux t'échapper... à moins que ce ne soit moi qui ne comprenne plus rien.

Une femme en or, tu as dit. Tu aurais pu ajouter une fille en sucre, en sucre d'orge, une fille fondante, un Jack-Pot, une vraie caisse enregistreuse, une merde oui! Réveille-toi, Gégé le mac, fais pas semblant de dormir. Laisse-moi te dire l'impression que ça fait de se métamorphoser d'un jour à l'autre en étron, de se sentir puant, glaireux, glissant. Laisse-moi te dire ce qu'on ressent à se faire piétiner sur un trottoir par des centaines, des milliers de pas. Et puis tu sais, quand on met les pieds dans la merde, pour peu que ce soit le droit à la place du gauche, ça ne va pas sans commentaires, sans insultes. C'est pas chouette, tu sais, le rôle d'une merde... Une merde on l'écrase, on la regarde de travers, on la contourne, on l'accuse, oui, on l'accuse.

Tiens, imagine que par bonheur, quand tu vas te lever aux environs de midi, en sortant d'ici, juste sous les fenêtres de la pipelette... au moment où tu t'apprêtes à monter dans ta voiture américaine, crac... ton pied droit t'emporte, le droit, je dis bien le droit, l'autre porte bonheur. Donc ton pied glisse, ta nuque au même instant rebondit sur la bordure du trottoir. Vlan! ta tronche pleine d'eau éclate, éclabousse les vitres de la concierge qui sort en hurlant... Toi, tu dis plus rien. Le boucher, la mercière, la parfumeuse, le sergent de ville, tout le monde est là, penché sur ta dépouille de hareng. C'est là où la merde a la mouise. Car tous ces braves gens plutôt que de s'attendrir sur ton sort en te soufflant dans les branchies, en te retroussant l'ouïe, feraient beaucoup mieux de te détrousser, de former une ronde autour de toi, de chanter *Gloria, Alleluïa* sur un air de java.

Malheureusement, ça ne se passe pas comme ça et, une fois de plus, ils font une connerie, une erreur judiciaire aussitôt le décès constaté. Ils accusent l'étron à l'unanimité, commencent à l'injurier, enchaînent en lui donnant des coups de chaussures à clous qu'ils avaient pris soin de dissimuler sous leur tablier, blouse, pèlerine, combinaison, perruque. La pauvre merde se défend du mieux qu'elle peut en se répandant, mais ils sont tenaces les accusateurs, ils finissent par la reconstituer à force d'acharnement, ils en font un joli tas, on dirait un pâté en croûte, il n'a plus rien d'humain le pauvre étron. Alors pan! comme il commence à sentir mauvais, ils lui donnent un coup de grâce, l'expédient à l'égout sans fleurs ni couronnes. T'as déjà vu, toi, une plaque de marbre avec ces mots gravés « Ci-gît une merde »...

J'ai déjà avalé trois cafés. Je tremble, j'ai le trac, l'inséparable trac des grandes premières. Je joue Fanny! Pardonnez-moi Monsieur Pagnol! Ce prénom me fait horreur. Il me va comme un tablier à une vache. Que voulez-vous? Moi je suis blonde et pas précisément du genre rebondi. J'ai les attaches plutôt frêles et l'accent des portes de la ville. J'ai jamais vu Marseille. Je m'appelle Fanny par hasard, par caprice, par contradiction. Avant c'était Sophie, et mes clients lettrés m'apprenaient, la bouche en cœur, que Sophie égalait sagesse et je trouvais ça con. Mais j'aimais bien Sophie. Je m'étais habituée à elle. Nous étions devenues potes. De Fanny, je ne sais rien. Il va falloir faire connaissance, s'apprivoiser, s'apprendre par cœur afin de ne pas se blesser, se regarder dans la glace, refaire des grimaces, s'inventer un nouveau langage, un nouveau maquillage, se durcir peut-être, se hausser, s'oublier sans se perdre de vue. Adieu, Sophie! Adieu sagesse. Bonjour Saint-Denis! Salut les Halles. Rangez vos légumes et vos fruits. Répudiez vos diables! Du large! Faites-moi un trottoir neuf. Place à l'amour au grand air, les pieds nus dans le trèfle, les seins roulants dans la luzerne, les yeux pleins de mousse, des milliers de bêtes à bon Dieu sur les épaules! Rêveuse Fanny, si tu commences à gamberger, nous sommes cuites! N'importe quel julot te le dira. Une pute qui commence à penser, faut la jeter ou l'expédier le plus loin possible en colis perdu. Sinon elle devient dangereuse.

Tu vois, on nous attend. La grille du parc est entrouverte. Salut la Polak, t'es plutôt jolie avec tes yeux noisette et tes nattes blondes. Dommage que tu t'affubles d'un ciré. Je te verrais plutôt vêtue d'une robe champêtre échancrée jusqu'au cœur et chaussée d'espadrilles, ou bien en tyrolienne, pourquoi pas? Tu serais superbe! Et je suis sûre qu'il y a des hommes que ça exciterait. Ils ont tout dans la tête les mecs. Mais à quoi bon te parler des sous-bois, et des edelweiss, Aline! T'as pris l'odeur et la couleur des murs, t'es incurable. Je me demande quelle est l'ordure qui te cloître ici et depuis combien de temps. Pourquoi tu n'essaies pas de sauter par la fenêtre? Y a des milliers de bras qui se tendraient, je t'assure que tu ne te ferais pas de mal, à condition, bien entendu, que tu choisisses ton heure, un samedi soir, par exemple, entre six et sept.

« Fanny, on s'annonce quand on arrive! »

Pas de cris, Carabosse, je serai la première derrière la vitre!

« Trouve-toi un clou vide dans le vestiaire, fais attention de ne pas marcher sur les chaussures des filles de nuit, après elles font des histoires, elles disent qu'on vole. Moi je dors ici et je les entends toutes les nuits. Elles nous détestent parce que le jour on fait plus de clients. Tu n'aurais pas dû venir ici. Tu vas voir, Fernande va faire croire aux filles qui arrivent en retard que Mme Pierre est là-haut. Ta copine est en retard, elle va être punie!

— Tu es folle ma parole, laisse passer.

— Tu ne dois pas me manquer de respect, descends derrière moi! V'là les sœurs Estienne, écoute bien, elles vont raconter qu'elles étaient coincées à Rambuteau derrière un camion. Ecoute, Fernande va crier...

— Corinne, Délia, je marque cinq minutes. Qui arrive maintenant?

— C'est Maloup. »

Incorrigible Maloup! Son réveil a encore dû oublier de sonner.

— Vous vous arrangerez avec la patronne, ici l'heure c'est l'heure. Je marque moins le quart!

— Sophie, je me suis pas réveillée et j'ai fait un cauchemar!

— Tu me raconteras ça plus tard, monte te mettre en tenue.

— Mesdames les nouvelles, au couloir. Ici on ne bavasse pas! Qui arrive?

— Le trio Resner.

— Bifide, pour vous, je marque trois quarts d'heure! Christine et Marie-Galante vingt minutes.

— C'est de la faute à l'autre pute de Gigi, j'vais lui crever les yeux, aussi vrai que j'm'appelle Marie! Toi la grosse Corinne, bouge pas, quand on maque sa frangine avec son mari, on reste à l'écart. »

Quelle ambiance! Douces et caressantes comme des bordures de trottoir les copines et Carabosse qui s'époumonne dans le vide, qui vire au vert de gris, qui s'agrippe à la rampe vermoulue, Carabosse qui chie dans son froc sale, qui implore Mme Pierre-Ponce, Carabosse qui fait le calcul du temps perdu. Une demi-heure de boulot bousillé égale six bidets de moins à récurer, autant de timbales d'écume à jamais envolées. Et Maloup et moi, les oreilles éblouies par tant de mots doux, prêtes à foncer dans la mêlée, à prendre les parts de Marie-Galante, Maloup et moi, supporters des causes perdues. Et dehors, les clients, les pauvres mecs qui n'ont qu'un quart d'heure de détente pour tirer leur coup. Les chagrins à qui on a claqué la porte à la braguette. Ecoute-les, Maloup! ces béliers en rut qui réclament leur dû. Entends leurs queues qui grondent. Gaffe aux éclaboussures, range tes miches Carabosse, tu pourrais bien toi aussi dérouiller ton cul. Le pont-levis tient bon. Gigi dans la mêlée vient de se manger un coup de bottine entre les deux yeux. Ça lui obscurcit le regard. On dirait qu'elle a du mal à trouver l'escalier. Elle titube. Hors jeu, la fille! Maloup, si on changeait de camp, si on lui donnait un coup de main?

« Sophie, j'supporte pas le sang.

— Tu préfères remorquer l'autre qui dégueule son café au lait?

— Alors ça ouvre? V'là une demi-heure qu'on poirote derrière la lourde avec nos michetons!

Les deux filles qui viennent de rentrer n'ont rien de commun.

Kim, une brune sans âge aux épaules carrées, pousse devant elle un petit rougeaud.

« Monte devant, Tartuffe, t'auras des explications dans la chambre. »

L'autre, blonde et jolie, explique à son client d'une voix très douce qu'il doit d'abord payer vingt francs. Les hurlements de Gigi et de Marie qui se sont barricadées dans une chambre couvrent sa voix, il y a du sang sur le palier. L'homme effrayé revient sur sa décision en regardant sa montre.

« J'ai un rendez-vous. Je reviendrai te voir demain! »

Le visage de Brigitte se durcit. La douce blonce devient corrosive.

« Faites-lui la fête, les filles, je vous l'envoie. »

Un coup de pied dans le bas des reins fait sursauter l'homme. Son porte-documents dégringole les marches. La Polak s'en saisit.

« Alors, chéri, comme ça, on se dérobe? On dérange une copine pour rien? »

L'homme debout au milieu des marches est complètement égaré. Il passe une main sur ses tempes, tripote ses lunettes, balbutie.

« Allons, soyez gentilles, rendez-moi ça! C'est mon travail. Laissez-moi passer, je reviendrai une autre fois. »

Le temps s'arrête, les filles ont délaissé la vitre. Serrées l'une contre l'autre au milieu du couloir, elles attendent. Corinne fait tourner son chat à neuf queues, la grande Nicole lace ses bottes, Bifide tire un tendeur de son sac, Christine et Délia se retroussent en lâchant des paroles obscènes. La Polak renverse le contenu du porte-documents. Carabosse profère des menaces du haut de sa chaire. Maloup et moi, recroquevillées au bas de l'escalier contre la porte de la cave, on n'en bâille pas une. On dirait les deux orphelines.

« Allons, sois gentille, Brigitte, supplie l'homme, dis-leur de s'écarter. Je monterai avec toi une autre fois. Ce matin, j'ai pas le temps. Je vais être en retard au bureau.

— Personne t'empêche de descendre. »

Il descend d'un pas mal assuré. Les filles s'écartent mais au moment où il tend la main à Aline pour récupérer sa serviette, la Polak le frappe au visage avec une extraordinaire violence.

L'homme chancelle, ses lunettes tombent, il se penche pour les ramasser, son geste est devancé par la botte rouge de Corinne qui les écrase dans un éclat de rire, tandis que Nicole lui taraude les fesses à coups de pied.

« Pourquoi? questionne l'homme en pleurant, pourquoi? Vous êtes folles. »

La porte à battants s'ouvre brutalement. Un dernier coup de pied l'expédie sur le trottoir avec sa monture tordue.

« La prochaine fois, tu mettras des doubles foyers avant de déranger pour rien une fille d'ici. »

Les battants claquent en se refermant. Pauvre mec. Il a casqué pour les autres sans rien comprendre. Fanny, va falloir s'armer, le printemps s'annonce chaud!

« Vous les deux nouvelles, faudra mettre la main à la pâte la prochaine fois. Ici, il n'y a pas de place pour les cavettes. »

Moi, taper sur un mec désarmé c'est pas mon truc. Je l'aurais plutôt aidé à se tirer. Si j'étais courageuse, je vous dirais que vous êtes de drôles de salopes, des lâches et que vous faites aux michetons ce que vous n'osez pas faire à vos mecs. Des vaincues, voilà ce que vous êtes.

« Sophie, tu pleures?

— Non, j'me marre, j'm'éclate. Passe-moi ton mouchoir. »

Trois quarts d'heure seulement depuis que j'ai poussé la porte du 45, il est huit heures vingt. Maintenant tout est dans l'ordre et les filles sourient. Gigi a entre les yeux un petit trou bleu qui lui donne un air oriental. Marie ne vomit plus. Elle chantonne en créole un air de son pays, triant les mèches dorées de sa perruque sur sa nuque crépue. Aline et Corinne, les seins contre la vitre, racolent en duo. Les autres sagement rangées en file indienne attendent leur tour de porte.

Comme Maloup et moi nous sommes nouvelles et pas spécialement contrariantes, on prend docilement la queue. Du haut de sa chaire, Carabosse fait l'appel, rappelant au passage à celles qui l'auraient oublié qu'il est interdit de s'appuyer contre les murs et que les deux filles de porte ne doivent pas cesser de frapper la vitre, au cas où Mme Pierre arriverait à l'improviste.

Le client de Kim redescend, enfile le couloir tout penaud. Les filles saluent en chœur.

La gorge serrée j'assiste à un cours d'initiation! C'est Kim qui a dérouillé la maison. Elle a une réputation de bonne dérouille. Tant mieux! la journée sera fructueuse pour chacune! J'ai l'impression qu'ici plus qu'ailleurs les filles sont superstitieuses. Vais-je devenir comme elles? Réussiront-elles à me contaminer? Aurai-je les reins suffisamment solides pour supporter plus de quinze passes par jour? Irai-je jusqu'à piétiner les lunettes d'un homme dans un couloir? Ferai-je un jour partie des anciennes de Mme Pierre? Quelle farce!

A neuf heures quinze, je sors de l'ombre. Me voilà en tête de ligne, enfin en vitrine, aux côtés de Délia!

« Dis donc Fanny, cogne un peu. Tu crois pas que j'vais racoler pour toi! »

Délia, entre toi et moi y aura pas d'histoire d'amour. J'aime pas ta tête. Tu me rappelles ces poupées à chair molle qu'on exhibe dans les vitrines des grands magasins au moment de Noël. Racoler, racoler, facile à dire, j'ai les doigts raides comme du bois. Quelle chance elle a eu, Maloup, de monter ce jeune! Tiens, v'là un chaland, P'tit Bon Dieu faites que je sois à son goût!

« Combien tu prends toute nue?

— Cinquante! »

Crac, je hausse les prix.

« Hé mec! Monte pas avec elle, elle a la chtouille!

— L'écoutez pas! je ne suis pas syphilitique, je suis nouvelle. Corinne, enlève ton pied. On n'est pas à la maternelle. Vos salades, vous vous les gardez. Moi je suis ici pour travailler. »

Quelle tirade! Bravo Fanny, t'as touché juste. Tu me rappelles Sophie. Tu trembles comme elle après le moindre mot. Maintenant monte vite, enferme-toi avec ton client, qu'au moins si tu pleures, elles ne le voient pas. Première halte à la porte du bureau où le client règle la chambre, soit quinze francs plus un service obligatoire. Carabosse encaisse sans sourire et tend au client une minuscule serviette blanche. Il a l'air tout bête ce mec en bleu de chauffe, avec sa musette sur l'épaule et sa serviette à la main. Comme j'ai l'âme charitable, je l'en débarrasse en souriant. Toutes les chambres du premier sont occupées. Dans l'une d'elles

Maloup se débat! Mon plombier hasarde une main sous ma jupe. Je grimpe les marches quatre à quatre jusqu'au deuxième. Une porte est ouverte. Surprise, la chambre est propre. J'écarte les doubles rideaux, la fenêtre donne sur la cour. Refermons-les vite, il fait triste de ce côté-là.

« Dis donc, elles sont pas gentilles tes copines avec toi. T'as pas la syphilis au moins? Elles blaguaient?

— Bien sûr. Tu veux que je me déshabille complètement?

— Oui, moi, d'toute façon j'donne cent francs, j'me fais enculer. »

Lui au moins il tourne pas autour du pot, il rentre directement dans le vif du sujet. D'habitude les hommes qui se font sodomiser s'encombrent toujours de préambules vaseux. C'est toujours la première fois et à titre d'essai parce qu'ils ne veulent pas mourir idiots et, bien sûr, à condition d'y aller très doucement. Faut les rassurer, leur promettre que leur épouse n'y verra rien. Pourtant quand ils remontent leurs pantalons, l'air goguenard, ils vous lancent d'un ton léger : « J'espère que tu m'prends pas pour une pédale, j'aime que les femmes et puis ça te change de la routine. » « Bien sûr chéri, ça me change de la routine, mais pourquoi tu fais pas ça avec ta femme? » A cette question, ils marquent un temps d'arrêt en passant le peigne sous l'eau froide. « Ma femme, elle est toujours fatiguée, elle m'a jamais fait une pipe, elle sait même pas ce que c'est qu'un godemichet. » Vous les écoutez en retapant le plumard! A chacun son métier.

Avec Roger, pas d'entrée en matière douteuse, pas de temps perdu, inutile de sonner Carabosse pour réclamer la valise! Je suis en face d'un homme ouvert qui tire de sa musette en sifflotant un énorme oliphant. Les courroies noires s'emmêlent aux siphons, clefs à molette et autres instruments de travail!

« Sapristi, tu ranges ça avec tes outils?

— Et alors? Ça graisse l'appareil. Prends tes ronds et arrange-toi ça autour des reins. Sois heureuse, pour une fois c'est toi qui grimpe. Baise-moi comme te baise ton homme! Si tu m'fais ça bien, j'viendrai t'voir tous les mercredis. »

Jésus! Moi qui croyais avoir tout vu, j'ai l'impression d'arriver au monde. Dire que je lui ai pris la serviette des mains! Ma crédulité n'a pas de bornes. Rien au monde ne peut gêner ce genre d'individus. Pourtant, j'en ai connu des hommes pour qui, faute de sympathie, je n'ai éprouvé que de l'indifférence. Certains m'ont étonnée, d'autres émue, d'autres répugnée. Roger me donne la nausée, non pas parce qu'il choisit de se faire sodomiser ou parce qu'il range son instrument souillé dans sa musette, mais parce qu'il ne cesse de siffloter, qu'il m'embrasse sur la joue en me pinçant les hanches et qu'il part avec la certitude que je viens de me divertir!

Monde touffu. A cheval sur la rampe, Carabosse me tend une serviette.

« Votre amie vous attend au 1, la chambre est payée. »

Dans le couloir je croise Corinne qui me crache sur les pieds. Je passe sans relever. Heureusement derrière une porte il y a Maloup la non-violente, Maloup qui sourit, ridiculement affublée d'un porte-jarretelles noir et de bas résilles de même couleur, chaussée d'échasses turquoises. Maloup déguisée en dominatrice, ça fait pas sérieux. Faudrait déjà qu'elle arrête de sourire. Ses nichons de mère de famille se balancent au rythme du fouet, ses pattes maigres voguent dans les résilles. Et puis, il y a le mec en pénitence qui espère les coups, et Maloup avec le fouet qui a l'air de chasser les mouches et le mec qui frétille du croupion. Il est beau lui aussi avec ses épaules de déménageur prisonnières d'un corsage de dentelle rose.

Qu'est-ce qu'ils ont tous? Y a vraiment de quoi se flinguer. Mais non, puisqu'il y a Maloup qui continue à sourire, Maloup qui d'un coup d'œil me met en face de la réalité, une réalité qui traîne sur la table, une réalité en forme de billets de dix sacs. Y en a deux, pas besoin de paroles. La situation est claire, suffit d'entrer dans le jeu, de revêtir la tenue d'infirmière posée sur le fauteuil, d'improviser. C'est triste la vie d'artiste quand on travaille sans filet. N'importe quoi pourvu que ça rime, pourvu que le mec soit content. J'ai tout de même une sacrée conscience professionnelle. Et puis pourquoi un type comme ça a-t-il choisi Maloup? Y a quatre filles en noir dans le couloir qui sont plus cérébrales qu'elle.

« Maloup, lâche le manche. T'as l'air de le caresser. Viens m'aider à poser ma coiffe. Toi, petite vilaine, sors de ton coin et viens boucler mes sandalettes. Rappelle-moi ton nom?

— Laure, madame la Surveillante générale.

— Pourquoi Laure?

— C'est le nom de ma mère.

— Un cas intéressant, mademoiselle Maloup.

— Très. Avant votre arrivée, je lui ai confisqué une sucette qu'il cachait dans ses chaussettes et il a encore ses berlingots. »

Pauvre toi, le pire c'est que je n'ai pas envie de te frapper!

« Je te confisque tes berlingots! Prends la serviette maintenant et brique le sanitaire. Quand t'auras fini, tu feras la poussière. Pendant ce temps, mademoiselle Maloup et moi, nous allons faire l'amour!

— Si c'est bien propre, vous me rendrez mes friandises et j'aurai mon lavement?

— Quoi? Bravo Maloup! T'aurais pu m'affranchir au lieu de me laisser me creuser les méninges!

— Tu me fais rire! J'ai pas l'habitude moi non plus!

— Ecoute-moi le vicelard, ta petite fantaisise va te coûter le double et tu vas repayer deux chambres vite fait ou je frappe! Silence! Les ordures comme toi, ça se mate, ça ne discute pas.

— Oh, t'es bien, toi! Tu me plais. Prends mon portefeuille dans ma poche, sers-toi.

— Je te défends de me tutoyer, espèce de larve. Baisse les yeux quand tu m'adresses la parole. Maloup, tape-lui dessus pendant que je lui prends son oseille. Je sonne Fernande pour lui payer les deux chambres.

— Et mes berlingots, mademoiselle Maloup?

— Te tourmente pas, on va te les remettre dans le cul ensuite... »

Quand je sors du 1, Fernande me tend une serviette. Un client qui m'a aperçue dans le couloir m'attend au 3! Après le client du 3, il y en a sept autres. A midi, j'ai fait toutes les chambres de l'hôtel. Mon succès me donne de l'assurance, je regarde les filles dans les yeux, les force à me sourire, j'ai faim.

En m'installant au *Croissant d'Argent*, j'ai la pénible sensation d'avoir une brique au creux de l'estomac. J'avale un whisky pour la dissoudre, rien à faire. Je serre les dents pour ne pas me mettre à hurler. Brigitte, ma voisine de table, me souffle de me méfier d'Harry et de son air bonasse. Supporter de la mère Pierre, il a pour mission de dénoncer les filles qui refusent de se déplacer quand un client présumé leur fait signe du bar, ou de la rue, après les poireaux vinaigrette ou avant le fromage.

L'heure du déjeuner au *Croissant d'Argent*, c'est le vrai folklore! On déjeune, épiées par l'œil glouton d'une douzaine de consommateurs avertis qui sirotent un apéro d'une bouche tremblante, tandis que leurs mains fébriles semblent chercher désespérément une clef au fond d'une poche ou peut-être quelques pièces destinées à payer les verres qu'Harry ne manque pas de remplir dès qu'ils sont vides. Les filles les appellent les branleurs patentés : leurs poches de pantalons sont soi-disant dépourvues de doublures et communiquent directement avec leurs braguettes tourmentées. Pourtant, ceux-là sont inoffensifs.

Mais il y a les autres, les persécuteurs, ceux qui n'ont pas une thune dans la poche, mais qui prennent leur fade en forçant une fille à se lever de table. Ils passent et repassent devant le bar, finissent par se planter sur le trottoir, vous font un signe de tête auquel vous répondez. Le dialogue s'engage. Signes de doigts accompagnés de mouvements de lèvres. Vous annoncez en décomposant le chiffre 20 suivi du signe plus, suivi du chiffre 15, trois fois 5. Vous pointez consciencieusement votre index vers le plafond : 15 c'est le prix de la chambre. Il se gratte la tempe. Il n'a pas compris? On efface tout et on recommence. Hélas, au bout de la troisième fois, malgré votre bonne volonté, votre patience, votre sens du devoir, votre interlocuteur n'a toujours pas compris ou fait mine de ne pas comprendre et votre steak frites fige dans votre assiette. Pourtant, il a l'air tellement sûr de lui que soudain, prise de panique vous vous posez la question : Et si c'était un perdreau?

Les yeux baissés, vous croquez une frite en faisant la grimace, elle a un goût de brique! Pour calmer votre angoisse, vous jouez avec vos pieds sous la table, vous saisissez votre verre à pleine main, vous avez envie de le broyer. Soudain, les branleurs cessent de chercher leurs clefs, la lavette reste suspendue au bout des doigts d'Harry, les filles ont la bouche cousue au gros fil, le monde vous regarde. Vous déposez votre verre en souriant, vous jetez un regard suppliant vers la rue, vous levez les yeux en direction d'un ciel, histoire de vérifier la couleur du temps. Si c'est un perdreau, il faut jouer le jeu : « La tête sur le billot, n'avoue jamais », disait le père. Un œil au ciel, l'autre sur le trottoir. Relaxez-vous, vous n'êtes pas en face d'un volatile mais d'un miché pétri de sang et de foutre! Le petit râblé s'agite, son impatience vous rassure. Crac, vous l'attaquez d'un geste global en faisant tourner vos doigts, ce qui signifie : « Tout compris. Merci. »

Seulement dans votre enthousiasme, vous avez oublié que vous avez affaire à un emmerdeur. Il vous le rappelle aussi sec en exigeant des précisions. « Cinq, pourquoi? » Sa tête devient un gros point d'interrogation, ses cinq doigts autant de petits, ses mains ouvrent son pardessus, baissent son pantalon, ses pieds se délestent de leurs otages. Subjuguée, vous baissez les bretelles de votre robe, vous vous retroussez jusqu'au nombril, vos menottes s'agitent, annoncent « Sept », vous parlez seule, à haute voix : « Sept, toute nue. » Les autres attaquent le dessert, vous en êtes toujours au steak frites.

Les branleurs ont les yeux exorbités, leurs mains s'agitent frénétiquement du côté de leurs braguettes, vous bondissez de votre siège, toutes voiles dehors! Dehors il fait moins cinq. Tant pis, vous êtes en compétition, l'important, c'est d'être la première, d'aligner le maximum de bâtons sur le cahier de Carabosse. Trop tard! Au moment où vous franchissez la porte du bar, il se dérobe, se cavale avec un superbe pied de nez souligné d'une insulte. Même pas le temps de lui botter le bas du dos. Il tourne déjà le coin de la rue Berger... Vous restez là. Vous ne sentez plus le froid, mais seulement le regard des mateurs, des ménagères, celui des gosses qui ne mangent pas à la cantine. Vous n'avez plus faim, vous avez simplement envie d'un café. Vous comprenez un peu mieux l'agressivité des copines. Vous regagnez penaude la table où l'on rit de vous et, pour ne pas avoir l'air d'être de trop, vous riez aussi en inventant un coup de pied au cul que vous auriez aimé donner.

Le temps d'avaler un pousse-café, il faut rejoindre le couloir, se dessiner une bouche neuve, effacer quelques rides sous l'œil vitreux de Carabosse qui veille au grain de Madame Pierre. De nouveau face à la vitre, face à la rue, aux mecs, à moi-même, je frappe la vitre, d'abord doucement, timidement et puis plus fort, encore plus fort. Un homme la pousse, me regarde, m'interroge, me monte...

En fréquentant le couloir, je découvre les dessous cachés du 45, ceux de madame Pierre, cette brune à l'aise dans sa quarantaine, à l'œil vif et intelligent, à la bouche fielleuse, qui a arpenté pendant quartorze ans, été comme hiver, le bitume de la rue de la Grande-Truanderie. Une vraie trimardeuse qui se glorifie d'avoir eu, certaines nuits de février, le gel au bout des seins! Je frissonne, je la redoute, elle me fascine. Cette virago possède les pleins pouvoirs grâce aux hommes qui lui ont confié, sans aucune restriction, le sort de leurs femmes. Ces femmes qui sous mes yeux se resserrent, rapetissent et se décomposent quand, du haut de sa gloire, la Poison siffle : « Mesdames vous êtes du bétail, rien que du bétail, ne l'oubliez pas. » Mon cœur se froisse quand j'entends abdiquer, dans un murmure égal, les désenchantées du 45 : « Oui, madame Pierre. »

Hier c'était la Saint-Paulin ou la Sainte-Mélanie mais sûrement pas la Sainte-Brigitte. Pourtant nous l'avons célébrée bien malgré nous. Il était tôt, huit heures moins vingt, nous n'avions pas entendu descendre la Poison. Mais elle était là pieds nus, en chemise de nuit, perchée sur la première marche avec un mauvais rictus au coin des lèvres.

« Brigitte, vous allez bien Brigitte? »

Brigitte sourit étonnée, elle n'est pas tout à fait réveillée, pas complètement remise de ses vingt-cinq passes de la veille. Elle a encore un peu mal au ventre, mais elle a compris. Ce n'est pas la première fois qu'elle assiste à ce numéro. Elle secoue sa robe de scène, davantage pour éloigner sa détresse que pour défriper son vêtement. Elle refuse de lever les yeux, elle espère que la Poison s'adresse à une autre, mais la Poison enchaîne :

« Le vôtre s'est fait faire marron cette nuit, ça c'est une mauvaise nouvelle! »

Elle a sans doute été avertie dans la nuit de l'arrestation de l'homme de Brigitte. Celle-ci, maintenant tout à fait réveillée, balbutie des bouts de phrases incompréhensibles. Voilà qu'elle ne sait plus si elle doit se déshabiller ou se rhabiller, voilà qu'elle déchire sa robe de scène et ses chaussures de ville avec ses dents, qu'elle piétine en bavant les nippes des filles du soir, qu'elle s'empale aux clous du vestiaire. Elle ne souffre pas, c'est son homme qui souffre, son homme aux mains des flics, son homme qui a besoin d'elle pour la première cigarette, le premier casse-croûte, le dernier baiser peut-être. Elle refuse de l'admettre et de nouveau son ventre lui fait mal. Elle pleure, doucement d'abord et de plus en plus fort, et la voilà qui crie, qui hurle qui tape des poings contre le mur, qui dégouline de partout! On la regarde se décomposer sans rien dire, sans pouvoir l'aider. Heureusement, Madame Pierre est là pour lui rappeler qu'une femme doit savoir garder sa dignité en toutes circonstances, que ce n'est pas de larmes qu'ont besoin les julots, mais d'oseille, et que sa place est derrière le carreau.

Au 45, les jours se suivent et se ressemblent. La Poison manœuvre le sablier du temps à sa guise, elle fait la pluie et le beau temps. Il pleut souvent dans le couloir. Madame Pierre n'est pas seulement un béquillard, c'est également une commerçante. Sous ses tempes brunes, une machine infernale bat sans relâche, une machine à détecter le mensonge, à humilier, à punir, une machine à calculer. Aujourd'hui ou demain, Gégé lui téphonera, la machine répondra froidement que si je lui donne moins de mille francs par jour, je le vole et ce soir-là, il me serrera en m'affirmant que je suis sur la bonne voie.

Gégé et la Poison nourrissent une ambition commune : faire de moi une caricature de femme. Mais s'il est dupe, elle ne l'est pas. Elle connaît ses pouliches sur le bout des doigts. Elle me sent rétive et ça l'excite. Elle m'ordonne de mettre du rouge à lèvres, m'oblige à courir à la parfumerie trois jours de suite pour le changer, sous prétexte que le ton ne lui plaît pas et, trois jours de suite, j'oublie le nouveau tube sur la tablette du lavabo. Trois jours de suite, on me le vole. Quelle malchance! La Poison ne désarme pas, elle interrompt mes repas quatre fois en une semaine et quatre fois je suis obligée d'aller me faire coiffer dans un salon pouilleux de la rue Saint-Denis avec lequel elle est en cheville. Quatre fois, je reviens en chantant et quatre fois, sous son regard rageur, je démolis mes boucles. En deux semaines, j'additionne quinze heures de pénitence et prends l'habitude d'ouvrir les portes du couloir, de boire le café avec Fernande, de faire les premiers clients. Les filles sont contentes : il paraît que je suis une bonne dérouille.

Moi j'ai le moral flingué, je suis de nouveau au bout du rouleau. Quand un mec se couche avec moi, j'ai envie qu'il m'étrangle tranquillement. Ce serait trop facile, la Poison m'attend au tournant avec ses ricanements, ses crocs-en-jambe, ses lames de rasoir, ses exigences. Elle sent que, quelque part, je résiste et ne l'admet pas : « Fanny vous êtes rebelle, mais j'en ai cassé d'autres, je vous casserai en deux. » Sa voix, ce terrifiant hachoir de cervelle, me poursuit hors du couloir, mais ce n'est que sous mes draps que je trouve le courage de lui donner la réplique. « Oui Fanny est rebelle, Fanny n'est pas à la veille de courber l'échine, Fanny ne fait pas partie de votre écurie, Fanny n'aime pas votre avoine et puis elle trouve la mangeoire dégoûtante. » Hier, elle m'a fait venir au bureau en sortant de chambre. J'ai immédiatement compris au ton de sa voix qu'elle ne m'appelait pas pour la chansonnette et, pourtant, elle trouve ma voix juste et j'ai parfois le privilège, au cours d'un quart d'heure creux, de faire revivre l'ambiance tiède des prisons en entonnant les berceuses de mon enfance. Sans daigner me regarder, elle m'a parlé des préservatifs et de ma mauvaise habitude de les balancer dans la corbeille à papiers. Elle a enchaîné, sans élever la voix, en comptant les bâtons : « Fernande est fatiguée de passer derrière vous. Il y a près du bidet des boîtes de conserves réservées à cet usage et j'entends bien que vous vous en serviez. Ces boîtes ne se trouvent pas là par hasard. J'ai un acheteur de capotes, un monsieur qui les reprend à un franc pièce, un monsieur qui, chaque soir à huit heures, vient en gober une douzaine et qui emporte les autres chez lui. Je suis sûre Fanny que ça vous intéressera de le voir faire. »

Tout m'intéresse Madame, je suis capable de tout regarder, de tout entendre puisque désormais tout m'indiffère. C'est hier que je suis restée au piquet jusqu'à huit heures, hier que j'ai fait connaissance avec les filles du soir et le gobeur d'embryons.

Aujourd'hui à midi, sur l'ordre de la Poison, j'ai suivi Aline chez Ernest pour m'acheter les plus hauts talons de Paris. Je ressemble enfin à une « femme ». Si, par hasard, Gégé croisait sur Saint-Denis, c'est avec moi qu'il monterait. Ainsi, grâce à mon ange gardien de taulière, je m'élève. Dix centimètres de plus, ça compte. Maintenant j'ai non seulement mal aux reins et au ventre, mais j'ai aussi mal aux pieds. Ce soir, à sept heures et demie, quand j'ai libéré mes petons, j'ai dû les retenir pour qu'ils ne me sautent pas au cou. Mes escarpins ne sont pas rouges, ils sont oranges. Madame Pierre a fait preuve d'indulgence : dimanche matin, j'aurai droit à ma grasse matinée.

Comment envisager dimanche quand j'ai du mal à m'arracher à la banquette du taxi, quand je me jette à peine rentrée dans un bain bouillant et que j'emploie mes dernières forces à me meurtrir le corps au gant de crin. Comment envisager dimanche quand je mange au fond de mon lit des plats tout préparés, quand le simple fait de parler m'épuise, quand au bout du fil, c'est la voix de Maloup qui tremble, Maloup que j'évite au couloir et ailleurs, Maloup qui aligne sans faire de bruit ses quinze bâtons par jour, Maloup qui perd ses cheveux par poignées et se noie dans son verre? Je t'évite, petite âme, parce que je suis en perte de vitesse. Perchée sur mes escarpins, j'ai tendance à perdre l'équilibre, mais sois tranquille, malgré les apparences, je garde bon pied, bon œil. Le couloir ne deviendra pas mon univers, le bar d'en face ne sera pas mon horizon, nous ne passerons pas le printemps dans la vitrine du 45, n'en déplaise à Gérard, à la Poison et à son pendard de mari.

Encore un fichu imposteur celui-là! Il n'hésite pas à assurer la permanence quand sa moitié défaille. Je l'ai vu de mes propres yeux placer les serviettes à cul sans sourire, et j'ai vu les clients penauds filer doux devant ce rude coquin qui n'hésite pas une seconde à tendre la main. Quelle mascarade! J'ai dû voir mon taulier deux fois en deux mois. La seconde était un dimanche. Maloup et moi avions reçu l'ordre de venir travailler jusqu'à midi sans plus d'explications. Dans un coin du bureau, en toilette du dimanche, les filles se tenaient droites et graves, comme à la sortie de la messe. Allait-on nous annoncer que l'hôtel prenait des vacances? Les anciennes partaient-elles en classe de neige? Ou bien emmenait-on ces demoiselles passer la journée au bord de l'eau comme au temps de la splendeur des claques? J'aurais pu passer mon dimanche entier à me creuser les méninges si mon taulier n'avait fait irruption dans le bureau en claquant dans ses mains : « Allons mesdames! Notre devoir de bons citoyens nous appelle. » Je ne rêvais pas. En ce dimanche matin, Pierrot le Boxeur accompagnait bien ses pouliches aux urnes! Il ne veut rien savoir des vingt-quatre femmes qui, nuit et jour, alimentent en eau son moulin et nous ne savons rien non plus de ce misérable vertébré, sinon qu'il ne se mouille plus! On vit fort bien la tête hors de l'eau quand on palpe au bas mot un million par jour. On prend goût à la terre ferme, on camoufle ses origines derrière une propriété privée, une chasse gardée, une écurie de courses, une enveloppe bien garnie! Oh pardon! j'oubliais qu'au 45, on n'a pas de condés. Non, c'est tout à fait par hasard que le 45 reste ouvert quand tous les hôtels de la rue sont en travaux. Curieux quidam ce Pierrot le Boxeur. Il aurait, soit-disant, sauvé courageusement la vie d'un haut fonctionnaire pendant la Résistance? C'est toujours plus noble vis-à-vis du milieu que de filer l'enveloppe. Bien des tauliers doivent regretter de ne pas avoir été résistants...

Que l'on travaille dans un grand magasin, dans une usine ou dans une compagnie d'assurances, au moment de fermer les yeux, on traîne toujours un peu de la vie de ses pareils sur l'oreiller, une façon, un geste, une parole, quand ce n'est pas toute une existence qui nous relance, tout un couloir qui nous harcèle et que l'on retrouve chaque soir, blottis au creux de l'oreiller, dix visages de femmes barbouillées de malepeur.

Aline la Polak a une origine polonaise, cadeau d'un père qu'elle n'a pas connu. Sa première adresse à Paris : 45, rue Saint-Denis, où elle occupe depuis neuf ans une chambre de quinze mètres carrés avec lavabo et vue sur la rue. Un seul voyage : une escale d'un an dans un gourbi d'Alger. Depuis, elle n'a plus bougé et sa conduite est exemplaire. J'ai envie parfois de la secouer très fort, mais elle est trop grande, trop vide, je gaspillerais mon énergie.

Quand on se retrouve toutes les deux derrière la vitre, je lui fredonne des bouts de chanson. Elle aime m'entendre chanter et dit que le jour où je partirai, elle avalera son litre d'éther. En attendant, je lui sers d'assistante, elle a le tour de m'imposer à ses hommes, à ses mecs-à-passion à qui elle interdit de me toucher. Elle a même réussi à m'imposer à Jacqueline, ce client vieux de cinq ans qui vient, chaque mardi à huit heures, se faire docilement introduire un oliphant dans le fondement pour la modique somme de six cents francs, oliphant qu'il gardera au chaud toute la journée et qu'il ne viendra se faire retirer qu'à six heures trentes précises, moyennant un petit quelque chose! Après des séances pareilles, j'ai envie de me flinguer. Je crois bien qu'ils l'ont rendue folle! C'est ça! Je l'ai senti depuis le premier jour, Aline est folle. Ce sont eux, le taulier, la Poison et son julot arabe, les responsables. A quoi a-t-elle droit Aline! Elle a le droit, après douze heures de couloir, de faire le tour du square des Innocents avec les deux scottish-terriers de la Poison. Faut bien qu'ils s'oxygènent ces chers trésors! C'est pas sain pour eux de rester enfermés toute une journée dans un bordel! A part ça rien. Sinon un restaurant une fois par mois, quand on ne l'oublie pas là-haut dans ses quinze mètres carrés. Je l'ai vue revenir le lendemain d'une de ces sorties mensuelles. Elle avait sans doute veillé très tard, car ses yeux étaient tout cernés de bleu. Elle avait dû rire beaucoup parce que sa bouche était éclatée. Ce jour-là, Madame Pierre l'avait félicitée et ce jour-là Aline avait battu les records, vingt-sept passes...

Gigi a plus de chance qu'Aline puisque la fenêtre de sa chambre donne sur la rue des Lombards, avec vue sur le bar *des Roses,* où elle prend chaque soir ses repas sous l'œil attentif de l'associé de son homme! En famille quoi! A midi *le Croissant d'Argent,* le soir *les Roses*, c'est ça la vraie poésie! Un soir où nous avions été prises ensemble par un retardataire, je lui ai offert de boire l'apéro en sortant, mais elle a refusé, indignée. Ma démarche n'avait rien de sacrilège, mais je n'ai pas insisté et lui ai proposé aimablement de faire quelques pas sur le boulevard de Sébastopol puisque c'était notre direction. Elle s'est agrippée à mon bras, sa voix était changée. « Tu vois, me dit-elle en regardant soudain à droite et à gauche comme si elle craignait d'être observée, moi j'habite de l'autre côté du boulevard. Tous les soirs, je le traverse en sortant d'ici. Tous les soirs, je tourne ici, deuxième à gauche, et je rentre à mon hôtel comme ça depuis huit ans et si, un jour, je m'avise de changer de trottoir, de prendre celui de droite à la place du gauche, de faire un détour par la rue de La Reynie, il le saura! Il sait tout! »

Elle m'avait plantée rue Berger et je l'avais regardée inquiète se hâter à petits pas serrés vers un chez elle imaginaire. Depuis ce jour-là elle ne me parle plus sauf s'il s'agit de boulot. Etrange fille! Chaque lundi, elle s'absente pendant deux heures. Où va donc Gigi chaque lundi? Elle va à l'hôpital, tout le couloir le sait, mais pourquoi? De quelle maladie mystérieuse est-elle atteinte? Tout le couloir l'ignore! On dit qu'elle est tubarde, cancéreuse, syphilitique, jobarde. Les diagnostics sont très variés. Moi je pense qu'elle est aux mains d'un tourmenteur qui la rend folle!

Marie, Marie-Galante, Marie la Noire, selon l'humour de la Poison, Marie, fleur vivante au regard chargé d'arcs-en-ciel, Marie la Déracinée, on t'a mise en serre et, dans cette tiédeur nauséeuse, derrière cette vitre que le soleil ne percera jamais, ta corolle a perdu ses teintes. Tu t'es flétrie, pauvre Marie, pourtant ton jardinier et toi vous habitiez le même village! Mais comme tu dis : « Là-bas chez moi, c'est trop petit, y a pas moyen de faire le tapin. Si j'y retournais, ça ferait crever mes chérubins et j'en crèverais aussi. » De là-bas, il te reste quelques photographies que tu montres aux clients, assise au bord du lit, Marie Courage, Marie la Folle!

Christine n'a pas ton dévouement. Quand elle a pris son vol au 45, elle n'a pas hésité à décharger son aile de l'oisillon qui l'encombrait, à le larguer dans la cour grise de l'Assistance publique. Il fallait choisir : son moujingue ou son Corse vénéré! N'empêche que, malgré ce sacrifice, tu es doublée, tu voles bas et pour nous toutes tu restes la moucharde, celle qui passe ses dimanches à la campagne à picorer dans la main de la Poison, pendant que ton Corse vit avec une autre son trip de père de famille, pauvre insensée!

Et toi Corinne la Bigorne, toi qui roules des épaules dans ta tenue de cuir, toi pour qui tout est prétexte à bagarre, toi qui as la main leste quand il s'agit de cogner un affaibli, je sais que tu rêves de m'estropier, et moi je rêve de te faire cracher ta langue. Je voudrais que tu m'expliques les saloperies que t'as dans la tête pour avoir réussi à maquer ta sœur à ton homme! Est-ce parce que le marlou t'avait taxée à sept cents francs par jour et que tu n'arrivais plus à fournir ou est-ce, comme je le crois, l'amour du lucre? T'es-tu déjà posé la question, renégate?

Et toi Délia, comment as-tu fait pour rallier la bannière douteuse de la Bigorne? Qu'elle ait guidé les premiers pas de ton enfance, d'accord, mais qu'elle les guide depuis cinq ans dans le couloir, non! Petite vicieuse exhibitionniste, tu t'envoies en l'air entre deux passes, en faisant ta grosse lessive devant tout le couloir qui vous regarde laver votre linge sale en famille. Tu deviens quelqu'un quand la bouche de ta sœur se déforme en hurlant : « J' me demande c'que tu lui fais avec tes airs de faux jeton. V'là deux dimanches que j'me fais trombonner pendant qu'tu reluis dans les bras d'mon mari, et dans mon lit encore. » Dis-moi Délia, quand il vous plante l'une après l'autre dans ce lit que vous avez casqué ensemble, quand tu te mords les joues et que tu as un goût de sang dans la bouche, n'as-tu pas envie de le planter à ton tour?

Claudette, dite Bifide, porte le dossard numéro sept dans l'écurie de la Poison. Elle en a vu du pays avant de poser le pied rue Saint-Denis! Son histoire ne manque pas de cocasserie. En rencontrant Prosper sur la plage de Sidi-Boussaïd, elle rencontre le grand amour. Bientôt, hélas, Prosper doit retourner à ses affaires. Claudette le cœur gros le supplie d'écrire. Deux mois plus tard, alors qu'elle n'espérait plus, arrive une lettre de Paris, une lettre accompagnée d'un billet d'avion! Elle exulte, elle va pouvoir continuer ses études à Paris. La vie à Sidi-Boussaïd est devenue tellement fade! A ses parents qui font les gros yeux, elle cloue le bec en leur rappelant qu'elle sera majeure en février. On n'a pas le temps de s'émerveiller sur les beautés de la capitale ni d'apercevoir la Sorbonne : Prosper a des ennuis avec la police, il faut vite changer d'air! Claudette commence à voir du pays, deux mois de *dolce vita* à Rome, une escale de trois semaines sur la Costa Brava qu'il faut quitter en catastrophe : les nouvelles de Paris sont mauvaises. Alors on remonte vers l'Allemagne, les poches vides. Prosper est sombre, il ne parle guère pendant le voyage, mais il dit l'essentiel : « Tu pourrais travailler Claudette, c'est notre seule chance de salut. Sinon ils finiront par me sauter et tu ne me verras plus que derrière les barreaux. »

L'Allemagne c'est Düsseldorf... et le grand bordel triste, le grand bordel organisé avec sa cour grise où déambulent des filles venues des quatre coins du monde, en déshabillé rose-bonbon, en collant de panthère, en guêpière rouge, les jambes gainées de noir ou toutes moulées de cuir, en robe chinoise fendue jusqu'à la hanche ou en sari transparent, en jupe plissée et chaussettes blanches, en robe de bal ou en imper caoutchouté. Dans cette cour qui devient son univers, Claudette pleure doucement en regrettant les plages brûlantes de son pays. Mais lorsqu'arrive Prosper, la cour est inondée de soleil! Qu'importe s'il lui fait l'amour comme les autres en coup de vent sur le même lit! Qu'importe puisqu'il l'aime et qu'entre deux baisers, il parvient sans peine à la persuader que c'est lui la grande victime et qu'elle est son unique planche de salut. Ce qu'ignore Claudette, c'est qu'il y en a deux autres qui font la planche pour Prosper : l'une à Marseille, l'autre à la Madeleine, ce qui permet à Monsieur de couler une douce cavale dans le meilleur hôtel de la ville, jusqu'au matin où la police allemande, bottée et casquée, l'emporte à la frontière, menottes aux mains.

Qu'importe la gravité de la situation? Claudette aime. Elle se jure d'être à la hauteur. Elle quitte l'Allemagne et, huit jours plus tard, se retrouve à la hauteur du 45 où des amis bienveillants poussent pour elle la porte du couloir. Elle reste dans l'ombre toute une année, mais court au palais de justice le jour du procès. Que les amis se fâchent : tant pis! Elle a besoin de le revoir, besoin d'un tout petit baiser qu'elle gardera précieusement sur ses lèvres jusqu'à l'heure de la libération. Un baiser qui vaut tous les risques! Mais quelle stupeur quand, dans le brouhaha du couloir du Palais, elle aperçoit Prosper son amour, menottes aux mains, avec deux femmes accrochées à son cou, suspendues à ses lèvres! Le coup est rude, mais les amis sont là pour la soutenir, pour la reconduire derrière la vitre! Prosper a été condamné à six ans, il lui reste aujourd'hui deux ans à tirer, une seule femme l'attend : Claudette. Laborieuse petite fourmi, folle d'amour, tu continues à faire ta pelote pour t'acheter ton petit restaurant français en Tunisie. Mais ne crains-tu pas qu'un jour, d'humeur vagabonde, Prosper ne s'envole avec la caisse?

La grande Nicole, fille d'une concierge de la rue Sainte-Apolline, a fait ses premiers pas au milieu des trottins! A dix ans, elle a une idée précise sur la monnaie. Les filles l'envoient faire des courses, lui offrent des bonbons, lui filent un petit billet. A quatorze ans, elle porte leurs nippes et, à dix-sept, claque la porte de la loge! « Adieu la Vieille, j'préfère faire le grand écart que de m'esquinter à récurer les escalbuches. »

Elle ne quitte pas vraiment la loge. Du bar d'en face, elle guette le moment où sa mère monte les étages pour s'y précipiter avec son premier client. Arrive ce qui doit arriver. Sa maman la surprend au lit avec un homme. Ce n'est pas le genre de mère que le chagrin rend bossue, non, c'est une femme encore jeune pour qui la vie s'est montrée méchante, une femme réaliste! Et si aujourd'hui sa grande veut l'aider, c'est bien la moindre des choses. Elle s'est donnée assez de mal pour l'élever toute seule. Le temps était avec elle : elle a fait de Nicole une sacrée tordue, une malade qui dort avec son fouet, qui le dissimule dans ses cuissardes en ricanant quand passent les Mœurs! Nicole a le mac le plus redoutable, elle ne lui fera jamais la malle : c'est sa mère.

Vieille routière, habituée des rades, ayant roulé sa quille de Gênes à Toulon, de Golfe-Juan à Naples, Kim s'ennuie derrière la vitre du 45 où les embruns n'arrivent pas. Alors elle boit pour oublier le vent du large, pour oublier les pompons rouges et Tony, son G-I, pour avoir le courage de foutre à l'égout cette plaque d'identité qu'il lui a laissée en souvenir. Elle boit pour oublier qu'ils se sont quittés à Golf il y a cinq ans, pour oublier qu'elle est mariée et que son homme ne la baise plus parce qu'il la trouve rance. Un soir avec Maloup, on l'a suivie, on a tangué ensemble du 45 au 194. Elle nous a présenté d'anciennes copines de bordée, on s'est pintées comme des grives en évoquant les jours heureux, les bastringues, les matelots qu'on n'avait pas connus! Et puis j'ai vu Kim monter un pauvre drille qui venait de retourner ses poches et à qui elle a dit : « L'oseille ça va, ça vient. Y a pas qu'ça qui compte dans la vie. » Kim, souviens-toi, il n'est jamais trop tard pour prendre le large.

Et toi Brigitte, avec tes yeux de jade et tes joues d'opaline, qu'est-ce que tu fous au 45? D'accord, tu n'as pas besoin de piétiner comme les autres en attendant ton tour de porte. Chaque matin, pour toi, retentit l'hallali. Ils sont tous là, tapis dans leurs bagnoles, crispés sur leurs guidons, haletants dans un coin du mur à se ronger les ongles. Pour toi, leurs réveils ont sonné une demi-heure plus tôt, ils te veulent au sortir du lit, toute chaude, toute noyée de sommeil! Chaque matin, à sept heures et demie, c'est la curée, tu n'as même pas le temps de te changer! Tu restes parce que tu gagnes bien ta vie, mais ils ont réussi à t'emmêler les nerfs, à te faire faire trois graves tentatives de suicide en un an de couloir! Il serait maladroit de t'infliger le même traitement qu'à Aline et à Gigi.

Comment fait-il, ton séducteur? C'est simple : il couvre de présents sa gagneuse aux nerfs si fragiles, il camoufle derrière des bracelets les cicatrices de ses poignets, il a du métier, il calcule qu'un petit diamant coûte finalement moins cher qu'un tubage d'estomac. Et toi, qui fais tremper tes diams dans l'eau savonneuse des bidets, tu dis : « Autant les porter maintenant, après on ne sait jamais, il sera peut-être trop tard! »

A la niche les filles, Fanny a des papillons noirs plein les mirettes. Fanny file un mauvais coton, elle chavire, elle se grise. Elle a des graviers dans la gorge, elle ne chante plus, elle pousse des cris d'animaux et lâche des onomatopées. Elle délire : « J'veux pas finir à l'hôpital comme dans les chansons tristes. » Pourtant en deux mois, au 45, elle s'est constitué une belle clientèle. Elle s'en fout, elle est mal dans sa peau, et les huit kilos qu'elle a pris n'arrangent rien. Plus elle grossit, plus elle mange. Elle attaque le matin au café-calva-croissant en compagnie de Kim et de Maloup. A dix heures, c'est le sandwich saucisson arrosé de Côtes-du-Rhône. A midi, c'est le déjeuner complet, le dos tourné à la rue. A cinq heures, c'est un gâteau à la crème acheté le matin. Au dîner, qu'elle prend seule chez elle, ou dans un restaurant en compagnie de Gérard et Maloup, elle dévore... Le soir dans son lit, tout en essayant de distinguer les lignes d'un bouquin, elle mange encore et mélange le camembert et les petits fours.

Son miroir manque d'indulgence, l'image qu'elle en reçoit est celle d'un corps boursouflé. Ses hanches, ses cuisses et même ses bras sont recouverts d'un peau d'orange. Du trente-huit, elle est passée au quarante-deux. Gérard lui a aimablement déclaré qu'elle ferait bien de se mettre au bouillon de légumes. Les filles s'en donnent à cœur joie en la traitant de boudin à pattes. Les clients prennent l'habitude de demander la petite grassouillette. Ils lui trouvent une mine superbe et vont même jusqu'à lui pincer les fesses. La cote d'alarme est atteinte. Tant pis pour ceux qui apprécient ses rondeurs, ils n'auront qu'à changer de crèmerie. D'ailleurs, elle en a assez de se faire prendre en levrette trois fois sur cinq sous pré texte qu'elle possède une croupe accueillante! Elle décide donc de se rendre chez un spécialiste, en espérant que celui-ci l'aidera à retrouver son corps de jeune fille...

Avec le printemps, j'attaque mon troisième mois au 45.

Il n'a pas été facile de détourner France de la route de Dakar. J'ai dû en faire des cabrioles, en étaler des comptées, j'en ai donné des coups de fil, j'en ai fait des câlins à Gérard pour qu'il intervienne auprès de Jean-Jean le Cobra. C'est qu'il y tenait ferme à ce voyage organisé. Et Franzie, qui marque un point d'honneur à camoufler ses revers, m'avoue qu'au fond Jean-Jean voulait peut-être se débarrasser d'elle pour des raisons qu'elle ignore. « Je crois me dit-elle, qu'il bande pour la nouvelle barmaid qu'il a engagée, je n'en suis pas encore sûre, mais j'ai surpris des regards. Ils manigancent quelque chose dans mon dos. Si c'est ça Sophie, j'te jure que j'les crève tous les deux, j'aurais pas balancé ma jeunesse pour m'faire griller par une cavette. » J'ai appris à me méfier des filles qui s'épanchent les soirs de cafard. En général, leur amour-propre reprend vite le dessus. Je me retiens pour ne pas lui dire : « C'est vrai, ça fait cinq ans qu'il te voit belle comme un soleil! Saute sur l'occasion, Franzie, fais-toi la malle, je serai toujours là pour te donner un coup de main, je t'aime pareil qu'à Saint-Lazare. »

France n'est pas la seule à rejoindre les rangs du 45. Lulu a dit adieu à la Médina et à un grand amour. Yves se marie le mois prochain avec la marchande de glace du port! Lulu revient éclopée. Je troque mon dimanche de repos contre un samedi que je passe avec elle chez Carita. On la rajeunit de trois ans, on invente pour son mec une cavale à l'étranger, Gégé la parraine. L'affaire est dans le sac. Pour la Poison, Lulu reste celle d'Yves le Toulonnais. Hourra! J'ai perdu deux kilos en dix jours et gagné deux sérieuses alliées.

Mais quelque part dans ma tête la voix frêle de Maloup grelotte : « Tu vas voir Sophie, elles finiront par t'entraîner, elles ont une autre mentalité que nous, tu auras de plus en plus de mal à t'en sortir. On ne se parle même plus, on est en train de devenir des vraies machines. »

Je sais trop bien tout ça, Maloup, mais ne gâche pas ma joie, elle ne tient qu'à un fil. Dresse l'oreille, entends le printemps, défronce tes paupières, regarde-le se débrailler. Courage, bientôt on se baguenaudera à son bras.

En attendant, ce soir, je pointe mon nez à la fenêtre du monde, je dîne en ville. Ce soir Gérard invite, c'est un dîner d'affaires. Ce soir, on me présente Evelyne, la femme d'un de ses amis. A moi de faire son éducation, de lui vanter les bienfaits de la prostitution. Ma mission est importante : l'avenir d'un homme est en jeu... Eh bien! souris Fanny, c'est jamais qu'une journée de turf qui part en boustifaille. On m'attend au *Coupe-Chou,* au coupe-faim, je m'en fous. Dans le taxi qui m'emmène au coupe-coupe, je rêve de m'asseoir avec les biffins sous les arbres de la Constrescarpe, de souffler dans leurs harmonicas, de boire du vin aigre jusqu'à la pointe du jour. Mais le devoir m'appelle... Une chance que, ce soir, Igor soit là. Igor, c'est la tête pensante de la clique, Igor c'est pas un mac, c'est un roublard et, lui et moi, on se pige au quart de tour, on se parle avec les yeux. Mais avant de pousser la porte du restaurant, je vais m'envoyer un demi de blanc, histoire de m'éclaircir la voix.

Je m'avance vers la joyeuse tablée, l'humeur belliqueuse. C'est fou ce qu'on se marre ici ce soir, l'humour de Gérard est décidément irrésistible. Et l'autre truffe qui fait semblant de comprendre, et son julot en herbe qui approuve en s'empiffrant de crêpes au fromage, et moi qui me lève demain matin à six heures et demie! Et tout ça pour affranchir cette pauvre nana qui va se retrouver un jour ou l'autre Gros-Jean comme devant, sans une thune, avec sa jeunesse et ses illusions en moins... Je n'en ai pas le droit, pas les moyens, je suis aussi paumée qu'elle! Les « marles », ce sont eux, toujours le même scénario, les mêmes salades, les mêmes gestes, les mêmes mots! Ils passent, ces briseurs de rêves et les filles tombent, se pâment! Mais Bon Dieu! Il y a bien une race de femmes qui va leur résister! Ils nous font pas des trucs inédits, ces mecs-là. La plupart du temps, c'est à peine s'ils nous baisent! Alors pourquoi une Evelyne de vingt et un ans, belle, prof. de commerce, vivant chez ses parents à Argenteuil, tombe dans le panneau?

Tu le sais toi, pourquoi? D'accord, tu commences à y voir clair, mais souviens-toi, il y a trois ans, quand tu as essayé un soir, seule, rue Godot-de-Mauroy, personne t'y a traînée! T'étais bien un peu consentante! Tu savais ce que tu fuyais en allant aux asperges! Tu ignorais, en revanche, ce que tu allais rencontrer! Elle, c'est pareil! Et tant qu'il y aura des julots et des filles indécises et crédules, y aura des putes. Te creuse pas la cervelle, tu ne peux rien faire pour elle, sinon l'entraîner dans la toile d'araignée qui t'englue toi-même. A moins que tu n'aies l'audace d'envoyer une vanne, d'encaisser un ramponneau en public?

« Vous verrez Evelyne, les Halles c'est le panard! Une fille qui débute s'écrase une moyenne de quinze mecs par jour, sans compter les turluttes! »

Eh bien! quoi, que se passe-t-il? Vous ne vous bidonnez plus, vous n'avez plus faim? Y a quelque chose qui passe mal? Allons, faites-moi risette. J'aime bien raconter une petite blague en fin de repas.

« T'as de la veine que je sois avec des amis, sinon je t'aurais sortie à coups de pompe.

— Ecoute le marchand de vent, tu sais bien que les efforts te réussissent pas. Je trouverai la porte toute seule! »

C'est ta dernière nuit Evelyne. Demain tu seras avec moi dans la vitrine du 45. Tu seras une autre, je serai la seule à te reconnaître. Quel mystère!

On n'a pas le temps de parler beaucoup Evelyne et moi, on grimpe toute la matinée. Quand je la croise dans l'escalier, je lui fais un petit signe de main qu'elle ne voit même pas. On se retrouve à table, assises l'une en face de l'autre, étrangères.

« Tu ne manges pas?

— Je n'ai pas faim, je voudrais vous parler seule. »

Je l'entraîne dans les toilettes du *Croissant d'Argent,* verrouille la porte et l'écoute.

« Le dernier client que j'ai monté était bizarre, il m'a demandé si je débutais. Il m'a dit qu'il avait la folie du désert, son rêve c'est de partir au Sahara comme foreur, il aime faire des trous partout. Il me l'a mise derrière : j'ai mal! »

Au lieu d'essayer de te comprendre, de te rassurer, de serrer très fort dans ma main la main que tu me tends, pourquoi est-ce que je t'empoigne par les épaules et que je cogne comme une sauvage ta tête contre la porte des chiottes! Pourquoi au lieu de te parler doucement, j'hurle : « C'est le métier qui rentre. Quand j'ai débuté, j'ai appris deux choses : la bouche et le cul, c'est à peu près tout ce qui nous reste d'intact. Défendu à aucun prix de s'en servir, t'entends? La prochaine fois qu'un mec te demande si tu débutes, ou s'il veut t'enculer ou te faire la morale, tu lui réponds qu'il se creuse pas les méninges, qu't'es incurable et que t'aimes te faire baiser, vu? » Pardon Evelyne, j'aurais voulu te dire tout ça autrement mais je crois qu'à moi aussi ils ont réussi à emmêler nerfs.

Pour aller du *Croissant d'Argent* à l'hôtel, c'est un vrai gymkhana. Je prends la main d'Evelyne qui a du mal à se faire une percée. Il bruine, quelle sale journée.

« Fanny, magnez-vous, y a le béret qui prend racine au 7. » O.K. Carabosse, pas d'agacement, je monte. Sacrée Albert, j'avais oublié que c'était ton jour, faut dire que je suis pas folle de joie de m'attifer de ton sac de patates et d'y épingler l'étoile juive! Le couloir, les camps de concentration... faut avoir une drôle de santé. Une fois par semaine, je frappe à la porte du 7 en levant le bras droit et je crie : « Heïl Albert! » Une fois par semaine, depuis plus de deux mois, je suis juive et j'ai quinze ans, je me jette à plat ventre et j'embrasse tes bottes et le bas de ton imperméable. Avec ta cravache, tu fais glisser ma guenille, tu écartes les jambes et tu sors ton béret de ta braguette, ton béret que tu masturbes et qui m'inonde le visage d'un venin imaginaire que je dois lécher! Une fois par semaine je deviens ta maîtresse pour sauver les miens du four crématoire.

J'écoute les bruits de l'hôtel. Au 6, ma sœur gémit au rythme du sommier, au 8, la Bigorne hurle ses ordres, quelque part claque le fouet de la grande Nicole. Tiens, voilà Maloup qui monte son pépé du jeudi, à soixante-douze ans paraît qu'il est encore vert! Je frappe à la porte du 7 et m'exécute docilement.

Albert, tu fais partie de mes névropathes familiers, de mes jobards assidus, de ceux qui me défoncent la tête et non pas le ventre. A quoi ressembles-tu, une fois sorti d'ici? A monsieur tout le monde? A monsieur tout seul? Qu'est-ce qui te pousse à venir réaliser tes fantasmes dans une chambre d'hôtel sordide? Avec le fric que tu me laisses, tu pourrais te payer une pute de luxe dans une piaule dorée! Mais non, ce qu'il vous faut, ce qui vous plaît, c'est de frayer avec l'abject. Malgré votre mépris, vous portez en vous le goût du morbide! C'est bon de penser que vous avez à votre disposition une fille qui, avant vous, a déjà fait une dizaine de clients et qu'après vous, il y en aura une autre dizaine. Vous n'êtes plus monsieur tout le monde, vous entrez en compétition! Vous sortez du nombre, vous devenez l'émule de centaines de milliers d'hommes! Pauvre Albert, si au moins, de temps en temps, tu avais un petit orgasme rafraîchissant.

Ne pas redescendre tout de suite au couloir, m'asseoir au bord du lit, fumer une cigarette, ne pas trop gamberger, tourner le dos à ce miroir qui me regarde! Pourquoi me regardes-tu ainsi? Qui es-tu? Sophie? Fanny? L'autre? Il y a des jours où j'ai l'impression de ne pas te connaître, où tu m'es étrangère, où j'ai envie de te gifler, de te gifler à toute volée, comme ça! Tiens! et encore! et encore! comme quand j'étais petite et que je me balançais la tête contre les murs de la cuisine!

Ce serpent que je suis, qui surnage dans l'eau sale de la vie, je prie pour qu'il lui pousse sous le ventre des petites pattes ridicules afin qu'il regagne la rive, qu'il roule sur la pierre chaude, qu'il devienne un grand crocodile verdoyant et musclé, pourvu d'une grande gueule plantée de dents en or pour broyer le malheur! Allez, Fanny, au turf, l'après-midi est jeune. Tiens, la voix de trappeur de ma chère taulière me caresse les tympans. A qui s'adressent ces mots doux? Prêtons l'oreille, descendons prudemment, rien ne presse. Il pleut à verse dans le couloir, décidément l'hiver ne m'aura jamais paru aussi long.

Il ne faut pas désespérer, le vingt et un mars est arrivé aujourd'hui en compagnie de la Mondaine. Ces messieurs se sont propulsés dans le couloir à huit heures du matin, pâquerette à la boutonnière! Le goût amer du café et de la première cigarette collait encore à mon palais, mes yeux rêvaient encore de sommeil quand je me suis retrouvée les fesses soudées à la banquette de bois du panier, entre Evelyne et Brigitte.

Comme la première fois, je regarde la rue mouillée au travers des vitres grillagées et, comme la première fois, je rêve à la mer, tandis que la tête d'Evelyne ballote sur mon épaule et que Brigitte glisse sous ma robe un morceau de carton. Sa main pèse très fort sur ma cuisse et je sens les rivets de sa carte d'identité s'imprimer dans ma chair. J'allume une cigarette, je sens son souffle sur mon cou. Elle chuchote : « J'aurais dix-huit ans au mois de mai. » Je chantonne : « C'est le mois des maris, c'est le mois le plus doux, quand madame est partie avec les gosses au Lavandou. »

En franchissant la porte du 36, j'ai glissé dans mon slip le petit carton compromettant. Devant les cages, j'ai une petite pensée pour Dunave. Et puis, dans le bureau, je retrouve Sophie, ses cheveux ont poussé en trois ans et je me demande ce que j'ai fait de ce pull à rayures qui me plaisait tant. C'est dingue, le temps a filé à tout berzingue. Franzie est toujours là, mais il y a Maloup, Lulu, Evelyne et les autres qui ne tricotent pas, les autres qui ne font rien, les autres qui sont déjà mortes!

Après un interrogatoire de routine, on nous expédie à Saint-Lazare. Je ne fais pas mon tour de chameau. Je tends sans trembler à l'assistance sociale ma fiche de prélèvement et je suis le troupeau en direction du réfectoire pour attendre la nuit! Nous l'attendons Maloup, France, Lulu et moi, en tapant le carton, pendant qu'Evelyne, rebaptisée Ingrid par la Poison, Ingrid, fille des fjords, essuie en tremblant ses lunettes avec le bas de sa robe. Dans cette grande pièce triste à mourir rien n'a changé, les murs ont la même teinte, les bancs sont toujours aussi durs et là-haut, suspendus au plafond, les haut-parleurs ne demandent qu'à hurler.

Et tout à coup, les griffes du matou zébré que j'avais oublié, que je croyais avoir apprivoisé, ces griffes me lacèrent les épaules. Saint-Lazare, c'est toujours le cauchemar et demain j'en ressortirai lessivée, vidée, pleine de boutons. Comme je redoute l'heure du dortoir où je vais retrouver les paillasses pisseuses, les draps souillés, l'odeur forte des toilettes, les robinets grinçants, les boxes couverts de graffitis et mon ancien nom de guerre que Pat avait griffonné avec son crayon à sourcils. C'est tôt sept heures pour se mettre au lit, beaucoup trop tôt. Comme elle va être longue ma nuit, chamboulée par l'extravagance des filles lâchées à elles-mêmes. Je n'ai pas envie de pleurer ni de crier, pas faim, pas soif. Pas envie de parler ni de jouer aux cartes, pas vraiment envie de vomir. Pas folle de vivre, pas tout à fait sûre de vouloir mourir, surtout pas envie de dormir, mais d'ouvrir grands les volets, de regarder quel temps il fait en bas, dans la cour, de vérifier si le printemps ne m'a pas fait faux bond! Mais il n'y a pas de fenêtres dans le dortoir, ou bien elles sont inaccessibles, ou bien je ne les ai jamais vues. J'enroule mon traversin dans mon imperméable et, une cigarette dans chaque main, je branche ma gamberge sur les dix derniers jours qui ont précédé le printemps.

Ma chère sœur a succombé au charme d'Igor le premier soir, sous les lumières complices du *Roll's Club*. Et quand le *slow* fatal les a jetés dans les bras l'un de l'autre, je me suis approchée sur la pointe des pieds et les entendus susurrer : « Ma gavali aux yeux d'airain, mon gavalo aux yeux pervenche, cette fois c'est pas du chiqué, j'sens qu'on va faire gourbi ensemble. » Non, ce n'est pas gentil de sourire puisque Igor cherche déjà un appartement. Lulu paiera le loyer bien sûr, mais pour les meubles il a des prix de gros!

Gégé, lui, a découvert l'appartement idéal! Eh oui, on change de rue mais je n'ai pas l'engouement de Lulu, j'ai trop attendu et je sais avec certitude que, dans les prochaines années de ma vie, mes fenêtres ne s'ouvriront pas sur le parc des Buttes Chaumont, ce serait trop moche! Gégé se montre de fort belle humeur. L'idée d'être propriétaire lui fait monter le sang à la tête. Dans trois ans, il a sa maison à Deauville, dans cinq ans à l'entendre il devient le Monsieur Vautour du *Normandie*. Et comme il ignore la modestie, il a commandé une Shelby, il veut être le premier à rouler avec dans Paris! Vas-y Gégé, bombe, tire des plans sur la comète, tu peux pas t'imaginer à quel point ça m'arrange que ce soit ton blaze qui s'étale en majuscules à la place du mien, sur l'acte de vente. Je suis peut-être braque, mais pas au point de signer un nouveau bail de cinq ans! C'est pas que je veux jouer les délicates, je sais que j'ai une bonne cambrure, mais cinq piges de traites sur le rabe et un lascar qu'il n'y aura pas moyen de faire décaniller quand sonnera le glas, pas bon pour moi.

Non, Monsieur Gérard, fini le temps des fleurs. Si celle que je te fais aujourd'hui en payant comptant une part de ton logis pouvait faire partie de mon bouquet d'adieu, comme je serais heureuse!

Car, chaque jour qui s'annonce, me souffle que nous ne vieillirons pas ensemble et qu'il te faudra du courage ou du génie pour finir d'honorer tes traites, à moins que tu ne persévères avec brio dans la carrière de sauret. Qui sait? Je n'aurai peut-être jamais de maison, mais qu'importe si je passe ma vie à enjamber les jardins du monde au bras d'un zingaro et que chaque nuit, les yeux remplis de lune, je puisse enfin crier en plantant notre camp volant : « Je suis libre, libre, libre! »

Et puis il y a Paul, Paul qui a dit *bye bye* aux cocotiers, Paul qui s'installe pour six mois chez sa sœur à Ville-d'Avray, Paul qui veut profiter de son séjour en France pour m'éduquer, m'apprendre à manger avec un couteau et une fourchette, me trouver un boulot honnête. Bien sûr, il me filera un peu d'artiche : cinq cents francs. par mois : quand il m'en donne trois cents pour passer une heure avec lui. Très mauvais calcul de sa part. Enfin, j'ai une consolation, quand nous serons installés à Abengourou, j'aurai de nouveau le droit de manger avec mes doigts. Sacré Popol, comment te faire comprendre, sans te mettre le cœur en miettes, que derrière celle que tu as choisi d'épouser se profile l'ombre rapace d'un souteneur nullement disposé à lâcher sa proie. Et quand bien même nous en arriverions à un arrangement à l'amiable et que tu sois disposé à casquer, quel que soit le prix, ça me ferait mal que tu sois confronté à Gégé, je crois que j'y perdrais! La fuite? Fuir avec toi vers l'Afrique comme j'aurais pu le faire avec Jimmu vers le Japon? Non, ce serait une autre forme d'aliénation. Si je m'en sors, je ne veux le devoir qu'à moi-même. Fini le temps des marchandages, des transactions douteuses. Seule!

Et puis il y a le père qui est rentré au bercail avec ses sacs de nœuds et son éternelle cavale sur les endos! Dis le vieux, pourquoi tu te contentes pas de faire une belote avec moi ou de m'apprendre les échecs et les tarots? Pourquoi, chaque soir, faut-il que tu parles d'avant et pourquoi faut-il qu'en posant mes doigts sur tes lèvres pour te faire taire, tout remonte à la surface : ta casquette, tes bretelles, ta musette, ton bleu, et toi tout entier, penché sur moi, hagard, baladant tes doigts sous mon nez en me demandant de sentir. Et les plumes, toutes les plumes qui montaient en tourbillonnant dans la chambre. Une envolée de moineaux blancs juste sortis du nid, fragiles, tièdes, sans cris, volaient autour de mon visage, se posaient sur mes larmes. C'est moi qui les avais libérés avec mes dents en mordant le traversin pour ne pas réveiller les petits. Et j'avais du mal à imaginer que j'avais dormi tant d'heures, tellement de nuits, la joue posée sur un nid.

Papa, il ne faut pas me parler des oiseaux, ni de cette nuit où tout a foutu le camp, où le papier des murs s'est décollé, où les murs en ont profité pour filer en emportant l'armoire à glace, le landau anglais, la porte avec sa clef, les fenêtres croisées, les traîneries, toutes les traîneries... Il faut oublier cette nuit et celles qui ont suivi, et celle où tu m'as retrouvée, penchée sur la passerelle, à écouter le chant des trains, chant métallique et grinçant, chant ivre de fin de noces. Papa, il ne faut plus jamais me parler de trains.

La nuit est déjà bien avancée, le calme a succédé au chahut habituel des grands arrivages. Des boxes montent des soupirs, des grognements, des grincements. Je me lève sur la pointe des pieds, fouille dans le sac d'Evelyne à la recherche de cigarettes. Elle se dresse, me regarde hébétée; je pose ma main sur son front qui ruisselle d'une sueur froide :

« Fanny, oh, Fanny! J'étais en train de faire un cauchemar! »

Elle s'assoit sur le bord du lit et vomit une bile abondante. Autour de nous les autres gémissent en tirant leurs couvertures sur leurs têtes. La nuit est longue, elle s'étire dans tous les sens. A droite ou à gauche, à l'abri d'un box, deux filles s'aiment. Je caresse les montants du lit jusqu'à la pointe du jour.

Avant de retourner au turbin, j'entre et achète un tube de dentifrice et une brosse à dents à la Pharmacie Première.

En robe de Saba, la perruque de travers, debout au milieu de l'escalier, la Poison affile ses aiguilles avant de haranguer ses pouliches. Vas-y la ménade, envoie le topo, j'ai les mirettes plombées de ronflette.

« Y a du chambard, mesdames. A partir d'aujourd'hui, les Bifide, les Lulu, les Kim et celles qui ne font pas régulièrement leurs quinze pastiquettes passeront dans l'équipe de nuit, j'ai des filles du soir qui rêvent de faire le jour; Quant aux autres, écoutez-moi bien, je ne me répéterai pas, y aura des coups de poing dans la gueule à la clef. Vous allez vous répartir de la façon suivante : trois au fond du bar, au fond! Deux à l'avant, au comptoir, le verre plein du matin au soir! Les autres au couloir. Vous me ferez un roulement de dix minutes chacune. Au fond du bar, au comptoir, au couloir. C'est clair? Autre chose, mesdames : la première qui se paie la gauffre de lever la main sur un mec dans le couloir ou dans la rue, celle-là, mesdames, aura personnellement affaire à moi. Maintenant au turf, on est en retard sur le chiffre! »

Je me brosse les dents en faisant ma première passe, et si certaines journées m'ont paru longues au 45, celle du vingt-deux mars est interminable.

Ça fera cinquante ans à midi que ma grand-mère est entrée en douleurs, que mon père est entré dans la vie et que, du coup, je pataugeais déjà dans ses valseuses. Ma grand-mère inconnue, en femme légère et distraite, a oublié en sortant de Port-Royal le poupon sur le rebord d'une fenêtre, entre deux pots de géranium! Ce qui n'a pas empêché mon père de rencontrer ma mère, ma mère de rencontrer Paul, et moi Gégé. C'est fou ce que les choses sont bien faites quand on y pense!

Sacré vieux brigand, tu nous as souvent mis dans la mouscaille, mais je crois que le temps est venu de passer un bon coup de balai-brosse sur l'ardoise que tu m'as laissée et, puisqu'à ce jour, la vie t'a pas fait de fleurs, ce soir j'invente une fête en ton honneur, une belle godaille. J'ai réservé une arrière-salle, commandé des turlututus, des serpentins, des feux de Bengale, des filets de hareng, des chapeaux pointus et des fleurs en papier. Tu pourras faire danser Maloup et Evelyne. Tu pourras faire valser tes filles. Vieille baderne, grâce à toi, aujourd'hui je joue relâche. Salut les gloutons, ce 8 avril, vous ne verrez pas Fanny sur les planches du 45! Mais pas d'épanchements, le temps presse, le père, je dois rejoindre ton beau-fils chez son tailleur. Gérard, pour la circonstance, portera ce soir un beau costume rayé en long, en large et en travers, un costard de lézard, de m'as-tu-vu. Si tu ne m'as pas vue, regarde-moi bien parce qu'un jour tu ne me verras plus!

Yvan est tailleur-coupeur de son métier, ça explique assez bien qu'il ait toujours les ciseaux à la main, mais ça n'explique pas son sourire qui n'est pas un sourire, mais une tache de son. Sa femme est lapine-servante de son métier, ça explique qu'elle soit maousse, mais ça n'explique pas sa mauvaise humeur quand je refuse un loukoum! Leurs huit enfants sont beaux de leur métier, mais ça n'explique pas qu'ils se jettent sur mon sac à main comme des galapiats! Le réveil retarde peut-être un peu, mais ça n'explique pas le retard de Gérard. Et moi qui suis venue pour rencontrer mon homme, les fesses au bord d'un tabouret coupant comme du corail, les yeux dans les poches brunes que m'a creusé le 45, je regarde la sainte famille Loukoum et Cie se jeter à la tête des chutes d'alpaga sur un air de café turc. Et dans cette pièce dortoir, cette pièce atelier, dans cette pièce entonnoir, dans ce préau au ciel bas où les trousse-pets s'enchevêtrent dans la trame grise en piaillant, l'aiguille d'Yvan court, perfore les poches de mes yeux, me crible les extrémités de petits coups sournois. Les lames des ciseaux me tailladent les nerfs, les aiguilles du réveil sont molles et blanches de sucre, pareilles à des loukoums! Blanches, molles et sucrées. Je mange le réveil qui colle à mes dents, je regarde voler la sciure d'alpaga et j'en remplis mes yeux. Je bois du café turc et caresse mes lèvres avec ma langue. Le marc a la saveur amère d'un rendez-vous manqué, d'un anniversaire oublié.

Papa, ce n'est peut-être qu'un étrange hasard, mais il y a deux heures, j'ai cru apercevoir la voiture de Gérard garée à *la Ferme d'Issy*. Papouchka, il se trame quelque chose que je ne comprends pas, je ne suis pas inquiète pour lui mais pour toi. Vous pourrez toujours vous coiffer de chapeaux pointus et vous appliquer des rondelles d'oignons sur les quinquets, les filets de hareng pourront continuer à mariner avec le thym et les serpentins, la fête n'aura pas lieu si je ne suis pas là. Papa, dis-moi pourquoi je l'attends, dis-moi pourquoi ça fait trois ans. Et dis-moi aussi pourquoi tu n'as jamais levé le petit doigt? J'veux pas me fâcher le jour de ton anniversaire, j'veux que tu sois heureux même si je suis un peu en retard. Mais j'veux aussi être sûre qu'en cas de coup dur tu seras là!

Lapine-servante, donne-moi un verre d'eau, y a le réveil qui ne passe pas, j'ai la trachée-artère toute endolorie. Y a plein de vis minuscules qui crissent sous mes dents et des disques dentelés qui m'écorchent la luette. Et puis, y a ce petit cœur à trois branches qui me déchire le voile du palais. Oui, je sais, c'est bien fait, ça m'apprendra à vouloir becter le temps!

La main de l'homme qui cogne à la vitre de la pièce entonnoir est noire comme la suie, comme le marc de café, comme la nuit qui descend calmement sur les toits d'Issy. La lapine-servante écarte les rideaux, l'espagnolette grince. Yvan abandonne ses ciseaux, les trousse-pets tètent un morceau d'extra-fort, la grande aiguille me transperce la langue. « Madame Gérard, y a deux messieurs dehors qui veulent vous parler. »

A voir vos mines, messieurs, je peux dire que vous avez les pieds douteux, que vous appartenez à une tribu de receleurs aux doigts crochus. Mais moi je ne suis plus à vendre, on m'a déjà vendue sur le marché de Bagdad, on m'a écartelée sur les tréteaux de Nogent-le-Rotrou, on m'a troquée contre un lit à baldaquin à la foire de Chatou. J'ai été la maîtresse de Mustafa Kemal Pacha, celle de l'empereur de Chine et du chef magasinier des usines Renault! Y a plus rien à gratter, j'suis, comme qui dirait, vide. Alors annoncez la couleur, les logogriphes c'est pas mon fort. Ah je vois! vous êtes de vrais apaches, y a plus grand-chose qui vous déride! Mais avant de prendre place dans votre galère sans rames, laissez-moi vous dire que, quelque part dans une arrière-salle, y a mon papa et mes amis qui doivent commencer à se faire du mouron. Et toi, Gégé le Chétif, qu'est-ce que c'est encore que ce cadeau empoisonné que tu me fais là? Dans quels sales draps as-tu été te rouler pour que je me retrouve entre les mains de ces deux malfrats qui me coupent la parole et m'emportent dans leur chignole capitonnée, sur l'autre versant de la fête?

Papa chéri, elle est rapide l'automobile, mais sois tranquille, je n'ai pas peur, à peine si je suis étonnée. Cette nuit est la mienne, claire comme la nuit d'hiver où tu m'as engendrée, aussi limpide que ton erreur. Adieu le dab, nous prenons l'autoroute, on me bâillonne les yeux, et le cœur et la bouche. Plus de doutes à présent : mon homme s'est fait emmener en belle! Les paupières chiffonnées, j'hallucine sous mon bandeau. Je vois les rayons du soleil tomber à pic sur les talus déshydratés. Je vois la tache de son d'Yvan rire à pleines dents, je vois Gégé tout nu cloué au poteau d'exécution. Je vois les chiffres romains, la sonnerie du réveil, le remontoir glisser sur mes genoux, je vois les trousse-pets avec des moustaches noires jusqu'au milieu des joues et de grands ciseaux à couper le temps, à abréger la vie des gens! Et puis je ne vois plus rien, le bandeau sur mes yeux efface tout.

Si je ne vois plus, j'entends maintenant et j'entends beaucoup mieux : « Il est vingt heures sur Vive la France, au cours des dernières vingt-quatre heures, il y a eu plusieurs centaines de morts entre Blida et la Porte de la Plaine. Il est recommandé de prendre la déviation indiquée à Tlemcen afin d'éviter le bouchon de Sidi-bel-Abbès où un camion d'oranges a perdu le contrôle de ses nerfs. Nous vous demandons également d'éviter les abords de la porte de la Villette où une manifestation de bouchers se dirige vers la porte de la Chapelle! Toute l'équipe des ramoneurs du soir vous souhaite une excellente soirée sur Vive la France, et vous rappelle que vous pouvez nous appeler toute la nuit à G.R.E. 22.22, si vous avez besoin d'un taxi. »

Ça y est le dab, on arrive au terme de la vadrouille. Ça sent le bourgeon, la bouse et la fiente de canards. Deux mains de fer me soulèvent, je pédale dans la rosée, j'ai froid aux pieds, au cœur, mais te tracasse pas, si Gégé s'est fait tronçonner, c'est pas un crêpe que j'épinglerai à mon corsage, mais un bouquet d'œillets rouges, et bon anniversaire quand même!

« On ramène le colis.

— Tire-lui une chaise qu'elle pose son derche. »

Papa, je claque des dents, j'ai froid, j'ai la frousse du noir. Papa, y a des voix qui bougent autour de moi, y a des pas qui montent de la cave, y a des toiles d'araignées entre mes doigts, y a du pipi dans ma culotte. Papa j'ai peur, peur des mains qui me tripotent le cou, qui n'arrivent pas à dénouer les bandeaux. Papa, je voudrais être aveugle, ne pas voir leurs visages... Guy?

« Guy, l'infirme, oui. Dire que j't'ai vue pousser! Ton père disait qu't'en avais dans le chignon. T'étais pourtant à bonne école, qu'est-ce qui t'a pris de te faire piéger par une crapule comme Gérard, quand y a plein de braves garçons qui ont besoin d'manger? Mais dis-moi, ça t'a plutôt réussi les asperges, t'es devenue gironde. Tu dis rien, t'as pas envie d'savoir ce qu'est devenu ton homme? On l'a peut-être dessoudé? Mite pas et t'agite pas, on va te laisser gamberger un peu, après on va causer et faut qu't'aies la tête fraîche. Attache-la Yako, en attendant qu'on passe à table... »

Franzie, allume-moi une pipe et passe-moi un coup de chiffon sur les meubles. Maloup, vire-moi ces fleurs pourries et va en acheter d'autres. Lulu, ouvre-moi ces fenêtres, qu'on respire un peu! Nom de Dieu, y a au moins un siècle qu'une bonne femme a pas mis le pied dans cette baraque! Papa, verse-moi un verre de vin et détache-moi, détache-moi!

Pourtant, Guy et Gérard étaient copains, ils jouaient bien aux cartes ensemble chez Mado. C'était du temps de sa femme... elle était douce Hélène, lui il était drôlement beau garçon, toutes les filles de chez Soupletube lui tournaient autour. Mais ça, c'était avant son accident, avant qu'il soit cloué dans un fauteuil roulant, avant qu'Hélène valise. C'est vrai que j'étais gamine, que je pigeais qu'à moitié ce que mon père disait. Il a fallu que j'ouvre le canard à la page des faits divers pour apprendre que Guy avait envoyé Riton les Mains Douces rejoindre le diable d'une balle dans le foie. On ne l'avait plus vu chez Mado, mais moi je savais où il se planquait. Il se planquait dans une auberge des bords de la Marne, et le vieux m'y traînait certains dimanches pour le regarder jouer aux boules. Papa, passe-moi une tige, dis-moi que j'ai pas la mémoire courte. Tu parlais bien de lui comme d'un cerveau à la tête d'une bande de gangsters redoutables? Et je prends Lulu à témoin, car pas plus tard qu'hier tu nous parlais de lui avec dans la voix un mélange d'admiration et de nostalgie et tu me disais qu'il faisait partie d'une race d'hommes en voie de disparition, que la nouvelle génération de voyous était juste bonne à fric-fraquer les casinos des frangines, des gonzesses assez naves pour filer leur oseille aux gratteurs de couilles vertes! Sois content, papa, Guy te décevra pas, il respecte la tradition. Mais ce soir, c'est ta gosse qui casque!

Il est une heure et demie du matin au grand réveil décarcassé. Le monde entier qui repose me souffle au visage son haleine corrompue. Il faudrait danser la carmagnole, mais ils m'ont promis une balle perdue, une balle de chiffon en plein front si je parlais! Oh mon père, je voudrais que tu ne sois pas là, à m'attendre, avec ton maillot de corps et tes poils sur les bras. T'aurais dû te manger les couilles ou, tout de suite après avoir fourré la mère, lui coudre la vulve au point arrière avec du fil à couper le beurre et une alène de cordonnier. Mais tu avais l'esprit de famille. Eh bien! réjouis-toi, tu vas être grand-père une fois de plus, grand-père d'un têtard que je n'allaiterai pas. Si tu les avais vus, le père, me dévorer dans tous les sens, si t'avais vu la tête de ton gendre, raide comme un piquet, couronné de barbelés Il demandait pardon, il pleurait, mais tout était si mélangé que je n'ai pas su s'il s'adressait à moi ou aux apaches!

Et puis à un moment tu as parlé, et ils ont tous repris en chœur : « Ton ventre neuf, ton ventre neuf. » Alors tout est revenu en masse dans les tiroirs de ma mémoire. L'année de mon certificat d'étude où les filles s'épilaient les sourcils, s'éclaircissaient les cheveux à grands coups d'eau oxygénée, portaient des bas à baguettes et des talons pots de fleurs. Moi, je les imitais, ajoutant à l'eau oxygénée une cuillerée à café d'ammoniaque, aux talons quelques fleurs que je volais à Lulu; je remplaçais les bas par un badigeonnage de chicorée et j'avais trop allure de femme pour que tu te contentes d'éclabousser les losanges noirs et blancs de la cuisine. Tu me voulais, l'odeur entêtante de la chicorée te poursuivait jusqu'à l'usine. Et te voilà parti à narguer la pointeuse, plus rien ne te distrayait, ni la belote ni les boules. Tu avais enfin trouvé une raison de rentrer au logis : le ventre de Marie, les cuisses de Marie, la fente de Marie! J'étais à toi, c'était grâce à toi que j'étais arrivée au monde, assise, étonnée. Et si tu me voulais tellement, c'est que tu voyais bien que je savais me tenir debout sur mes jambes mates. Il y avait longtemps déjà que tu avais toi-même dilué l'étonnement de mon regard et tu sentais à la manière dont je serrais les cuisses que j'étais proche d'appartenir à un autre et cette idée te rendait fou, te faisait bander au-delà de toutes espérances.

Mais tu allais la mater, l'orgueilleuse, la rétive, à grands coups de queue, lui enfoncer ta paternité jusqu'à la garde, lui irriguer copieusement les voies du cerveau, combler ses lacunes, lui remplir le ventre et la tête à jamais, pour que, plus tard, chaque fois que sa tête roulerait sur une épaule, la cicatrice que tu lui avais flanquée entre les cuisses suinte bien en souvenir de toi!

« Marie, Marie, réponds... Oh, mon pauvre bouchon, qui

c'est qui t'a mise dans cet état-là? Viens poser ta tête sur l'épaule du vieux. » Non le père, je ne poserai plus la tête nulle part, jamais. A chaque fois que je l'ai posée, vous en avez profité pour fouiller dedans, pour me la voler. Oh papa, papa, j'aurais tellement voulu, la première fois, m'envoyer en l'air, la tête la première, avec mes doigts de petite fille tachés d'encre.

Dégoter deux briques en quarante-huit heures! Deux briques, ça ne se trouve pas sous le sabot d'un cheval! Deux briques, elle vaut pas chère la vie de Gégé!

Mais pourquoi il est allé se baiser la femme d'un mec qui est en prison? Au fond, Guy a peut-être raison, c'est moi qui l'ai pourri, moi qui en ai fait un julot. C'est grâce à mon oseille qu'il a commencé à se frotter au gratin, qu'il s'est propulsé, la nuit, à coups de billets de dix sacs et de pompes en croco dans les bars de l'Etoile et de Montmartre, lui qui n'avait jamais traîné ses semelles plus loin qu'à Montparnasse, lui qui n'était qu'un barbeau de barrière, un boit-sans-soif, un rigolard qui se contentait des tristes comptées de son épouse.

Gégé, tu t'es soudain retrouvé affublé d'une gagneuse. J'ai été ton mauvais génie, mais si tu en reviens, si tu décides de faire une bonne lessive et de laver dans le sang l'affront que je viens de subir, je me fais fort de te procurer un bon flingot, un parabellum à crosse douce, équipé de silencieux. Ce sera ton premier beau geste en trois ans, un geste rapide et précis qui les enverra tous au ciel! Je suis sûre que les juges se montreront indulgents. Victime d'une femme vénale, hurlera l'avocat de la défense. Victime d'une fille de joie concluront les charcutiers et le marchand de couleurs! D'une femme qui n'en était pas une, d'une femme qui, à vingt ans, rêvait simplement de voyages.

Cette femme d'aventure, la tienne Gérard, va jouer du tam-tam, convoquer Marc, Igor, tes amis de passage et Didier, ton ami d'enfance, afin que l'honneur soit sauf et qu'il n'y ait pas de bavures! Gérard, tu viens de mettre un fameux coup de canif dans le bail. Pour moi, la coupe est pleine, la liqueur dont tu l'as remplie a un goût d'eau bénite pas salée, pas sucrée, fade.

Mais malgré tout, j'y trempe mes lèvres avec volupté et lorsqu'elle sera vide, grâce au ciel je partirai à ma rencontre...

Et me voilà face au grand conseil, les coudes enfoncés dans la table, la bouche éclatée. Ils n'ont pas l'air très battants, les copains, au saut du lit. Les yeux gonflés de ronflette, la main crispée sur le morling, ils s'inventent des soucis d'argent. Bas les masques, vos visages vous trahissent, rien ne vous différencie des autres hommes, absolument rien. Igor a l'air d'un paisible commerçant du Sentier, Marc d'un professeur de culture physique, Didier d'un barman affranchi, mon père d'un sympathique bistrotier et toi, ma Lulu, d'une femme courageuse mais cassée. Du monde bien banal, en somme, bien ensommeillé. Et moi qui ai perdu la route du sommeil, moi pour qui la vie n'est qu'une grande fantasia, moi qui suis prête à monter à cru tous les chevaux du monde, j'écoute, sans comprendre, le dab donner sa version des faits. Et je joue sous la table avec mes pieds, avec mon porte-veine, avec la vie de Gégé, avec la balle de chiffon, avec la balle de plomb, avec les deux millions que je dois remettre à Guy dans quarante-huit heures. Pour une fois le temps presse, assez parlementé, dimanche soir à huit heures j'ai rendez-vous aux *Sports* de la porte d'Orléans. C'est pas des blagues, j'en ai besoin de ce fric. Parlez, dites quelque chose, n'importe quoi. Après tout, vous avez mangé à sa table, ri ensemble et bu le même verre, nourri les mêmes espoirs. Faites-moi un signe, je ne veux pas trimer pour les apaches, je ne veux plus travailler pour personne.

Je n'ai jamais demandé à Paul pourquoi il se faisait couper les cheveux en brosse, ni pourquoi il n'était pas marié à quarante-huit ans. Je ne lui ai pas parlé d'argent ou si peu, à peine si je lui ai parlé de moi. De quoi parlions-nous donc? Des négresses peut-être! un peu de son métier, un peu de ce que nous avions dans notre assiette quand nous dînions ensemble, un peu des lavandières de la rue Sainte-Opportune, beaucoup de rien.

Le temps des présentations est passé, il faut cracher dessus, mettre la charrue avant les bœufs, empoigner fermement les mancherons, régler la dimension et enfin faire basculer Paul sous le soc. Lui dire très vite en retirant mes lunettes de soleil, en le regardant froidement dans les yeux : « J'ai besoin de deux millions tout de suite. »

Impossible, ça ne sortira jamais. Voilà une demi-heure que l'on contourne le même massif de tulipes, une demi-heure qu'il a le cœur comme un fagot, qu'il fixe sur moi un regard plein de flammèches, une demi-heure qu'il répète en faisant craquer ses phalanges : « Eh bien! dis-moi, Sophie, ma petite fille, si tu es venue jusqu'ici un dimanche, c'est que tu as réfléchi. Je ne suis pas pressé, tu sais, on se mariera quand tu voudras. » J'entends son cœur battre sous sa chemise de dimanche. Je regarde les tulipes qui se dressent, froides et fermes, vers un ciel bleu à crier!

« Paul, j'ai besoin de deux millions, il me les faut aujourd'hui... »

Je me retourne et vois un petit homme gris assis sur la pelouse du parc de Ville-d'Avray en train d'engloutir des amanites tue-mouches, des entolomes livides.

« Sophie je n'ai pas cette somme.

— Tant pis, n'en parlons plus. »

Il faudrait courir maintenant, coudes au corps, jambes au cou, courir à perdre haleine, surtout ne jamais le revoir mais la sève qui monte des arbres a transformé les chemins en bourbier et la poisse me colle aux pieds. La main de Paul me relève le menton, glisse sur ma joue, mollit contre mon cou... Il cède, j'arrache mes lunettes et le ciel a l'éclat d'un vitrail italien!

« Oh Paul, tu es si bon, tu ne poses jamais de questions, nous nous marierons à la fin du printemps. »

« Allo, Daniel? Ne quitte pas l'écoute, rejoins-moi à deux heures au *Deauville,* tu te souviens, là où on prenait l'apéritif avant d'aller rue Balzac. Prends ton carnet de chèques c'est une question de vie ou de mort! »

Et voilà, j'ai raccroché, sans attendre de réponse, à l'oreille de celui qui, dans un élan de tendresse, m'avait donné son numéro de téléphone comme on offre une rose! Pauvre vieux, tu vas devoir faire de drôles d'acrobaties pour te libérer de ta mégère un dimanche après-midi.

Avec toi, inutile de jouer la grande scène du deux. Tu n'es pas amoureux de moi. Il faudra procéder différemment. Calme Fanny, c'est plus le temps de passer tes sentiments à l'attendrisseur, il est une heure et demie et il te manque une brique! Garçon, un calvados avec une planche. Oh! Deauville, ta promenade des Anglais jonchée de crottes de chien, tes toits gris, ta mer grise, ton ciel gris, tes plages laiteuses où je voudrais dormir et me relever morte en hurlant, une vague entre les dents : une femme à la mer, une femme à la mer!

Au comptoir, il y a un homme qui s'éponge le front avec un mouchoir à carreaux. Je ne l'ai pas vu entrer, je ne l'ai pas reconnu tout de suite, mais c'est Daniel, c'est mon million qui s'est laissé pousser la barbe! Oh toi, laisse-moi me détendre, laisse-moi dénouer mes nerfs, laisse-moi me remettre du rose aux joues, laisse-moi avaler mon verre. Donne-moi le temps d'y croire, de réaliser la bonne affaire que je viens de faire. Mais tu trembles, tu t'agrippes au comptoir comme à ton guichet de poste, sois tranquille, je te ferai encore des massages au talc sur un air d'opéra, si tu veux, je serai ton dernier soleil. Oui, tu auras encore le droit de mordre mes oreillers, et à toi je rembourserai jusqu'au dernier sou! Viens, approche...

« Sophie, qu'est-ce que c'est que cette histoire de vie ou de mort?

— Il me faut un million tout de suite. »

Je relève la tête et vois un homme accablé qui avale de travers, qui laisse tomber ses deux mains à plat sur la table! Un million, c'est absurde, ça représente combien d'heures à languir derrière un guichet, combien de lettres à peser, combien de timbres à coller, combien de sacs de ciment pour le pavillon qu'il rêve de se faire construire à Dammartin-en-Goële? Et voilà mon postier qui pleure à gros bouillons, qui se tamponne les yeux avec son mouchoir de vitrier et toutes les têtes de pioches du bistro se dressent, menaçantes.

« Oh, je t'en prie, pas de scandale!

— C'est toi qui parle de scandale, toi? Mais tu es le scan-scandale ma fille, tu es le scandale! »

Daniel ne pleure plus. Il a commandé un troisième cognac. Je viens de démolir quelque chose, j'ai l'amer sentiment d'un énorme gâchis. Mais le scandale n'a pas le droit de se sentir offensé ni de s'émouvoir, le scandale doit rester scandaleux jusqu'au bout et par conséquent frapper juste.

« Tu oublies que j'ai ton numéro de téléphone! »

Allez, signe Daniel, signe, et je te masserai jusqu'à la fin, je comblerai de mes caresses ce trou, cet énorme gâchis, jusqu'à ce que ce soit toi qui ne veuilles plus de moi. Mais signe, il faut que tu signes...

— Sophie, tu crois en Dieu?

— Ça dépend des jours.

— Crois en Dieu et prie pour qu'il y ait toujours sur terre des poires comme moi... »

En montant l'escalier de chez Maloup, une odeur oubliée me gonfle les narines. Pourtant ce n'est pas la première fois que je viens chez Maloup. Où ai-je déjà senti cette odeur de pipi de chat, de perte de temps, d'ordures ménagères, de frites?

Ah! j'y suis, c'est l'odeur de la villa Paulette où nous dormions en grappe, tête-bêche, comme les sardines dans leur boîte, l'odeur du corps de ma grand-mère morte dans mes bras, dans mon sommeil d'enfant adulte. Car il ne faut pas croire que la misère soit toujours furieuse, il lui arrive aussi d'être calme et tranquille, de se nicher sans bruit dans le cœur des enfants.

Maloup, il faudra que je te quitte un jour ou que tu déménages, mais quand tu habiteras un de ces beaux immeubles en chaux éteinte et en poussière de craie, quand tu te taperas le cul dans une chaise lyre en fumant des cigarettes anglaises, n'oublie pas de laisser comme aujourd'hui la clef sous le paillasson.

« Sophie, je pensais justement à toi! Ça tombe bien, j'ai rien mangé, on va pouvoir se faire un restaurant. Pourquoi tu nous a fait faux bond vendredi soir? Pourquoi tu n'es pas venue travailler samedi! Vous vous êtes disputés? Depuis qu'on bosse dans cette taule pourrie, on ne se voit plus. »

C'est vrai Maloup, beaucoup d'eau a coulé sous les ponts. Souviens-toi, je t'appelais Perce-Neige parce que tu m'avais griffé le cœur un soir à *la Bohême.* C'était le temps béni où les heures de fatigue du couloir ne nous étaient pas encore tombées dessus. Tu n'as pas changé Perce-Neige, tes bras sont toujours aussi maigres pour tes seins trop lourds. La cicatrice de ton poignet saigne encore, et tu ne te démaquilles toujours pas avant de te coucher. Mais pour moi, tu restes la meilleure, la plus propre, la moins atteinte! Maloup, je ne sais pas comment te dire que nous ne dînerons pas ensemble, il est déjà cinq heures et il me manque cinq cents sacs!

« Gérard s'est fait mettre à l'amende de deux briques, il est à la cave depuis vendredi... Il me manque cinq cent mille francs...

Elle ne me regarde pas, elle continue à moudre son café avec un de ces vieux moulins en bois qu'on serre entre les cuisses. J'écoute le ronron mécanique, je vois les muscles de ses jambes se contracter, sa petite main tourner plus vite la manivelle, le rimmel couler le long de ses joues.

« Moi, tu vois, on me laisse toujours au rancart, je sais que France et ta sœur me critiquent, elles disent que je suis sale. Je comprends que tu les voies plus souvent que moi, mais j'me fous de ce que vous pensez. Vous êtes des pauvres filles. Moi, je ferai jamais le tapin pour un homme, j'assiste mon mari, le père de ma fille, et le reste de mon argent est placé, il m'appartient Sophie, et Bébert m'en prendra pas un centime, tu m'entends, pas un centime! Réagis, marie-toi avec Paul.

— Paul me dégoûte avec ses histoires de petites négresses qu'il rêve de me faire sucer. Je ne sortirai pas du tapin pour épouser un tordu. Tu épouserais un refoulé, un malade, toi?

— En tout cas, je ne resterais pas avec Gérard. Sophie, regarde-toi, une fille comme toi devrait avoir les poches pleines à craquer. Ou tu manques de courage, ou cette vie-là te plaît... »

Finalement, ça avait été si simple avec les deux autres, ils s'en remettraient, mais toi et moi est-ce qu'on s'en remettra, est-ce que nous n'allons pas dépasser la mesure? Je marche jusqu'à la cuisine, mais le miroir pendu à l'espagnolette est brisé, mon rire vole en éclats!

« Si tu crois que c'était drôle pour moi de me faire emmener en belle, d'ingurgiter de force une assiette de spaghetti à la sauce tomate, pieds et poings liés, sur une chaise, pendant qu'un mec me tirait les cheveux en arrière pour m'obliger à relever la tête, qu'un autre me pinçait le nez, et qu'un troisième m'enfournait les nouilles dans la bouche en m'arrachant le palais avec une fourchette! Je te passe le reste... Tu crois que c'était drôle franchement, tu le crois?

— Pleure pas Sophie, pleure plus, je vais te donner ce qui te manque. Mais le pire, c'est que tu sois encore prête à l'aider, je ne comprends pas, je ne comprendrai jamais. »

Comme autrefois Maloup se glisse dans les draps, toute habillée, tape ses deux oreillers. Je tire ma chaise près du poêle, me noie dans sa chaleur. Comme autrefois, Maloup tire une bouteille de sous son lit, comme autrefois, on arrose nos cafés de whisky, on arrose nos tasses vides pour qu'elles deviennent de grandes belles tasses robustes, en porcelaine durable. On fume, on boit, sans oser se regarder. Maloup glisse sa main sous son matelas, en retire une liasse épaisse et poisseuse : cinq cents billets de mille francs, trois cents passes de balayeur.

Il est terrible le froissement des billets entre mes doigts, mais je tiens mes deux briques. Tant d'argent, tant de sous. Ah! si j'avais su ça quand j'habitais villa Paulette, quand je guettais derrière un bec de gaz la fermeture de l'épicerie pour courir humblement demander crédit. Monde nébuleux qui a coupé mon rêve en deux...

« Alors c'est décidé, tu y vas? Ecoute, le moment est peut-être mal choisi, mais je te l'aurais dit un jour ou l'autre... »

Elle avale sa cigarette, tire longuement sur sa salive, coince sa tête entre ses genoux. Attention Maloup, fais gaffe à ce que tu vas m'annoncer, j'ai chaud aux yeux et j'ai les guiboles qui tremblent.

« Tu te rappelles quand j'ai eu la grippe rue de la Faisanderie? Gérard est venu manger un soir, t'avais fait un lapin à la moutarde. Après t'es partie draguer sur les Champs, tu disais que tu sentais en veine...

— Je me rappelle, tu commençais à aller mieux, et vous vous êtes fait un rami.

— On a pas joué aux cartes, on a couché ensemble! »

La terre se met à tourner brutalement. On se regarde effrayées, elle assise, moi debout, dans un silence fatal. Gégé et Maloup,

Maloup et Gégé, c'est vraiment désopilant, y a de quoi se dégoupiller la cervelle.

« Fais-moi un dernier plaisir, garde-moi le pognon. J'suis plus pressée d'le donner...

Il me suffirait d'allonger les doigts de quelques centimètres, quelques centimètres seulement et le calibre serait à moi. Guy n'aurait pas le temps de réagir. Il s'écroulerait avec un chargeur complet dans le ventre et un « Pourquoi » dans les yeux vitreux. Pourquoi? Pourquoi pas! Qu'importe de quoi sera fait demain. Tout s'effondre. Tout cascade dans un grand fracas mensonger, ma pote a couché avec mon mec! Le printemps est là. C'est une odeur de latrine qui flotte dans l'air. Quelques centimètres et tout sera réglé. La vie minable de Guy, la mienne, celle de Gérard!

« Tu saurais t'en servir? Fais gaffe, j'les équipe pas de silencieux, j'prends mon panard quand ça pète. Allez, touche à ton cul, t'es pas venue ici pour jouer à la guerre. L'oseille! »

L'oseille? Ça me rappelle Lola la Bordelaise qui avait envoyé un « petit bleu » à son homme : « Jardin gelé — oseille non poussée — stop — baisers, ta Lola. » C'est clair non? Non, toi et l'humour vous êtes mal mariés, pourtant si tu prenais le temps de lever le nez, de jeter un coup d'œil à ta lucarne noire de nuit, tu verrais que là-haut il grêle. Le Tout-Puissant est en colère, et c'est la fête à la grenouille, c'est la Sainte-Marie-Mère-de-Dieu, la Sainte-Marie-Couche-toi-là, la Sainte-Marie tout court!

« Alors cette oseille?

— Donne-moi quelques jours, en fin de semaine les gens sont difficiles à joindre.

— Bougre d'enculée, tu bandes aux coups ma parole! Décampe, débarrasse-moi le plancher avant que j't'esquinte. On t'attendra mardi soir même heure, même endroit, j'te rappelle que ton lascar est à l'eau et au sucre depuis trois jours, saucissonné sur un sommier dans ma cave et qu'on est pas à une bastos près!

Dehors le ciel oscille entre jour et nuit. La Marne est froide, les petites tables de fer peintes en blanc ruissellent sur la terrasse déserte. Le bruit de mes pas sur les graviers m'inquiète, j'ai une frousse rouge, j'ai le trac en noir et en couleurs, mes semelles crissent sur des balles de plomb. Balle de nuit, balle perdue, balle dans la peau du dos! Balles vivantes, lourdes et tièdes, alvéolées de cernes bleus; balles d'amour dégoulinantes de lolo et de tendresse : les seins de Maloup dans les mains de Gégé... Balle dans la tête! Oh, pourquoi avoir dit « je t'aime » quand je commençais à parler? Eh! le géniteur, bouge pas d'où tu es, j'ai mis mes tatanes à crampons pour galoper à ta rencontre. J'dis pouce, j'te passe la balle!

Depuis qu'il a frôlé les assises, comme il dit en parlant de sa mort, Gégé baigne dans l'euphorie et le whisky. Mais c'est un homme déglingué qui pousse la porte des buvettes et qui gouaille au comptoir : « Ecoutez ma complainte, messieurs les loqueteux, moi, Gérard à l'américaine, j'avais trois raccrocheuses qui trimaient pour moi jusqu'à la pointe du jour. La première à Saint-Denis, la seconde à Barbès, la troisième dans les beaux quartiers. J'avais tant de galette que j'aurais pu déclarer la guerre au roi de Turquie. Manque de veine, je suis tombé sur des requins, des canailles aux dents longues qu'ont voulu me mettre à la rue, me faire les fouilles et la peau. Heureusement que j'avais Marie, Marie, belle de jour comme de nuit, ma catin, ma roulure. Marie, ma quille d'amour qui a fait des pieds et des mains pour me tirer du pétrin. Marie, gueule d'ange qui, depuis que je suis revenu, me tourne le cul dès qu'on se page! »

Gégé s'en sort sans trop de bobo, mais l'opération a été délicate, il a fallu bouger du monde, faire appel à des spécialistes de la gâchette, à des intimideurs de métier, des desespérados qui n'ont rien à perdre, rien à gagner, des hommes de nulle part qui ont cravaché à mon secours sans le connaître! A la sortie, y a pas eu de rifles ni de crosses, mais une sorte d'arrangement à l'amiable. Guy a empoché ses deux briques sans piper. Gérard a donné sa parole d'homme qu'il ne tentera jamais de récupérer Odette et Dominique. On lui laisse une seule femme au turf : moi!

Moi qui pendant ce temps-là, derrière la vitre du 45, ai frôlé la folie! Mais c'est fini, puisqu'au septième jour sur la rue, je récupère Gégé, un Gégé amaigri et pantelant que je soigne comme une mère, sans jamais avancer le moindre reproche. J'attends qu'il se remette. Il se remet, il n'a plus de sang dans les urines et les stigmates, provoqués par les cordes qui lui ont garroté poignets et chevilles, s'effacent doucement. Le whisky semble être un merveilleux cicatrisant! Pour moi, les jours sont comptés, je peux lui tourner le dos et découcher l'âme en paix.

Et puis le temps a passé tambour battant, j'ai repris mes habitudes, mes habitudes m'ont reprise. Je regarde mourir la rue la plus chaude de Paris, boyau du ventre et non le plus petit, je la vois se vider de son sang tout entier, de rivière devenir chantier. Il en ont déroulé des kilomètres de pellicule, les maniaques du flash, les fondus du six-six, les acharnés du rolley flex, à nous tirer le portrait dans l'encadrement des portes sous prétexte que les Halles changent de rue.

Elle est submergée de bafouilles, notre Kim nationale, depuis que sa photo en couverture de *Match* inonde le marché. On la voit de face, en gros plan, buvant son café-rhum, accoudée au comptoir du *Croissant d'Argent.* Ah, si elle tenait le fils de pute qui a fait ça. Qu'est-ce qu'elle va raconter à son môme? A dix ans, un gosse sait lire, toute la vie de sa mère est résumée en quelques mots imprimés sous sa photo. On parle de l'avenir des prostituées après le déménagement des Halles à Rungis. Le salopard, qui a si bien réussi son cliché, pense sans doute que toutes les putes sortent de l'Assistance publique et qu'elles ont été opérées de la totale. Nous avons beau dire à Kim que le mec a fait son boulot, sans s'encombrer de sentimentalisme, elle persiste à dire que si ce fils de pute avait su qu'elle avait un môme, il en aurait choisi une autre. C'est une sorte de consolation pour elle de penser qu'à sa place, ça aurait pu être Maloup, France, Lulu ou moi, n'importe quelle fille de la rue Saint-Denis.

Mais c'est d'elle qu'il s'agit, on la reconnaît parfaitement, et c'est elle qui reçoit des kilos de missives de tous les azimuts.

« A croire, dit Kim, que tous les mecs qui m'ont baisée depuis dix ans lisent le même canard. » Pendant plus d'une semaine, à l'heure de table, nous décollons avec précaution les timbres oblitérés du Japon, de Honolulu, de New York, du Puy-de-Dôme, de Massy-Palaiseau, pour les petits neveux, les grands frères et les cousins collectionneurs. Après le déjeuner, je fais la lecture à haute voix. Il y a des lettres d'insultes et des crachats séchés, des anonymes bourrées d'ordures et de grains de chapelet écrasés, des lettres de félicitations avec des morceaux de ruban, quelques lettres d'amour. Oui, le temps a bougé, il faut que je quitte les Halles avant qu'elles ne me quittent, mais je me sens toute molle derrière la vitre cassée!

Ce matin, la Poison s'est glissée sous mon lit quand j'ai monté François. Elle a tout vu, tout entendu et quand il s'est approché de moi, qu'il m'a serrée contre la porte fermée, elle a hurlé : « Fanny, on change les draps! » Et les murs de l'hôtel se sont mis à trembler, les égouts sont remontés dans les bidets, mon sang s'est fait la malle, y en avait plein les murs, plein le lavabo, jusque sur le palier. François m'a regardé effrayé, pâle comme de l'ivoire et puis il s'est taillé!

Moi je suis redescendue derrière la vitre avec un bonnet d'âne sur la tête — c'est vrai qu'ici on a pas le droit d'aimer — et je me suis mise à fixer une bulle d'air minuscule, toute ronde, prisonnière du verre. Sans penser à rien, peu à peu, je me suis identifiée à cette bulle, cette chose sans importance et j'ai cogné, cogné de toutes mes forces avec mon front jusqu'à faire descendre la vitre, croyant libérer cette bulle et moi-même d'un seul coup, mais un fracas énorme m'a rempli la tête et je me suis retrouvée allongée dans une chambre. Le visage de Lulu se balançait au-dessus de moi, les doigts de Maloup s'appliquaient avec douceur à retirer les morceaux de verre qui s'étaient fichés dans mon front, et Franzie me tendait une pipe.

Grâce à moi, le couloir prend l'air, Marie-Galante peut reprendre ses couleurs, Kim respirer les embruns, Aline et Gigi sont libres, nous sommes libres et les hommes s'en donnent à cœur joie! Ce n'est plus contre la vitre qu'ils crachent, c'est contre nous, et les filles reniflent en me regardant de travers. « Qu'est-ce qui t'a pris Fanny de nous exposer aux courants d'air? » Et je me sens toute cotonneuse derrière la vitre brisée. J'ai froid et les hommes me boudent parce que j'ai le front tout barbouillé! J'mettrais bien les bouts, mais Madame Pierre a dit : « Que tout ça ne sorte pas d'ici avant ce soir sept heures et demie. »

Le jeudi est jour de lessive et ce soir il va falloir que je justifie de ma faute devant le couloir réuni, devant le personnel du *Croissant d'Argent,* devant Monsieur Pierre à Feu, devant Carabosse, devant Madame Pierre en personne et tous les empêcheurs de tourner en rond, devant tous les zigomars qui en respirant font craquer leurs liquettes, devant tous ceux qui ont inventé les tranchées, les armes blanches, les canons sciés, les claques, les talbins, la soupe à la grimace, les engrais, les barreaux de chaises, les chaises à porteurs, les déodorants corporels, les hirondelles du faubourg! Devant tous les bornés qui sont passés à côté de la tendresse en faisant semblant de ne pas la reconnaître, ou qui lui ont filé un coup de pied dans le ventre pour l'envoyer valser dans la rigole! C'est devant ce monde bouché à l'émeri que je dois, ce soir, plaider ma cause, parler des choses merveilleuses qui me sont arrivées ici dans cet hôtel!

Eh bien, voilà, Messieurs les Jurés, c'est simple, tout a commencé comme dans les chansons, le premier dimanche de mai. Au début, j'ai trouvé ça plutôt triste d'aller travailler le dimanche. Il faut dire que la rue Saint-Denis le dimanche c'est pas l'extase! Le quartier tout entier soupire, craque et s'étire en bâillant. Le dimanche matin, les Halles ont la gueule de bois. On les boude.

C'est vers deux heures de l'après-midi seulement que commence la parade! Avec en tête toute la famille Trachu qui n'a pas de quoi s'offrir des places de cinéma, ou une télé à crédit. Alors on va voir les putes. Madame Trachu mère ouvre la marche en poussant un landau déglingué où roupille le petit dernier aux joues grises, suivie de Monsieur Trachu père qui, en pouffant de rire, envoie tous les dix mètres un bon coup de coude dans les côtes de Trachu fils, un adolescent boutonneux qui salira une fois de plus les draps en rêvant à toutes ces pépées qu'il espère bien trousser un jour! Tout de suite derrière eux, viennent tante Rita et tonton Gustave. Tante Rita harponne Gustave par la manche et l'oblige à regarder ses pieds chaque fois qu'ils passent devant un hôtel. Gustave soupire en lorgnant hypocritement ces fruits défendus. Il vient d'avoir cinquante-trois ans! Il n'est jamais monté, c'est pas maintenant qu'il va commencer! Il laisse ça aux détraqués.

Menteur, Gustave! Moi je t'ai reconnu comme je reconnais tous les Gustave qui se baguenaudent rue Saint-Denis le dimanche. Tu fais partie du bataillon de branleurs qui, pendant la semaine, peuplent le *Croissant d'Argent,* c'est vous qui faites marcher les affaires d'Harry, vous qui agitez frénétiquement vos menottes pleines de cambouis dans vos poches sans fond. C'est bien rare que tu montes c'est vrai, Gustave Trachu, je te comprends même un peu mieux, elle n'est pas bandante ta moitié, à se demander comment elle a pondu les deux beaux gosses qui marchent sur vos talons. La petite fille n'a guère plus de douze ans. Ses yeux ne sont pas assez grands pour voir, pour regarder toutes ces dames qu'elle trouve belles. Elle s'agrippe à ton veston pour savoir ce qu'elles font là, elle tire dessus jusqu'à ce que tu daignes répondre par une grosse balourdise. « Elles ont perdu leurs clefs, elles attendent leurs bonshommes qui rentrent du boulot », et la petite s'inquiète : « Elles vont attraper froid, c'est malheureux. » Au même moment, Rita se retourne et lui envoie un va-te-laver sur le coin de l'œil. « C'est des putains, qu'elle dit Rita, de sales putains », et ta gosse qui ne comprend pas, vérifie en reniflant si elle n'a pas marché dans une crotte de chien. Non pourtant, ses sandalettes passées au blanc d'Espagne sont bien propres, bien blanches, alors elle lève ses beaux yeux embués de larmes vers son frère, espérant trouver la justification du j'ton qu'elle vient de recevoir. Mais ton fils ne la voit pas. Ses yeux scintillent, pareils aux lampions du Quatorze-Juillet, il fixe la fille dans la vitrine, la fille baisse les seins. Les gosses ont des yeux qui jugent, qui condamnent. A plusieurs mètres derrière, traînent pépé et mémée, appuyés l'un sur l'autre. Les promenades dominicales ne les distraient plus. Ils se rangent aux côtés des enfants, ils préféreraient aller au Zoo de Vincennes ou au Jardin des Plantes. Là, au moins, mémée aurait le loisir d'écouler son stock de pain rassis, qu'elle jetterait en gloussant aux animaux. Qu'est-ce qu'on peut jeter aux putains? Y a bien pépé qui glaviote, mais pépé glaviote tout le temps, là où ailleurs. Au Zoo, il ferait la même chose. Alors ils remontent la rue sans enthousiasme, ils suivent le mouvement, ils ne bronchent pas quand toute la famille s'arrête devant le premier bistrot qu'elle rencontre ou devant une baraque où l'on vend des saucisses chaudes, des frites figées dans leur graisse. Et voilà toute la sainte famille Trachu qui remonte en direction du Châtelet, en se gondolant, la bouche pleine de graisse.

Dans l'autre sens, côté impair, c'est le flot chamarré des Bicots, des Portos, des Ritals, des Espanches et des Nègres. La rue Saint-Denis, le dimanche, c'est un peu Barbès, c'est la rue des rabat-joie, c'est pourtant un dimanche, le premier dimanche de mai, c'est ce jour-là que j'ai fait sa connaissance! Je fonçais tête baissée du couloir au bar, je l'ai bousculé, il m'a souri et la rue s'est vidée d'un seul coup... les travailleurs émigrés ont regagné leurs baraquements, les poches gonflées de chagrin, la famille Trachu, son H.L.M. Nous étions seuls. J'avais oublié qu'il existait des garçons de mon âge, capables de me regarder comme le faisait cet inconnu.

Nous sommes montés en silence, je tremblais comme au soir de mon premier bal. C'est lui qui est venu à mon secours en déposant sur la table un billet de cent francs. Sa voix était aussi douce que devaient l'être ses lèvres. J'ai tiré les rideaux de toutes les fenêtres du monde, il s'est couché sur moi en m'appelant Mimosa parce que je portais une robe jaune. Ses lèvres étaient plus douces encore que je ne l'avais imaginé et j'ai senti rouler sous mes paupières des grains de soleil par milliers.

Il est venu me voir régulièrement tous les jours du mois de mai, mais ce n'est qu'une fois la porte fermée qu'il redevenait mon amant! Je n'avais pas été amoureuse depuis si longtemps que j'en avais le cœur tout barbouillé. Je me sentais toute engourdie, je devenais pudique, je perdais la boussole et, au lieu de rire, je pleurais! Je devenais raisonnable aussi, je disais : « Au fond, tout ça n'est pas normal, l'amour n'a rien à voir avec l'argent. C'est anormal que tu sèches tes cours et que tu passes tes après-midi au *Croissant d'Argent* à me regarder monter! » Il répondait : « Tout ça n'existe pas. » Je disais : « Essaie de comprendre. » Il se fâchait : « Y a rien à comprendre, je t'aime, je n'aime que toi, j'aime te regarder et puis après tout, tu travailles. »

Il était drôlement bien lingé, mon amant. France disait que c'était tout à fait le genre de fils à papa, assez névrosé pour tomber amoureux d'une pute! Franzie connaissait la musique. « Laisse tomber, c'est du temps perdu, chacun doit rester à sa place. » Justement ma place était partout sauf derrière la vitre! Alors j'ai interdit à François de revenir au 45, nous nous verrions le soir chez lui!

Notre premier dîner manqua d'intimité, la table était beaucoup trop longue, j'assistais à un dîner protocolaire, pas à un dîner d'amoureux. François fut très volubile ce soir-là, il me parla de la femme avec qui il avait vécu pendant deux ans, une actrice assez connue : « C'est elle qui m'a initié aux choses de l'amour. » Je me suis raidie : « J'ai toujours pensé qu'il n'y avait rien à apprendre dans ce domaine, je serais une bien mauvaise initiatrice. » Il a eu un sale petit sourire : « Ça me semble assez paradoxal. »

J'avais rêvé d'un amour romantique et j'avais en face de moi un garçon lascif qui ne pensait qu'à ça, qui appelait sa mère quand nous faisions l'amour! J'aurais dû partir ce soir-là et ne plus remettre les pieds rue de Bourgogne, mais je me suis endormie. Et tous les dîners qui suivirent furent joyeux, le saumon fumé et le camembert excellents. François était prévenant, il se levait toutes les fois que mon verre était vide. Je trouvais un peu triste qu'il ne boive que de l'eau, mais il restait inflexible : « Jamais d'alcool. »

Un soir, après le dîner, il m'a portée dans ses bras jusqu'au lit, et a posé son doigt sur mes lèvres. « J'ai une surprise à te faire », me dit-il, et il a disparu dans la salle de bain avec mon sac à main. Je suis allée dans la cuisine me verser une tasse de café, j'ai repris ma place contre les oreillers. J'étais bien. Quand il a ouvert la porte, j'ai ri franchement, je suis bon public et puis un homme déguisé en femme, ça a toujours quelque chose de comique! Il s'est avancé en roulant des hanches, dans un superbe déshabillé de soie noire orné de plumes d'autruche;

mon sac se balançait à son bras. Je ne me suis pas reconnue tout de suite, je ne voulais pas me reconnaître. Mais il a dit, à la manière de Fanny : « Tu viens, je t'emmène. » J'ai laissé tomber ma petite cuillère en vermeil dans ma tasse de café, je l'ai regardée se noyer. Il faisait gros temps dans ma tête. Il n'a rien vu, il a insisté, il a passé sa main dans les cheveux à la manière de Franzie, a mimé d'une façon parfaite la grande Nicole resserrant les lacets de ses bottes, lissé du bout des lèvres la pointe de ses nattes, mieux qu'Aline, s'est gratté les fesses en jurant, à faire pâlir Marie-Galante!

Tout le couloir y serait passé, mais je suis tombée du ciel en hurlant à la mort : « Arrête! » Alors il s'est jeté à mes genoux : « Je voulais seulement te faire rire. »

Voilà Messieurs, Mesdames et voilà Madame Pierre, c'est aussi simple que de jouer aux bouchons. Quand vous nous avez surpris ce matin, serrés l'un contre l'autre dans la chaleur du radiateur, François était simplement venu me dire adieu, récupérer la clef des songes. Il va se marier à Genève la semaine prochaine. Y a tout de même pas de quoi fouetter un chat, y a pas de quoi me montrer du doigt, ce n'est jamais qu'un petit écart.

J'ai même failli mourir au 45. Que me veut-elle de plus cette charogne de taulière, à quoi espère-t-elle arriver en m'accusant publiquement d'avoir dérobé? Qu'elle mesure ses paroles. J'ai une paire de ciseaux dans mon sac depuis un mois. Qu'elle ose m'accuser et je lui crève les yeux sans le moindre remords. Ici on m'a humiliée, on m'a rabaissée au rang de bétail, je me suis avilie, dégradée au point de servir de serpillière à un client, en me mouillant le corps tout entier afin qu'il s'imprègne mieux de la crasse du plancher. Ici j'ai vu des hommes, convenables, entrer dans ma chambre et en sortir avec un journal entier tirebouchonné dans l'anus tant ils se répandaient. J'en ai vu d'autres retourner les chaises aux barreaux raboteux et s'empaler tout à tour sur les quatre pieds, sans une grimace, sans un soupir, avec une dextérité inouïe! J'ai vu des amis se regarder avec méfiance d'abord et puis avec haine, et se sauter à la gorge comme des chiens de berger en se traitant de voleurs, sans soupçonner un instant les deux filles qu'ils venaient de monter! J'ai vu un Italien pleurer, assis au bord du lit, parce qu'il avait perdu ses lires au fond d'un lit, un Italien qui répétait, la tête dans ses mains : « *Due giorni a Parigi, due giorni soltante.* »

J'ai vu des mères me porter leurs fils à bout de bras et me supplier en ouvrant leurs jupes portefeuille : « Prenez-le Madame la putain, à quarante ans, il n'a connu que moi. » J'ai essuyé mes yeux contre la pierre moussue de pourriture et j'ai dit : « Arrêtez-vous madame, inutile de me faire un dessin, j'ai eu tellement d'enfants que je peux vous comprendre. Nos ventres besogneux n'engendrent que douleurs, confiez-moi votre fils et s'il n'est pas trop tard, j'essaierai, je vous le promets, de lui donner un nouveau départ, je ferai mon possible, parole de mère indigne, pour qu'entre mes draps il devienne son propre patron! » Et puis j'ai vu les fils retirer leurs langes en bavant et perdre pied dans mon sillon, j'ai collé leurs lèvres à mon sein, je leur ai caressé les reins en leur chantant une berceuse : « Fais dodo, câlin mon petit toin, et si tu te blesses à mes parois, souviens-toi que je n'y suis pour rien, et si tu saignes comme une orange, te prends pas de trac, c'est jamais qu'un petit vaisseau qui va t'éloigner du berceau, fais dodo, câlin mon petit toin. Eh! Où vas-tu? Où cours-tu tout nu? Reviens ici, tu vas prendre froid. »

J'ai fait le tour du monde derrière la vitre, j'ai fait le tour des hommes et j'ai failli mourir ce matin! La séance ne dure guère plus de trois quarts d'heure, mais l'accusation tombe net, en lame de scie : « Fanny, votre manque va vous coûter cher, votre homme va vous découper en rondelles, où aviez-vous la tête? » Mais je l'avais entre les mains. La foule se lève sur les gradins, trépigne en agitant devant ses yeux des mouchoirs tachés de sang caillé, des branches de lilas violet, des fleurs en papier, des sentences irrévocables : « Aux lions, aux lions! » Je plante ma tête au centre de l'arène, j'ai les mains libres, à nous deux Madame Pierre-Ponce, à nous deux la Poison, et si c'est ton tablier de taulière qui te gêne, retire-le, on sera d'égale à égale, deux putes, on pourra se battre.

Qui es-tu, mais qui es-tu donc pour considérer les femmes qui travaillent chez toi comme du bétail? Qu'est-ce qui t'autorise, par un simple coup de téléphone, à faire massacrer une femme par son mac? En vertu de quoi nous forces-tu à douze heures de couloir par jour et à un minimum de quinzes passes? Qui t'autorise à t'arroger des droits sur nous? Suis-je coupable d'aimer? Comment peux-tu juger, toi qui n'es qu'une infâme grognasse, une bidocharde, un monstre!

C'est fini, il faut tirer un trait sur la vitre brisée, sur six mois de cauchemar, il faut penser à autre chose. Rire, rire un peu, rire beaucoup!

CINQUIÈME PARTIE

Capri l'été ressemble à une orange coupée en deux. A Marina Picola on passe ses journées à s'évaluer, à s'extasier sur la marque d'une huile à bronzer, on boit des drink très colorés, on change de maillots trois fois par jour pour éviter aux couleurs de passer, on a un yatch dans la tronche si on n'en a pas un sur l'eau! A Marina Picola on se salue une fois sur deux, on parle du bout des lèvres de la roture qui patauge dans l'eau sale de Marina Grande, on frime. Pourtant sur l'autre versant des vacances, le soleil brille pareil et, à la fin de l'été, tout le monde sera bronzé. S'il existait une troisième plage j'irais en volant m'y rouler, je lècherais les galets salés, je ferais du gringue au soleil, je boirais la mer à petites goulées, j'inventerais le monde : Comment vous appelez-vous? « Eve. » Quel est votre âge? « Celui d'aimer. » Dans quelle branche êtes-vous?

Moi, je suis l'oiseau sur la branche, ma boutique est ouverte à tous vents, moi, j'aime les Italiens criards, leur vin blanc et leur floppée de chiards, j'aime l'ail et le vent du soir. Mes amis ne se baguenaudent pas aux Iles Vierges, j'en ai une qui essaie de se refaire une santé sur l'Ile de Beauté, l'autre qui fait la saison à Beauvais dans un bar montant, vous connaissez? Moi, avant d'être à Capri, j'étais dans un boxon de la rue Saint-Denis et puis jeudi dernier j'en ai eu marre, ma claque, si vous préférez. Alors je me suis plantée toute nue devant ma psyché, balayés les faux cils, gommés les sourcils, envolée la poudre de riz, pâles les joues, blanches les lèvres. Je me suis frottée les dents à l'émail-diamant, je me suis souri à pleines dents, d'un grand sourire pourpre, j'ai trouvé que j'avais plutôt une bonne bouille et du coup, je me suis mise à jouer à la balle contre la glace avec mes lolos. C'était délirant, il y avait des milliers de petites sphères tièdes qui rebondissaient du sol au plafond, qui effleuraient à peine mes doigts. Soudain, j'ai laissé échapper une balle, j'ai regardé mes mains, ma ligne de vie m'a sauté aux yeux, j'ai laissé tomber mes tétons... J'ai collé mes lèvres au miroir et je me suis donnée un vrai baiser d'amour. Un baiser salé, qui m'a donné le goût d'avaler les vagues, de danser la tarentelle, de faire la roue au soleil, de tourner les verrous dans le sens de la liberté... La liberté, vous en avez entendu parler? Avouez, Madame Brin-d'Osier, que ce serait un crime de fermer les plages à la plèbe en juillet.

Si vous saviez combien de soleils j'ai dessiné sur la vitre du couloir avant de la briser, si vous saviez comme j'en crevais... Et puisque vous avez l'air curieuse, vous voyez la brune là-bas qui fait des ricochets sans y penser, c'est ma frangine, et le rondouillard avec un journal sur la tête, qui creuse un tunnel avec ses pieds, c'est mon futur beau-frère et le grand sec qui a les chevilles cernées, c'est mon hareng d'eau douce. Vous trouvez qu'il a du charme?

Mais revenons-en à jeudi dernier : quand mon zigomar est rentré entre deux vins, qu'il m'a trouvée défrusquée, les yeux dans les mains... je vous donne en mille ce qu'il a fait, Madame Brin-d'Osier! Il m'a sauté dessus à pieds joints, j'ai aussitôt ressenti une violente secousse dans les reins... je lui ai passé les jambes autour du cou sans m'énerver, j'ai fait jouer mes cuisses sur sa barbe sans quitter la glace des yeux, j'ai ronronné doucement comme les chats quand ils sont heureux et je me suis envoyée en l'air à corps et à cris parce qu'il paraît que c'est bon pour les nerfs. Tout de suite après, j'ai eu un grand haut-le-cœur, une espèce d'envie d'en finir, vous voyez ce que je veux dire? Lui n'a rien vu, bien entendu. Il était là, dépenaillé sur les lattes du plancher ciré, satisfait, il cuvait.

J'ai ouvert en grand les volets, posé mes tétons sur la balustrade chauffée à blanc par le soleil d'été, j'ai vu un grand ciel indigo et les fiers tilleuls argentés, j'ai vu des chiens se renifler, des concierges sournoises leur filer des coups de pied, j'ai vu des moutards excédés enfourner leurs mères dans des poussettes rouillées et les larguer à toute volée sur une pente raide, j'ai vu des amoureux transis se déchirer la bouche de baisers et s'arracher des promesses, j'ai vu des vitriers cassés sous leurs carreaux, j'ai vu le marchands de peaux de lapins, et quand j'ai aperçu le rémouleur du soir, sous ma fenêtre, dans son grand suaire noir, j'ai crié au miracle : « Eh! l'rémouleur, lève le nez, j'suis la fille à Taupin, mon père a bien connu le tien, t'aurais pas par hasard dans ta bonté un grand surin bien affûté? » Le rémouleur est monté à pas de loup, je l'attendais sur le palier, on s'est embrassé à bouche que veux-tu, en équilibre sur la rampe d'acier trempé... Il m'a glissé un grand couteau entre les seins et ça m'a fait un mal de chien... Il est reparti comme il était venu, ni vu, ni connu, que je t'embrouille, mais dans la cage de l'escalier, j'ai entendu sa voix grimper : « Pour être belle, il faut savoir souffrir... »

Imaginez un peu, Madame Brin-d'Osier, la tête qu'a fait mon homme quand il m'a vue ensanglantée. C'est que ça pissait drôlement, mes deux poignets ruisselaient, je n'avais pas fait semblant. Faut reconnaître que, pour une fois, il n'a pas manqué de sang-froid. Il m'a baluchonnée vite fait dans une berlue, il a klaxonné comme un dingue jusqu'à Hôpital-Silence, Salle des Urgences, prise de tension, piqûres, pansements, tout le tra-la-la.

Vous me croirez si vous voulez, ce n'est pas si facile que ça de la glisser, mais Dieu soit loué, malgré les sparadraps qui m'entravent les poignets je peux encore nager...

« Qui c'était, la bonne femme avec qui tu parlais?

— Une richarde, elle m'a invitée à prendre l'apéritif ce soir à son hôtel, elle est descendue au Philippe-Auguste. Dis Lulu, tu crois qu'on peut aimer plusieurs fois?

— Faut l'croire! Maman dit que c'est jamais la même chose. C'que c'est doux, Marie, d'être en vacances, j'ose pas y croire mais je pense que, pour moi, il n'y aura pas de rentrée, Igor parle de me retirer. »

Pas de rentrée... Lulu se retourne, offre son visage au soleil, il fait chaud, la sirène des vaporettos qui entrent au port en beuglant me fait froid au cœur.

Il n'y a rien à dire, nous avons bien vécu pendant deux mois, on a fermé les yeux au lever du jour, on les a ouverts à la tombée de la nuit et, par-dessus le marché, on est bronzé... C'est stupéfiant comme la vie est bien ficelée. Gégé a retrouvé sa forme initiale, celle d'un mac, et dans la Shelby qui carbure à tout berzingue via la *French Riviera,* il tire des plans sur la comète. Faut pas oublier que les traites continuent de courir. D'accord, nous avions tous besoin d'un repos bien mérité, les derniers mois ont été âpres, mais il est grand temps de se reprendre en main. Pourtant, avant de remonter vers Paris faire le plein, on fait un petit détour par la Médina. Lulu a un brin de nostalgie, elle veut embrasser ses anciennes amies avant de décrocher.

Comme les deniers sont devenus rares, on se dégote un petit hôtel avec vue sur la rade, sur les bateaux sur l'eau, vue sur l'infini, un petit hôtel pour une nuit. Demain, quand Lulu dira adieu aux asperges, moi je prendrai ma pelle et mon seau, j'irai sur la plage construire des châtaux en Espagne pleins d'oubliettes, des châteaux qui partiront à vau-l'eau à la première vaguelette et puis je rentrerai en traînant la patte avec un grand coup de soleil dans le dos, je rentrerai le cœur gros à l'hôtel de la rade pour plier bagages.

Gégé a décidé de rouler de nuit à cause de la chaleur. En attendant l'heure du départ, il éponge ses futurs efforts dans les draps sales du grand lit matrimonial, en lapant à petites goulées un pastis coupé d'eau tiède. Les mains poisseuses, les yeux collés aux jalousies, avant de boucler les valises, je songe aux splendeurs d'Italie, à la grotte bleue, à l'empereur Tibère, aux Faraglioni les pieds dans l'eau, figés dans un inquiétant face-à-face, comme tous les couples maudits, je pense aux lits jumeaux où j'ai dormi tranquille, je lèche mes larmes d'eau salée en rêvant à Arthur Rimbaud.

« Si je te quittais, qu'est-ce que tu ferais?

— J'me marrerais... Regarde-moi, ma petite gueule, regarde bien : quand on a posé sa tête là, on est marron, on fait pas la malle à Gégé... »

Je décolle en silence mes yeux des jalousies et le vois se tapoter l'épaule droite en souriant. Me voici seul témoin de l'absurdité universelle. Grelottante de chaleur, je m'accroche à la barre, lève la main droite et jure sur mon honneur avoir été témoin d'un crime de lèse-majesté! Autrefois, je ne posais pas de questions, je ne disais pas « Si je te quittais », autrefois je hurlais en cassant les verres à pied, en m'arrachant les tifs, autrefois j'étais hystérique, je crevais d'un coup de pouce les yeux de la poupée de la fille du boucher et ça finissait toujours par des cris, des bosses et des grincements de dents. Autrefois, j'avais toujours froid, aujourd'hui, il fait chaud et je répète tranquillement, en pliant ma serviette de bain :

« Sans rire, si je te quittais? »

Il donne une pichenette dans son paquet de pipes, une cigarette en sort et se plante entre ses lèvres, il fait sauter son briquet d'une main à l'autre.

« Où tu veux en venir?

— Tu trouves pas qu'il fait lourd?

— Dévie pas. Si tu me quittais, ça ferait douze!

— J'te dois rien, j't'ai sorti de la cave. Sans moi, tu crevais comme un rat!

— Enculée, t'as fait ton devoir de femme, j'sais pas c'que tu mijotes dans ta tronche pleine d'eau de vaisselle, mais si tu as l'intention de te casser, j'te file à l'amende de douze briques et une fois que tu les auras casquées, tu seras bonne pour l'usine, tu seras tricarde, t'as pas une thune de mental!

— Tu oses parler d'amendes et de mentalité, toi qui t'es fait descendre à la cave parce que tu t'es payé la gaufre de baiser la femme d'un homme qui est au ballon... J't'en prie, lève-toi, viens te regarder, ça vaut la peine, t'es tout le contraire d'un homme, t'es une loque!

— J'me lève, ma salope, mais c'est pas pour me regarder, c'est pour te filer la tête de ta vie. Après, même en faisant la manche, y aura pas un clodo qui voudra te troncher, tu vas morfler, mais bien... »

Sous le choc, mon ventre se réveille, je sens monter une coulée de lave jusque dans ma bouche, c'est âcre et gluant, tiède comme le sang, ça saoule, je bute, je titube, je griffe l'air, je m'affale, la poitrine la première, contre la baignoire. Sous mes paupières se profile le visage grave du rémouleur du soir, alors je m'accroche, je me cramponne de toutes mes forces au pantalon de Gégé, mes reins craquent dans une douleur sourde, je mords le pavé et je vomis des kilomètres de gaze, des caillots de lait tourné, des glaires, des veines tranchées, des kilos de pansements, je me bave sur le nombril et je dégueule à toute volée mon liquide amniotique... Je sens monter la délivrance et j'enfonce sans bruit mes doigts dans la vie!

« Maintenant que t'es calmée, on va s'faire une ronflette, un petit coup de traversin et c'est reparti pour un tour!

— Y aura plus de coup de traversin, y aura plus jamais de scènes comme ça, jamais. »

Je dérive entre les mains de Lulu sur l'autoroute du brouillard. A Montélimar, elle m'apporte un café noir dans la voiture, elle caresse doucement mes plaies, elle a le cœur qui déborde, elle a une petite voix rafistolée, une petite voix qui en dit long, une petite voix plaintive avec de grosses larmes de fond, une petite voix qui se brise sur ses lèvres... La remontée vers Paris est lisse et froide comme la pluie, de grands oiseaux lucides se cognent au pare-brise, chaque péage est une frontière où les gabelous en uniforme de guerre déchirent la maigre musette des émigrés. Nous roulons vers l'automne, les arbres décharnés, vers le givre, vers les tranchées...

Les Buttes-Chaumont soupirent, c'est la fin de l'été, l'appartement repose dans un ordre parfait. Rien n'a bougé, il y a toujours la trace de mes lèvres sur la glace et, sur la table, un sac de linge à repasser, sur l'évier, nos deux tasses à café. Les géraniums ont dû s'ennuyer, le lit est resté grand ouvert, il a bien respiré et mieux dormi sans nous... Lit-trappe, tu ne m'auras pas, cette nuit je dormirai debout!

Les yeux obstinément collés au carreau, je regarde monter le jour : bonjour le jour, je t'attendais, mais avant d'ouvrir ma fenêtre, montre-moi patte blanche... T'as une gueule de beau jour, c'est vrai, mais moi j'en ai connu des jours, tout noirs, pas à prendre avec des pincettes, des jours crevés de drôles de cris, des jours qui ressemblaient à des nuits, des jours à couper au couteau, enfin des jours qui font la vie... Montre-moi patte blanche puisqu'aujourd'hui est un grand jour!

« Qu'est-ce que tu glandes debout à cette heure-là, et quelle heure c'est d'abord?

— Huit heures et quart.

— Tu vas chez le coiffeur?

— Non, je pars, je m'en vais.

— Fais piano quand tu reviens, j'ai besoin de roupiller. »

So long Gégé, je te fais la malle, la malle à quatre nœuds, je trace au devant de moi avec un beau drap blanc noué au quatre coins. Non, ce serait beaucoup trop simple. J'ai peur, je tremble, j'ai le temps avec moi pour quelques heures seulement, mais tu vas comprendre que ce n'est pas une farce, et ce soir, à la nuit, je crains que ton âme de charognard ne se réveille... Où aller? Mon horizon ne va pas loin! Tu connais d'avance toutes mes planques et je ne veux mouiller personne. Oh, je sais bien, il y a des frangines qui se précipitent dans les jupes des condés, d'autres qui vont jacter aux curés. Tu me vois, moi, faire ça? Moi, je préfère crever que d'aller me rendre à ces gens-là. Fumier, qu'est-ce que t'es venu foutre dans ma banlieue, un soir d'été? Tu m'as coupée du monde, j'ai paumé mon identité, je patauge en plein brouillard! Mais tu vas la casquer, la note, tu vas la casquer! Faut pas que t'oublies que t'as plus de crédit auprès des hommes, ton prestige s'est pris une méchante gifle quand tu t'es fait baluchonner par la clique de l'infirme. Mon dab avait raison de dire que tu étais un fainéant, une bordille. T'as même pas eu les couilles d'aller tirer un coup de calibre en l'air, tandis que moi j'ai fait jusqu'au bout mon devoir de femme et, jusqu'à nouvel ordre, y a pas une porte qui me soit fermée! Mais en attendant, où aller? Où? Tu m'as tellement démolie que si j'étais pas amochée, j'irais tapiner, histoire de reprendre confiance en moi.

Dans le taxi qui roule en direction d'Aubervilliers, je regarde le soleil tout rond, je pense aux lolos de Lulu qui dort, la bouche en cœur contre le poil d'Igor, Lulu qui souvent crie comme maman, mais Lulu qui m'aime tant. Et je me pince, mais non, je ne rêve pas, puisque le chauffeur me sourit, puisque, sur les trottoirs, il y a des gens qui courent, puisque le compteur tourne et que la première cigarette a un petit goût de bonbon acidulé!

C'était réglé comme du papier à musique, comme deux et deux font quatre, comme quatre et quatre font huit... Le soir même Gégé se pointe à Aubervilliers et pique une grande colère toute rouge. Il menace : « J'suis pas un méchant garçon mais si elle pousse le bouchon, j'vais sévir, on va l'appeler Marie la Balafrée. » Lulu, Igor et le père tiennent bon. Moi, recroquevillée dans le bas de l'armoire, j'étouffe mon cœur à deux mains, je me tâte les joues, je croise les doigts afin de conjurer le mauvais sort, je suis morte de peur!

Le lendemain, l'heure est encore aux fanfaronnades, dans ma niche, je tords le cou à ma claustrophobie, j'écoute... « Elle est partie sur un coup de tête, suite à l'engueulade de Toulon. C'est pas la première fois qu'elle se paye une gaufre, elle reviendra demain, après-demain, dans huit jours. Elle doit être en planque chez sa dab. Qu'elle mijote dans son jus, en revenant elle me mangera dans la main. » Il manque pas de souffle Gégé, son inconscience est une arme redoutable. Mais il ne faut pas se laisser abattre, il faut manger les pantalons d'Igor, les ceintures du père qui servaient dans le temps à donner les fessées, il faut s'essuyer les yeux avec les combinaisons de Lulu et avaler les cintres pour ne pas hurler : « Cette fois c'est la malle que je te fais! » Il faut apprendre à vivre, à respirer dans le bas d'une armoire...

Au bout d'une semaine, le ton a changé : « J'dessaoule plus, j'suis monté à Malakoff, sa mère l'a pas vue. J'me fais du mouron, pourvu qu'elle se soit pas filée en l'air. C'est qu'une môme et quand elle se met à gamberger à l'envers, j'y perds mon latin... Lulu, c'est votre frangine, Lucien, c'est ta fille, si vous la voyez ou si elle téléphone, dites-lui de rentrer à la maison, que je dirai rien, que j'en crève. »

Moi, dans le bas de l'armoire, je suis en pleine puberté. J'ai les seins qui pointent et du duvet sous les bras; si ça continue, dans un mois, je serai réglée en le voyant s'aplatir comme une crêpe et passer sous la porte! Dans un mois, je serai une femme et quand je verrai ses pattes sales caresser le paillasson, je lui broierai les doigts sous le cadre, je lui coinçerai son grand pif morveux dans la serrure, et j'irai me masturber en petite fille espiègle au milieu des godasses. Et je jouirai à retours de bras, cette fois, avec mes propres mains, mes doigts tachés d'encre, et ce sera bon, ça me fera du bien partout à la fois. Ça montera, ça descendra, ça m'engloutira, ça me fera basculer dans les toiles. Ça m'ouvrira les portes fermées, ça éclatera dans mon petit ventre comme un grand feu d'artifice, une vraie révolution, une fête en souvenir des Saints-Innocents!

Comme la famille ne répond pas, Gégé s'adresse aux amis, à Maloup qui, après une saison à Beauvais, a repris du service à *la Bohème,* Maloup qui, ce soir, vient dîner à Aubervilliers, un dîner de femmes. Lulu tourne autour de la table, les mains enfoncées dans les poches de son tablier, le front tout plissé. Elle prend son rôle d'aînée très au sérieux maintenant qu'elle est retirée! J'ai envie de la chahuter, de lui chatouiller les hanches, de la basculer sur le canapé, de lui dire que cet air grave lui donne des rides. N'y crois pas trop, ma pauvre grande, des fois qu'au premier avaro, tu sois obligée de rempiler! Et toi Maloup, tu sais plus sourire? Alors quoi, il a réussi à te quimper une seconde fois? Après t'avoir bourré le cul, il t'a bourré le crâne? Je me marre, il vaut mieux en rire, je suis dans le bourbier jusqu'au cou et c'est vous que ça déglingue, bravo!

« Je t'assure, Sophie, c'est un autre homme, il fait pitié!

— Arrête, tu va me faire pleurer!

— Il m'a dit que si tu revenais, tu ne tapinerais plus, il ira casser et il allumera les mecs qui l'ont mis à l'amende!

— Sers-moi, un coup, je m'étouffe! Ecoute-moi bien, Maloup, Gérard sera jamais capable de flinguer, à moins que je lui tienne la main. Merci bien, j'ai autre chose à défendre que l'honneur d'un balle-pot! J'ai envie de dormir la conscience tranquille. Quant à prendre une dingue pour aller délourder, s'il a réussi à te faire avaler ça, tu me déçois beaucoup... La carte du cœur, j'suis plus bonne, et les mecs qui se prennent pour des cadors, c'est du folklore, c'est bon pour nourrir les naves!

— Mais tu ne peux tout de même pas passer ta vie dans une armoire, on se fait plus facilement la malle avec des sous... J'ai encore reçu une lettre de Paul!

— T'as qu'à te faire des papillotes avec. Quant à Paul, il a qu'à m'oublier! Si on parlait d'autre chose?

— Non, Marie, tu vas m'écouter, faut que tu fasses tes affaires, ma fille, les années passent plus vite qu'on ne pense.

— J'ai pas envie de faire mes affaires, j'm'en fous!

— Tu le fais exprès ou t'es pas normale?

— Normale, sérieuse, raisonnable, Lulu, j'aime pas ces mots.

— Moi, j'en ai marre de m'faire du mouron pour toi, tu comprends?

— Personne t'y oblige. Et puis écoute-moi bien maintenant. Tant que je ferai ce boulot, je tomberai dans l'excès, j'ferai pas mes affaires au tapin, parce que j'ai trop besoin de compenser. Quand on est parties avec Maloup l'hiver dernier, j'avais tellement besoin de m'éclater que j'ai claqué toutes mes économies! Seulement on m'appelait Madame, j'avais pas à lever le petit doigt, on était aux ordres et, le soir, je me vautrais dans des draps propres en rêvant que j'étais une autre. C'était tellement chouette que le matin, en tartinant mes toasts de marmelade d'orange, je continuais à rêver et je pleurais! Dis-lui que c'est vrai, Maloup, que pendant dix jours on a chialé au petit déjeuner.

— On dirait que tu as tout oublié.

— Oublié quoi, Lulu? J'écoute, vas-y, on a la nuit devant nous! Tu préfères que je parle pour toi, tu veux vraiment que je remue la merde?

— Arrête, Sophie!

— Laisse tomber, Maloup, c'est un truc entre nous. Je veux oublier, je casque pour oublier que, quand je demandais cent balles le dimanche pour aller au ciné, on me répondait : « Pour le moment, t'es un trou « qui bouffe, qui pète et qui rapporte rien ». Tu vois, j'ai de la mémoire, j'ai pas oublié non plus pourquoi tu t'es tirée, j'ai pas oublié que c'est moi qui ai pris la relève...

— Tais-toi, tais-toi!

— J'ai pas oublié que je volais dans le porte-monnaie de maman pour m'acheter de grosses épingles à nourrice qui servaient le soir à attacher les serviettes éponges dans lesquelles je m'entortillais pour que le père me baise pas!

— Arrête, Sophie, crie pas, tu fais pleurer ta sœur.

Je me suis tu pendant sept ans pour faire pleurer personne, pendant sept ans, j'ai eu l'odeur de sa bite sous le nez... Et puis un jour, j'ai vu la mère amoureuse, amoureuse à en crever. Tu peux pas savoir, Maloup, comme elle était belle et méchante. Un rien l'agaçait, elle cognait pour un oui, pour un non, moi je lui pardonnais puisqu'elle aimait. Un dimanche, on est parti pique-niquer à Meudon, elle me l'a présenté, il était beau, un peu plus jeune qu'elle, il avait l'air gentil. Il faisait chaud ce dimanche-là, elle a retiré son corsage, elle est restée en soutien-gorge. Il l'a étreinte comme une noyée et je me souviens qu'elle a pleuré. Alors j'ai pris une grande décision en me disant qu'elle avait peut-être droit à un peu de bonheur, elle aussi. Et dans le bus qui nous ramenait vers Malakoff, j'ai tout raconté sans la regarder, mais au fur et à mesure que je parlais, je voyais ses mains qui tremblaient... Il y a eu un arrêt, deux arrêts, ce n'est qu'au troisième qu'elle a parlé : « T'es une menteuse, t'es une salope, c'est toi qui l'a aguiché! »

Je te passe la fin du voyage et les deux années qui ont suivi. Elle ne lui a jamais dit ouvertement qu'elle savait, mais c'était pire, elle nous tenait tous les deux, elle jouait. Et puis son mec s'est rebarré à l'étranger, y a eu Paul et Gégé. Mon vieux s'est tiré à peu près un an derrière moi en lui laissant les trois derniers! Après vingt-sept piges de ménage et quatre ans de rab avec l'autre, tu crois pas qu'il y a de quoi crier?

Maloup, rappelle-toi, un jour tu m'as dit que tu avais failli te noyer dans la Loire quand tu étais petite. Avoue que ça fait un sale effet. Eh bien! moi, j'ai coulé à pic dans la rue Hoche, et j'ai agrippé de toute ma désespérance la première branche qui passait, parce que j'en pouvais plus de boire la tasse, parce que j'avais envie de nager jusqu'à la lagune, d'apercevoir le campanile, la place Saint-Marc et ses pigeons dorés, parce que je rêvais de dériver, le cœur barbouillé de fièvre, jusqu'au Pont des Soupirs! Allez, arrêtez de chialer, les larmes c'est de la flotte, moi c'est de lait que j'ai besoin!

Le lendemain de notre dîner, j'ai demandé à Lulu de m'acheter une boîte de crayons de couleur. Je trace des croix contre la porte intérieure de l'armoire. Les jours bleus sont ceux où Gégé ne vient pas, il n'y en a que deux. Les rouges sont ceux où il pleure, où il se tape la tête contre les murs du salon, où il s'envoie une bouteille de whisky en regardant la télévision, bien après la dernière image, il y en a déjà douze. Les noirs sont ceux où, du fond de ma niche, la tête coincée entre mes genoux, j'entends ses dents grincer et le cliquetis du chien sur la crosse, il y en a six!

Si j'ai affirmé à Maloup que je ne le croyais pas capable de tirer sur un homme, je ne mets plus ses capacités en doute maintenant qu'il s'agit de moi. Je dérive doucement vers la peur, vers la folie. Je ne suis plus seule dans l'armoire. Entre les jambes de pantalon d'Igor, des têtes de michetons ricanent en passant leurs langues sur leurs lèvres. Entre les plis des robes de Lulu, se dessinent les visages des filles du *Saint-Louis,* du 45. Elles s'arrachent les cheveux, elles m'appellent. Il y a Pédro avec une tête de chat et des griffes vermillon, il y a les bosses violettes de Carabosse et ses chicots qu'elle lisse en rendant la monnaie, enfin il y a la Poison en robe de mariée noire qui passe l'anneau au doigt de Gégé!

Assez, j'étouffe, allumez les lumières... Personne ne répond et c'est le noir total! Alors quand Lulu descend faire les courses avec le dab et qu'Igor est à ses affaires, je sors de mon armoire, je rampe doucement jusqu'au téléphone, j'attrape le Bottin des Professions, mais qu'il est lourd, je feuillette en tremblant jusqu'à la page des « P », je ferme les yeux un instant et je laisse tomber mon doigt sur un nom au hasard. « Allo, docteur psychiatre, j'ai vingt-quatre ans et demi et je recommence à faire pipi au lit, c'est urgent, pouvez-vous me recevoir dans l'après-midi? » Non?... Tant pis. Je raccroche le combiné, ferme les yeux, laisse de nouveau tomber mon doigt. « Allo, docteur psychiatre, j'ai douze ans de retard dans mes règles, j'ai beau gratter le fond de mon slip, je ne vois toujours rien venir, c'est pas normal, pouvez-vous me donner un rendez-vous pour demain? C'est urgent. » Non?... Tant pis, on tourne la page et on recommence. « Allo, docteur psychiatre, ça fait un mois que je vois des bites partout, des grosses bites rouges et malodorantes comme celle de mon papa, j'ai peur, vous pouvez me prendre dans une heure? » Non?... Tant pis. « Allo, docteur psychiatre, ma sœur me nourrit à la bouillie et depuis que j'ai filé le fer à repasser dans la télé, on ne l'allume plus! » « Allo, docteur psychiatre, la sonnerie du téléphone me fait hurler, y a mon jules qui veut me faire la peau et ça me file des frissons dans le dos. »

« Coucou, docteur psychiatre, j'ai une bonne nouvelle à vous annoncer : depuis qu'ils ont surpris mes conversations téléphoniques, ils se sont mis dans la tête que j'étais braque. Ils ont parlé d'électro-chocs, d'électro-encéphalogrammes, d'électro-encéphalo-gazeux. Ils m'ont pris un rancart pour la semaine prochaine à Sainte-Anne, au lieu de se cotiser et de m'envoyer au bord de la mer! Ils n'ont pas pigé que c'était urgent, que j'avais besoin de dépaysement. Ils m'abandonnent dans le noir pour une semaine encore, une grande semaine dans le bas de l'armoire, empêtrée dans ma camisole d'angoisse. Huit jours, huit nuits devant moi, c'est si court et si long. Mais attention, faudrait pas croire que c'est gagné, qu'on vous a racolé une nouvelle cliente pendant que vous restiez le cul coincé dans votre fauteuil, à péter à la tête des malades, à les asphyxier. Il me reste cent soixante-douze heures et des poussières pour refaire surface, cent soixante-douze heures pour becter mes neurones les uns après les autres en me suçant le pouce. Cent soixante-douze heures, après tout, c'est beaucoup, et si l'on me traîne aux dingues, si vous avez l'embellie de me fouiller la tronche, vous ne trouverez que des nèfles! *Bye bye,* docteur psychiatre, à la revoyure, c'est ça, je vous embrasse bien fort, je vous roule même un palo... »

Pour qu'on ne m'emmène pas à l'hôpital, j'ai promis à Lulu d'être raisonnable. Je ne prends plus de rendez-vous avec les psychiatres et je me lève pour faire pipi. Pour me rassurer, elle a fait changer les verrous, elle a aussi fait réparer la télévision qui ne fonctionne qu'en sourdine. Papa a de nouveau le droit de rentrer dans ma chambre. Quand je ne suis pas trop fatiguée, on fait une belote sur mon lit. Igor m'a acheté un disque, *les Polonaises* de Chopin. Cette musique me fait pleurer. Hier, Lulu a reçu une lettre de Maloup, postée de Beauvais : elle a rencontré un garçon et elle ne sait pas quand elle reviendra. Elle ajoute en post-scriptum : « Si Sophie a besoin de se planquer, la clef est chez la concierge, rue d'Aboukir. » J'ai déchiré la lettre, j'ai tiré la chasse d'eau, j'ai cassé *les Polonaises* en quatre, je les ai jetées dans le vide-ordures. J'ai regardé le calendrier, j'ai vu une fille à poil, étendue sous les larges feuilles d'un bananier, j'ai caressé mes seins sans y penser... *Banana dream.* Hier, c'était la Sainte-Pélagie, dans trois mois pile, j'aurai vingt-cinq ans!

Mais hier, c'était surtout un jour rouge et noir. Gégé s'est pointé à sept heures et demie, les bras chargés de victuailles et de boissons. Au début du repas, à l'entendre, il semblait de bonne humeur, il racontait qu'il était en train de rembiner son coup avec Sandra, la mulâtre de chez la grande Suzie. Il disait aussi qu'il avait ferré la disquaire du *Club Soixante-Cinq*. Et puis il y a eu des silences, et puis j'ai entendu Lulu dire que j'étais sûrement en planque chez ma nourrice en Normandie. Il y a eu encore un long silence suivi d'un bruit énorme, d'un coup de poing qui a fendu la table en deux. Et puis il y a eu des pas, une cavalcade, la porte de ma chambre a craqué, j'ai reconnu son souffle, j'ai senti son haleine, j'ai avalé une cravate, j'ai entendu une bouteille éclater sur l'évier et la voix de ma sœur et de mon père se mêler : « Dehors, sors d'ici, enculé, et n'y refous plus jamais les pieds! » J'ai entendu des bruits de verre brisé, des bruits mats, des éclaboussures, j'ai entendu du sang couler et la voix d'Igor qui criait : « Arrêtez, arrêtez, qu'est-ce que c'est que cette famille! » Et puis j'ai entendu la voix râpeuse de Gégé : « Je l'attends demain à sept heures au *Play-Boy*. Si elle vient pas, après-demain je monterai à Malakoff chercher le dernier à la sortie de l'école. »

Après le départ de Gérard, ils ont eu beau faire des pieds et des mains pour me tirer de l'armoire, j'en ai fait qu'à ma tête. Je suis restée recroquevillée au milieu des godasses et j'ai refusé de parler. A deux heures du matin, fatigués, ils ont cédé. Les hommes sont partis se coucher les premiers, Lulu a vidé le bas de l'armoire en pleurant, moi j'avais les yeux secs, la bouche sèche, le corps trempé de sueur. Elle m'a enveloppée dans une couverture, a glissé un oreiller sous ma tête, elle est allée jusqu'à la cuisine me remplir un verre d'eau qu'elle m'a tendu avec deux valium 10 avant de refermer les portes de l'armoire...

J'ai respiré très fort en fermant les paupières, j'ai ouvert les mains, j'ai eu envie d'une cigarette. Et puis le sommeil m'a surprise brutalement, j'ai basculé dans le trou sombre du rêve de mon enfance. Rêve obsédant, toujours le même : c'est un sursaut violent qui réveille à demi, qui donne l'impression de tomber en bas du lit. On s'accroche en grelottant à quelque chose de solide, les draps, n'importe quoi et puis on est happé de nouveau par le sommeil. Alors, c'est la chute douce où le corps n'a plus de poids, où les yeux pénètrent la nuit, c'est la chute dans un cylindre obscur et puis tout au fond, c'est la bouche de canon noire où je hurle avant de m'écraser. Mais je ne m'écrase jamais, mon corps se dissout, je n'ai plus que mes yeux, mes yeux qui cassent les ténèbres, qui s'accrochent au mot SEL écrit en lettres blanches et majuscules sur un rayon... le sel, la mer, l'eau, le ventre. Oh! Maman, maman!

Au moment où le taxi débouche place de la Concorde, je m'accroche au siège, je me mords les lèvres, j'ai l'impression, l'espace d'une seconde, qu'il fait marche arrière dans la rue de Rivoli. Pardon, chauffeur, mais plus d'un mois dans le bas d'une armoire, c'est bon pour les chouettes, faut se réhabituer à la lumière du jour. C'est beau Paris, ça clignote et ça flotte. Eh chauffeur! Je vous file dix sacs de pourliche si vous changez de chemin, si au lieu de m'emmener rue de Ponthieu, vous tracez vers l'aéroport. Vous avez déjà entendu parler des palmiers, des bananiers, des vahinés, des psychiatres? Non? Tant pis, allez, roulez jeunesse...

En poussant la porte du *Play-Boy,* nouvelle boîte de Carlos le Niçois, j'ai les jambes qui flageolent. Allez, courage Marie, y a que la première fois qui compte, comme disait Franzie, une nuit à la Mondaine... Assis à une table, au milieu des sacs de ciment et de plâtre, au milieu des chutes de bois, de pans de glace et d'outils de toutes sortes, Gérard trône, entouré de Carlos et d'Antoine les Niçois. Jean-Jean se tient debout avec deux autres garçons que je ne connais pas. Gérard a rasé sa moustache et ses cheveux ont poussé, j'ai envie de gerber! Et il roule, par-dessus le marché, le chien sale, il ose me regarder comme la première fois...

« V'là la dérobeuse, Messieurs. Toi, suis-moi, on va causer tous les deux avant d'ouvrir la séance. »

J'enjambe les sacs de glace, les pans de bois, les plâtres démoulés, les ciments armés, les comptoirs de faux marbre, les canalisations arides, les lumières psychédéliques, la piste de danse en bois mordoré, les marteaux-piqueurs, les flaques de sueur, le doigt d'un maçon, les bidons crevassés des copines qui ont servi à casquer la main-d'œuvre... Une porte s'ouvre, ça sent le purin, v'la ma tête prisonnière de ses mains.

« Alors? Tu crois que ton numéro a assez duré? En finale, on est malheureux tous les deux. Je passe l'éponge, je vais offrir une rouille aux garçons, que je les aie pas dérangés pour rien, et on rentre peinards à la maison! Allez, donne un bec à ton homme... »

Je préfère être la corde plutôt que le pendu, le juge plutôt que le condamné, je préfère mourir sans bâillon, le regard tourné vers l'été plutôt que de te donner un baiser.

« Recule, tu me dégoûtes!

— T'es ma femme, c'est moi qui t'ai faite, et si tu veux te tirer, tu vas casquer, vu? Je te ramène à coups de pompe dans le derche, on va causer... Avance, marche!... »

Debout au milieu des gravats, face au grand jury, je laisse couler ma morve sur mes mains. Mon cœur cogne dans ma poitrine comme une petite bête affolée, un petit rongeur qui essaie de forcer la cage, qui me grignote les côtes. Ça fait d'abord très mal et puis je m'habitue et puis la bête se calme. J'en profite pour jouer avec ma morve : la barrière à deux, le bol, le parachute, la Tour Eiffel... La cornette de la Sœur Supérieure obscurcit le dortoir, « Marie Mage », vous serez punie, c'est défendu de jouer avec des bouts de laine sous les couvertures pendant la sieste. » Je sors du lazaret après quarante jours d'isolement, je ne suis plus contagieuse... Lulu m'attend sous le grand portique, elle me sourit, elle a un bouquet de boutons d'or à la main qu'elle fait jouer sous mon menton : « Si ça devient jaune, c'est que tu aimes le beurre! » Les hommes parlent à voix basse, le petit rongeur se réveille, il griffe... Carlos se rince la bouche avant de l'ouvrir, je renifle un grand coup.

« Madame, demain vous remontez au *Saint-Louis,* Pédro vous attend!

— Puisque tu veux être indépendante, tu viendras ici chaque semaine déposer l'enveloppe. T'auras qu'à écrire dessus « Pour Monsieur Gérard ». Et tâche de ne pas te tromper dans tes comptes : Trois cents pas deux cent quatre-vingt-dix neuf! Maintenant vire, on t'a assez vue! »

Si les Niçois et leur clique épaulent Gégé, ce n'est sûrement pas par charité chrétienne, c'est qu'ils touchent sur ce coup-là! J'ai gagné, je ne suis plus la femme de Gérard, je suis maquée par toute une équipe! Bravo Marie, t'as mis dans le mille! Quinze briques, une année de turf! Dans un an, j'aurai presque vingt-six ans, je serai libre. Mais au bout du compte, me la rendront-ils ma liberté? Mon père parle de guerre, Lulu s'agite, Igor prêche la prudence : « Le mieux, en attendant d'y voir clair, c'est qu'elle remonte là-haut! Partir en guerre contre le Niçois, c'est un suicide. » Moi, je suis une non-violente, je supporte mal les coups et les cris, la vue du sang me fait pleurer, alors je reprends mon baluchon via Pigalle, la nuit! Avec une petite idée dans le chignon...

Mon vol ne part que dans une demi-heure, et bien qu'il n'y ait que Lulu, Igor et mon père qui soient au courant de ce départ, je sais que je respirerai à fond une fois seulement que l'avion aura décollé. Je laisse glisser mes doigts contre mon verre, je regarde ceux qui partent pour de grands voyages, je ne les envie pas parce que moi aussi, un jour, je prendrai un vol, pour plus tard, pour ailleurs, pour toujours. Moi aussi, j'irai dire bonjour au monde, moi aussi, je rirai et j'aurai des amis pour m'attendre à la descente d'avion. Un jour, je n'aurai plus peur.

La semaine que je viens de passer au *Saint-Louis* a été fertile en émotions. D'abord j'ai retrouvé le 19 et les filles : j'étais à l'amende, elles m'ont regardée comme si j'arrivais d'un autre monde, elles m'ont épiée, ignorée en apparence, elles m'ont enviée parce que je souriais toujours au choix, parce que j'étais toujours la petite Sophie et que les hommes avaient toujours du goût pour moi.

Aux hommes, j'ai récité l'ancienne leçon, « Bonjour, je m'appelle Sophie, et toi? » et puis, en sortant de chambre, j'ai remonté le flot à contre-sens. Les filles me bousculaient, se hâtaient en direction du salon, du choix que je n'aurais manqué pour rien au monde en d'autres temps! Ah, comme ils m'aimaient, échevelée, débraillée, la gorge battante, les yeux brillants comme du mica, les lèvres entre-closes. Ils m'aimaient chienne, les bâtards, et je le devenais sans efforts, attentive à leurs vices. Qui faisait mieux que moi la belle devant un billet de dix sacs? Il y a presque quatre ans déjà...

Le mardi matin, en sortant à cinq heures et demie, j'ai eu un haut-le-cœur en apercevant la voiture de Gérard garée en double file à une dizaine de mètres du *Saint-Louis*. Alors quoi, l'oseille ne lui suffisait pas? Je me suis précipitée vers le premier véhicule qui remontait la rue Fontaine, le chauffeur s'est montré coopératif pensant que j'avais les flics aux fesses. Il m'a déposée place Blanche sans histoire.

Le mercredi, en me payant, Arlette m'a soufflé que Gérard m'attendait devant la porte. Je suis sortie, les deux mains remplies de poivre. Il n'a pas eu le temps de réaliser ce qui lui arrivait que déjà je m'étais réfugiée à *la Cloche d'Or,* d'où je ne suis sortie qu'à sept heures et demie du matin, le ventre plein!

Le jeudi, j'ai été très étonnée qu'Arlette me dise que la voie était libre! Ça m'arrangeait, j'avais une lettre à poster. La veille, Lulu avait téléphoné à une de ses amies dans le Midi en lui expliquant que je cherchais une place d'urgence. L'amie avait à son tour téléphoné à une taulière qui avait répondu que ce n'était pas impossible. Mais il fallait écrire, envoyer son *curriculum vitae* accompagné d'une photo et d'un acte de naissance. A Cuers, on ne prend pas les filles qui ont plus de trente ans.

J'ai passé une partie de la nuit à faire ma demande d'emploi, j'ai tracé en tremblant l'adresse en lettres d'imprimerie : Mesdames Toudé et Risty. Hôtel-Bar *Sur le Pouce,* 1, rue des Portes-qui-claquent — Cuers — 83. J'ai collé le timbre à l'envers, parce que quand j'étais petite, on m'a appris que ça voulait dire : je vous emmerde!

La voie était libre, j'ai rasé les murs jusqu'au bureau de poste de la rue Duperré. Au moment où j'allais glisser ma main sous mon pull, une portière a claqué, Gérard m'a tirée par les cheveux jusqu'à l'intérieur de la voiture et pendant plus d'une heure il m'a joué la carte du cœur... à six heures et demie, ce n'était plus quinze mais trente millions que je lui devais.

Le vendredi, après avoir payé toutes les filles, Arlette est partie en reconnaissance. Lorsqu'elle est revenue, elle m'a trouvée couchée par terre, saoule comme une grive, avec la poupée fétiche de la maison dans les bras. J'avais bu, mais je me souvenais que j'avais une lettre à poster, que c'était important. J'allais glisser l'enveloppe dans la boîte quand une poigne que je connaissais bien m'a harponnée par la nuque. La lettre tremblait au bout de mes doigts, je les ai desserrés... elle a glissé.

« A qui t'écris? a hurlé Gégé.

— A un homme.

— Tu peux pas aimer, t'as pas le droit. »

J'ai repris connaissance, allongée sur une banquette du Balto. C'est le chasseur du *Fifty* qui m'a ramassée.

Le samedi, Gégé se pointait à Aubervilliers, caché derrière une gerbe de roses rouges, son bouquet d'adieu, disait-il. Il s'est traîné à mes genoux, humble et repentant, serrant mes chevilles et je suivais le tracé de ses larmes sur mes souliers vernis, elles glissaient entre mes doigts de pieds, ça me chatouillait, je me suis mordue les lèvres pour ne pas éclater de rire, et puis j'ai senti quelque chose de tiède à l'intérieur de mes cuisses. Je me suis précipitée dans les toilettes, je n'osais plus y croire... Après deux mois de retard, mes règles revenaient!

Lulu avait cuisiné des langoustines et du riz au curry. Gérard a demandé la permission de rester déjeuner avec nous, il est même redescendu acheter deux bonnes bouteilles. Malgré la migraine qui me fendait le crâne en deux, je souriais, je me détendais, j'avais mes règles et, enfin, il capitulait, il me donnait le droit de refaire ma vie. Refaire ma vie! Lulu m'a balancé un coup de pied sous la table. Au dessert, nous étions redescendus à douze millions et j'avais sa parole d'homme qu'il ne chercherait plus à me revoir, sauf de temps en temps, en copain. « Copains, copines, on n'est pas des chiens. »

C'est vrai que nous n'étions pas des chiens, nous étions des humains gonflés de nourriture et de bon vin. Le dab, Igor et Gégé s'étaient avachis sur le canapé du salon pour boire le café et parler de leur carne de vie, qui leur avait joué de sacrés tours de con. J'avais l'impression de voir trois hommes après la bataille, couverts de sang et de boue, trois glorieux soldats à l'abri de leur bivouac, se réchauffant de paroles inutiles. Cela aurait pu être attendrissant mais, parmi eux, il y avait un traître... deux traîtres, et un troisième en puissance! Lulu lavait, j'essuyais la vaisselle, je pensais au bas de l'armoire et, sans doute, pensait-elle à Yves.

Après le cognac, Gérard a claqué dans ses mains : « Ma gueule, faudrait peut-être que tu viennes me débarrasser de tes fringues, que j'installe la suivante. C'est pas parce qu'on a des peines de cœur qu'on doit négliger ses affaires! Je t'offre le déménagement. » Lulu m'a fait signe d'accepter, Gégé s'est montré correct pendant le voyage, il a même plaisanté. Je pensais à tout le trajet de mon sang dans mon corps, j'essayais de m'expliquer le mystère des règles, mon agressivité, mes boutons, mon dégoût, mon soulagement, mon terrible spleen. Dans l'ascenseur, il a écarté ma frange et j'ai eu l'impression qu'une lame me pénétrait le front! Il m'a dit qu'il m'aimait... Quand il a ouvert la porte du salon, j'ai reculé... mes vêtements étaient éparpillés dans toute la grandeur de la pièce. Du slip au manteau, rien n'avait échappé à la lame de rasoir. Mes chaussures s'entassaient, calcinées, dans une bassine, mon passeport, durci au feu, ressemblait à un bébé porc-épic noir et bleu... Allais-je mourir brûlée, défigurée, ou avais-je le temps de me balancer par la fenêtre? On ne choisit pas sa mort! Gérard s'est jeté sur moi, il a arraché la chaîne qu'il m'avait offerte pour mes vingt et un ans et il a serré, serré, jusqu'à ce que sa tête qui se balançait au-dessus de moi double, triple de volume. C'était une tête énorme, monstrueuse et légère à la fois, comme un ballon de réclame. C'était une tête qui m'échappait, qui montait doucement vers le plafond. La ficelle me glissait des doigts, je m'enfonçais dans le plancher, mes mains tâtonnaient la moindre rainure, la moindre aspérité, les grains de poussière roulaient sous mes paumes, l'espace d'une seconde j'ai entrevu la couronne solaire et ce fut l'obscurité...

Dans le noir, la voix de Gégé vacillait comme la flamme d'une bougie. « Je t'aime, je t'aime, tu ne partiras pas, c'est moi qui t'ai faite! » J'entendais encore, j'écoutais mes cartilages craquer, et puis des coups de plus en plus violents cognés dans la porte! Gérard m'a lâchée, je crois bien qu'il pleurait et puis il y a eu Lulu, mon père et Igor penchés sur moi, et puis l'image de ma mère occupée à se maquiller devant la glace suspendue à l'espagnolette de la fenêtre de la cuisine, ses beaux yeux verts qu'elle ombrait de poussières d'émeraude, ses mains de guerrière couvertes de nœuds, ses lourdes veines bleues qui grimpaient des phalanges aux coudes. Pourtant, quelque part, j'étais sûre qu'elle avait un cœur, et je restais silencieuse, amoureuse, les poignets liés au radiateur, mes regards tendus vers sa bouche. Et puis il y a eu cette eau qu'on me forçait à avaler, qui remontait dans ma gorge en boules noueuses. Le dimanche, j'ai joué relâche, j'ai tenté de me réfugier dans le bas de l'armoire, mais Lulu a fait preuve d'autorité. Elle a sorti de la poche de son tablier de cuisine un énorme riboustin : « S'il vient, je lui en fais partir une dans le buffet et je suis acquittée! » Nous avons joué à la belote très tard dans la nuit.

Le lundi, je suis remontée au *Saint-Louis* avec autour du cou un foulard noué à la voyou! Les hommes ont été lourds comme d'habitude : « Alors, Sophie, tu t'es fait faire des suçons? » Les filles m'ont plaisantée : « Tu manques? » J'ai souri à tous en avalant ma salive de travers. Ce matin-là, Lulu, le dab et Igor m'attendaient au petit salon. En nous voyant passer la porte tous les quatre, Gérard-Chien était remonté dans sa Shelby, la queue entre les jambes. Le mardi était jour d'échéance. Les trois mille francs à plat dans une enveloppe au nom de Gérard, j'ai enfilé à pied la rue de Ponthieu, direction *les Play-Boys.* Je suis passée devant une fois... la seconde, ma décision était prise : si Gégé voulait de l'oseille, qu'il aille gratter!

En rentrant, Lulu m'a tendu une lettre, la réponse de Cuers. C'était bon, les taulières acceptaient de prendre une troisième fille début novembre, à condition qu'elle reste pour les fêtes de fin d'année. Lulu s'exaltait, elle avait débouché une bouteille de vieux bordeaux. « Tu te rends compte quelle embellie, il te reste cinq jours à tenir à Paris. Si l'autre vient roimper, on lui dit que t'as la crève. »

Embellie? Je ne connaissais pas le sens exact de ce mot. Le soir dans mon lit, j'ai cherché dans le dictionnaire : ELI, EMB, embauchoir, embaumement, embaumer, embaumeur, embecquer : le mot m'avait plu, donner la becquée à de petits oiseaux. Embecquer l'hameçon : attacher l'appât. La seconde formule ne me séduisait pas! « Embellie : n. f. Mar. Calme relatif qui se produit pendant une bourrasque ou après un violent coup de vent. Eclaircie dans le ciel pendant le mauvais temps. » Mais en maison, a-t-on le droit d'ouvrir les fenêtres, de regarder le ciel?

Les réacteurs ronronnent comme une portée de chatons, j'attache ma ceinture, j'écrase ma cigarette. Les cils collés au hublot, je dérive sur la trajectoire du soleil, en direction du Tropique du Capricorne.

Dans le sapin qui trace en zigzags sur la Grande-Corniche, je me sens une âme d'alambic. J'ai distillé trois whiskies dans l'avion, deux en atterrissant à Marseille-Marignane. Je suis correcte puisque j'arrive encore à compter et que je me souviens où je vais. Le chauffeur connaît la musique, il me parle du pays avec tendresse en se détranchant sur mes cuisses. « Ah Cuers, charmant petit village de Provence, cinq mille cent soixante-cinq habitants : les Cuersois. Réputé pour ses huiles. » Quelles huiles? *Sur le Pouce* appartient au gang du Combinati, Carbonne et Spirito, les cigarettes américaines. Je croyais qu'ils étaient clapotés? Il doit leur rester de « la famille ». Si j'en réchappe, c'est juré, promis, je cours me mettre en planque dans les jupes des derviches tourneurs ou je m'installe sur les bords du Gange en position du lotus et je tire sur le bambou pour me refaire une santé... Du coup, je n'en bâille plus une, je médite. Le taxi stoppe devant un petit bar aux fenêtres tendues de rideaux de vichy rouges et blancs.

« Allez, bonne chance, petite! »

Bonne chance, bonne chance, il en a de bonnes, lui.

Il fait beau. Sur le trottoir, ma valise à la main, je regarde la rue qui débouche sur une petite place inondée de soleil où des hommes jouent à la pétanque, la casquette à l'arrière. Deux chiens tournent autour d'un platane, ses feuilles jaunes tremblent dans la lumière à la manière des lustres baroques. Des vapeurs grises, pareilles à de la gaze, couronnent les arbustes encore verts. Une touffe de bégonias déborde d'un bidon d'huile d'olive, un jet d'eau se dresse vers le ciel céruléen. Les franges des parasols du Café-Tabac ondulent sous le vent tiède, de jeunes enfants affublés en cow-boys se poursuivent en se lançant des onomatopées incompréhensibles; une femme passe à bicyclette et le soleil rebondit sur les rayons; des volets tirés s'envolent des senteurs d'airelles et d'aïlloli, un oiseau posé sur le buste d'une statue décapitée chante à tue-tête. Si je ne divague pas, si tout cela est vrai, alors la paix existe ici.

Le cochonnet heurte une pierre, tout craque, tout se fissure, tout s'effrite!

« Alors, vous allez rester plantée là tout l'après-midi? On vous attendait hier, les week-ends sont nos plus grosses journées. »

Sans rien dire, je suis l'affreuse matrone jusqu'au premier étage. Risty ou Toudé? Sûrement Toudé!

« La voilà, elle est arrivée! Eh bien, posez votre valise. Comment on vous appelle?

— Sophie.

— Comment tu la trouves, Risty?

— Elle a l'air bien gentille.

— Elle n'est pas grasse. On vous prend pour rendre service à Renée, elle a travaillé chez nous des années, et puis à cause de votre situation. Votre mari en a pour longtemps?

— Il n'est pas encore passé en jugement.

— Donnez-moi votre carte d'identité, je vais vous montrer votre chambre. »

Un étage, puis deux. Quel spleen tout à coup en entrant dans cette chambre minuscule et impersonnelle qui va être la mienne pendant deux mois... S'il y a moins d'une demi-heure, je n'avais pas vu de mes propres yeux un magnifique soleil crever le ciel bleu, je jurerais qu'il pleut dehors, sans doute à cause des persiennes closes, désespérément closes...

« Votre chambre... votre lieu de travail et de repos! Votre lit... il est confortable... c'est votre meilleur outil! Ouvrez-moi cette valise... C'est tout ce que vous avez? Dans la semaine, vous viendrez avec moi. Vous vous achèterez quelque chose de convenable pour les week-ends. Pour aujourd'hui, vous mettrez celle-ci. »

Toudé désigne du doigt une robe de crêpe bleu marine que je portais au *Saint-Louis*.

« Je me demande bien ce que vous allez mettre dans le décolleté... Faites-moi voir ces dessous... Il faudra en racheter.

— Mais ils sont neufs!

— Ah, taisez-vous! C'est moi qui commande ici! Ces volets doivent rester fermés, votre chambre faite à fond tous les matins, le sol passé à l'eau de Javel sans oublier les coins. Votre sanitaire doit toujours être briqué, votre miroir propre, le lit bien tiré, les poussières faites. Méfiez-vous, il m'arrive de faire des visites surprises dans les chambres. Le matin, réveil à sept heures et demie. Toilette. Petit déjeuner à la cuisine à huit heures où vous descendez en robe de chambre... Je n'en ai pas vu.

— Je n'en porte jamais.

— Ici, vous en porterez! Je vous en achèterai une demain... A huit heures et demie, vous montez faire votre ménage. A neuf heures et demie, vous descendez au bar travailler. On déjeune de midi à une heure. Après le déjeuner, vous avez un quart d'heure pour vous recoiffer et arranger votre maquillage. A une heure quinze, vous êtes au bar jusqu'à sept heures. A sept heures, dîner, jusqu'à huit heures. Comme le midi, vous avez un quart d'heure pour vous arranger. On reprend le travail à huit heures et quart jusqu'à ce que le dernier client quitte la maison. En semaine, ça tourne aux environs de dix heures et demie, parfois plus tôt, parfois plus tard. Vous regagnez votre chambre, vous lavez vos serviettes... vous en lavez deux par jour. Vous les étendez sur le porte-serviettes... Le cabinet de toilette est là. La nuit, vous débranchez votre chaufferette électrique. Vous avez droit à une demi-heure de lecture. Les week-ends, il n'y a pas d'heure de fermeture. Le dimanche, nous allons dîner dans la famille à quelques kilomètres d'ici. Nous revenons vers trois heures. Maintenant... »

La grosse Toudé passe sa langue crapauteuse sur ses lèvres lippues. La boule dans ma gorge grossit jusqu'à m'étouffer. Une folle envie de pleurer me taraude l'orbite. Alors la petite place, les enfants, les deux chiens, l'oiseau, les flaques de soleil, c'était un mirage?

« La passe est à vingt-cinq francs, douze cinquante pour nous, douze cinquante pour vous. Nous tenons à ce que les choses soient équitables. La passe dure sept minutes. Pour qu'il n'y ait pas de déconvenue, je note l'heure à laquelle vous montez. Les sept minutes partent dès l'instant où vous quittez le bar avec le client. Elles comprennent : déshabillage intégral des deux côtés, toilette, rhabillage.

Elles s'achèvent quand vous revenez au bar. Si vous dépassez les sept minutes, le prix de la passe revient totalement à la maison. Il arrive qu'il y ait des quarts d'heure : trente-cinq divisés par deux, les demi-heures sont à cinquante divisés par deux, l'heure à cent divisés par deux, les couchés à trois cents divisés par deux. Les pourboires sont interdits et n'oubliez jamais qu'ici le client est chez lui. Le lundi matin, vous vous levez une demi-heure plus tôt, c'est-à-dire à sept heures. Bert, le taxi de la maison, vous emmène à Toulon pour la visite... Vous avez eu la syphilis? Eh bien, répondez, oui ou non?

— Non.

— Pourquoi touchez-vous du bois? Ça vous fait peur? Eh bien, répondez!

— Oui.

— Aujourd'hui, avec la pénicilline, c'est une plaisanterie et puis ça fait partie des risques du métier. En ce moment, vous êtes trois ici : deux filles de Marseille, des habituées, et vous. Elles sont en dessous. Tâchez de bien vous entendre avec elles, ce sont de bonnes filles. Je crois vous avoir tout dit. Ah, j'espère que vous ne buvez pas! Ici, on ne sert pas d'alcool aux filles. Si, en semaine, un client vous invite, prenez un café ou un jus de fruit. Le prix de la pension s'élève à cinquante francs par jour, payable en fin de mois. Maintenant, habillez-vous et maquillez-vous rapidement, on vous attend au bar... Ah non! Pas de ça, ma petite, je ne supporte pas! Figurez-vous que je n'ai pas besoin de saule pleureur chez moi. Risty, Risty! Monte ou je la gifle! »

Toudé descend l'escalier. Les battements précipités de mon cœur couvrent le bruit de ses affreuses pantoufles bleu ciel, ornées de cygne. Je me jette à plat ventre sur le lit. L'important est de pleurer, pleurer... Risty pose sa main sur mon épaule, me parle doucement.

A trois heures, les yeux rouges, je fais mon entrée au bar. Deux filles brunes, boudinées dans des robes identiques à grosses fleurs, me dévisagent du haut de leurs tabourets. La main de Risty pèse sur mon épaule.

« Voici Sophie. Elle arrive de Paris.

— Salut! disent les filles en faisant rouler les dés sur la piste de quatre-cent-vingt-et-un. C'est vrai, demande la plus grasse des deux, qu'à Paris pour tenir dans la rue, faut avoir un condé?

— Soyez bonnes, toutes les deux, vous allez vivre ensemble pendant deux mois.

— Eh, Risty! Comment ça se fait que vous l'avez embauchée? Elle est épaisse comme un baccalat. Elle va pas faire franc-un ici, cette petite. Si elle travaille, je me fais greffer une belle paire de baloches et je fais le julot! En moins d'un mois, j'ai une douzaine de femmes qui travaillent entre le panier et le vieux port. Pas vrai, Mado?

— Taisez-vous toutes les deux!

— Ouais, elle a raison Risty, on se tait... pas vrai qu'on se tait, Mado?

— On se tait... Chut... Chut!... Même que pendant deux mois, on ne va pas lui en décrocher une!

Lundi trois novembre.

Je ne sais pas si tous les soirs j'aurai le courage d'écrire ce journal sur les pages de mon agenda. C'est la deuxième fois que je commence un journal. Pour le premier, j'avais quatorze ans, un jour mon père l'a trouvé. Pourtant, je l'avais glissé à l'intérieur de mon matelas. Il l'a brûlé. J'ai eu l'impression de perdre quelque chose d'important. Celui-là, c'est peut-être moi qui le brûlerai. Il est dix heures moins le quart. J'ai lavé mes deux serviettes et branché ma chaufferette. Je serais plus tranquille si je pouvais fermer ma porte à clef, mais il n'y a pas de clef. Mado et Martine ont tenu parole. Elles ne m'ont pas dit un mot de la journée. D'ailleurs, quand en auraient-elles trouvé le temps? J'ai fait trente-sept passes. Elles, sans doute davantage, car je me suis souvent retrouvée seule au bar. Je commence à comprendre ce que signifie le mot « abattage ».

Mardi quatre novembre.

Toudé ne m'a pas rendu ma carte d'identité. Aujourd'hui, j'ai fait trente passes. Ce qui n'est pas juste, c'est que le temps est le même pour les deux autres, alors que j'ai un étage de plus à monter. Martine et Mado ne me parlent toujours pas. Lulu m'a téléphoné. Ça m'a donné un cafard de l'autre monde, d'autant plus que je ne pouvais pas parler. Toudé était là, derrière moi, je sentais son haleine sèche sur ma joue. Elle m'a arraché l'appareil des mains, elle lui a dit de ne plus m'appeler et de pas écrire. J'entendais la voix de Lulu crier : « Il faut bien que son mari lui écrive quelque part! » Toudé m'a regardée méchamment : « Qu'il lui écrive poste restante à Solliès-Pont, le taxi de la maison l'accompagnera une fois par semaine. » Elle a raccroché. Pourvu que Lulu écrive vite.

Mercredi cinq.

Quarante-trois passes, je suis vidée!

Lundi dix novembre.

Cinq jours que je n'ai pas écrit. Ce matin, Bert le Taxi nous a emmenées à Toulon pour la visite. Le dispensaire m'a rappelé Saint-Lazare. Ici comme là-bas, les aiguilles de prises de sang sont très fines... J'ai un beau sparadrap au creux du bras gauche. En sortant, Mado a payé son pastis. C'était merveilleux d'être assise à la terrasse de ce café. J'ai mis ma tournée, Martine la sienne. Sur le chemin du retour, je chantais. Hier, dimanche, nous sommes allées déjeuner dans la famille. J'ignore qui sont ces personnes, un couple. Les filles appellent l'homme « Tonton », on ne m'a pas donné de précisions. Je me suis abstenue de poser des questions. Ce matin, Lulu a téléphoné, on ne me l'a pas passée, mais Risty m'a soufflé qu'une lettre m'attendait, poste restante à Solliès-Pont. Demain, Bert m'y conduira. Le bonheur prochain de lire Lulu me fait oublier les cent sept passes du week-end.

Mardi onze.

Ce matin, au moment où je partais, Risty m'a rendu ma carte d'identité. J'ai retrouvé quelque chose... J'ai attendu d'être dans le taxi pour serrer ce petit morceau de carton contre mon cœur et embrasser ma photo. Ce n'est pas une lettre que j'ai retirée, mais trois. Une de Lulu, une de Maloup et une de ma mère. Si je ne m'étais pas retenue, j'aurais sauté au cou de la postière. Malgré le désir que j'avais de les décacheter, je ne voulais pas le faire dans le taxi, encore moins dans ma chambre. J'ai dit à Bert que j'aimerais profiter un quart d'heure du soleil, prendre un thé... Il n'a pas répondu, mais trois minutes plus tard, il me déposait devant un café, sur une petite place toute rose. Il y avait deux tables sur le trottoir, l'air était frais. J'ai fermé les yeux, j'ai choisi une des trois lettres. C'était celle de Maloup qui m'appelle sa petite Sophie. Maloup qui est remontée à Paris, qui travaille au *Méphisto*, rue Pigalle, m'écrit qu'elle a bu le coup avec France qui bosse maintenant au *Sans-Souci,* à l'angle de la rue Pigalle et de la rue de Douai. « Je ne lui ai pas donné ton adresse, ajoute-t-elle en post-scriptum, on ne sait jamais. » Dans sa lettre, Lulu me donne une recette de cuisine, la tête de cheval haricots rouges dans une lessiveuse. Dans la marge, elle a dessiné un cheval qui refuse de franchir l'obstacle, elle écrit : « C'est toi, ma galvaudeuse. » Pas un mot sur Gérard! La lettre de ma mère commence comme celles qu'elle m'écrivait en préventorium : « Bonjour ma Grande. » Elle me parle des mêmes choses : sa colite, ses pertes qui ne sont pas normales, la dureté de la vie, l'égoïsme des hommes. Elle se termine de même façon : « Ta maman qui t'adore, Maman. » J'ai lu tout ça en reniflant tandis que Bert m'attendait au volant de sa Mercédès en lisant *Le Provençal.*

Jeudi treize.

Ce matin, j'ai trouvé sous le papier d'une des tablettes de l'armoire, un calendrier de chez Bourgeois qui sentait le muguet. Chaque jour du mois de mai était rayé, à la place des samedis et des dimanches, le carton était crevé.

Vendredi quatorze.

Je sens monter en moi l'angoisse du week-end. Ce matin, Toudé est montée dans ma chambre faire sa tournée d'inspection. Je l'ai bien faite marron... On aurait pu manger par terre. J'ai eu très peur, quand elle a vérifié si mes draps étaient bien tirés, qu'elle ne découvre, sous mon traversin, la lampe de poche achetée à Toulon... Dieu merci! Elle n'a rien vu. Elle en a été quitte pour repartir tête basse... pas le moindre grain de poussière à se mettre sous la dent!

Samedi quinze.

Deux heures et demie du matin, soixante-quinze passes... Je ne l'aurais jamais pensé... surtout avec la robe que Toudé m'a forcée à acheter ce matin : une robe de jersey marron, lourde comme un chagrin, signée *Ted Lapidus.* Une robe qui me coûte un week-end. Trop fatiguée pour faire le calcul...

Dimanche seize.

Chez Tonton, il y avait du civet de lièvre. Je n'ai rien mangé. En revanche, maintenant que tout le monde dort, je vais me mettre à la fenêtre et compter les étoiles.

Lundi dix-sept.

Pas de nouvelles. J'espère que mon prélèvement sera négatif.

Mercredi dix-neuf.

C'est la première fois qu'un client me paye pour une heure. Un homme tellement gentil... J'en ai pleuré. Quand la porte a été refermée, il m'a dit « Allonge-toi et essaie de dormir. » Je n'ai pas dormi mais il ne m'a pas touchée. Il est resté allongé près de moi et nous avons bavardé. Il n'était jamais monté. Toudé et Risty étaient estomaquées qu'il le fasse avec moi. Il s'appelle Jean. Il est propriétaire d'une auberge à Vallauris. Il m'a donné trois cents francs en posant un doigt sur ses lèvres. Il me fait penser à Paul, à Daniel. Il m'a promis de revenir. Il m'invite, mes deux mois terminés, à venir me reposer chez lui. Cher Jean, que cherche-t-il?

Jeudi vingt.

J'ai vomi tout mon repas dans le lavabo, j'ai envie de crever.

Vendredi vingt et un.

Une heure du matin... Le week-end s'annonce mal... Aujourd'hui, un client m'a mordu le sein. La douleur et la vue du sang m'ont mise hors de moi. Je ne sais pas où j'ai puisé la force de foutre ce salopard à la porte. Toujours est-il qu'il s'est retrouvé à poil sur le palier. Toudé est montée en furie. J'ai cru qu'elle allait éclater tellement elle était rouge. Si jamais son cœur avait lâché, ça aurait fait une ordure de moins sur cette terre. Elle m'a fait sauter ma passe et dimanche, je reste ici en punition. Oh! Une punition qui n'en est pas une : les déjeuners de famille me dépriment. Les conversations à table sont toujours les mêmes. Ils ne parlent que de voyous, de filles, de maisons, d'affaires, de clients, de prison... Un vrai calvaire pour moi qui n'ai rien à dire.

Samedi vingt-deux.

Deux heures et demie... J'ai un client dans la salle de bain, en train de pisser dans le bidet. Un « couché ». Quelle angoisse!

Lundi vingt-quatre.

Je vais finir le mois seule avec Mado. Martine a la syphilis. Elle est rentrée à Marseille aujourd'hui. Ce soir j'ai le spleen. Si une chose pareille m'arrive, je me flingue. Pourtant Martine ne semble pas touchée. Elle nous a annoncé ça en prenant l'apéro. Il paraît que c'est sa troisième! Elle dit en riant : « J'ai encore chopé le « naze. Tant mieux, ça fait des vacances! » Je trouve ça trop triste. Le client avec qui j'ai fait « un couché » samedi, ne m'a pas laissé une minute de répit. Il est parti à sept heures et demie du matin. Dimanche, en faisant mon ménage, j'ai trouvé un calibre sur l'armoire. Je n'ai rien dit. Mais aujourd'hui, à midi, le Marseillais est revenu. Il a parlé à Toudé à voix basse. Ils sont montés. Quand je suis montée à mon tour, j'ai glissé ma main au-dessus de l'armoire, le calibre avait disparu! Quels sont ces hommes qui oublient l'artillerie dans une chambre de passe?

Ce matin, une lettre de Lulu. Elle m'apprend que Gérard, armé jusqu'aux dents, rond comme un petit pois, écume la capitale avec une équipe de briseurs de rêves. « Tu es bien là où tu es », écrit-elle. Mado dit que je suis privilégiée de pouvoir sortir. Les jours sont tellement longs... les nuits si courtes.

Mardi vingt-cinq.

Trente passes. Journée calme. Il est vingt et une heure trente. Ce matin, Risty m'a envoyée chercher le journal sur la petite place, j'étais folle de joie de cette sortie inattendue. Je n'irai plus chercher le journal. Un gosse m'a jeté une pierre en me traitant de putain.

Mercredi vingt-six.

Il y a presque un mois que je suis en maison... difficile de réaliser ça. Pour l'instant, j'ai l'impression de gamberger au ralenti. Aujourd'hui, j'ai monté Julien, le fils du pharmacien du village. Il a vingt ans. Il a essayé de m'embrasser. J'ai pensé aux lèvres de François.

Jeudi vingt-sept.

Texte du télégramme expédié ce matin à Lulu de la poste de Solliès-Pont : « Trouve n'importe quel biais. Joins France ou Maloup pour me remplacer en décembre. J'en peux plus. S'il le faut, fais intervenir le vieux comme un ami du mien. Marie. »

Eh oui, après tout, pourquoi pas le dab, c'est bien lui, mon premier micheton. J'ai une bonne mémoire, ça s'est passé le premier janvier 1962... La mère était partie bringuer, les petits dormaient, mon fiancé m'attendait, appuyé contre les grilles de chez Guilvard, le magasin funéraire. En faisant la vaisselle, j'ai soulevé le rideau de la cuisine, je lui ai fait signe de ne pas s'impatienter. Il se croisait les bras et se frottait les biceps, on n'avait pas idée d'être coquet à ce point-là, de sortir un Premier de l'An en veste de velours noir et en pantalon pattes d'éléphant alors qu'il neigeait. Oui, je me souviens qu'il neigeait, et qu'après avoir essuyé la dernière assiette, je suis rentrée à pas de loup dans notre chambre pour y chercher mon duffle-coat. Les petits ne dormaient pas, ils étaient tout nus à la fenêtre, les mains tendus vers le ciel. Le plus jeune, assis au milieu du matelas, avalait les flocons que ses frères lui jetaient. J'ai crié, j'ai distribué des coups parce que c'était la loi.

En fermant la fenêtre, j'ai envoyé un baiser à Jean-Paul : « Je descends. » J'ai frappé à la porte du dab pour lui souhaiter la bonne année. Il a replié *l'Huma,* il m'a dit : « Mais tu t'es maquillée, t'as des sous pour sortir? » J'ai répondu : « Jean-Paul me paye le cinéma. » Il a rabattu le drap, il bandait comme un cerf. Sur le tabouret qui lui servait de table de chevet, il avait mis trois pièces de cent francs... Il a dit : « Suce, elles sont à toi... » J'ai entendu Jean-Paul siffler notre chanson, *Love me tender.* Je savais qu'il s'impatientait, qu'il avait froid, que c'était le Jour de l'An, mais moi je ne pouvais pas sucer. Pourtant, j'avais envie de voir ce film qui se jouait au Miramar, *Les régates de San Francisco,* avec Danielle Gaubert et Laurent Terzieff... Alors je l'ai branlé et j'ai ramassé les trois balles.

J'en peux plus, c'est vrai, et cette vieille maquerelle de Toudé qui dit qu'on ne doit pas boire d'alcool me remonte au cognac quand je flanche. Maintenant qu'il ne reste que Mado et moi, il y a des soirs où l'on ne sort même plus de la chambre, où les mecs font la queue dans l'escalier, où je ne prends même plus le temps de me laver, où je travaille avec un tube de vaseline à la main.

Samedi vingt-neuf.

France arrive demain pour assurer la relève de décembre. Nous ne nous verrons pas, mon avion décolle à midi. Dans la Mercédès qui glisse en direction de Marseille-Marignane, toutes vitres ouvertes, j'ouvre les bras, c'est fini, je ne croiserai plus mes mains devant mon visage quand on me parlera de près, c'est fini. Contre vents et marées, je vais vivre ma vie, je ne baisserai plus jamais les yeux devant personne, je ne tremblerai plus. Lulu s'est vraiment montrée à la hauteur : non seulement elle a persuadé France de me remplacer en catastrophe, mais elle a réussi à me décrocher une place au *Cristal* à Evreux, où Maloup travaille depuis deux jours. Igor vient me chercher à l'aéroport et m'y conduit directement, je me reposerai plus tard! J'irai revoir la mer, pas celle-là, trop bleue, qui s'étire à ma gauche, mais l'autre, la grise, la vraie, avec ses dunes blanches et son sable froid.

Après l'enfer de Cuers, je me laisse mollement glisser sur la table de billard au *Cristal*, au gré des coups de cannes des cultivateurs du coin. L'endroit est assez sympa, Maloup et moi régnons en despotes sur Christine, la gérante, une grosse fille blonde qui ignore que le contraire de oui est non!

Nous avons mis au point un numéro qui consiste à enseigner aux paysans que le plaisir des yeux est bien supérieur à celui du tripotage. Une parcelle de chair rose vaut bien une parcelle de terre. Les pourboires trébuchent grassement sur le zinc... De véritables cousettes, travail fait main. Maloup, après deux ou trois whiskies, n'hésite pas à poser ses seins en guise de tronc sur le bord du comptoir et moi, à mettre ma souplesse à l'épreuve en faisant la roue au milieu des indigènes. Que les Normands aient des oursins dans leurs poches est une légende! C'est vrai qu'ils se mettent au lit avec leurs bottes, qu'ils nous caressent la croupe comme ils le feraient à leur jument, mais, dans l'ensemble, les Normands sont bons enfants et je les préfère aux rétifs Méridionaux qui nous lacèrent les hanches en nous plantant une virilité douteuse dans le ventre, et qui, une fois satisfaits, arborent des airs conquérants.

Et puis, ici, nous ne sommes pas des putains, mais des barmaids montantes! Bien sûr, il manque un carreau à la fenêtre de notre chambre et quand il pleut, il pleut dans notre lit. C'est un peu humide, c'est la maison des courants d'air. Quand on a trop froid, on se blottit l'une contre l'autre, on fait des projets. Et le soir du réveillon, on a fermé la boutique à onze heures, on a largué les mecs dehors en leur chantant *Minuit chrétien* et on a sauté dans un taxi pour aller s'éclater à Paris, à *la Venta*! Bien sûr, on était fatiguées le lendemain et, au bout de cinq jours, la dinde de Noël était devenue un peu coriace. Bien sûr, on aimerait rester au *Cristal* six mois de plus, mais nous sommes le 31 décembre, la relève arrive demain, il faut plier bagages, remonter vers la capitale. Advienne que pourra, j'ai décidé de ne plus me cacher.

Au coin de la rue Pigalle et de la rue de Douai, les filles tapinent en robe de lapin blanc, en bottes de cuir rouge, en renard argenté, en cheveux souples, en faux cils de soie, en trench-coat de tweed, en Mercédès coupé, en sac Hermès. Il y en a de girondes et de locdues, des chouettes et des rosses. Y a même des travelos sur le coin de Victor-Massé, des travelos qui font la pige aux gouines de chez Moune.

A l'heure de l'apéro, en trempant leurs chalumeaux dans leurs gobelets, les copines commentent le dernier Goncourt. Y en a qui parlent de plaquer le métier, y en a qui s'agitent sur un air des Beatles. Y en a qui se montrent leurs bleus, y en a qui relèvent leur jupe, y en a qui rient, d'autres qui pleurent. Et puis, y a les mecs qui friment la came, qui se grattent le menton, qui s'envoient en l'air dans leur pantalon. Y a la rue, la vie, y a Franzie avec qui je partage un mètre de bitume, Franzie qui me sert de bouclier.

Dans quelques heures je vais retrouver mon coin, Pigalle angle Douai, où l'indépendance dont j'avais rêvé s'effiloche en longues heures passées au poste de l'Opéra. Les bertelots nous font une chasse impitoyable, les P.V., où l'article 34 me rappelle que toute attitude sur la voie publique incitant à la débauche est punie par la loi, s'additionnent dans mon sac. Un jour il faudra payer, si je ne veux pas me taper du placard. Contrainte par corps, qu'ils appellent ça, les lardus. Si seulement je savais quoi en faire de mon corps, de ma peau, si seulement j'avais le courage de m'en débarrasser. Un an, il faut que je tienne encore un an, que je fasse des sous et que je trace n'importe où!

Mais comment tenir avec la peur au ventre? Comment tenir sur le coin, quand un simple regard mal interprété est matière à bagarre! La semaine dernière, une fille a roulé dans le caniveau, le front ouvert. Elle y est restée plus d'une heure jusqu'à l'arrivée de Police-Secours. Pour elle, la nuit était foutue, pour moi aussi. Comment tenir quand il faut courir après un hôtel qui consente à nous recevoir? Frapper souvent à cinq ou six portes avant de trouver la bonne, grimper cinq ou six étages dans le noir pour atterrir dans une chambre sans sonnette et, qui sait, un fou sur le ventre.

Alors, changer de rue peut-être, changer de quartier, retourner aux Halles, me mettre à l'abri derrière une porte vitrée? Mais quel taulier m'acceptera, je ne suis plus mariée et je suis tricarde! Je ne vais tout de même pas retourner au charbon et gagner cent sacs par mois, alors qu'au 45 c'était ma comptée du jour! Peut-être choper un vieux plein aux as, pourquoi pas? C'est bien dans cet esprit que j'ai été élevée. Je ne l'ai pas inventé toute seule, on me l'a rabâché. « Elle est jolie, la petite Marie, et qu'est-ce qu'elle fera quand elle sera grande? » La petite Marie tournait les mains dans ses anglaises et répondait : « Je trouverai un vieux monsieur pour m'engraisser. »

Berk! Je déteste mon sexe, je l'ai découvert trop tôt ou plutôt celui qui me servait de grand-père l'a découvert pour moi en m'écartant avec ses ongles noirs de terre. J'avais quatre ans, la première fois que j'ai eu du sang entre les cuisses.

Demain, je parlerai à Lulu, je lui demanderai de me faire parrainer. Après tout, j'ai des références, j'ai jamais envoyé quelqu'un au trou, je suis la fille d'un voyou et par-dessus le marché je suis une bonne grimpeuse. Rien n'est perdu, Franzie me suivra, et, qui sait, Maloup peut-être aussi. Le temps d'être heureux finira bien par arriver, car si certains soirs je hisse le drapeau noir, je ne désespère jamais de revoir le jour.

Neuf heures, France n'est pas encore arrivée. Un quart d'heure que je suis sur le coin et je n'ai pas dérouillé, serais-je en train de baisser?... Non, puisqu'un petit homme rondouillard s'avance à ma rencontre en se dandinant, et que je lui trouve une bonne tronche de micheton... Vas-y Sophie, éclate ton corsage, allume tes lampions, aiguise tes quenottes, arrondis ta hanche, cambre ta chute de reins! Attaque... *Hello boy, look at me*, mon petit nom c'est Sophie. « Combien ton tarif, ma jolie? »

Quelle hardiesse! Ou bien c'est un mordu, ou c'est la première fois et il se donne un sacré coup de pied aux fesses.

« Cinquante francs plus la chambre! »

Et j'ajoute avec une petite moue prometteuse :

« Toute nue, bien entendu. »

— Tu fais des fantaisies pour ce prix-là?

— C'est la moindre des choses. »

Ce genre de question a le don de m'irriter, toi, mon vieux lapin, tu vas sentir ta douleur. Je passe mon bras sous celui de Rondouillard. J'ai un petit hôtel rue Henry-Monnier, que je paye à la journée et où je laisse quelques fringues, ça me permet de monter trois fois dans la nuit. Alors, comme c'est le premier, pour me porter veine, j'envoie d'un ton calin :

« Tu m'es sympathique, j't'emmène directement à mon hôtel, tu payes pas de chambre mais tu me donnes quatre-vingts francs et on reste plus longtemps. O.K.?

— O.K., ma jolie. »

J'allonge la jambe, l'enseigne de l'hôtel clignote joyeusement en signe de welcome.

« Eh bien quoi, sois pas timide, viens... sors pas ton portefeuille ici, tu me paieras là-haut!

— Police. »

La plaque de Rondouillard-Pourri me crève les yeux, m'arrache des larmes... Un flic!

« Oh non, c'est pas juste, c'est pas légal.

— Tes papiers. A toi de me suivre, t'as une place dans le car. »

On refait le chemin à l'envers et, cette fois, c'est lui qui m'empoigne le bras. Le coin est vide comme s'il n'y avait jamais eu de filles. Les hommes errent comme des chiens enragés autour du *Lautrec* et du *Sans Souci* où les filles, éclaboussées de néon, trinquent à la santé des bertelots.

Dans le panier, garé place Pigalle, je me mords les poings. Une chance que j'ai prévu des pipes pour la nuit! Le panier s'ébranle, c'est reparti pour un tour, dix heures de poste et Saint-Lago au bout de la nuit. J'écarte d'un geste de colère le billet de cinq cents francs que Rondouillard-Pourri froisse devant mes yeux en ricanant. Trente heures de poste par semaine, c'est trop, il est urgent de changer de rue. Retourner aux Halles avec France, Maloup et quelques filles du coin, fonder une nouvelle école en bannissant les décolletés douteux, les maquillages outrageux, les bottes à lacets, les robes de cuir, les coiffures en pièces montées. On travaillera toutes en jupe plissée, corsage et chaussettes blanches. Les clients passeront devant le 45 sans tourner leurs regards. Ce sera la faillite, Madame Pierre sera obligée de fermer boutique! Et qui sait? Je ferai peut-être mes affaires...

Le 45 comparé au 71, c'est le Petit Trianon. Il faut avoir du cœur au ventre pour pousser la porte à double battant, derrière laquelle des filles aux allures felliniennes s'agitent en grognant. Un quart d'heure au rade d'en face nous a suffi, à Franzie et à moi, pour faire le tour de la situation. Nous pénétrons dans l'antre des travailleurs émigrés, terrain propice aux névropathes en tout genre. Une odeur de sperme nous égratigne les narines, la rampe gluante nous empoisonne les doigts, le tapis miteux entrave nos pas. Va falloir serrer les dents, les yeux et les poings.

Gaby le Chanteur se tient debout à l'entrée du bureau. C'est un bel homme au visage ouvert, un julot d'avant-guerre aux épaules carrées, lingé comme un milord, une certaine classe, Gaby!

« Alors, d'après ce que vous m'avez dit au téléphone, vous cherchez une placarde? Vous êtes bien mariées? Vous grimpez? »

Il nous écoute en souriant sans nous interrompre. Notre proposition est alléchante. Franzie et moi lui ramenons de la chair fraîche, choucarde et courageuse, des nanas qui en veulent, mais vite. Tout pourrait être pour le mieux dans le meilleur des mondes. Hélas! trois fois hélas! La rue Saint-Denis est atteinte de gangrène, les hôtels ferment les uns après les autres. Le 45 lui-même n'est pas épargné. Les filles ici font leur dernière journée. L'appellation d'hôtel borgne n'a jamais été aussi juste : chez Madame Pierre, les filles passent leurs douze heures, emmurées dans les chambres où elles prennent leurs repas.

« Mesdames, le drapeau noir flotte sur la marmitte, dit Gaby en tirant sur son havane. Le pain des jules est en danger!

— Mais M'sieur, y a sûrement un moyen! »

On se fait câlines, suppliantes. C'est qu'on ne veut pas y retourner, à Pigalle, c'est qu'on a pas l'intention de les payer, nos P.V., pas plus que de perdre notre jeunesse à jouer au rami au poste de l'Opéra. On veut des sous, des gros sous, et il y en a encore à faire ici! Nous voulons être les dernières à en profiter avant que les pelleteuses, les bulldozers n'éventrent les Halles, avant que les gras promoteurs ne défigurent tout! Monsieur Gaby le Chanteur, donnez-nous une loge, on vous promet d'être discrètes et inodores. On veut regarder mourir la rue la plus chaude de Paris, on veut la voir glisser, sanguine, sur les trottoirs écartelés. Laissez-nous nous en abreuver, nous nourrir des derniers globules, après ce sera trop tard! Ils l'auront mutilée. Ah, j'avais bien senti que Gaby était un sentimental, nous l'avons ému. Dans la fumée du havane se dessine une promesse. Franzie et moi attendons qu'elle se concrétise en nous rongeant les poings.

C'est bon, à condition qu'on se trouve une placarde dans les courants d'air, rue des Prêcheurs ou rue de la Cossonnerie et qu'on se colle pas le fion à l'hôtel, sinon il vire. Gaby nous file une clef à chacune. Il pense que, d'ici quelque temps, les choses vont se tasser, on pourra amener nos copines.

Une de Mai, c'est moi! Je cours tous les jours rue des Prêcheurs, y compris le dimanche, depuis trois mois. Moi qui croyais avoir tout vu, tout essuyé, me voici exposée aux rudes courants d'air des sarcasmes les plus mordants! Hier c'était un œuf pourri lancé d'une fenêtre anonyme, aujourd'hui le cartable d'un enfant qui me scie les jambes, demain un crachat, après-demain une insulte, une pierre, un coup, les heures tristes, pliée sur un banc, au poste du marché Saint-Honoré...

Aujourd'hui pourrait être un beau dimanche. Les cloches de Saint-Eustache s'envoient allègrement en l'air vers le ciel de midi, mais hélas, sur Saint-Denis River, pas un coche d'eau, la rue est vide. Que se passe-t-il? C'est un matin blafard, une ville morte où j'entends le malheur cogner à chaque porte. En relevant les yeux, j'aperçois une voisine secouer une loque de ses deux bras graisseux, avec un air haineux. Poussières et vermines tombent sur le trottoir... je croise un mauvais bougre allant à l'abreuvoir. C'est un matin chagrin où le crachin ruisselle le long des vitres sales. Plus loin, vers Rambuteau, le sanglot d'un enfant s'étrangle dans un râle. Un rideau métallique grince dans le matin, soulevé avec peine par les bras d'un gamin. Un vieillard frileux bute sur le pavé, entraînant dans sa chute sa carafe de lait. C'est un chaland qui passe, qui soupèse mes seins, c'est mon pied qui lui taraude le bas des reins, c'est un chien qui hurle au loin, près du canal, c'est moi qui reste là pleurant près du fanal, moi qui hurle et qui mords, qui montre mes P.V., moi qui supplie les cognes de ne pas m'emporter puisque je n'ai rien fait, puisqu'il n'est que midi et que je ne veux pas me réveiller demain, toute chiffonnée, à la ratière, avec les mirettes de travers. Les cognes me jettent dans le panier comme une marchandise avariée. Sur les banquettes, il y a trois mecs, menottes aux poignets, la gueule ensanglantée. Les cognes sous leurs pèlerines s'en font une à deux mains et je sens naître en moi un désir de vengeance envers toute cette pourriture.

Dans la cage attenante à celle où je me trouve, les cognes bastonnent un homme. Je ne peux plus supporter ses cris, alors je me lève et je crie :

« Arrêtez, arrêtez de frapper, s'il vous plaît, ne le battez plus, faites-le taire... »

Ma tête rebondit contre les barreaux, les filles m'empoignent, m'allongent de force sur le banc, m'enfoncent un mouchoir dans la bouche, appellent le chef de poste en disant que j'ai une crise d'épilepsie... On me conduit aux toilettes, on m'arrache les cheveux pour me passer la tête sous l'eau froide, l'homme crie toujours. Sur le lavabo, il y a un verre, le même que ceux de la cantine de la communale. Je promets de me calmer, je demande la permission de boire... Les cognes me lâchent, le verre éclate, je regarde couler mon sang sur la pierre blanche, ma main gauche s'engourdit. Je ne pouvais plus supporter ces cris, c'était le seul moyen de sortir de là. Dans le car qui roule en direction de l'Hôtel-Dieu, allongée sur un brancard, le bras entortillé dans un mouchoir de flic, je me sens revivre.

Mai 68, le pays est paralysé par les grèves, celle des éboueurs entre autres. Au coin de Saint-Denis et des Prêcheurs, Franzie et moi, des épluchures jusqu'aux genoux, on tire sur le bambou, ce qui ne nous empêche pas de grimper, bien au contraire, à croire qu'en temps de crise, les hommes ont davantage besoin de tendresse. Mais nous devons prendre garde, il n'y a pas qu'au Quartier Latin que valsent les pavés, on manifeste un peu partout, de l'Etoile à la Bastille. Après le boulot, nous allons rejoindre les rangs des révolutionnaires en chantant *l'Internationale,* réaction bien naturelle quand on a poussé aux portes de la ville. C'est que je n'oublie pas les dimanches matins où je me levais à sept heures pour vendre *l'Huma* au coin des rues. Au 14, le dimanche matin, ça roupillait dur, en juillet spécialement, il y avait du sommeil en retard pour les congés payés, pas suffisamment payés toutefois, puisqu'ils restaient là. Jusqu'au coin de la rue Avaulé, j'entendais leur bruyant sommeil, le sommeil usinier peuplé de rêves utopiques.

« A quoi rêve l'ouvrier? » Question posée aux élèves d'un collège d'Enseignement technique de la Région parisienne, le jour du passage du Brevet commercial. « L'ouvrier ne rêve pas, il est trop fatigué pour ça. L'ouvrier travaille et ronfle. » L'auteur de cette réponse a brillamment passé l'épreuve, elle a eu droit, à la rentrée, à un job durable, une place dans un laboratoire pharmaceutique, section manutention, un boulot propre à deux pas de chez elle. Un seul inconvénient, elle devra elle-même fournir la blouse blanche indispensable. Dans les labos, on ne plaisante pas sur la tenue vestimentaire des employés! Recalées les autres, les obscures des derniers rangs qui ont osé prétendre que l'ouvrier rêvait comme tout le monde, à part qu'il s'endormait bercé par le vrombissement abrutissant du tour, le grincement lancinant de la perceuse et de la fraiseuse, des traites de la télé, de la note qui s'allonge chez l'épicier, de la quittance de gaz et d'électricité... Coupé, une fois, deux fois, trois fois! L'ouvrier est condamné à vivre dans l'ombre, dans un petit intérieur propret mais tellement sombre, avec sa nichée affectueusement repliée sur sa misère. Une misère qui tape sur la table, qui danse devant le buffet, une misère qui montre les dents, qui menace de tout faire sauter si on ne lui donne pas de quoi manger. On les a recalées, celles des fonds de classe, quand elles ont décrit, en lettres rondes sur leurs pages blanches, le rêve de l'ouvrier.

Je regrette de ne pas être poussée vers la révolte, comme les jeunes qui me serrent le bras dans le rang, et avec qui je me confonds. Pourtant, j'ai leur âge, je pourrais être étudiante, moi aussi. A bas le mensonge, l'hypocrisie! Je ne me laisserai jamais pétrir dans la saleté, et s'il m'arrive, comme eux, de courber l'échine, c'est pour mieux relever la tête, donner le coup de bélier décisif... Marginale, clameront les engoncés, les prisonniers d'un confort imbécile et aliénant. Oui, marginale, inadaptée à la société, susurreront les autres avec dédain, oui, inadaptée à une société mensongère et tordue, cultivée par « eux », société dont ils prennent soin d'exclure consciencieusement tous les enfants des courants d'air!

Oh! Cœur Fou, toi dont j'ignore le prénom, toi qui quelque part m'aime sans le savoir, il est important que tu saches que je ne serai jamais matée ni apprivoisée, que pour moi, comme pour ceux qui me serrent les coudes, il n'y aura jamais de portillons automatiques, de pelouses interdites, de feux régulateurs... Nous percerons les jeux de la répression! Qu'importe leurs couleurs, qu'importe que nous y laissions des plumes! Ceux qui suivront auront les ailes plus fournies! J'aimerais t'écrire des mots d'amour, mais ceux-ci ne sont-ils pas les plus beaux? Ecoute : les enfermeurs n'auront jamais de prisons assez grandes pour emmurer ceux qui, comme toi et moi, rêvent de liberté! Nous croîtrons, pareils au chiendent, nous ferons éclater les murs des geôles pour atteindre enfin les prairies superbes de la vérité...

Hier, dans un hôtel de la rue des Lombards, une fille de vingt-deux ans s'est jetée d'une fenêtre du deuxième étage. Elle était taxée à deux cent mille francs par jour. Cœur Fou, fais-moi signe, il est temps, je ne veux pas passer ma vie à me tailler les veines en quatre. L'autre jour, j'ai encore flanché, pourtant je n'avais pas envie de mourir, mais je ne voulais plus rester dans cette cage, je ne voulais plus voir les visages résignés des filles, ceux ironiques des flics. Je ne pouvais plus entendre les cris de cet homme qu'il matraquaient de l'autre côté du mur. Cet homme, c'était peut-être toi et je ne l'ai pas supporté. Oh, fais-moi signe, fais-moi signe d'exister et, surtout, n'aies pas peur en me voyant approcher : je serai peut-être un peu brutale, mais au moment où je baisserai les yeux, prends-moi doucement et serre-moi fort, embrasse-moi debout contre un mur, n'importe lequel, embrasse-moi longtemps. Mais viens vite, parce qu'en vérité je n'ai plus la foi et je voudrais dormir, dormir jusqu'au jour de notre rencontre, et me réveiller vierge contre toi.

L'été arrive, ramenant avec lui ses odeurs corrompues. Je le regarde, seule, glisser tiède et gluant dans la rue des Prêcheurs pendant que France se refait une santé sur l'Ile de Beauté. Quant à Maloup, j'ai eu la surprise, un soir de juillet, de la voir arriver rue Pergolèse, où j'habite à présent, affublée d'un escogriffe aux traits mous qui, pour elle, a le visage de l'amour. Bébert continuera à recevoir ses mandats, ses deux colis — Noël et Jour de l'An — mais désormais, il sera privé de lettres et de visites. Cinq ans, c'est long, mais quand l'amour se met en cavale, ça devient interminable. A chacun sa chimère, Bébert l'apprend à ses dépens.

Maloup baisse les bras, abandonne les asperges et travaille, juillet et août, comme barmaid dans un bar de la rue Claude-Terrasse où je passe chaque jour lui faire un quatre-cent-vingt-et-un. Maloup parle un autre langage. Est-elle satisfaite de sa nouvelle vie? J'en doute. Pendant qu'elle essuie les verres, son escogriffe se prélasse dans le lit conjugal. Il est au chômage. Je la mets timidement en garde, elle sourit, confiante. « Il finira bien par trouver un boulot, répond-elle, et je pourrai rester à la maison et m'occuper de ma fille que je vais reprendre avec nous. » Puisque Maloup dit déjà « nous », tout conseil m'apparaît désormais superflu. Qu'elle vive sa vie, j'ai la mienne à vivre. J'espace mes visites au bar de la rue Claude-Terrasse, je reste une semaine sans y aller, et puis un jour de blues j'y retourne. A la place de Maloup, une petite boulotte essuie les verres. Je quitte le bar sans toucher à mon verre. Le cœur gros, je roule comme une dingue en direction de la rue d'Aboukir. « Madame Langlois a définitivement quitté l'appartement », m'apprend la concierge. « Elle n'a rien laissé pour moi? Un message? Un numéro de téléphone? » Rien. Maloup est partie. Partie sans laisser d'adresse.

Là-haut, au deuxième, il n'y a plus de clef sous le paillasson. Il faut tirer un trait sur la rue d'Aboukir, la rayer du plan de Paris.

Rue Saint-Denis, après un printemps agité et un été cahotique, le ruban refleurit, le frileux vent d'automne rouvre avec fracas les portes des bordels. La jeune classe prend place sur les bancs poisseux du 71 rue Saint-Denis où, du haut de l'estrade, Gaby le Chanteur, devenu maître, devenu commissaire-priseur, prône en se frottant les mains, les avantages de sa nouvelle écurie. « Approchez, je vous en prie, monsieur le préfet, avancez-vous jeune homme, faites une place aux vieillards, aux invalides, laissez rentrer les sourds, les muets, les pas beaux, les polios, il y a de la place pour tous ceux qui ont des sous! Allons-y docteur, vous le manchot, toi l'artiste et toi l'abruti, toi le puceau, le monsieur à la jambe de bois et vous, le monsieur de la télévision, faites-vous une trouée, voilà! Les filles ont les reins solides, elles ne refusent que les bicots. Vous avez tous droit de cuissage, du plus petit au plus gros, allons-y! Avancez, passez la monnaie, roulez jeunesse! L'année des folles enchères est ouverte. »

En cette fin de septembre, Gaby commence à remonter ses boules. A l'entendre, ses affaires n'ont jamais aussi bien marché, les miennes non plus! C'est le meilleur doping. Dans la rue, je ne suis pas seule, nous sommes seize à arpenter le bitume entre six heures du soir et une heure du matin. Les flics sont calmes. Pour quelques mois encore, nous avons la coopération chaleureuse des gens des Halles qui, à la moindre alerte, n'hésitent pas à nous planquer dans les arrières-boutiques. Aussi paradoxal que cela puisse paraître, cette période a quelque chose de merveilleux, à cause de la complicité de la nuit, de l'odeur fraîche des primeurs, des avalanches d'oranges déversées sur le trottoir, des bistrots accueillants, du feu des néons, des casiers d'œufs, des meules de gruyère qui encombrent mes pas. Le tumulte chamarré des Halles me rassure, la nuit me protège. Pourtant, quand aux alentours de Noël, Gaby parle de former une équipe de jour, je me porte immédiatement volontaire. Les horaires seront neuf heures-dix-huit heures. Neuf heures derrière la vitre. Il faut assainir les trottoirs, rendre aux gens honnêtes ce qui leur appartient.

Le jour du Premier de l'An, dans l'après-midi, Gaby, qui n'est décidément pas un taulier comme les autres, convie ses filles à une petite dînette dans le bureau de l'hôtel. Les boîtes de caviar éclatent, on le mange à la cuillère, les bouchons de champagne sautent! Dans l'allégresse générale, le Chanteur nous présente ses vœux, « Mesdames, la meilleure chose que je puisse vous souhaiter, c'est que vous ne soyez plus là, l'année prochaine! » On applaudit bien fort, l'œil humide. C'est touchant vraiment, de la part d'un taulier! Pour ma part, ça ne fait aucun doute : dans un an, j'aurai oublié le 71.

Après les embrassades indispensables, Gaby passe à l'action. Nous serons onze à constituer le *jet set* du 71, l'équipe de jour est formée. *Jet set,* parce qu'il me semble que quelque chose a changé dans la mentalité des filles, dont la moyenne d'âge est de vingt-cinq ans. Bien que le fond reste le même, elles s'habillent mieux. Le mot « Couture » entre dans le vocabulaire quand elles parlent de vêtements. Il leur arrive d'aller dîner entre femmes, certaines poussent même jusqu'au club. Il leur semble indispensable de posséder une voiture, de se faire coiffer chez Carita. Elles rêvent toutes de vison, de panthère, et trouvent normal d'avoir un compte en banque, et celle qui n'en a pas est une truffe. La seule montre capable de donner l'heure exacte est signée Cartier ou Piaget. Le summum de la réussite est, bien entendu, d'avoir l'annulaire orné d'un diamant, quelle que soit sa taille, sa provenance. Les filles s'émancipent-elles? La prostitution est-elle en train de se démocratiser? J'en doute, car plus je pénètre la vie de l'équipe de jour, plus mes illusions se dissipent. La mentalité putain est là, tenace. Elles sont semblables à leurs aînées, le langage est toujours le même. L'ancienne et la nouvelle écoles n'en font qu'une. La réforme n'est pas pour demain! Pourtant, malgré les apparences, quelque chose me dit que les filles sont imperceptiblement, mais sûrement, en train de prendre conscience de ce qu'elles sont, de ce qu'elles auraient pu être... Il est impossible que je sois la seule à me rebiffer.

Et Franzie? Franzie qui a choisi de faire partie de l'équipe de nuit, Franzie que je croise depuis quelques mois entre deux portes, Franzie qui semble me préférer Kim, Kim qui a, à son tour, claqué la porte au nez de la Poison, Kim avec qui elle passe son temps, attablée à la terrasse de *la Bistouille,* un bistrot de la rue de la Cossonnerie qui recrute une clientèle peu ordinaire. Eh oui! Les Halles ont plié boutique depuis peu, mais déjà une nouvelle faune s'y ébat, faite de broques improvisés, de fripiers, de cravateurs, de gratteurs de couilles vertes, comme dit mon père.

« Eh Franzie! Pourquoi, ce soir, ne pas profiter de l'absence de Kim pour prendre un gobelet toutes les deux à la terrasse de *la Bistouille,* puisque le soleil brille, histoire de faire le point. Regarde la Zone! Les nouvelles envahissent la rue, elles montent de partout, d'Avignon, de Marseille, de Limoges et de Lyon. Regarde-les qui s'avancent, frigantes et allègres, le sac entre les dents. Elles balancent du rêve à plein cœur, elles y croient et nous, on n'y croit plus. Elles sont venues troquer les volets clos contre un coin de lune. Regarde-les déballer leur vie en vrac sur le trottoir. Oh Franzie! Le temps presse, il nous travaille au corps, prends ma main, serre mes doigts et traçons n'importe où, avant que nos ventres ne se démodent... Viens la Zone, je suis ta sœur, ton double et, comme toi, je me fous de ne pas avoir fait mes dents de lait sur les graines de caviar, j'aurais pas apprécié... Maintenant que les mecs ont écumé nos rêves, maintenant qu'on a nos voitures, nos fourrures, nos pompes et nos sacs signés, tu penses pas qu'il est temps de refourguer tout ça contre un peu de clarté, de tracer en filles au devant de nous? Ce serait chouette, non?

« Viens Franzie, ne nous attardons pas, il est temps de partir au devant de ce jour où l'homme aura épuisé toutes les richesses de la mer, où les flèches des cathédrales auront la tête à l'envers, où la guillotine n'aura plus de remords, où l'on pourra de nouveau embaumer nos morts. Viens, traçons vers ce jour où l'enfant qui naîtra n'aura plus de frontières, où le métro sera plus bas que terre, où les gratte-ciel ne voleront plus la lumière, qu'aux barreaux des prisons s'accrochera le lierre, quand le noir et le blanc accorderont leur pas, quand nous n'aurons plus peur de l'heure du trépas. Ne lâche pas mes doigts, allons nous balancer dans ce monde idéal d'où sera exclu jusqu'à l'esprit du mal.

« Viens la Zone, le temps presse, il nous talonne, ne le laissons pas passer devant. Franzie, souviens-toi... toi et moi à cheval sur un nuage, un calibre vingt-deux pointé sur la veine cave... Souviens-toi, nos projets, nos infidélités, ma première pipe, ma première bière, cette nuit à la Mondaine, le feu d'artifice dans les yeux de Dunave, Saint-Lazare... France, ta main!

— Sophie, tu rêves debout. Sophie, j'en peux plus, v'là deux mois que j'me pique et t'as rien vu, six mois que j'me gouine avec Kim. J'suis pas normale, tu sais, en six ans j'me suis jamais envoyée en l'air avec un mec. Sophie, j'ai un amant, mais moi j'suis pas maquée par Gérard à l'américaine, j'suis maquée par Jean-Jean. Mon homme n'est pas un barbillon, c'est un saignant, il baissera pas les bras comme le tien pour aller tenir le volant d'un taxi! Mon homme, c'est un marteau, un julot, un cador, un prêt à tout, un bon à que dalle. Il est dangereux, Sophie, si je dérobe, il me flinguera! Je me sens comme un oiseau à qui on aurait coupé les ailes.

— A toi vieille branche, tire un peu sur le bambou, aspire bien, ferme les yeux, j't'assure, on voit la vie moins toque, Franzie. Demain, je pars, j'ai entendu parler d'une petit village à flanc de rocher dans le Sud de l'Italie. La légende dit que toutes ses fenêtres ouvrent sur la mer. Si tu te sens comme un oiseau, tu dois partir avec moi, les oiseaux n'ont pas d'horizon. Je te raconterai l'histoire de Jonathan, ce goëland fou et sage, qui ne voulait pas voler comme les autres. J'inventerai des fleurs avec des longues tiges où tu te poseras comme l'enfant qui naît, toute fripée, mouillée, laide et belle à la fois, comme l'enfant de l'espérance, sans un filet de voix, sourde, aveugle, avec des ailes de sang. Viens la Zone, traçons vers les soleils, ne te retourne pas, derrière nous tout est noir. »

Les yeux pleins de fumée, je quitte la rue Saint-Denis sans me retourner. J'emboîte le pas des gens de tous les jours, les filles du 45 griffent toujours la vitre... Oh Franzie, par *pietà,* comment fais-tu pour rester-là?

Vu du hublot, le ciel n'est plus qu'une immense bulle de lumière colorée. Nous survolons le Gâtinais, la Grande-Chartreuse, le grand paradis, les Alpes et son Mont-Blanc, l'Estérel, la Méditerranée. Et puis c'est l'Italie : Pisa, Civitavecchia, Latina, Napoli, la descente à pic sur la baie et son royaume, sur les pins parasols, les figuiers pulpeux, sur les rochers à fleur d'eau, les toits des maisons, ronds comme des tétons, sur la lave endormie. Les lauriers mauves et blancs, les bougainvillées, les jasmins s'entrelacent au-dessus des ruelles criardes. Le soleil rebondit sur les seins blancs des mamas, donne à la mer un reflet métallique et grinçant. Les rires des *guaglioni* éclaboussent la piste, on m'arrache ma valise, on me chante à l'oreille, on me caresse, on m'emporte... Je me laisse emporter, on me jette à la mer et je nage, les yeux brouillés d'écume. La rue s'efface dans le doux sillon bleu creusé par l'hélice, mes pieds se cambrent dans mes sandales, mes mains étreignent la rambarde, je ferme doucement les yeux. Non, je ne rêve pas, je ne suis plus penchée à la fenêtre du sixième, les pieds dans le placard à vaisselle. Je suis bien sur la mer, en croisière, au large de ma vie. Le souffle de Cœur Fou me caresse la nuque, j'ai seize ans, je lappe une glace à la pistache comme un chaton gourmand.

Au-dessus d'Amalfi une messe s'envole, chantée par des enfants courbés sous le brocard et les cierges antiques. La procession chemine dans l'ombre des galeries, s'étire jusqu'à la plage. L'ambre et l'encens se mêlent. Parmi les têtes brunes, je vois trois têtes blondes, trois petits et leurs larges yeux verts, Bernard, Christian,

Patrick, en tunique incarnat, qui enjambent les vagues. Leurs lèvres s'arrondissent en forme de cantique, ils me tendent les mains et j'effleure leurs doigts. Une voix bien connue perfore les abysses : « Marie, bois cette messe et bois tes moments bleus. Le bleu chasse le vert. »

J'ai jeté ma montre à la mer et les calendriers des années à venir, j'ai enterré la clef de ma gamberge au pied d'un arbre fou, je vis au jour le jour, à la nuit la nuit, je nage tous les jours de la vie. J'habite une pension accrochée au rocher, dans une chambre blanche où je rêve éveillée. Maintenant, je parle une autre langue et mes pieds qui veulent tout savoir y perdent leur latin, certains soirs ils m'accablent, ils me montent à la tête. « Où irons-nous après? La ferme, mes pieds, *domani e un altre giorno.* » Les gens de ma pension sont aimables et attentionnés. Trois fois par semaine, sur le plateau du petit déjeuner, je trouve un journal français, je lis les gros titres de *France-Soir.*

> LES RÉVÉLATIONS DU MORT-VIVANT DE SEINE-ET-MARNE, BLESSÉ DE CINQ BALLES DE PISTOLET, EN LISIÈRE DE LA FORÊT DE CRÈVECŒUR (Seine-et-Marne). Philippe V., vingt-six ans, a été la victime d'un proxénète jaloux. Celui-ci, Jean-Jean, trente-trois ans, gérant d'un bar parisien, était toujours en fuite hier soir. Il voulait que le jeune homme lui avoue où se cachait France, son amie, qui l'avait abandonné.
>
> Ce n'est pas un règlement de comptes, mais un drame sentimental. *France-Soir,* grâce à l'enquête de ses reporters, est en mesure de révéler que Philippe V., ce fils de famille de vingt-six ans, retrouvé grièvement blessé en forêt de Crèvecœur (Seine-et-Marne), est tombé sous les balles d'un jaloux.
>
> « LAISSE TOMBER CE MÉTIER »
>
> L'origine de l'affaire remonte à un an environ. A cette époque, Philippe V., qui collabore à la revue *Magiscope,* rue de la Cossonnerie à Paris, rencontre, dans un bar fréquenté par les prostituées du quartier, une habituée dite « France », vingt-cinq ans. Amour immédiatement

partagé, bien que France soit alors la protégée de Jean-Jean, avec lequel elle vit, partageant son temps entre le trottoir et la rue Bernouilli. Romance toute classique : « Je t'aime, je te veux tout à moi. Laisse tomber ce métier. »

Mais Jean-Jean, jaloux comme un tigre, très amoureux lui aussi de la jeune femme, s'inquiète de la baisse de « rendement » de sa protégée qui néglige sa clientèle pour courir aux rendez-vous de Philippe V. Il lui exprime, de temps à autre, son mécontentement par de sévères corrections dont les traces, sur le corps de France, bouleversent le trop naïf et trop romantique Philippe. Pourtant, elle réussit à décrocher et se consacre tout entière au bar *In the Wind,* rue Bernouilli à Paris, dont Jean-Jean est le gérant.

Les deux amants ont une confidente, prostituée également, Kim, la meilleure amie de France. Peu à peu, Philippe se met à douter des sentiments de sa maîtresse... Celle-ci, brusquement, il y a environ un mois, décide de quitter Jean-Jean et de se mettre au vert dans une retraite cachée. Le drame se noue. Jean-Jean, pris de dépit, humilié, va tout mettre en œuvre pour la retrouver. Qui interroge-t-il? Kim, l'amie de France, bien entendu. Kim sait beaucoup de choses, Kim parle tant. Il est difficile de résister aux arguments de Jean-Jean.

Philippe habite alors chez son frère, Jacques V., dans le dix-huitième. Lundi, à onze du matin, Jean-Jean et son acolyte Max se présentent au domicile de Jacques V. Très à l'aise, sans éprouver la moindre peur, Philippe leur ouvre. Les trois hommes vont rester quinze heures ensemble. Le sujet de l'entretien, c'est France, bien sûr. N'est-il question que de rivalité amoureuse pendant leurs conversations? Ne parle-t-on pas aussi d'argent, d'amende ou de tout autre chose? On confronte Philippe avec Kim. Confrontation négative. Jean-Jean, Max et Kim demeurent convaincus que Philippe connaît la retraite de France, alors que ce dernier le nie. Il doit être onze heures du soir. On décide d'aller manger un morceau dans une auberge des environs de Paris. L'Aston-Martin gris métallisé de Jean-Jean roule beaucoup, surtout dans les forêts et sur les petites routes désertes. Soudain, il stoppe sous prétexte d'un besoin pressant. Philippe et Max descendent aussi de la voiture pour se dégourdir les jambes. Mais Jean-Jean se retourne, dédaigne son 7-65 et tire cinq fois... Miraculeusement, on le sait, Philippe V. survivra et sera ramassé par un camionneur.

Le meurtre était-il prémédité? Jean-Jean a-t-il pris sa décision de tuer dans un brusque accès de colère? Quoi qu'il en soit, le comportement anormal des deux truands, qui ne passent pas pour des enfants de chœur, déconcerte les enquêteurs.

Enfin, les inspecteurs auraient retrouvé la trace de France et de Kim, sur le sort desquelles ils éprouveraient de vives inquiétudes.

Trois mois à peine que nous nous sommes quittées, Franzie. Le ciel était moins clair qu'aujourd'hui, mais il faisait chaud, rue Saint-Denis, on en a profité pour prendre un verre à la terrasse de *la Bistouille*. On arrosait mon départ en vacances, on regardait couler la rue en se roulant un joint et je crois bien qu'on a parlé d'oiseaux et tu m'as dit : « J'voudrais pas avoir l'air de déconner, mais y a des jours où je me sens comme un oiseau à qui on aurait cisaillé les ailes. »

On parle toujours des grands mutilés, des grands invalides de guerre, des grands brûlés, mais on oublie les grands noyés. Faites gaffe si vous leur jetez une bouée : ils ont la rage, les grands noyés, ils vous sautent à la gorge et vous entraînent au fond. Franzie, si tu refais surface, bats-toi de toutes tes forces, comme tu te battais au *Saint-Louis* dans cette robe noire que je t'avais donnée, bats-toi pour toutes les petites putes en herbe qui poussent à l'ombre des portes de la ville, pour Maloup, pour les fleurs de pavé qui percent à la va-comme-je-te-pousse le bitume des grands ensembles, pour Lulu, pour les fillettes aux yeux tristes qui crèvent dans la monotonie, pour la Zone et pour Sophie.

J'ai passé le cap de la désespérance, je sais à présent qu'on ne m'a pas menti, que la terre est bien ronde, ronde comme la vie, je sais maintenant que j'ai dit pour toujours adieu à mon enfance, que je suis la rivière qui court à la folie, la grande folie grise avec son sac et son ressac, ses vagues qui s'effilochent et qui battent mes tempes tous les jours de ma vie.

Je flâne sur le quai Malaquais, les bouquinistes se protègent du vent derrière des livres écrits par d'autres, le Pont des Arts se tend sous un rayon tardif. En empruntant le Pont-Neuf, je joue à ne pas poser mes pieds sur les joints des pierres du trottoir. Un autobus sort en trombe de la rue Dauphine, je jure d'être avant lui quai des Orfèvres.

Dans la grande cour du 36, sur ma gauche, une plaque indique : Brigade mondaine. Cette fois, j'y viens de mon plein gré. Dans le large escalier de pierre, monté tant de fois en jurant contre ces putains de flics, je croise trois hommes qui me sourient. Je réponds à leur sourire...

« S'il vous plaît, Messieurs, les bureaux de la Brigade mondaine, quel étage?

— Troisième sur votre droite, Mademoiselle. »

Décidément ces couloirs sont sinistres. Brigade mondaine... Brigade mondaine... Voilà, j'y suis. Je frappe... Je frappe pas?... Je frappe.

« Entrez! »

Je retrouve le décor, les bureaux encombrés de paperasses, les vieilles machines à écrire, l'odeur du tabac froid qui prend à la gorge, le manque de clarté, les placards métalliques et les flics... Je les connais presque tous... sauf lui... sauf celui qui, d'un geste de la main, me désigne une chaise. Curieux... Je ne l'ai jamais vu ici et pourtant son visage me rappelle quelqu'un. Mais qui? Qui? Le même visage percé de deux meurtrières, le nez rubicond, la bouche sans lèvres... J'y suis!... Le curé qui venait à *l'Hacienda.* Ce salopard qui nous confessait les unes après les autres derrière le rideau rouge. Ou bien c'est mon curé déguisé en flic, ou bien c'était un flic déguisé en curé.

« C'est pourquoi?

— Je viens me faire déficher... ou plutôt me confesser, mon Père.

— A genoux, pécheresse! Baisse la tête et relève ta jupe. Tu viens chercher l'absolution?

— Oui, mon Père. Je me repens d'en avoir vu de toutes les couleurs! Car j'en ai vu!... J'en ai vu plusieurs. J'en ai vu beaucoup... Des beaux, des pâlots, des petits et des gros, des nickelés, des grecs, des palmés, des cassés, des sans-souliers, des nus, des crochus, des noirs, des sales, des pannés, des chauds, des glacés, des cambrés, des violets. J'en ai vu de toutes les couleurs, de toutes les grandeurs, de toutes les planètes, du pied de grue au pied de porc, en passant par le pied d'alu, le pied de biche, le pied au cul, le pied de céleri, le pied de thym, le pied droit suivi du gauche. Mais c'est fini, je n'en verrai plus. N'allez pas croire, mon Père, qu'à l'époque où j'en ai tant vu, j'étais pédicure. Non, j'étais fille soumise, j'étais consciencieuse, j'obligeais mes hommes à se mettre tout nus pour qu'ils aient la tête fraîche.

— Dis-moi, pécheresse, as-tu aimé ces hommes?

— J'ai fait de mon mieux. Il y en a que j'aurais souhaité voir mourir sur mon ventre, d'autres pour qui je me suis montrée douce, d'autres qui avaient faim et pour qui j'ai fraudé le casse-croûte dans les cuisines des bordels, d'autres à qui j'ai rendu de l'argent, d'autres que j'ai volés, certains pour qui j'ai éprouvé de la tendresse sans tenir compte de leur nom ni de leur grade, qu'ils soient plombiers, chroniqueurs ou princes, chirurgiens ou chauffeurs de maître, plâtriers ou chômeurs, qu'ils soient de Belleville, de Tokyo ou de la rue des Rosiers. J'ai été tendre tout simplement quand ils l'étaient et, lorsqu'ils s'arrachaient de moi, je rencontrais toujours le même regard-trappe qui retombait sur une profonde solitude.

— Dis-moi pécheresse, quel est ton nom?

— Marie-Madeleine.

— C'est bon. Ne bouge pas. Reste comme tu es. Je vais chercher ton dossier... Marie-Madeleine, Marie-Madeleine, c'est qu'il y en a beaucoup... Ah! voilà. Je te tiens. C'est bien toi... Tu as embelli, chienne.

— L'amour, mon Père.

— Silence, impie! Résumons : tu as été ramassée par la

Brigade mondaine le 13 février 1975, dans un bordel de la rue Fontaine, numéro 59, au *Saint-Louis*. Impudique! Avoir choisi un lieu saint pour tes premières turpitudes, tu n'as pas honte?

— Non.

— Ame damnée! Ensuite, on te trouve rue Victor-Massé à *l'Hacienda*.

— Mon Père...

— Silence, mécréante! Silence! Plus tard, on te voit à *la Bohème,* dans un bar de la rue Frochot et enfin tu échoues aux Halles dans la chaude rue Saint-Denis, au 45... Bonne maison, hein!...

— Ça dépend pour qui, mon Père.

— Tu disparais, tu refais surface et, prise de repentir, tu remontes à Pigalle... ton fief, *le Lautrec et le Sans Souci...* Juste?

— *All right, Father.*

— Tu sombres à nouveau dans la luxure en te vendant au premier venu à l'angle de la rue des Prêcheurs...

— L'ironie du sort! Il faut s'aimer les uns les autres.

— Et maintenant, après cette confession, toi qui t'es couverte de crachats, de boue et d'ordures, qu'attends-tu de moi?... La rédemption?

— Non, mon Père. Je désire simplement signer mon nom au bas de cette page, déclarer à ce jour ne plus me livrer à la prostitution et laisser cette fiche où est épinglée ma photographie parmi vos dossiers de misère... Rien d'autre.

— Ça va, pécheresse, tu n'es pas très exigeante, mais tu vas tout de même me réciter une prière avant que je te donne la communion.

— J'ai oublié les prières.

— Souviens-toi!

— Je suis bénie entre toutes les femmes... Il me sera beaucoup pardonné parce que j'ai beaucoup aimé.

— C'est bien, Marie-Madeleine. Maintenant, tire la langue, tire encore... pour bien prendre l'hostie. Encore... Allez! En souvenir des jours anciens, voilà! Attends, ne bouge pas, demeure les yeux clos, que j'ajuste mes ciseaux. Là... comme ça... Clac!... Clac!... Clac! T'avais la langue trop bien pendue, toi, ma fille, tu peux partir rejoindre les quais, la morale est sauve : j'ai ta langue entre les pages de mon bréviaire...

Il ne faut pas descendre l'escalier en caracolant comme une jeune jument, il faut descendre dignement, le front haut et borné. Il faut, en passant le porche, saluer les représentants de la loi, ça, c'est de bon aloi, et puis il faut envoyer un baiser à l'île de la Cité et cracher discrètement sur l'ombre glacée des cachots. Il faut à tout prix rester convenable, enfin amorcer le premier tournant, ventre à terre, sans aucune retenue, arracher ses fringues en courant et se balancer toute nue du haut du Pont-Neuf dans les jardins du Vert-Galant, de préférence sur un banc en bourgeons!

Et si je traversais plutôt que de rester dans l'ombre? Je traverse le quai des Orfèvres, trottoir côté soleil!

PRÉFACE de BENOÎTE GROULT

PREMIÈRE PARTIE 9

DEUXIÈME PARTIE 83

TROISIÈME PARTIE 137

QUATRIÈME PARTIE 279

CINQUIÈME PARTIE 347